Fácil Simple Segura Eficiente
Mínimamente Invasiva y Atraumática

Extracción de Terceros Molares

AUTHOR

Young-Sam Kim, OD. MS. M.D.

CO-AUTORES

Jae-Wook Lee
Min-Gyo Seo
Jonathan Jong-Hwan Lim
Dae-Young Kim
Young-Hoon Pyun

SUPERVISION

Seung-O Ko

TRADUCTORES

Koung-jin Park
María Argelia Akemi Nakagoshi Cepeda
Sung-Soon Chang
Jessica I. Ancona Alcocer
Andrés Palencia Garza
Ana Laura Ortiz Gutiérrez

Fácil Simple Segura Eficiente
Mínimamente Invasiva y Atraumática *Gangnam Style*

Extracción de Terceros Molares

Primera impresión : 2021-07-30
Primera publicación : 2021-08-13

Author : Young-Sam Kim
Editor : Su-In Han
Diseñador de texto : Yu-Ri Lim
Diseñador de portada : Jae-Wook Kim
Ilustrador : Hak-Yeoung Yu

Los permisos se pueden solicitar en el departamento de derechos de Koonja:

Tel: (82) -31-943-1888

Fax: (82) -31-955-9545

www.koonja.co.kr

Impreso en Corea del Sur.
Primera edición, © 2021 Koonja publishing, Inc.
ISBN 979-11-5955-722-4

ácil imple egura ficiente ínimamente nvasiva y traumática
Extracción de Terceros Molares GANGNAM STYLE

AUTHOR

Young-Sam Kim OD. MS. M.D.

Escuela Secundaria Jeonju
Facultad de Odontología de la Universidad Nacional de Chonbuk
Maestrías de la Universidad Nacional de Chonbuk
Doctorado de la Universidad Nacional de Chonbuk
Periodontitis-Implantes, Facultad de Odontología de la Universidad de Toronto
Preceptor de Periodontitis, Facultad de Odontología UCLA

Actualmente

Dentista Principal de la Clínica Dental Gangnam
Profesor Asociado, Facultad de Odontóloga de la Universidad Nacional de Chonbuk
Profesor Asociado al Departamento de Odontología de la Universidad Yonsei
Profesor Asociado, Facultad de Odontología de la Universidad Nacional de Busan
Profesor de Ostem(Hiossen) Implant Korea
Director del Centro de Educación para Implantes Dentis
Director de la Academia de Gangnam para la Extracción de Terceros Molares (GAWE)
Director de la Academia de Gangnam para Implantes Dentales (GADI)
Preceptor de Cirugía Oral y Maxilofacial en la Facultad de Odontología de UCLA

Contacto

Instagram: youngsamkimdds
Facebook ID: YoungSam Exo Kim

CO-AUTORES

Jae-Wook Lee
Cirujano Maxilofacial
Facultad de Odontología,
Universidad de Kyong Hee
Departamento de Cirugía Oral y
Maxilofacial

Min-Gyo Seo
Cirujano Maxilofacial
Facultad de Odontología,
Universidad Nacional de
Chonbuk
Departamento de Cirugía Oral y
Maxilofacial

Jonathan Jong-Hwan Lim
Cirujano Maxilofacial
Facultad de Odontología, Universidad
Nacional de Seúl
Cirugía Oral y Maxilofacial del Centro
Médico Samsung

Dae-Young Kim
Cirujano Maxilofacial
Facultad de Odontología,
Universidad Nacional de
Kyungpook
Profesor de GAME, GADI,
Implantes Dentis

Young-Hoon Pyun
Cirujano Maxilofacial
Facultad de Odontología,
Universidad Chosun
Facultad de Odontología,
Universidad Inha
Departamento de Cirugía Oral y
Maxilofacial

Supervision
Seung-O Ko
Cirujano Maxilofacial
Profesor en la Universidad Nacional de
Chonbuk
Departamento de Cirugía Oral y
Maxilofacial

JEFE DE TRADUCCIÓN

Dra. María Argelia Akemi Nakagoshi Cepeda

◘ **Monterrey, Nuevo León, México**

◘ **Directora de la Facultad de Odontología de la Universidad Autónoma de Nuevo León**

Es un honor para mí participar en este magnífico proyecto junto con el profesor Dr. Sung-Soon Chang y residentes Dra.La traducción del libro del doctor Young-Sam Kim se ha realizado para que sus lectores logren la total comprensión de sus temas y que sea más accesible en la enseñanza del diagnóstico, criterio de valoración y procedimientos de cirugía de terceros molares. Deseamos que la traducción de esta obra facilite el acceso a toda esta información y sea útil a muchos odontólogos hispanohablantes así como a odontólogos en formación.

Dra. Koung-Jin Park

🇰🇷 **Corea del Sur**

◘ **Cirujana dentista egresada de la Universidad Nacional Autónoma de México, Especialista en Odontología Restauradora egreada de la UNITEC**

Primero que nada, es un gran honor para mí ser miembro del equipo editorial de la edición en Español.

Este libro no tratará de enseñarles una nueva técnica de extracción de terceros molares, sino les ayudará a comprender la esencia de las extracciones que han estado realizando todos los días, haciéndola más simple y con menos tiempo.

Estoy segura de que los lectores de este libro aprenderán al final de este libro de ser mas conservadores, predecibles y existosos con buena tutoría de Dr. Kim.

Dr. Sung-Soon Chang

◘ **Monterrey, Nuevo León, México**

◘ **Profesor Asistente del Posgrado de Cirugía Oral y Maxilofacial de la Universidad Autónoma de Nuevo León**

Como cirujano maxilofacial la cirugía de terceros molares es el tratamiento que con mas frecuencia realizamos en nuestra consulta es por lo mismo debemos estar actualizados y aprender de diferentes profesores es algo de nuestra carrera y practica profesional es fundamental para mejorar la calidad de atención de nuestros pacientes.

Me siento muy agradecido por la invitación del Doctor Young-Sam Kim y la oportunidad de ser uno de los integrantes del equipo de traducción de este libro al Español, la difusión de este libro a nivel Iberoamericana puede ayudar a la formación de los odontólogos para brindar un mejor servicio como profesional de la salud y un tratamiento de calidad a sus pacientes.

Me gustaría expresar mi gratitud a todas las personas del programa de Preceptores Periodontales de UCLA de hace 10 años, que han proveído ayuda de diferentes maneras en la publicación de este libro – el hermano mayor **Dr. Reiki Suzuki** de Japón, el siempre alegre **Dr. Xavi Costa** de España (Cataluña): **Dr. Gold Almoradí** y **Dr. Kippy Sayoc** , que practica en los Estados Unidos después de graduarse de Escuelas de Odontología en las Filipinas, **Dr. Ardavan Fateh** de Irán, que practica en los EE.UU. después de entrenar en periodontitis en Harvard; **Dr. Thahn Chau** de la Escuela de Odontología de Vietnam, **Dr. Xiangliang Xu** de la Escuela de Estomatología de la Universidad de Pekín en China; y finalmente me gustaría agradecer a **Dr. Maryam Esmaeli** de Irán, que es mi compañera como preceptora en la Universidad de Odontología de UCLA y el programa de Cirugía Maxilofacial.

TRADUCTORES

Dra. María Argelia Akemi Nakagoshi Cepeda

- Monterrey, Nuevo León, México
- Directora de la Facultad de Odontología de la Universidad Autónoma de Nuevo León

Capítulo 1

Dr. Andrés Palencia Garza

- Monterrey, Nuevo León, México
- Residente de Cirugía Oral y Maxilofacial de la Universidad Autónoma de Nuevo León

Capítulo 5

Dr. Sung-Soon Chang

- Monterrey, Nuevo León, México
- Profesor Asistente del Posgrado de Cirugía Oral y Maxilofacial de la Universidad Autónoma de Nuevo León

Capítulo 2, 3, 6, 7, 8

Dra. Ana Laura Ortiz Gutiérrez

- Monterrey, Nuevo León, México
- Residente de Cirugía Oral y Maxilofacial de la Universidad Autónoma de Nuevo León

Capítulo 10

Dra. Jessica I. Ancona Alcocer

- Mérida, Yucatán, México
- Especialista en Cirugía Oral y Maxilofacial Egresada de la Universidad Autónoma de Nuevo León

Capítulo 4, 9

Young-Sam Kim

Dentista Principal
Clínica Dental Gangnam
En Corea

PREFACIO

Hola, mi nombre es Young-Sam Kim, un dentista que ama hacer extracciones de terceros molares.

Déjeme explicar brevemente como me convertí en un guro de extracciones de terceros molares. En Corea del Sur, las extracciones de terceros molares son muy accesibles. Cuando abrí mi clínica en el 2002, la extracción de un tercer molar con el nivel más alto de dificultad cirugía costaba $30-40, una centésima del costo de un implante dental en la misma área. Esto es porque el cuidado dental básico es un servicio de salud de financiamiento público, y cuando un tratamiento cae en esta categoría es ilegal cobrar al paciente más de lo que está establecido por el gobierno. Esto ha llevado a muchos dentistas a no proveer extracciones de terceros molares en favor de realizar procedimientos más lucrativos. Cuando empecé mis prácticas, me consideré ser mediocre en otros procedimientos, así que empecé a ver pacientes de terceras extracciones que otros rechazaban atender. El 50% de mi tiempo diario consistía en extracciones de terceros molares con aproximadamente 20 extracciones por día, 100 extracciones en un mes tranquilo y ente 300-400 extracciones en un mes ocupado. De acuerdo a los récords del gobierno, he extraído la mayor cantidad de dientes en Corea del Sur en los últimos 17 años. Entre más dientes extraje, mejoré en el procedimiento y velocidad, y mi pasión creció; hace unos años atrás, empecé a escribir columnas y dar lecciones sobre extracciones de terceros molares. Como los implantes han crecido en popularidad en Corea del Sur, también hubo un nuevo interés en las extracciones de terceros molares que, por consiguiente, me han hecho un experto famoso en el área. Interesantemente, ya que las extracciones de terceros molares son compensadas mejor en otros países, mi libro y cursos han tenido más atención y demanda en el extranjero. Así que con gratitud he traducido mi libro al inglés y español.

En Corea del Sur, donde los implantes son ya populares, más del 80% de los dentistas están colocando los implantes por sí mismos. En otros países, la proporción puede ser menor, pero creo que eventualmente va a alcanzar un nivel comparable, y esto va a hacer que la demanda de dentistas crezca naturalmente en todo el mundo para realizar extracciones incluyendo extracciones de terceros molares. He notado que la mayoría de dentistas que extraen los terceros molares de manera rutinaria llegan a pensar que son muy buenos en lo que hacen, talvez porque al fin del día el diente ha sido extraído y todos los pacientes sobreviven. Esto puede explicar porque hay falta de recursos y plataformas disponibles para que los dentistas aprendan y mejoren en esta área. Personalmente, creo que las extracciones exitosas de terceros molares u otro diente debe involucrar más que la extracción del diente. Deben ser realizadas de manera que sea lo menos traumático y mínimamente invasivo para que las molestias posoperativas del paciente sean reducidas. Este libro presenta las tenidas y habilidades que he desarrollado a través de mi carrera para alcanzar los objetivos de ´Fácil, Simple, Seguro y Eficiente´ siento mínimamente invasivas y reduciendo el trauma. Creo firmemente en que estos principios van a permitir también realizar cualquier procedimiento litúrgico de manera eficiente y predecible.

Debatí hasta el último momento si debía o no publicar este libro...

Mientras lees este libro, vas a encontrar algunos errores o palabras que no fluyen bien. Incluso después de completar el proceso de traducción, me pregunté a mí mismo si debía tomar más tiempo antes de publicar este libro. Cuando revisaba de nuevo, me daba cuenta que había la posibilidad de mejorar en varios aspectos, y esto ha hecho desear que mi inglés fuera mejor.

Sin embargo, ya que es difícil de encontrar libros de textos específicamente sobre extracción de terceros molares, muchos dentistas al rededor del mundo han estado esperando las traducciones de mi libro. Me movió mucho saber que algunos incluso compraron mi libro en coreano para leerlo con Google Translator, que sabemos es lejos de ser perfecto y a menudo malinterpreta los mensajes. Para esos dentistas y colegas apasionados, he decidido publicar mi libro lo más pronto posible sin añadir más. Espero que aun cuando la traducción no sea perfecta, el libro pueda igual ser significante como la primera traduccíón en inglés y que sea mejor que Google Translate.

Por lo que me disculpo de antemano si hay algunos cabos sueltos en este libro. Y espero en el futuro poder publicar una segunda versión en inglés con todos los cabos atados, más revisiones y mejoras basados en las retroalimentaciones de los lectores.

CONTENIDO

03
CAPÍTULO

Coronectomía de
terceros molares

04
CAPÍTULO

Anestesia, Incisión, Diseño
Quirúrgico del Colgajo,
y Sutura para todos los
tipos de extracciones de
terceros molares

CONTENIDO

CONTENIDO

07
CAPÍTULO

Extracción de terceros molares Incluidos en Mesioangular

CONTENIDO

08
CAPÍTULO

Molar incluido horizontalmente

09
CAPÍTULO

Tercer molar superior

CONTENIDO

10
CAPÍTULO

Problemas comunes relacionados con las extracciones de terceros molares

APÉNDICE

Problemas con terceros molares

Como usar este libro ★★★

Quiero ser alguien que es bueno enseñando como realizar extracciones de terceros molares, y no alguien que es solo bueno extrayendo terceros molares.

He estado enseñando sobre cirugía de terceros molares por 10 años, y han sido más de 5 años desde que me convertí en el primer dentista en Corea que ha lanzado un instituto de educación dental dedicado a la extracción y cirugía de terceros molares. La razón por la que estoy compartiendo esta información como autor es porque espero genuinamente que puedas mejorar en sus competencias cirugías al seguir mis consejos en este libro. Pienso que va a ser útil, incluso para dentistas competentes en cirugía oral porque pueden incorporar mis útiles consejos en sus usuales rutinas de cirugía. Sin embargo, si solamente estás empezando con cirugías de terceros molares en tu práctica, leer este libro una vez no te va a transformar de repente en un cirujano proficiente. Te recomiendo que te involucres en un club de estudio de terceros molares de larga duración (acreditado por su estado o país) al menos una vez por mes. Para la mayoría de dentistas inexpertos, será difícil adquirir las habilidades cirugías necesarias para remover los terceros molares de un solo. Por lo que le animo a participar en seminarios prácticos para perfeccionar en sus habilidades cirugías mientras atiendes a tus pacientes. La repetición es requerida para mejorar tus habilidades cirugías.

Me gustaría que tomaras el mismo acercamiento al leer este libro. Aunque solo tomara unos pocos días terminar de leer todo el libro, los principiantes no van a encontrar este libro muy útil la primera vez que lo lean. Por lo que recomiendo que sigan la siguiente guía.

He separado este libro en tres secciones por el número de estrellas. Empezando por las secciones fáciles de leer con tres estrellas (★★★) que se indican en el principio de la página. No recomiendo a los lectores leer el libro muy detalladamente de principio a fin porque algunas partes se repiten varias veces. Sonará confuso, pero será beneficioso darle una rápida leída al contenido de cada capítulo y luego regresar el inicio. Luego iniciar, con simples extracciones en su práctica mientras lee la sección con dos estrellas (★★). Al inicio puede saltarse las partes marcadas con una estrella (★). Después de encontrar felicidad en las extracciones de terceros molares y desarrollar interés, puedes regresar a esta sección más adelante. No será demasiado tarde si estás en el proceso de aprender mis técnicas cirugías y las estás incorporando a tu rutina. Espero que encuentres este libro fácil de leer ya que tiene muchas ilustraciones. Por favor, piensa en mí como un educador más que un dentista que es solamente bueno en extracciones de terceros molares. Te animo a seguir la guía propuesta.

Porque este libro es una versión amalgamada de varias presentaciones de PowerPoint de mis clases sobre extracción de terceros molares (regularmente de 12 horas de duración o más en un periodo de dos días), la terminología y estilo literario pueden ser diferente a través del libro. Todos los detalles son de las presentaciones que he creado anteriormente y en las cuales he trabajado por mucho tiempo. Puede haber contenidos repetidos o superpuestos a través del libro. Algunas clases fueron presentadas de principio a fin y otras fueron presentadas enfocadas en temas específicos. Por lo que espero que puedas entender la razón de la información repetida. No obstante, muchas piezas de información son enfatizadas a propósito por su importancia. Y espero que tengas una mente abierta al leer mi libro.

Si es la primera vez que lees este libro, empieza leyendo detenidamente las secciones. ★★★

Antes de que sigas leyendo ★★★

He decidido escribir el libro usando el coreano/español más básico posible

Muchos dentistas de otros países han mostrado interés en mis clases cuando las he subido en el internet. Hubo particular interés por los dentistas coreanos que residen en Norte América y Australia. Pero muchos de estos dentistas emigraron cuando estaban en su adolescencia. Por lo cual no son muy familiares con palabras dentales en coreano como corona, mesial, distal, o coronal, etc. Para complicar más las cosas, la mayoría de terminología dental coreana se origina de un lenguaje antiguo que no es usado comúnmente en las conversaciones casuales. Recibí muchas preguntas sobre términos dentales de los cuales no están familiarizados. Por eso, traté de usar el coreano más básico en mi libro. Así como he hecho para el texto en coreano, he intentado hacer lo mismo para la versión en inglés y español para que sean fáciles de leer y entender, aunque el inglés o español no sea su primer idioma, de esa manera va a ser fácil entender mis mensajes. Como he mencionado anteriormente, el contenido de este libro es de mis lecciones previas de PowerPoint que hice hace mucho tiempo, por lo que puede haber inconsistencias en ciertas terminologías usadas en del libro. Me siento avergonzado no haber escrito el libro de la forma más estilista, pero algunas personas preferirán un libro que es informal y fácil de leer. Te pido que te enfoques en mis intenciones y mensajes más que en el estilo en el que está escrito y traducido.

No hay suficientes fotografías

Ninguna fotografía en este libro ha sido alterada o editada, aunque la calidad de las fotos al ser impresas llega a ser menor a lo ideal comparado con las imágenes digitales. Estuve tentado de mejorar las imágenes para hacerlas más atractivas, pero quería documentar todo de la manera más factual posible para mantener la integridad del libro.

No fue fácil documentar las fotografías de antes y después durante las cirugías ya que mi clínica tiene una práctica privada rápida y no es una institución académica. He llegado a tener el hábito de perforar y separar la corona y las raíces como un rompecabezas, por lo que después de que los pacientes se van, trato de armarlas en el campo quirúrgico. Tengo un horario ocupado y casi no tengo tiempo de tomar fotos de calidad. Algunas veces le pido a mis asistentes que armen el diente seccionado para fotografiarla, pero muchas han sido inutilizables por que fueron armadas de manera incorrecta.

En mi clinica, después de remover el tercer molar de un lado, el paciente regresa para la extracción del tercer molar del lado opuesto. Puede predecir cómo reaccionará el lado opuesto al examinar las radiografías postoperatorias de la extracción anterior. Regularmente no tomo fotografías de los terceros molares que no han requerido seccionamiento. Pero, esta información sería útil para predecir el nivel al que uno debe o no seccionar también el diente del lado opuesto.

He estado planeando escribir un libro de cirugía de terceros molares por los últimos 4-5 años, pero no pude poner junto de manera satisfactoria los contenidos porque solo tenía imágenes postoperatorias después de las extracciones. He tratado de recolectar más imágenes de antes y después de la cirugía mientras escribía este libro. Este proceso fue más difícil de lo que había anticipado. Espero que pueda entender porque no he podido documentar más imágenes en el libro por las razones indicadas. La mayoría de las fotografías han sido tomadas de pacientes que son mis familiares, asistentes, sus familiares y amigos. Incluso documentación apropiada fue difícil aun cuando conocía a los pacientes bien y tenía su consentimiento para tomar las fotografías, porque mis asistentes estaban muy ocupados tomando múltiples fotografías del progreso durante las cirugías. Para solucionar este problema, decidí lanzar mis cursos prácticos de cirugía de terceros molares. He documentado más eficientemente durante las cirugías en vivo y he tomado los videos e imágenes necesarias. De esta manera pude incluir datos variables en mi libro.

Filosofía dental FSSE del Dr. Young-Sam Kim ★★★

Concepto del Dr. Kim

Fácil

Simple y Veloz

Segura

Eficiente

Extracción

e

Implantes

Extracciones FSSE de Terceros Molares

Mi filosofía de extracciones de terceros molares puede describirse como FSSE (por sus siglas en inglés; Fácil, Simple, Seguro y Eficiente). Las personas que miran mis extracciones frecuentemente dicen lo mismo. En vez de alabar mi habilidad cirugía, dicen que hago que el procedimiento se mire muy fácil. Si extraigo uno o dos dientes fácilmente, puede parecer casualidad, pero después de observar mis cirugías por un tiempo, ellos dicen que todos mis tratamientos se miran sin esfuerzo. Todos los terceros molares son extraídos utilizando los mismos principios con técnicas cirugías similares. Llegarás a saber cómo he logrado hacer que no necesiten mucho esfuerzo al leer el libro hasta el final.

He añadido la palabra ´seguro´ en mi filosofía ya que, si la cirugía no se realiza de manera segura, independientemente de que tan rápida y fácil sea, no puede ser un constructor de práctica. El dentista debe compensar al paciente por cualquier tipo de heridas y esto conlleva tremendo estrés psicológico y miedo asociado con las complicaciones cirugías que puedan surgir. Finalmente, la razón por la que enfatice ´eficiente´ especialmente en la versión coreana del libro, es por el valor de las extracciones puesto por el seguro dental nacional de Corea, el cual es muy bajo. Cuando inicie mi clínica, todos los dentistas expertos me dijeron lo mismo, en vez de realizar cirugías de terceros molares, debería descansar o ejercitarme porque las extracciones de terceros molares tienen un retorno de inversión muy bajo. En Corea del Sur, la lamentable realidad es que los dentistas deben reducir el costo de material para tener alguna ganancia al realizar las extracciones sin sacrificar la calidad del cuidado, el cual es un desafío. Aunque el costo de la extracción es bajo e improductivo, ha sido una bendición disfrazada porque he logrado realizar numerosas extracciones, cuantas he querido, y lo he disfrutado mucho.

Ahora, aprendamos sobre la cirugía de terceros molares bajo los principios FSSE. Algunos dentistas también querrán incluir ´Veloz´ en la abreviación, pero si la cirugía es fácil y simple, es difícil que no sea veloz. Por lo que, he encontrado redundes en la palabra, pero he decidido incluirla en letras pequeñas al lado de ´Simple´, solamente porque hay suficiente espacio para escribir la palabra en la caja.

No estamos aprendiendo cmo manejar un uniciclo

La habilidad y técnica de cada dentista es diferente. El porte, fuerza, habilidad atlética y la percepción espacial son totalmente diferentes del uno al otro. Algunos aprenderán a manejar el uniciclo después de algunas horas mientras que algunos no serán nunca capaces de manejarlo incluso con mucho entrenamiento.

Por lo que he escrito este libro como si estuviera enseñando a montar una bicicleta. Muchas personas pueden aprender como montar bicicleta con un poco de práctica. Estoy seguro que habrá algunos que todavía no pueden montarlo bien, pero la mayoría llegan a manejarlo con práctica. Antes de empezar nuestras lecciones, no solo es importante reconocer el nivel de la habilidad actual pero también es esencial estar consciente de cuando puede mejorar como dentista.

Analicemos nuestra habilidad. Pienso que percepción espacial es la habilidad crucial en cirugías de terceros molares. Tener adecuada fuerza física también ayuda mucho.

En este libro, me gustaría creer que he aplicado como montar una bicicleta, ya que la mayoría de personas pueden aprender con suficiente práctica, prueba y error.

Ahora vamos a montarnos a la bicicleta y embarcarnos en este viaje juntos.

Compremos estos instrumentos antes de continuar ★★★

Por favor invierta en los siguientes instrumentos antes de leer este libro. Recomiendo el fórceps Hu-Friedy 222 para los terceros molares mandibulares y Hu-Friedy 10S para los terceros molares maxilares. No es necesario construir estos fórceps si está satisfecho con los que está usando ahora. Pero recomiendo mucho estos fórceps si no tiene un favorito. El siguiente instrumento que recomiendo en el elevador Hu-Friedy EL3C. No tendría sentido continuar leyendo este libro sin estos instrumentos. Este instrumento es necesario, y no puedo enfatizar más esto. Aunque es caro, he estado recomendando este instrumento en mis seminarios por un largo tiempo. Y no he recibido un reporte negativo sobre este instrumento, aún. Confía en mí y compre este elevador. Aun si está trabajando en una clínica que no es la suya, compra este elevador por tu cuenta y no te arrepentirás.

En la foto inferior está el elevador periosteal (Hu-Freidy P9) y curetas cirugías (Hu-Friedy CM 11). Cualquier instrumento similar está bien. Pero, el elevador periosteal debe ser diseñado con una punta como cuchillo para realizar un corte de colgajo limpio y las curetas no deben ser muy largas (con un diámetro aprox. de 2.5 mm). El problema de fresas pequeñas es que se pueden quebrar y por consiguiente animo a los principiantes a usar una marca de renombre como Hu-Friedy. Como he mencionado en el libro, recomiendo comprar fresas redondas cirugías de mango largo. Regularmente uso fresas cirugías no. 4 y no. 6 de KOMET.

Los vendedores me preguntan si puedo recomendar otras marcas, pero no puedo sugerir o recomendar productos con los cuales no estoy familiarizado... te dejo decidir cuál usar y cuál funciona en tus manos.

Estas marcas son análogas a Benz, BMW, etc. Que son internacionalmente reconocidas. Puede comprarlas a través de su proveedor dental fácilmente. Si no tiene un proveedor dental, puede contactar con los siguientes proveedores. Los proveedores conocen mis instrumentos. Incluso venden los productos en paquete. Podrían obtener un buen precio con ellos.

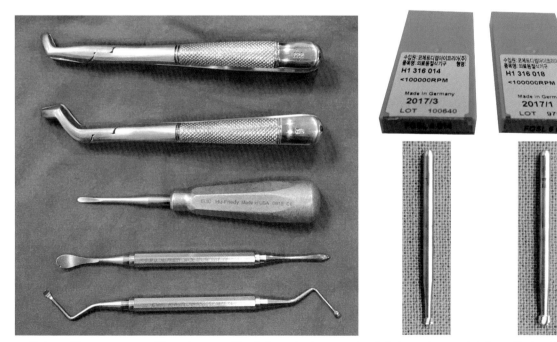

En la versión coreana, presenté a varias compañías de las cuales he comprado mis instrumentos, pero la información ha sido editada en esta versión ya que puede ser irrelevante dependiendo de donde realice su práctica. De cualquier manera, las fresas usadas en este libro son en su mayoría de KOMET y los instrumentos de Hu-Friedy.

Siguiendo mi técnica de extracción al leer este libro

Ya que tengo mucho interés en el tema de cirugías de terceros molares, todavía disfruto de encuentros y discusiones con otros dentistas expertos que comparten el mismo interés. Otra cosa clara, es que cada dentista tiene sus propias técnicas y creen que sus métodos son los mejores porque han funcionado hasta ahora. Muchos parecen no tener la necesidad de aprender habilidades nuevas porque están contentos con sus métodos actuales. Algunos hasta claman ser los mejores en cirugías de terceros molares en el área donde trabajan. Yo reconozco que he tenido la misma mentalidad anteriormente, pero después de discutir con numerosos dentistas expertos, me volví humilde y cambié mi actitud. Ahora, pienso que 'hay cantidad de dentistas que pueden extraer terceros molares mejor que yo; debo siempre mejorar'. 'No soy el mejor en extracción de terceros molares. Es más, estas técnicas pueden ser apropiadas solo para mí', ahora pienso de esta manera.

La razón por la que estoy compartiendo esto con los lectores es porque quisiera decir que no necesita seguir mis métodos. Más bien, desarrollar un estilo que funcione para cada uno después de estudiar mis técnicas y métodos. Este libro puede ser más beneficioso para dentistas que son familiares con las cirugías de terceros molares porque pueden mejorar su rutina incorporando los consejos a lo que ya trabaja bien para usted. Pero si es un principiante, le animo a que siga mis técnicas paso a paso. No solo extraigo muchos dientes, sino que educo a otros dentistas. Me he familiarizado con muchas de las áreas en las que los principiantes necesitan ayuda.

Extracción de terceros molares por el Dr. Young-Sam Kim en números

Era un dentista mediocre cuando abrí mi clínica dental. Irónicamente, vi gran potencial en la cirugía de terceros molares desde el principio porque no era un procedimiento realizado por otros dentistas exitosos. Por esta razón, he tenido muchos pacientes para cirugías de terceros molares. Antes de contratar a un cirujano maxilofacial, entre el 2002 al 2004, extraje algunos cientos de dientes mensualmente. Mi récord en ese tiempo fue 27 extracciones (incluidas extracciones para tratamientos ortodónticos) en un día. Rompí el récord en febrero del 2016, cuando extraje 32 terceros molares en un día, mientras pasé la mitad del tiempo haciendo revisiones y exámenes. Personalmente coloco la anestesia local y suturo a todos mis pacientes.

Después de contratar con un cirujano maxilofacial en la primavera del 2004, extraje de manera regular aproximadamente 100 terceros molares en los últimos diez años. Esta información está basada en la información que tiene el programa de Seguro Nacional Dental. Pero puede ser que haya mucho más que no está incluido en los datos ya que hay muchos extranjeros en Gangnam que no están suscritos al Seguro de Salud Nacional. También, en el último año removí dientes para tratamientos dentales, que no están cubiertos por el seguro dental. Pero ahora casi todos los pacientes que requieren extracciones para tratamientos (exceptuando para ortodoncia) están cubiertos por el Seguro Nacional Dental.

Desde que abrí la clínica dental Gangnam Leon, más de 400 terceros molares han sido extraídos mensualmente. En el 2017, con la ayuda de un dentista adicional se realizaron más de 5000 extracciones de terceros molares.

Si está interesado en el número de extracciones de terceros molares que realizo, puede solicitar la información de la base de datos del seguro nacional. Se dará cuenta que los datos serán menores de lo que ha imaginado. Cuando revisé mis estadísticas mensuales, me sorprendió ver que lo que extraje fue solo la mitad de lo que realmente sentí que había extraído. Los lectores de este libro se sentirán igual. Cheque las estadísticas del Seguro Nacional Dental si quiere comparar los dados de cirugías de terceros molares de otros dentistas.

Estos son mapas de la clínica dental Gangnam Leon y la estación de Gangnam. El área de Gangnam tiene gran tráfico de peatones ya que la estación del metro y varias rutas de buses de Seúl (la capital de Corea del Sur) y Gyeonggi-do pasan por aquí. A pesar de que la renta es muy elevada, no puedo dejar Gangnam por mi larga estancia, mis pacientes leales. Si fuera a abrir una clínica de nuevo, creo que no la abriría en Gangnam de nuevo....

Analizando el número de extracciones de terceros molares en Corea del Sur

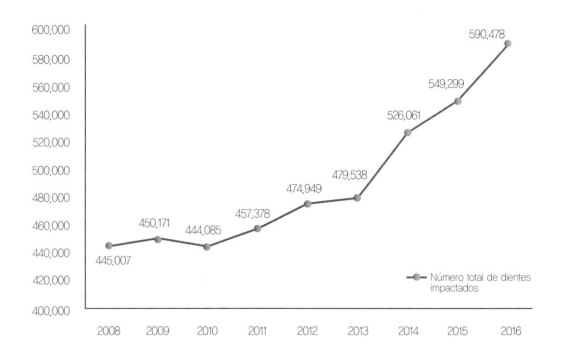

¿Cuántos terceros molares extrae un dentista en Corea del Sur? La grafica muestra el número de extracciones de terceros molares impactados realizadas por dentistas en Corea del Sur en los últimos años. Los datos más recientes muestras 590.478 extracciones en 2016. Había 17.000 clínicas en ese tiempo, por lo que es lógico asumir que una clínica ha extraído 34.7 terceros molares al año y 2.89 por mes. Un dentista típicamente remueve 4-5 terceros molares por mes incluyendo las extracciones sin complicaciones de terceros molares.

Como mencionado con anterioridad, no todos los terceros molares son cobrados como extracciones de inclusión porque muchos han sido clasificados tambien como extracciones sin complicaciones. Creo que el número de terceros molares extraídos a nivel nacional, incluyendo hospitales dentales de universidades e instalaciones de medicina avanzada, es de 80.000 a 90.000 por año.

De la gráfica, es sorprendente ver la moda opuesta de reducción en población joven comparada con el incremento en número de casos de extracción de terceros molares incluidos. Pero, como menciono regularmente en mis seminarios dentales, muchos dentistas surcoreanos estudian los códigos del seguro dental y cobran correctamente las extracciones de terceros molares incluidos. En el pasado, algunas extracciones incluidas complicadas fueron cobradas de manera incorrecta como extracciones sin complicaciones. Por lo que ahora, asumo que hay un incremento significativo en la proporción de extracciones de terceros molares incluidos más que en la proporción del número total de extracciones dentales.

Costo de extracciones de terceros molares en Corea del Sur ★★★

En Corea del Sur, todos los procedimientos de extracción de terceros molares son cubiertos por el seguro nacional dental. Por lo que, por cualquier razón, un dentista no puede cobrar a un paciente por ningún procedimiento que no esté suscrito al seguro nacional dental.

Es ilegal cobrar por procedimientos adicionales al precio rutinario por extracción. Por ejemplo, un dentista no puede cobrar un procedimiento adicional como sedación IV/GA o ningún otro tratamiento que pueda ayudar a que el paciente se sienta más cómodo con la extracción.

Discutamos el siguiente escenario.

Una extracción de terceros molares sin complicaciones cuesta 7,360 won (aprox. $7). El costo total es de 30,000 won (aprox. $30), incluso después de incluir la anestesia local y los rayos X. El costo es muy bajo comparado con el de otros países. En otros países desarrollados, una extracción regular cuesta aproximadamente $100-500. Cuando se compara con otros países de la Organización para la Cooperación y el Desarrollo Económico (OCDE), el costo de las extracciones en Corea puede considerarse muy bajo.

El procedimiento de extracción de terceros molares más caro es el siguiente:

El procedimiento más costoso de una extracción dental en Corea del Sur es de un tercer molar incluido y posicionado en 2/3 del hueso que puede ser analizado en la radiografía, y el costo es de aproximadamente 59,750 won (aprox. $59). Después de incluir los impuestos médicos, ontopantomografía, radiografía periapical, y anestesia local, el costo final es de aproximadamente 110,000 ($110). ¿Como se compara el procedimiento del tercer molar más caro con otros países? Según mi investigación, incluso en el país que cobra más económico el precio es de unos $500. En los Estados Unidos, con los que tengo mayor relación el costo es de entre $1.000 a $5.000.

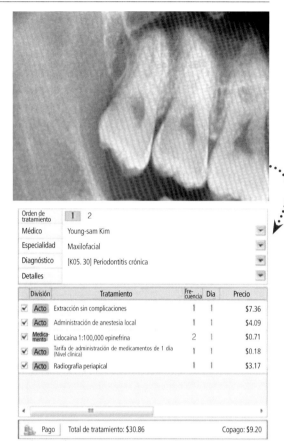

Orden de tratamiento	1 2	
Médico	Young-sam Kim	
Especialidad	Maxilofacial	
Diagnóstico	[K05. 30] Periodontitis crónica	
Detalles		

División	Tratamiento	Frecuencia	Día	Precio
Acto	Extracción sin complicaciones	1	1	$7.36
Acto	Administración de anestesia local	1	1	$4.09
Medicamento	Lidocaína 1:100,000 epinefrina	2	1	$0.71
Acto	Tarifa de administración de medicamentos de 1 día (Nivel clínica)	1	1	$0.18
Acto	Radiografía periapical	1	1	$3.17

Pago	Total de tratamiento: $30.86	Copago: $9.20

El costo de una extracción sin complicaciones de un tercer molar en Corea del Sur. Estos son los detalles del costo de una extracción con fórceps sin complicación, incluyendo la radiografía y la anestesia local.

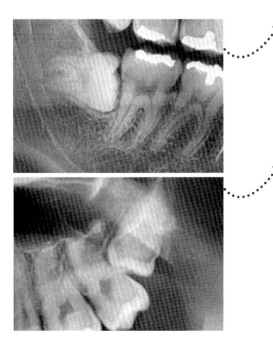

Orden de tratamiento	1 2	
Médico	Young-sam Kim	
Especialidad	Maxilofacial	
Diagnóstico	[K01. 173] Extracción quirúrgica complicada del tercer molar	
Detalles	Requiere remoción de hueso y seccionamiento de dientes	

División	Tratamiento	Frecuencia	Día	Precio
Acto	Extracción de tercer molar incluido (remoción de hueso y seccionamiento de diente)	1	1	$59.75
Acto	Administración de anestesia local	1	1	$4.09
Medicamento	Lidocaína 1:100,000 epinefrina	2	1	$0.71
Acto	Tarifa de administración de medicamentos de 1 día (Nivel clínica)	1	1	$0.18
Acto	Radiografía periapical	1	1	$3.17
Acto	Radiografía panorámica	1	1	$10.49
Material	100:100 extracción, raíz dental.	1	1	$6.96

Pago	Total de tratamiento: $110.15	Copago: $33.00

El procedimiento de extracción de tercer molar más caro en Corea del Sur es un tercer molar incluido en 2/3 del hueso cuyo procedimiento incluye remoción del hueso y seccionamiento del diente. El costo incluye anestesia local y radiografías. Generalmente un dentista se limita a cobrar la tomografía y tratamiento periodontal (ej. Limpieza) junto con la extracción.

★★

Incluí los costos de las radiografías y anestesia local en el costo final. Sin embargo, el costo en otros países anteriormente no incluye estos costos en el precio final. Algunos países cobran las radiografías y la anestesia local por separado, como en Corea del Sur. He escuchado de otros países que tienen diferentes costos para saturación e instrucciones posoperativas, y cuidado posoperativo como entrega de gazas después de la extracción. En Corea del Sur, estos servicios están ya incluidos en el costo de la extracción.

Es más, en algunos países los dentistas cobran a los pacientes más del costo del tratamiento al combinar cirugía con formas profundas de sedación para que el paciente pueda tener la cirugía sin ansiedad.

Sin embargo, yo extraigo los terceros molares porque amo hacer este procedimiento. Aunque muchas veces puede ser desafiante, mis practicas dentales están yendo bien. Te animo a que estudies los códigos correctos de extracción de terceros molares establecidos por el seguro nacional dental de su país. Aprenda como remover terceros molares si es un dentista joven con deseos de abrir su clínica. Puede ser pesado en el cuerpo, y puede no ser lucrativo, pero no va a quebrar. Es más, va a mejorar gradualmente en sus habilidades cirugías sin darse cuenta.

Mucha gente piensa que soy la primera persona que ha enseñado y escrito un libro que enseña sobre el seguro nacional dental. Para aprender más sobre el cobro correcto del seguro, envié muchos reclamos de terceros molares al seguro nacional dental. Y puedo cómodamente decir que he removido muchos terceros molares durante el proceso.

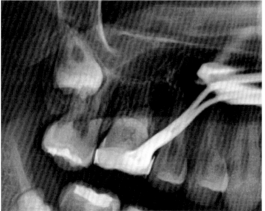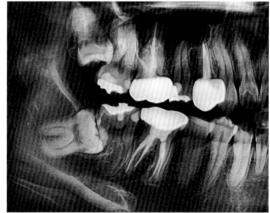

Estas radiografías son ejemplos de casos complicados y desafiantes de terceros molares incluidos donde uno no puede reclamar códigos de procedimientos extras al seguro nacional dental. Creo que el costo de una extracción del tercer molar más desafiante debe incrementar y debe haber calificaciones adicionales para extracciones más difíciles.

Para ajustar el bajo costo de la cirugía de terceros molares, algunos dentistas están cobrando costos adicionales y procedimientos que incluyen agentes hemostáticos o PRP (Plasma Rico en Proteínas). Estos costos adicionales que son cobrados extra a la cirugía del tercer molar son considerados ilegales en Corea del Sur.

Creo que sería un dentista muy exitoso, disfrutando de la vida haciendo solamente extracciones de terceros molares si viviera en Estados Unidos o en otro país.

¿Por qué los seminarios de extracción de terceros molares son tan ★★ populares ahora?

La respuesta directa es...

Que es difícil para un dentista alejarse de la cirugía oral ahora que los implantes se han vuelto un cuidado estándar. He dado varias clases en diversos temas dentales por mucho tiempo, pero he notado la creciente popularidad en los seminarios de extracción de terceros molares. ¿Puede ser esto debido a la difícil situación económica que lleva a dentistas a realizar procedimientos no lucrativos? No hace mucho, di una conferencia a dentistas coreanos practicando en los EE. UU y en Canadá. Al momento en que este libro fue publicado, usé los contenidos de este libro para conferencias en Australia también. Incluso los dentistas en países desarrollados están mostrando gran interese en la cirugía de terceros molares.

¿Por qué está sucediendo esto? Es por la popularidad de los implantes.

Previamente en Corea del Sur, muchos dentistas generales no realizaban cirugías orales. Esto era probablemente más evidente en países desarrollados porque los procedimientos dentales especializados son referidos de rutina a los especialistas. Pero ahora que los implantes se han vuelto más comunes muchos dentistas generales están empezando a colocar implantes. Creo que generalmente la cirugía de implantes es más directa que algunas extracciones desafiantes.

Es de conocimiento general que la colocación cirugía de un implante es uno de los aspectos más cruciales del tratamiento de implantes. Cirujanos maxilofaciales o periodontitis que colocan implantes, regularmente refieren a prostodoncia para la restauración de implantes. Debido a esto, pueden sentir que pierden mucho al referir casos a las prostodoncias. Algunos cirujanos dentistas y periodontitis están restaurando implantes después de darse cuenta que son capaces de restaurar implante por sí mismos. Mientras, las prostodoncias están colocando más implantes. Algunos dentistas generales están en medio pensando que son mejores que las prostodoncias en la colocación de implantes y que son mucho mejores en la restauración de implantes. Creo que muchos dentistas generales están colocando implantes y restauración de coronas por esta razón. Es más, con la diseminación de implantes guiados por computadora, muchos dentistas generales confían en que pueden realizar casos de implantes de toda la boca.

Otra razón para la popularidad de la cirugía de terceros molares a nivel global es la reducción del costo de implantes.

Pienso que un dentista puede atraer más pacientes realizando cirugías de terceros molares. Tengo muchos pacientes que solicitan implantes de segundos molares ya que hago muchas extracciones de terceros molares. Muchos de los casos son realizados al mismo tiempo. Es más, la tendencia de colocar implantes después de la extracción está incrementando. Partiendo de esta perspectiva es ilógico referir pacientes a otro dentista solo para la extracción si el mismo dentista es capaz de realizar implantes en su clínica. Estudiantes dentales me dicen que los dentistas generales están realizando más extracciones y esto tiene sentido ya que más dentistas están mostrando interés en conferencias de terceros molares. En mis seminarios, Incluso dentistas de más de 60 años que no estaban interesados en cirugía oral me dicen que ahora están aprendiendo sobre implantes porque se está convirtiendo en la norma y los implantes están cubiertos por el seguro nacional dental. Estos mismos dentistas de mayor edad me dicen que están aprendiendo incluso si van a practicar por solo 5 o 10 años porque tienen miedo de ser marcados como anticuados.

La extracción de terceros molares no es solo sobre extraer el diente problemático. Puede ser considerado el inicio para un tratamiento dental comprehensivo. Muchos aspectos de la cirugía oral como levantar un colgajo, colocación de implantes, y corte de hueso serán más naturales si te vuelves proficiente en la cirugía de terceros molares. Ahora quiero enfatizar que so estoy alentando a remover todos los terceros molares, pero que no se rinda en todos los terceros molares. Una vez empieces con los casos de terceros molares que son fáciles y seas expertos en los métodos seguros de extracción, vas a ganar confianza en otros aspectos de la cirugía oral como los implantes.

Academia Gangnam de Extracción de terceros molares ★

▶ YouTube^{KR}

Academia Gangnam de
Extracción de Terceros
Molares

He aprendido mucho enseñando y compartiendo el conocimiento con otros dentistas. Como un Educador, Edgar Dale una vez dijo: ´Enseñar es aprender.´ He modificado esta moto a ´La mejor manera de aprender es enseñando.´ No sería competente como lo soy ahora en cirugía oral si no hubiera enseñado cirugía de terceros molares. De igual manera, si no hubiera decidido escribir este libro, no hubiera documentado y organizado tantos casos. Amo enseñar cirugía de terceros molares porque puedo aprender al mismo tiempo.

Las imágenes superiores muestran el logo de mi Academia Gangnam de Extracción de Terceros Molares. Aunque he enseñado sobre extracción de terceros molares por un largo tiempo, empecé a anunciar y enseñar por un costo desde el 2013. Es por eso que el logo dice ´desde el 2013´. No tenía un logo antes, pero algunos dentistas querían un certificado de asistencia, así que decidí crear uno. Medite sobre la palabra que va enfrente a ´Academia de Extracción de Terceros Molares´ y consideré Corea, Daehan, o Seúl, pero seleccioné Gangnam. Gangnam es el lugar donde practiqué por 16 años, y es un lugar que se ha vuelto popular en años recientes. La imagen a la derecha es el logo de GADI (Academia de Implantes Dentales Gangnam). También hago seminarios de implantes porque en Corea hay muchos dentistas que muestran gran interés en cirugías de terceros molares y de implantes. Me gustaría reconocer al Dr. Jong-Hwan Lim por ayudarme con los nombres en inglés para mi academia.

Espero que los logos y el libro sean diseminados en la comunidad dental.

▶ YouTube^{KR}

Canal de YouTube de Dr.
Young-Sam Kim

Canal de YouTube del Dr. Young-Sam Kim

No tengo un sitio oficial, pero manejo mi canal de YouTube. Por favor, suscríbete si estas interesado.

Introducción y capítulo 01 traducido por.

Dra. María Argelia Akemi Nakagoshi Cepeda

Licenciatura Cirujano Dentista, Universidad Autónoma de Nuevo León (1971-1976)
Maestría en Educación Odontológica, Universidad Autónoma de Nuevo León, Fecha de expedición: 11 de Julio de 2002
Doctorado por la Universidad de Granada España, Investigación Odontológica en el Tercer Milenio
Directora de la Facultad de Odontología de junio de 2018 a la fecha

Es un honor para mí participar en este magnífico proyecto junto con el profesor Dr. Sung-Soon Chang y residentes Dra. Jessica Ivett Ancona Alcocer, Dr. Andrés Palencia Garza y Dra. Ana Laura Ortiz Gutiérrez, todos ellos del Posgrado de Cirugía Oral y Maxilofacial de nuestra Facultad de Odontología, la cual se ha distinguido de manera constante por ofrecer tratamientos odontológicos de la mejor calidad y estar a la vanguardia en nuestro ámbito de trabajo. La traducción del libro del doctor Young-Sam Kim se ha realizado para que sus lectores logren la total comprensión de sus temas y que sea más accesible en la enseñanza del diagnóstico, criterio de valoración y procedimientos de cirugía de terceros molares. Deseamos que la traducción de esta obra facilite el acceso a toda esta información y sea útil a muchos odontólogos hispanohablantes así como a odontólogos en formación.

01
Nomenclatura dental ★★★

Los dentistas aprenden la nomenclatura dental tan pronto como inician sus estudios de la facultad de odontología. Pero, algunos dentistas estadounidenses no están familiarizados con la nomenclatura que utilizo en mi libro y conferencias. Por lo tanto, he decidido incluir esta sección para ayudar a los dentistas a familiarizarse con la nomenclatura usada en este libro.

A	B	C	D	E	F	G	H	I	J		1	2	3	4	5	6	7	8	9	10	11	12	13	14	15	16
T	S	R	Q	P	O	N	M	L	K		32	31	30	29	28	27	26	25	24	23	22	21	20	19	18	17

La "Nomenclatura Universal" se inicia con el último diente en el maxilar superior derecho incrementando la numeración para la dentición permanente en dirección a las manecillas del reloj, mientras que para la dentición temporal se emplean letras mayúsculas. Hasta donde tengo entendido, Estados Unidos es probablemente el único país que usa esta nomenclatura dental, a pesar de ser "universal". Es nombrado comúnmente así porque es la primera nomenclatura que incluye números para identificar el diente. Se han hecho algunas modificaciones a este sistema a través del tiempo. Normalmente, hay dos factores que hacen necesario un cambio en la designación formal o la unidad del sistema.

Un efectivo sistema de educación nacional requiere reducir la brecha entre un pequeño grupo de estudiantes élite y la población promedio. Otro factor crítico es un fuerte deseo de hacer un cambio a nivel nacional. Debido a que Estados Unidos todavía está utilizando el registro universal y las unidades acostumbradas, se hace difícil el cambio.

Pero, todos los ortodontistas usan la nomenclatura FDI para la clasificación dental. Tengo la creencia que es porque la simetría es crucial en ortodoncia o podría ser porque la especialidad de ortodoncia fue recién establecida formalmente por "el padre de la Ortodoncia Americana", Dr. Edward Angle en los años 1900s llegando a establecerse muy bien en los Estados Unidos.

E	D	C	B	A	A	B	C	D	E		8	7	6	5	4	3	2	1	1	2	3	4	5	6	7	8
E	D	C	B	A	A	B	C	D	E		8	7	6	5	4	3	2	1	1	2	3	4	5	6	7	8

La nomenclatura de la Federación Dental Internacional (FDI), es un sistema que se utiliza internacionalmente. Es un sistema de uso global en Canadá, México, y países geográficamente cercanos a Estados Unidos.

Este libro emplea la nomenclatura FDI para identificar los dientes. Es importante notar que todos los dientes marcados con el número 8 corresponden al tercer molar y los marcados con el número 7, al segundo molar. En Corea, los dentistas prefieren retirar los terceros molares de un lado y esperar a la cicatrización antes de extraer los del lado opuesto, que extraer los cuatro terceros molares en una cita. Esto se debe al sistema de los seguros dentales en Corea del Sur. Yo prefiero extraer los terceros molares de un lado para evitarle incomodidad al paciente y prefiero retirar los molares derechos a los izquierdos. Los últimos cuatro dígitos de mi celular son 1848 por esta razón. Actualmente me encuentro en un descanso sabático con mi familia, después de que me aceptaron como tutor en el departamento de Cirugía Oral y Maxilofacial en UCLA. Irónicamente, el número de mi residencia es 2838. Tal vez sea para alentarme a que prefiera la extracción de los terceros molares izquierdos de ahora en adelante. Recordemos que 18, 48, 28 y 38 son los terceros molares.

Dientes de primera dentición											Dientes permanentes														
Superior derecha								Superior izquierda			Superior derecha													Superior izquierda	
55	54	53	52	51	61	62	63	64	65		18	17	16	15	14	13	12	11	21	22	23	24	25	26	27	28
85	84	83	82	81	71	72	73	74	75		48	47	46	45	44	43	42	41	31	32	33	34	35	36	37	38
Inferior derecha								Inferior izquierda			Inferior derecha													Inferior izquierda	

02
Este libro está escrito para ayudar a los lectores en la extracción de ★★★ terceros molares que son…

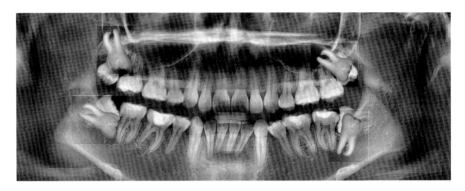

Este libro intenta ayudar a los lectores en la extracción de los terceros molares incluidos como los que se muestran en la ortopantomografía. El principal objetivo es la extracción segura, eficiente y rápida del diente. Sugiero a los odontólogos que inicien con las extracciones menos complicadas y luego prosigan con las de mayor grado de impacto.

Es necesario adquirir habilidades quirúrgicas, pero es más importante, que el odontólogo se concentre en hacer una cirugía segura y evitar complicaciones. La seguridad es lo más importante en la cirugía del tercer molar.

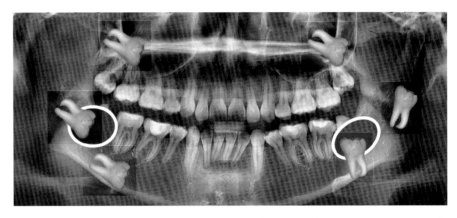

Considera referir pacientes con impacto severo de tercer molar -como la que se muestra en la ortopantomografía de arriba- al departamento de cirugía oral y maxilofacial de la universidad. También, refiere a pacientes con enfermedades sistémicas graves o con quistes de tamaño significante. Sería un gran reto realizar extracciones seguras, fáciles y rápidas bajo esas complicadas circunstancias. Lo principal, la exéresis dental debe hacerse lo más atraumático posible para reducir la molestia posoperatoria. En Corea del Sur, algunos cirujanos experimentados deciden no extraer molares incluidos muy difíciles. Un factor podría ser el bajo costo, además de que algunas extracciones o remoción de quiste son complicadas de reembolsar por parte del seguro dental nacional. Es esencial considerar el historial médico del paciente, antecedentes de diabetes, hipertensión o alguna enfermedad sistémica. Un dentista debe saber cuándo referir al paciente al departamento de cirugía oral y maxilofacial, donde el personal está debidamente entrenado y hay un equipo de emergencias disponible. Muchos residentes y cirujanos refieren las técnicas de cirugía oral básica mostradas en mi libro y seminarios debido a la popularidad de mi estilo quirúrgico. Te sugiero interrumpir la lectura del libro si piensas que vas a aprender cómo extraer molares con impacto complejo como los que se muestran en la segunda radiografía. Quise incluir cirugías complejas que realicé, pero desistí porque la intención del libro no es mostrar mis habilidades. Aprendí que puede ser más desafiante excluir casos muy complejos que incluirlos, porque me di cuenta que los lectores no apreciarían el libro si mi intención hubiera sido alardear sobre mis habilidades.

03
¿Puede respetar este tipo de tratamiento? ★★

Tratamiento de coronas en segundo molar antes de extracción de tercer molar

Cuando el paciente viene al consultorio para extracción del tercer molar, es común observar en la radiografía una corona mal ajustada en el segundo molar. Esta corona a menudo presenta un sellado distal deficiente debido a la presencia del tercer molar. En estos casos, como dentista es un reto explicarle la situación al paciente. Y me pregunto, ¿Por qué el previo dentista no recomendó la extracción de tercer molar antes de rehabilitar el segundo molar?

Estos casos no parecen ser tan complicados. Inicialmente pensaba que estos tratamientos fueron realizados a una edad temprana, pero los pacientes me clarifican que la mayoría de estos tratamientos se realizaron en edad adulta. En estos casos, la mayoría de los pacientes fueron explicados que la extracción del tercer molar es electiva y no absolutamente necesaria o ni siquiera fueron avisados de la presencia del tercer molar. Si tengo que cumplir con mi deber como odontólogo, ¿no sería necesario extraer el tercer molar antes de la rehabilitación del segundo molar?

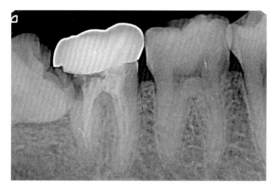

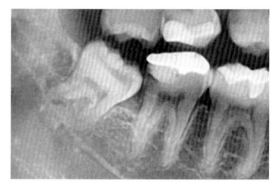

El tercer molar no se extrajo antes de la rehabilitación, lo que causó recurrentes y severas caries por debajo del margen de la corona del segundo molar.

El tercer molar no se extrajo antes de la restauración, lo que causo un ajuste deficiente en el margen de la corona.

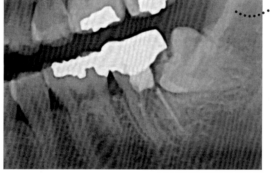

Se tuvo que extraer ambos el segundo y el tercer molar porque el dentista restauró el segundo molar sin extracción del tercero. Por casos como estos, considero que si un dentista no se siente cómodo con las extracciones dentales debe referir al paciente con un especialista en extracción del tercer molar antes de la rehabilitación del molar adyacente. Muy bien por el dentista que así lo hace. Le comento al paciente que el dentista que le ha referido es un excelente médico.

★

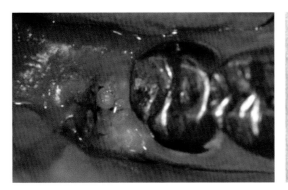 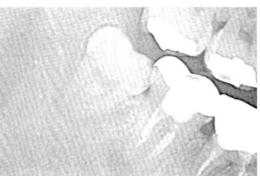

Este es un caso de gingivitis severa por la colocación de una corona sin remover antes el tercer molar. La extracción ahora resulta mucho más complicada porque la corona del segundo molar puede desplazarse durante el procedimiento. Este caso se podría realizar usando sólo un elevador, si no hubiera una corona adyacente. De cualquier manera, se requiere odontosección de la porción mesial de la corona del #48 para remover la parte retenida inicialmente antes de la extracción.

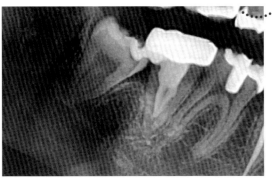 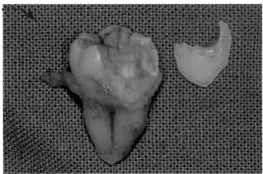

Caso similar al anterior. La parte mesial de la corona del tercer molar se secciona para removerla primero para evitar desplazar la corona o incrustación del segundo molar. Los pacientes deben ser informados por escrito sobre la posibilidad de la luxación de la corona durante la extracción. La lección más importante aquí es evitar esta situación, realizando la extracción del tercer molar antes de restaurar el segundo molar.

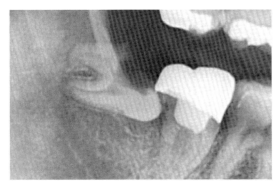 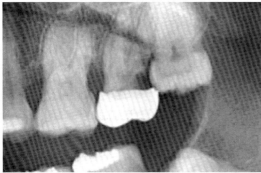

De nuevo, estos son casos de rehabilitación sin extracción previa. En ambos casos no son tratamientos ideales, especialmente porque es complicado lograr un sellado ideal marginal de una corona en el segundo molar teniendo un tercer molar incluido adyacente.

¡Espera!

Si realizas más extracciones de terceros molares, ★★★ puedes mejorar en otros aspectos de cirugía oral

Cuando inicie mi consultorio, luego de terminar mi entrenamiento, no fue fácil hacer cirugías que requerían levantar un colgajo o colocar un implante. Cuando inicié con extracciones de terceros molares, no pude evitar procedimientos que incluían incisión, sutura, levantamiento de colgajos mucoperióstico y osteotomía. Por consecuencia, mejoré en la cirugía de implantes y otras cirugías periodontales conforme fui haciendo más cirugías de terceros molares. Además, al operar muchos terceros molares complejos, usualmente localizados en la región más inaccesible de la boca, comencé a sentirme más cómodo en cirugías de implantes en la zona del segundo molar.

Cuando trabaje en una clínica en el 2001… La odontóloga principal, contando con 12 años de experiencia, pronosticó que llegaría el momento en que los implantes se convertirán en el estándar en atención dental. Ella empezó a suturar todos los casos de extracciones, incluyendo las extracciones simples de terceros molares superiores. Por esta razón, creo que hice demasiadas extracciones de terceros molares en ese tiempo para llegar a ser mejor en cirugías de implantes.

Comparto esta historia de la odontóloga con los recién egresados para alentarlos a que hagan más cirugías de terceros molares para que mejoren en otros aspectos de la odontología. Muchos especialistas todavía evitan las extracciones quirúrgicas a pesar de que cada vez más dentistas generales lo hacen actualmente. Si te interesa realizar cirugías de terceros molares, considero que hay muchos casos que tranquilamente puedes elegir y tomar. De esta manera, puedes mejorar tus habilidades haciendo incisiones, sutura, odontosección y osteotomía. Te darás cuenta que conseguirás mejorar en implantes y otras cirugías periodontales al practicar más la extracción de terceros molares.

¡Espera!

¿Por qué hay tantos odontólogos afirmando que son ★★ los mejores en cirugía de tercer molar?

Es raro encontrar a un odontólogo que diga ser el mejor preparador de coronas. Jamás he visto a un odontólogo alegar que ser el mejor en el tratamiento de canales. En general, incluso los médicos del más alto nivel son muy humildes y es poco frecuente que afirmen ser los mejores. Podría haber odontólogos que les digan a sus pacientes que son los mejores en implantes, pero es raro ver que lo hagan con otros dentistas. De cualquier forma, algunos dentistas claman ser los mejores en la cirugía de tercer molar. ¿Por qué?

Creo que se debe a que posterior a la cirugía no hay rastro. Una vez que el tercer molar es extraído, nadie sabe el grado de dificultad del procedimiento o como fue en comparación con el realizado por otro dentista. Por esta razón, muchos odontólogos afirman ser los mejores cirujanos de terceros molares. Hay algunos dentistas a los que considero simplemente mediocres que dicen ser los diez mejores gurús en la extracción de terceros molares en Corea del Sur. No escribo esto para desaprobar su reclamo. Si pones todo tu esfuerzo, puedes con todo derecho decir que eres el mejor.

04
Confianza en la extracción del tercer molar es esencial para el éxito del negoacio

Los beneficios de ser competente en la cirugía de terceros molares

- La mayoría de los pacientes a los que les realice extracciones exitosas, regresarán conmigo.
- Es posible incrementar el número de pacientes a partir de extracciones bien hechas.
- Es ventajoso desde el punto de vista de los seguros si se hacen más procedimientos de terceros molares.
- Si eres eficiente en las extracciones de terceros molares, los pacientes creen que eres bueno en otros procedimientos dentales. Y al mejorar en extracciones de terceros molares se llega a mejorar en otros procedimientos.
- Si eres eficiente en extracciones de terceros molares, llegas a mejorar en la cirugía periodontal y de implantes.
- Inicialmente, la extracción dental me ayudó a consolidar la práctica privada dental, pero ahora mantengo mi éxito con la extracción dental.

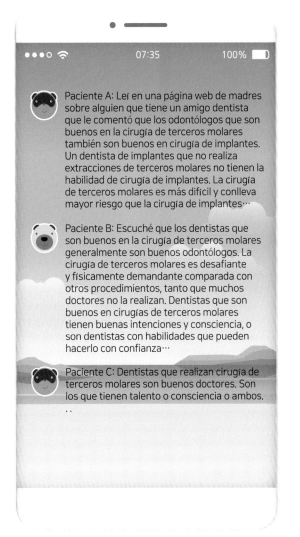

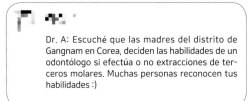

Dr. A: Escuché que las madres del distrito de Gangnam en Corea, deciden las habilidades de un odontólogo si efectúa o no extracciones de terceros molares. Muchas personas reconocen tus habilidades :)

Este mensaje fue tomado de un comentario en Facebook de un dentista alentado por mis seminarios sobre cirugía de terceros molares.

Estos son mensajes en redes sociales que mi esposa guarda de las conversaciones de sus amigos. Puedes ver que el público en general cree que los dentistas que realizan extracciones de terceros molares son más capaces en otros aspectos de la odontología.

05
El proficiente en cirugía del tercer molar gana la confianza de los pacientes ★

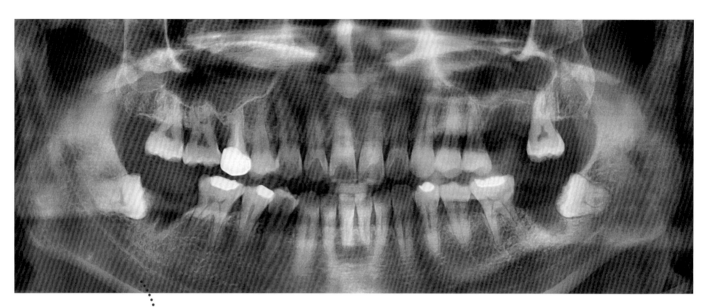

Un paciente que se presenta por primera vez en la clínica después de la extracción los dientes #26, #37 y #47 por otro odontólogo, quien le advirtió que tendría que acudir con un especialista para retirar los terceros molares. El paciente perdió la confianza en su dentista y decidió no regresar. Aunque el paciente no fue referido conmigo, extraje los terceros molares y coloqué implantes como el paciente lo solicitó.

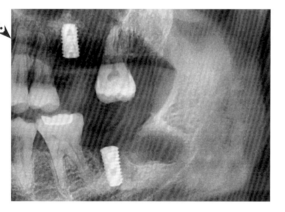 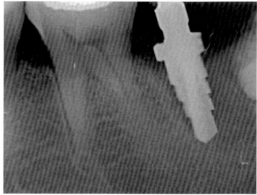

#38 fue removido después de colocar los implantes en las zonas del #37 y #26 en la misma cita. Evité un sangrado excesivo haciendo el procedimiento con la siguiente secuencia: elevación del piso de seno maxilar, colocación de implante en zona #26, implante en zona #37 y para terminar la extracción del #38.

Como nota, generalmente uso la fresa de implantes como guía para el pin del implante al tomar la radiografía para determinar la orientación. Mis estudiantes aprecian consejos como estos en mis seminarios de implantes.

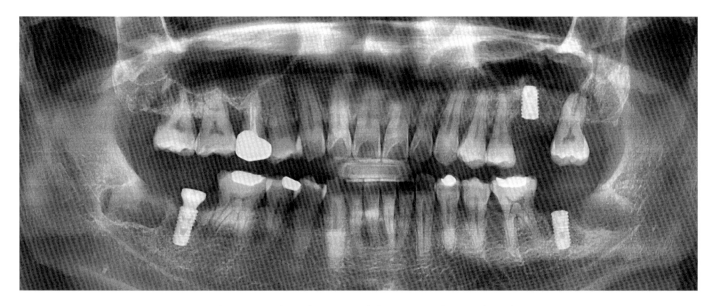

Un mes después, se hace la cirugía del #48 seguida por el implante en zona de #47 en la misma cita. Para conservar la mayor cantidad de hueso para el implante, el #48 fue extraído sin osteotomía. Se hizo una odontosección típica para tercer molar incluido en posición horizontal. En casos como este, es un reto decidir qué hacer primero, la extracción o el implante. Si hay suficiente hueso distal en el área del implante, usualmente primero pongo el implante y luego la cirugía de extracción del tercer molar.

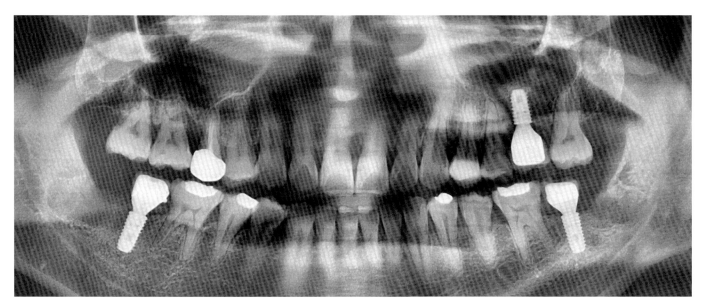

Ortopantomografía donde se observa la rehabilitación posterior a un mes. El paciente quedó encantado con los resultados, actualmente los implantes se encuentran en buenas condiciones, incluso después de varios años.

06
Extracción del tercer molar = Confianza incondicional en el odontólogo ★

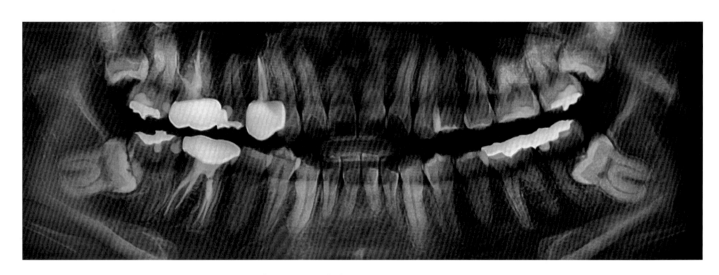

A un paciente se le recomendó la extracción de ambos #37 y #38. Al buscar en internet encontró mi clínica y decidió venir. Ambos molares se extrajeron en la misma cita.

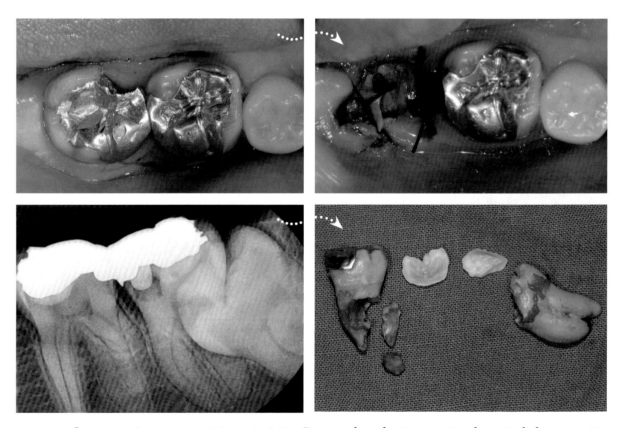

Las extracciones no requirieron incisión. Para ayudar a la cicatrización después de la extracción se colocó colágeno (Terplug talla M – Olympus Terumo Japonés) y luego se suturó.

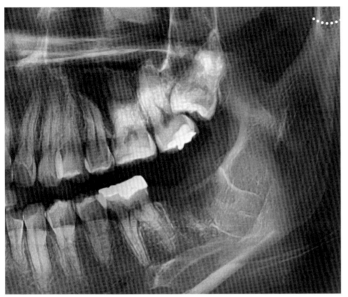 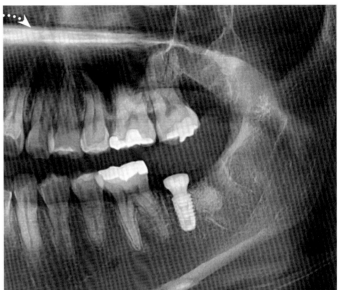

Después de 2 meses de extracción, se colocó implante en la zona de #37 y se extrajo el #28. Aun después de 2 meses, se puede observar la inadecuada formación de hueso en distal al sitio de extracción del #37. Por esta razón, a pesar de que existía estabilidad primaria, se colocó injerto de hueso (Cerabone 0.25 g) sin membrana. En mis conferencias de implantes, hago hincapié en mi filosofía sobre el uso de membranas, "La mejor membrana es un periostio limpio proporcionado por una incisión limpia."

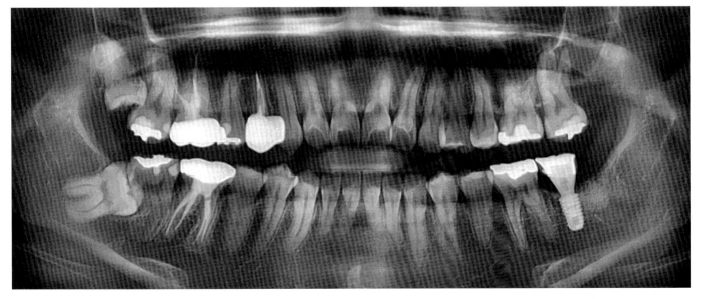

Después de 2 meses, el implante en zona #37 se rehabilito con una corona. El paciente regreso para la extracción del remanente #48.

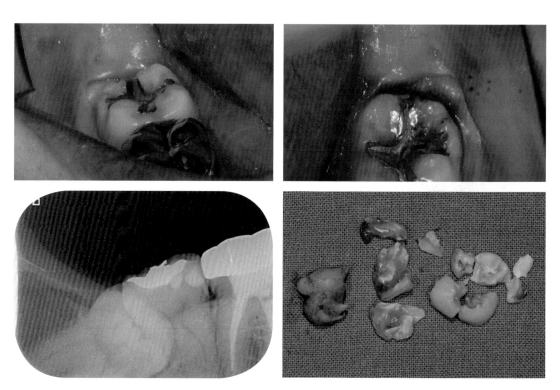

Extracción cuidadosa del #38 parcialmente erupcionado. Después de 2-3 días de la operación, el paciente se quejó por sensación de hormigueo en la región de las premolares. Sin embargo, después de dos semanas se recuperó totalmente. Daré mayores detalles más adelante – es común que el paciente sienta punzado durante la extracción de terceros molares, especialmente cuando el molar está en cercanía al canal alveolar inferior. Usualmente el síntoma es transitorio y se espera una recuperación completa.

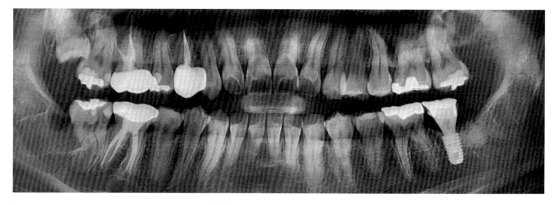

Panorámica posquirúrgica a un mes de la extracción del #48.

07

Dolor en el sitio de tercer molar después de extracción realizada en otra clínica

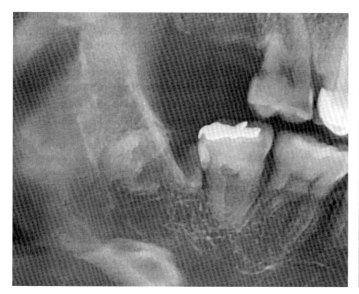
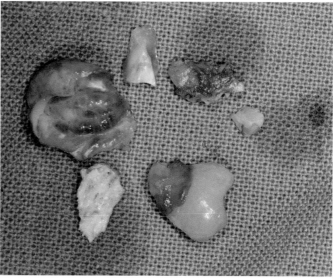

El paciente dijo que el tercer molar fue removido en otra clínica, pero experimenta dolor constante en el sitio de la extracción. Luego de revisar la ortopantomografía, retiré los remanentes del tercer molar que fueron dejados.

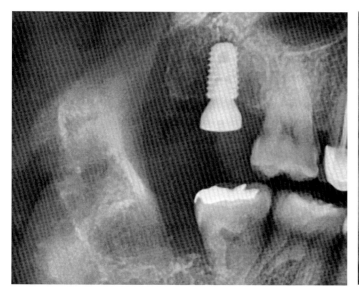
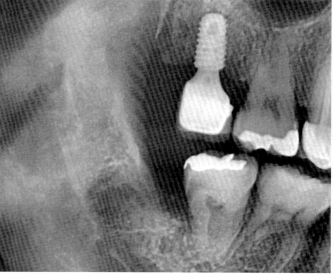

Una paciente femenina a finales de sus 20s, que planeaba estudiar en los Estados Unidos, solicitó implante en zona del #17. Este es un ejemplo de cómo ganar la confianza del paciente luego de realizar una extracción exitosa del tercer molar. Este paciente me refirió familiares después de irse a Estados Unidos.

08
Tratamientos de pacientes que acuden a mi clínica con preocupaciones de terceros molares

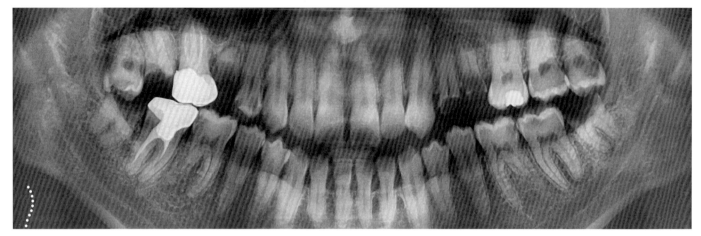

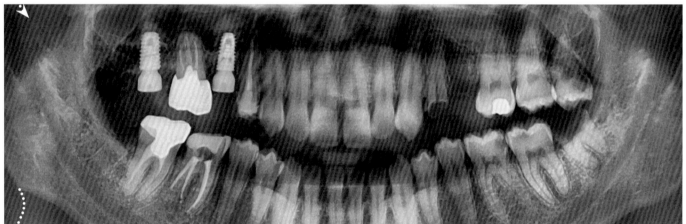

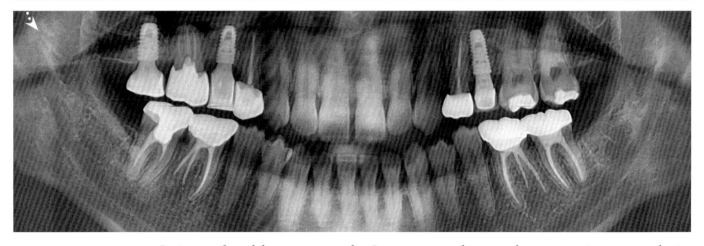

Paciente refiere dolor en tercer molar. Los terceros molares pueden tener caries como cualquier otro diente. Después de la extracción de terceros molares, se recomendaron y realizaron otros tratamientos dentales. A pesar de que su principal preocupación eran los terceros molares, el paciente decidió hacerse tratamientos dentales adicionales y todavía es un paciente regular de mí clínica. Esto es común en mi clínica como resultado de ganarse la confianza del paciente después de resolverle sus problemas con terceros molares.

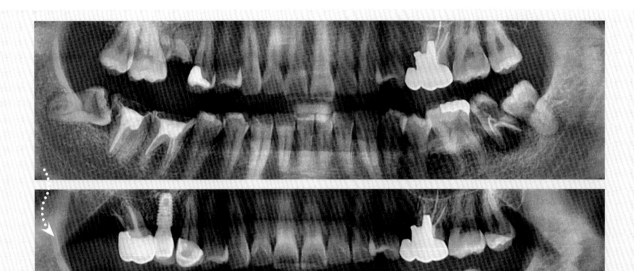

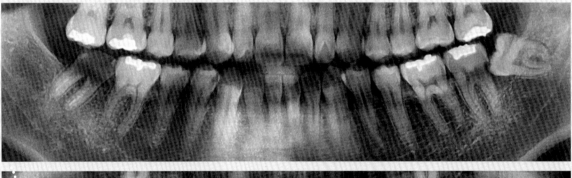

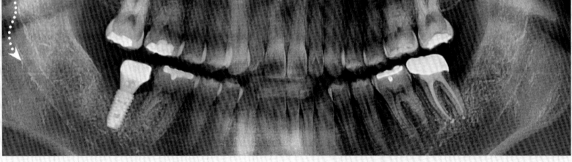

Los casos de arriba son ejemplos de pacientes que acuden a mi clínica preocupados por terceros molares. No todos los tratamientos posteriores a cirugías de terceros molares son difíciles. La extracción de terceros molares puede ser útil al ayudar en la comprensión del cuidado dental. Si eres recién egresado y has abierto recientemente tu consultorio, tu objetivo debe ser convertirte en el mejor cirujano de terceros molares. Otros tratamientos dentales pueden volverse más fáciles para ti.

"No hagas 1 cosa que te entristezca más que ★★★ 99 cosas que te hagan feliz"

¿Por qué algunos odontólogos evitan las extracciones de terceros molares?

Regularmente hay una razón de por qué un odontólogo no le agrada hacer cirugías de terceros molares. Considero que muchos dentistas pueden hacer extracciones de terceros molares con algo de práctica. Sin embargo, con el paso del tiempo, muchos odontólogos deciden no hacer este tipo de cirugías. ¿Por qué? ¿Habrán tenido una o dos cirugías complicadas? ¿Qué complicaciones podrían enfrentar?

- Quejas de sangrado y dolor después de la extracción.
- Cirugías prologadas que se han suspendido a medio procedimiento.
- Quejas posteriores a daño nervioso y alteración en la sensibilidad.
- Quejas e incomodidad en el molar adyacente a la extracción.
- Quejas de dolor en la articulación mandibular después de la extracción.

El éxito de una cirugía del tercer molar no se mide por la rapidez con las que se realiza, sino por lo bien que se evitan estas complicaciones.

He realizado muchas extracciones de terceros molares en mi carrera y aun disfruto hacerlo, probablemente porque raramente se me presentan las complicaciones descritas anteriormente. La primera y segunda complicación se reducen al ganar experiencia. Debes aprender la extracción dental con incisiones más pequeñas y osteotomías mínimas. En el segundo caso, te sentirás más cómodo sabiendo cuándo abortar o realizar odontosección para la extracción del tercer molar teniendo más experiencia. En el tercer caso, sabrás cómo manejarlo al tener más experiencia. En manos expertas, es muy difícil lesionar el nervio alveolar inferior. La lesión iatrogénica del nervio alveolar inferior puede evitarse con una revisión precisa de la radiografía previo a la cirugía. La lesión del nervio lingual siempre es una preocupación por la naturaleza impredecible de la posición de este nervio. Esto lo seguiremos discutiendo en futuros capítulos.

Estoy muy agradecido y orgulloso por no haber tenido ninguna lesión nerviosa permanente. Compartiré con ustedes mis técnicas a lo largo del libro.

Muchos doctores novatos pueden no darse cuenta que la principal razón por la que evitan la cirugía del tercer molar es por el dolor postoperatorio en el segundo molar. A diferencia de otras complicaciones, no existe un protocolo para este caso, por lo que puede hacer que esta situación sea muy estresante para muchos odontólogos.

Por último, el paciente puede quejarse por incomodidad en la articulación mandibular durante o después de la cirugía del tercer molar. Esto se puede mejorar con una apropiada técnica en el uso del fórceps y acortando el tiempo del procedimiento.

Discutiremos más adelante en el libro, cómo evitar estás complicaciones.

Interpretación del tercer molar en radiografías panorámicas

Introducción y capítulo 02 traducido por.

Dr. Sung-Soon Chang

Cirujano Dentista Egresado de la Facultad de Odontología de la Universidad Autónoma de Nuevo León
Cirujano Oral y Maxilofacial Egresado de la Facultad de Odontología de la Universidad Autónoma de Nuevo León
Profesor Asistente de la Facultad de Odontología de la Universidad Autónoma de Nuevo León
- Departamento de Cirugía Bucal
- Departamento de Patología Oral
- Departamento de Urgencias Medicas Odontológicas
Instructor de la Clínica del Posgrado de Cirugía Oral y Maxilofacial
- Facultad de Odontología de la Universidad Autónoma de Nuevo León
Miembro De Asociación Internacional De Cirugia Oral Y Maxilofacial
Miembro De Asociación Latinoamericana De Cirugía Y Traumatología Bucomaxilofacial
Miembro De Asociación Mexicana De Cirugía Bucal Y Maxilofacial
Certificado Por El Consejo Mexicano De Cirugia Bucal Y Maxilofacial
Miembro De International Team For Implantology

Sin duda alguna la cirugía de terceros molares es uno de los procedimientos quirúrgico-ambulatorio el cual genera mayor temor a los pacientes, dada la cercanía de las estructuras anatómicas además del dolor postoperatorio, inflamación, etcétera hace que cualquier paciente genere cierto temor a dicha intervención. Como cirujano maxilofacial la cirugía de terceros molares es el tratamiento que con mas frecuencia realizamos en nuestra consulta es por lo mismo debemos estar actualizados y aprender de diferentes profesores es algo de nuestra carrera y practica profesional es fundamental para mejorar la calidad de atención de nuestros pacientes.

Me siento muy agradecido por la invitación del Doctor Young-Sam Kim y la oportunidad de ser uno de los integrantes del equipo de traducción de este libro al Español, la difusión de este libro a nivel Iberoamericana puede ayudar a la formación de los odontólogos para brindar un mejor servicio como profesional de la salud y un tratamiento de calidad a sus pacientes.

01
¿Por qué se escribió este capítulo? ★★

He impartido conferencias sobre extracción de tercer molar e interactuado con muchos dentistas jóvenes. Sorprendentemente, he notado que muchos de ellos no saben interpretar una ortopantomografía. Gastamos mucho tiempo y esfuerzo estudiando radiología y aplicamos estos conocimientos en repetidas ocasiones en otras materias, incluyendo cirugía oral y maxilofacial. ¿Cómo es que seguimos sin entender la importancia de la adecuada interpretación de las radiografías panorámicas para la extracción del tercer molar?

Probablemente es por memorizar el libro, sin entender completamente y sin alguna experiencia clínica. No sería posible retener todos los conocimientos adquiridos durante la escuela odontológica cuando simplemente estudiamos para aprobar los exámenes escritos sin tener experiencia clínica apropiada.

En alguna ocasión diserté sobre algunos puntos críticos en la interpretación de una imagen panorámica previo a la clase sobre la extracción de un tercer molar. La retroalimentación después de la clase fue asombrosamente buena. Es probable que se debiera a que refrescaron algunas cosas que aprendieron anteriormente, pero que olvidaron hace tiempo o incluso cosas que no recuerdan que las aprendieron previamente en sus estudios.

En ese día, escuche a la gente decir en varias ocasiones después la conferencia: "¿Es un genio?". Con creciente confianza, volví a hablar sobre la ortopantomografía al siguiente día. La reacción fue tan abrumadora como la primera vez. Con más confianza, en esta ocasión, no sólo extendí mi presentación de entre 5 y 6 diapositivas a 80 diapositivas, pero también puse un título más apropiado: "Interpretación de imagen panorámica", y solicité más tiempo para la conferencia. Sin embargo, la reacción no fue tan buena como antes.

Con algo de decepción, me pregunte cuál sería la razón. Llegue a la conclusión que el extenso y redundante conferencia, hicieron que los asistentes volvieran a sus clases de escuela. Preparando este libro, decidí tratar puntos claves, dejando a un lado lo innecesario. Quería ser conciso y ser nombrado genio como antes, más no hice que este libro fuera demasiado limitado. Algunas explicaciones detalladas son necesarias porque este es un libro de texto no una conferencia en vivo.

La adecuada interpretación de la ortopantomografía es un elemento muy importante. Por favor no olviden leer este capítulo y tener un profundo análisis del mismo. Si es necesario, también te recomiendo regresar a tus libros de texto de odontología y cirugía donde tratan sobre la imagen radiográfica del tercer molar.

02
Interpretación del nervio alveolar inferior en radiografías panorámicas ★★★

Si revisas la relación entre el tercer molar y el conducto del nervio dentario inferior (CNDI) en libros de radiología, las raíces se describen como dilaceración, estrechamiento, bífidas y con radiolucidez, interrumpidas, con constricción o desviación del CNDI. Sin embargo, esta relación se describe por especialistas en radiología y creo que su experiencia es muy difícil de igualar. En mi opinión, me gustaría que ellos estuvieran involucrados más activamente en odontología, aportando ayuda en el tratamiento. En alguna ocasión incluí a un radiólogo en nuestro grupo de trabajo, aunque mis colegas se opusieron a la idea. Respeto y valoro la experiencia de los radiólogos dentales. A pesar de que hay muchos puntos importantes en los libros escritos por especialistas en radiología, en este libro en particular, expondré un punto simple pero crítico y de relevancia clínica para la extracción del tercer molar.

Tengo el hábito de tomar fotos al realizar extracciones que involucren odontosección de la corona o raíz. Esto me ha ayudado mucho al comparar el tercer molar visto en la ortopantomografía con las raíces después de la extracción. La descripción entre la localización de las raíces del tercer molar y el CNDI también se encuentra fácilmente en Google. Sin embargo, dado que hay demasiadas excepciones en cada caso clínico, la fiabilidad de algunas descripciones es baja. Por lo tanto, voy a subrayar algunos de estos puntos relevantes (radiolucidez sobre la raíz, desviación de CNDI) a mi propia manera, comparando las radiografías con las fotos tomadas después de la extracción. Abajo encontrarás una revisión de algunos patrones frecuentes que se pueden observar en una imagen panorámica.

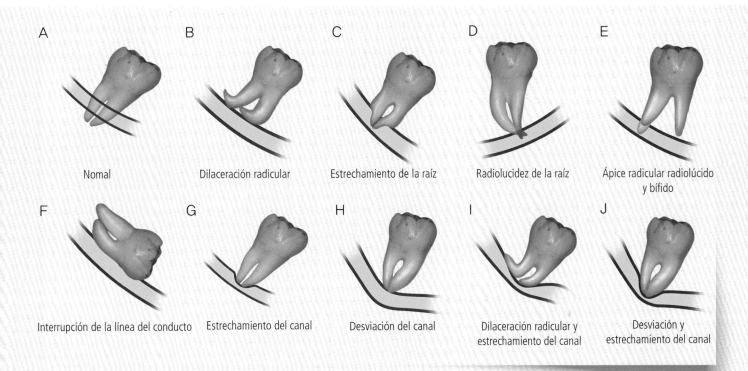

A — Nomal

B — Dilaceración radicular

C — Estrechamiento de la raíz

D — Radiolucidez de la raíz

E — Ápice radicular radiolúcido y bífido

F — Interrupción de la línea del conducto

G — Estrechamiento del canal

H — Desviación del canal

I — Dilaceración radicular y estrechamiento del canal

J — Desviación y estrechamiento del canal

Regresemos a esta página

Cuando inicié a escribir este libro, planeé agregar dos capítulos sobre la ortopantomografía y sección coronal al final del libro como apéndice. Al dar conferencias sobre la extracción del tercer molar por muchos años, me di cuenta, que la mayoría de los odontólogos retienen sólo la información más reciente mientras ejercen la profesión, olvidando muchas veces los temas de radiología que aprendieron durante su carrera. Por esta razón, al final de mis conferencias he dado una básica y breve explicación necesaria sobre la interpretación de la imagen panorámica y sección coronaria, y la retroalimentación ha sido excepcional. Probablemente se debió a que habían pasado por alto estos temas, pensando en que los tienen dominados, cuando no es así, o se dan cuenta que los habían olvidado.

Lo más importante al hacer una extracción de un tercer molar no es el protocolo quirúrgico, sino saber:

- Cómo seleccionar un caso apropiado
- Cómo resolver complicaciones
- Cómo lidiar con una extracción de diente incompleta

Por eso reposicione esos dos capítulos al inicio del libro. Pero no nos detengamos en detalles, como la sección coronaria, mejor enfoquémonos en comparar la raíz real con la imagen panorámica. La técnica quirúrgica se discutirá en varios capítulos más adelante.

Avanzando, después de la lectura sobre la técnica quirúrgica, estoy seguro de que regresarás a este capítulo. Es importante saber cuándo seleccionar casos apropiados y cómo proceder cuando ocurren complicaciones durante la extracción dental.

03
¿El nervio dentario inferior es un tejido blando? ★

¿El conducto del nervio dentario inferior es un tipo de tejido blando? La respuesta es no. Esencialmente, es un tubo neural conformado por tejido duro, como una tubería. En general, la densidad y forma del tubo es variable en cada persona, incluso en el mismo paciente puede haber diferencias conforme avanza en edad. Debido a esto, hay varias relaciones anatómicas entre la raíz y el CNDI en su punto de encuentro.

La raíz del tercer molar inicia su formación a mediados y finales de la adolescencia y se encuentra con el CNDI al completar su formación al inicio de los veintes. Mientras se forman las raíces, estas pueden encontrarse con diferentes tipos de CNDI, que podría ser tan duro como el metal o tan suave como el unicel, similar a la imagen que se muestra abajo. Si excluimos la influencia del hueso cortical circundante y otras estructuras, la formación apical respectiva al CNDI va a depender del tipo de CNDI que encuentre la raíz durante su formación. La raíz puede desarrollarse: 1) sin interponerse en el recorrido del CNDI, 2) comienza a doblarse como si se encontrara con una tubería metálica, 3) puede hacer que el conducto se doble como una tubería de plástico o 4) puede comprimir levemente el CNDI como un tubo de unicel. La dureza no es el único factor entre la relación de las raíces con el CNDI. Sin embargo, a veces imagino lo sólido que será el CNDI antes de realizar las extracciones de terceros molares: si el CNDI es tan duro como una tubería de metal, el NDI estará perfectamente seguro sin importar lo que esté sucediendo adyacente al nervio. Por el contrario, si el NDI no está rodeado de tejido duro, no habrá daño al ejercer una ligera presión o movimiento, porque sería flexible.

Es importante tener en consideración, no solo la solidez de la raíz del diente, sino también la velocidad y la fuerza de la formación radicular. Según mi experiencia, la dificultad del procedimiento aumenta si el diente o la raíz son frágiles, ya que es más complicado luxar raíces cariadas a sólidas.

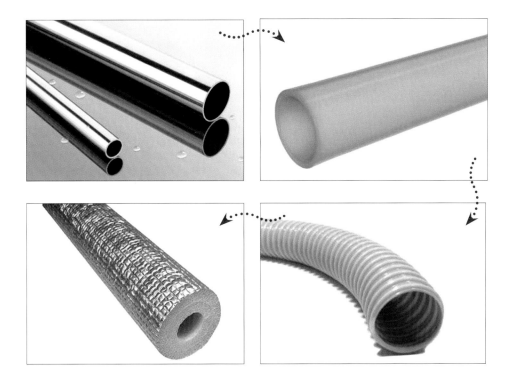

Referencia
1

Análisis de TC sobre la relación entre el tercera molar y el CNDI

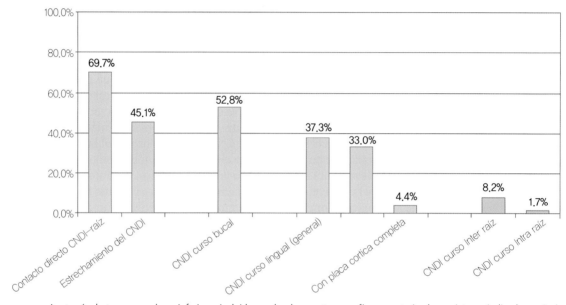

Anatomía de terceros molares inferiores incluidos evaluados por tomografía computarizada: ¿existe un indicador en imágenes en 3D? (Oral Surg Oral Med Oral Pathol Oral Radiol Endod 2011:111:547-550)

Estoy escribiendo este libro en forma de notas clínicas basado más en mi experiencia que en referencias bibliográficas. Pero incluyo algunos artículos para repasar la anatomía.

El resultado del estudio muestra que hubo contacto directo entre el tercer molar y el CNDI con un 69.4%, y un 45% mostró estrechamiento del CNDI.

¡¡¡VE A LEER EL DOCUMENTO DE INVESTIGACIÓN!!!

Estadísticamente, la probabilidad de que el CNDI se ubique bucal a las raíces de los terceros molares fue de 52.8%, que es 1.42 veces más frecuente que la localización lingual de 37.3%. En Corea del Sur, un CBCT se cubre cuando la raíz y el CNDI aparecen sobrepuestos en la ortopantomografía. Para esos casos, la localización del nervio en lingual es más frecuente.

Tengo mi propio aparato de CBCT, pero rara vez la uso, excepto en los casos en que es absolutamente necesario, como cuando la raíz del diente se superpone severamente con el CNDI. Si el CBCT se toma en estos casos selectos, existe una mayor probabilidad de que los terceros molares se ubiquen más lingualmente.

Referencia 2

Análisis de TC sobre la relación entre el tercera molar y el CNDI ★

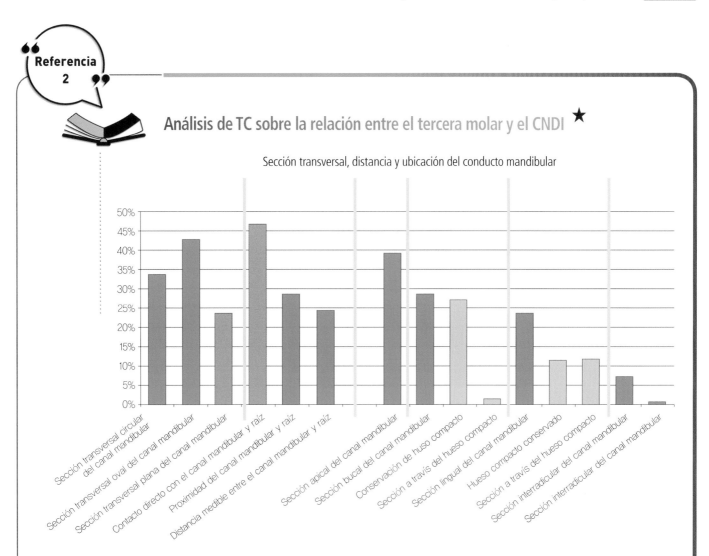

Sección transversal, distancia y ubicación del conducto mandibular

Variaciones en la posición anatómica de terceros morales incluidos mandibularmente y sus implicaciones practicas
(Periódico Dental Suizo 124: 520–529 (2014))

Este estudio hecho en Suiza en 2014, trata sobre la relación entre un tercer molar y el CNDI. Podría agregar más explicaciones, pero les sugiero buscar este artículo y leerlo si es posible. Esto solo es referencia, porque hay variaciones significativas entre diferentes razas. Según el estudio, la probabilidad de que el CNDI se localice en bucal fue del 29.0%, que es mayor a la ubicación lingual del CNDI siendo 23.8%. La única diferencia con el estudio anterior, es que había una categoría separada para la localización apical, que es del 39%. Si se excluye esta categoría, la ubicación bucal fue 1.22 veces más alta que la lingual (29.0% versus 23.8%). Este valor es similar al número del estudio anterior (1.42 veces). En el estudio anterior, había un 45% de posibilidades de detectar un CNDI estrecho. Mientras que este estudio mostró un 23.6%, a pesar de que utilizaron términos diferentes, como la clasificación sección transversal plana. Si desea más detalles, le recomiendo leer este estudio en su tiempo libre.

04
Comparemos el tercer molar y el CNDI con la flecha y la cuerda del arco

 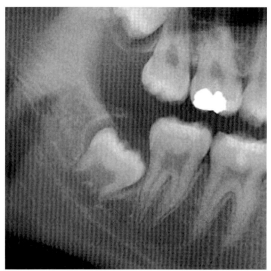

Comparemos el CNDI con la cuerda de un arco. En otras palabras, el molar es duro como la flecha y el CNDI tiene la elasticidad como la cuerda. Al final, ¿qué podría suceder si el molar se dirige hacia el conducto neural?

 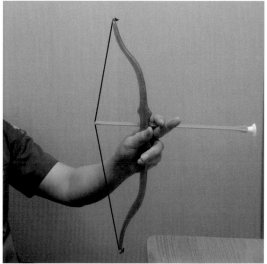

La foto de la izquierda muestra cuando la raíz pasa sin ninguna interferencia, mientras que la de la derecha muestra cuando la raíz se encuentra con el nervio y se dobla. Por supuesto, si el nervio es resistente como un tubo de metal y el desarrollo de la raíz es débil (si la raíz es frágil), la flecha se doblará cuando toque la cuerda del arco. Además, puede aparecer una combinación de todos estos fenómenos. Dependiendo de la edad, hay muchos factores que considerar: fusión de la raíz y el nervio o la relación con el hueso cortical lingual, pero estas cosas no pueden identificarse en radiografías panorámicas. Basado en mi conocimiento clínico, es importante el caso cuando la tubería se desplaza o se dobla debido a su naturaleza frágil. Al final, el daño al CNDI será proporcional al daño en la pared nerviosa.

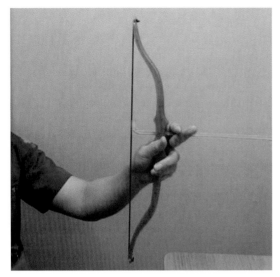 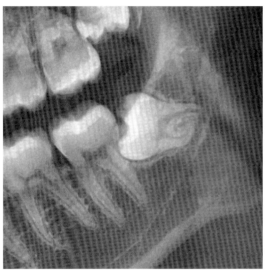

Cuando la flecha comienza a doblarse al encontrar interferencia con la cuerda del arco. Quizá porque la cuerda es tan sólida como una tubería metálica.

Entonces, ¿se podría extraer el molar?

Podemos ver que la raíz mesial hace una curva hacia arriba al encontrar interferencia con el CNDI.

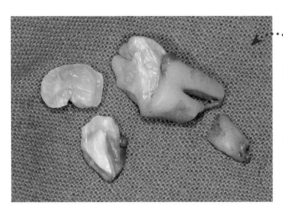 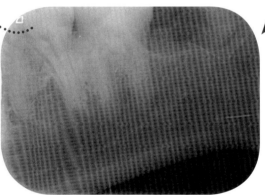

La raíz se fracturó durante la extracción del molar. En este caso, removí todas las raíces fracturadas, aunque estaban cerca del CNDI. Sin embargo, estas raíces no tienen que retirarse en todos los casos, incluso para los cirujanos experimentados. Esto se discutirá más detalladamente en los capítulos de odontosección de diente y raíz residual.

05
¿Una raíz puede doblarse al encontrar interferencia con el CNDI?

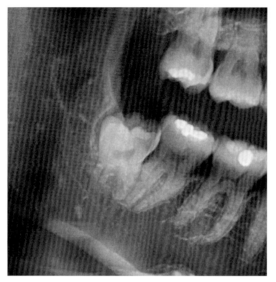
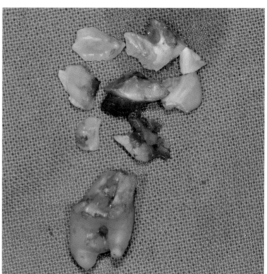
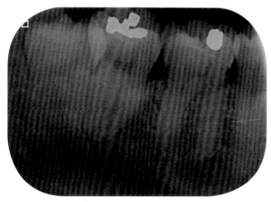

La raíz distal se ve borrosa en la ortopantomografía, pero la raíz mesiolingual parece estar dobla-da en la foto. Si se observa cuidadosamente hay tres raíces presentes. Evaluando las raíces extraí-das del diente, la raíz mesiobucal se forma completamente, la raíz mesiolingual se dobla debido a la interferencia del CNDI y la raíz distal se ve radiolúcida debido a la influencia del conducto (este fenómeno será discutido en más detalle más adelante en este capítulo).

Creo que la pared externa del canal nervioso es tan fuerte que una de las raíces se curvó. Durante la extracción, se retiró parte de la corona seccionada del diente y cada vez que se ejerció fuerza con el elevador, el diente se fracturó. Pudo ser porque el hueso alveolar alrededor del canal era de-masiado fuerte o porque el diente era frágil...

> Tenga esto en mente: diente frágil hace una extracción más complicada.

06
Casos de superposición en radiografías panorámicas ★★★

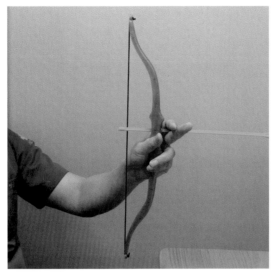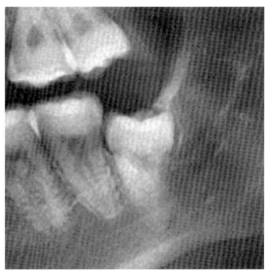

En estos casos la raíz atraviesa el CNDI sin afectarse una al otro. En esta situación, la raíz se ha formado sin interferencias y el CNDI no modifica su posición.

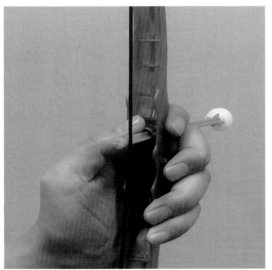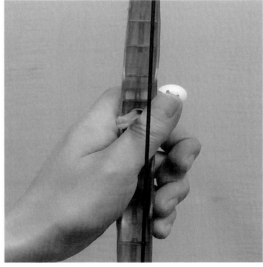

Sin embargo, la influencia entre las raíces y el CNDI puede variar enormemente dependiendo del recorrido y proximidad. Al igual que la imagen de arriba, si la raíz pasa al lado del CNDI, puede ocurrir impacto entre ellos. El CNDI podría desplazarse hacia adelante de la raíz o la formación de ésta podría verse afectada debido a la dureza de la pared como un metal. Entremos en detalles.

07
Casos que parecen "superposición radiográfica... pero realmente no lo son" ★★

 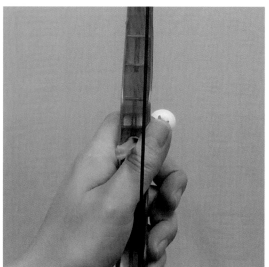

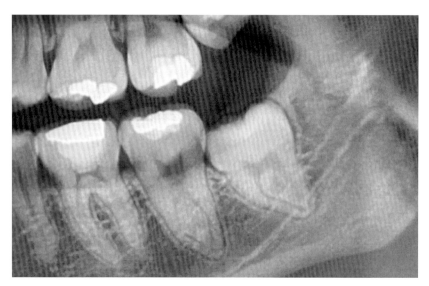

En este capítulo veremos casos en donde la raíz del diente se forma a una distancia segura del canal CNDI, pero la raíz parece estar superpuesta al canal en las radiografías. El mismo patrón se observa continuamente sin mucha desviación. En estos casos, rara vez hago osteotomía al extraer un tercer molar, por lo que hago el procedimiento sin tener demasiado en cuenta al CNDI, a menos que la raíz se rompa.

★★

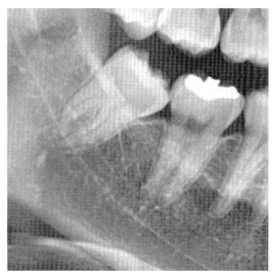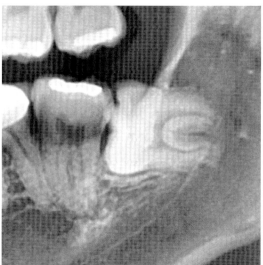

En la imagen de arriba, el tercer molar y el CNDI parecen superpuestos, pero la continuidad del canal y la raíz son normales. En este caso, esto sugiere que el conducto y el molar están a una distancia clínicamente insignificante. De vez en cuando, se observa a través de TC que el CNDI está ubicado por debajo, en el lado lingual, dentro de una distancia segura.

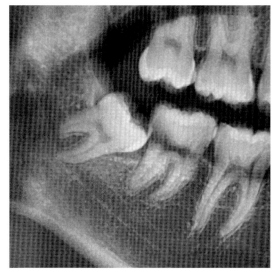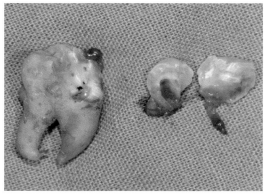

Aunque la raíz y el CNDI parecen superpuestos, hice la extracción porque no se observó ningún problema significativo en la radiografía.

08
Casos de extracción de terceros molares con superposición radiográfica ★★★
mínimamente complicados

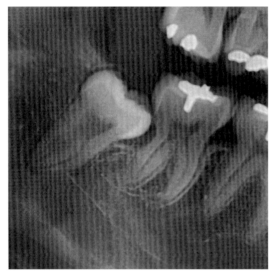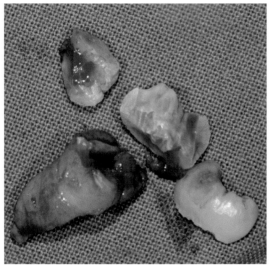

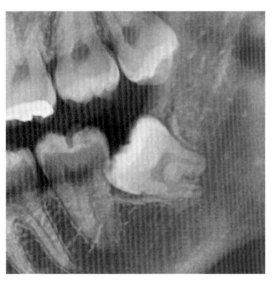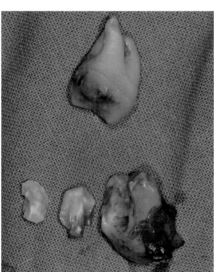

Se muestra un caso de un tercer molar extraído con complicaciones mínimas, que parecía estar superpuesto con el CNDI. La porción coronal del molar no muestra ninguna complicación. En un caso como este se puede realizar una extracción normal. Sin embargo, si se intenta la recuperación de la raíz del diente fracturada u osteotomía agresiva, debe hacerse con cuidado. Según mi experiencia clínica, existe una alta probabilidad de que el tercer molar se localice más lingualmente, pero se recomienda verificar su recorrido en un estudio de CBCT para estar seguro.

09
Casos de superposición radiográfica y física – radiolucidez alrededor ★★★ de la raíz

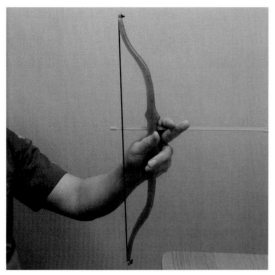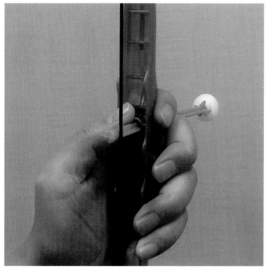

Cuando el CNDI pasa muy cerca de la raíz, se observa comúnmente una 'banda oscura' (radiolúcida), un fenómeno en el que la raíz del diente se hace oscura.

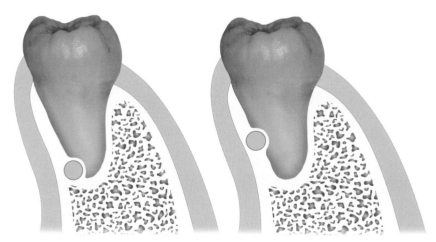

Al igual que la imagen, se produce un cambio en el desarrollo cuando la raíz del diente interactúa con el CNDI durante su formación. Aunque un caso como esta muestra que la raíz del diente y el conducto neural están muy cerca, realizaría la extracción de manera convencional, ya que el canal es tan fuerte como una tubería de metal. Sin embargo, si el CNDI parece estar demasiado cerca de la raíz, se sugiere pedirle al paciente que le notifique de inmediato si percibe algún tipo de molestia o sensibilidad antes de usar un elevador. También se aconseja no extraer la raíz si se produce alguna fractura.

10
Una típica banda radiolúcida ★★★

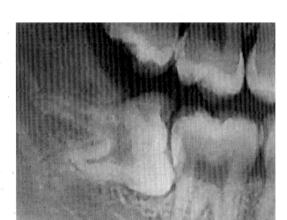

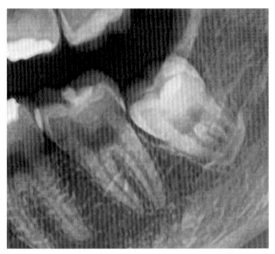

Se observa claramente la radiolucidez en el tercio medio de la raíz mesial y en la raíz distal, donde hay una superposición. En este caso, se consideraría como un signo de bifurcación de la raíz mesial. Sin embargo, es difícil notar la diferencia, especialmente cuando el cambio parece haber ocurrido debido a la interacción con el CNDI. En este caso, podría ser seguro asumir que esto fue causado por el conducto.

Se observa una banda radiolúcida típica entre las dos raíces. En este caso, se puede realizar una extracción convencional, pero si el paciente se queja de alguna sensibilidad durante el procedimiento, también se puede considerar la odontosección de la corona.

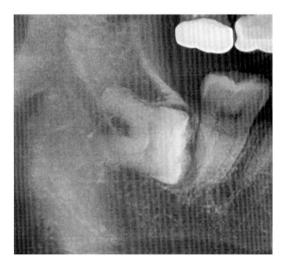

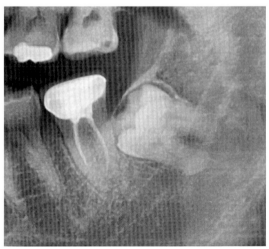

Se observa claramente una banda radiolúcida en los terceros molares en ambos lados de la cara del mismo paciente. Según mi experiencia, se puede asumir que el CNDI de este paciente está muy bien desarrollado.

11
Comparación de ambos lados del arco mandibular, donde el CNDI ★★
y el molar parecen superponerse

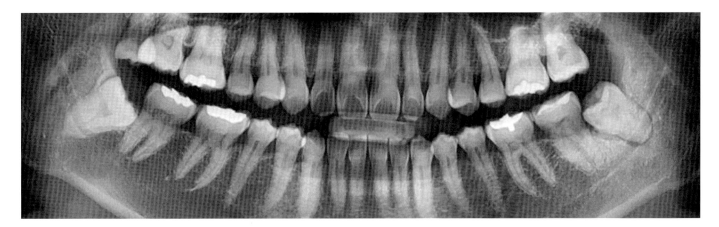

Observamos un caso de extracción de una paciente en sus 40s que acudió a nuestra clínica debido a una infección alrededor del diente #38 (#17 en el Sistema de notación universal). En la ortopantomografía, se observa claramente radiolúcida alrededor de la raíz del diente #48 (#32 en SNU). El diente #38 se observe oscuro alrededor, pero no se ve nada significativo sobre la superposición con el CNDI. No estoy seguro de cómo aparecerá impreso, pero en un monitor de computadora se puede distinguir claramente.

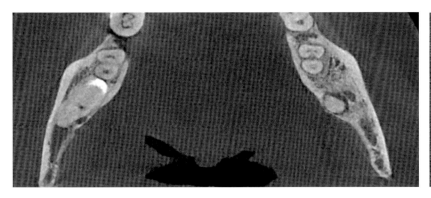
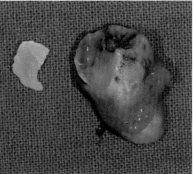

Comparando los lados izquierdo y derecho, el diente #48 está ubicado por lingual del CNDI mientras que el diente #38 esta en el lado bucal sin ninguna interferencia. Cuando se considera la transmisión de radiación, el #38 es mucho más grande en tamaño, pero el #48 presenta una clara banda radiolúcida a su alrededor. Tal vez el #38 podría observarse mejor sin la extensa reabsorción ósea que la rodea.

12
Extracción de tercer molar con radiolucidez <1> ★★★

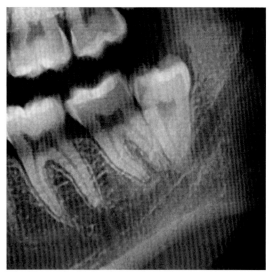 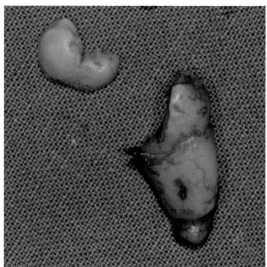

En esta foto el recorrido del CNDI se observa hacia el lingual del molar extraído.

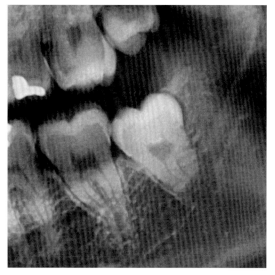 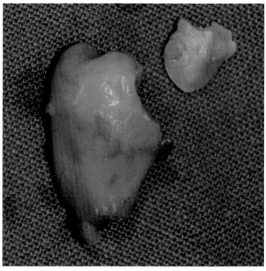

Arriba se observa la foto del lado lingual del diente extraído. En la superficie lingual de la raíz se observa un corte limpio, lo que se indica que hubo estrecha proximidad entre la raíz y el CNDI durante la formación de la raíz. En el caso anterior, se retiró el lado mesial de la corona y se extrajo el diente con un elevador, mientras que, en el segundo caso, se retiró el lado distal de la corona y se extrajo con un elevador. Esta técnica de extracción se discutirá más adelante, por lo que aquí nos enfocaremos en la forma de la raíz. De cualquier manera, el paciente no se quejó de ninguna molestia durante ambos procedimientos. Quizás, se deba a la naturaleza del CNDI, fuerte como una tubería de metal.

Extracción de tercer molar con radiolucidez <2> ★★

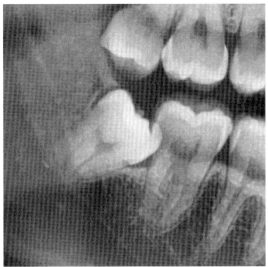
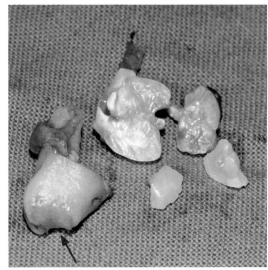

Observamos la raíz mesial con radiolucidez alrededor. Cuando examinamos la porción lingual del ápice posterior a la extracción, parece que la formación radicular fue afectada por el CNDI.

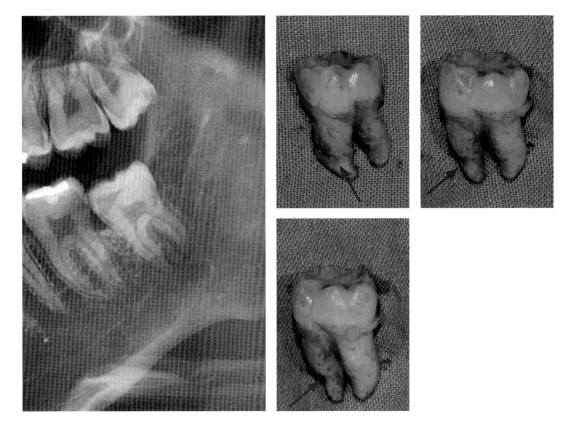

Este es un caso raro donde el CNDI viaja en el lado bucal de la raíz mesial. Normalmente en casos como estos, se realiza una extracción simple con elevador y sin osteotomía.

Extracción de tercer molar con radiolucidez <3> ★★

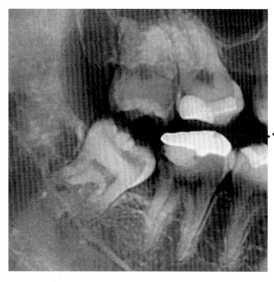

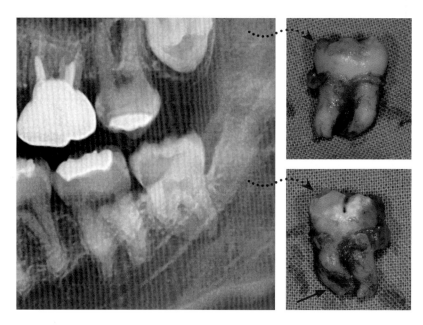

La raíz del diente #48 aparece demasiada borrosa en la ortopantomografía. Al examinar la raíz después de la extracción, se ve doblada y aplanada debido a la interferencia del CNDI. En el diente #38, la raíz mesial parece más difusa (más radiolúcida). Cuando el diente extraído se examina desde el lado bucal, no hay anormalidad significativa. Sin embargo, si se examina desde el lado lingual, la raíz mesial muestra evidencia física de influencia del CNDI durante su formación.

Si las raíces en ambos lados del mismo paciente se vieron afectadas por la trayectoria del nervio durante su formación, se sospecha que las paredes del CNDI han de ser fuerte como una tubería de metal.

¡Referencia!

Variantes de radiolucidez

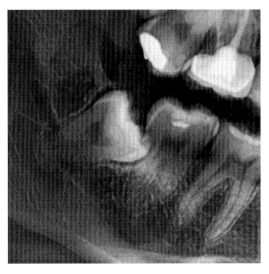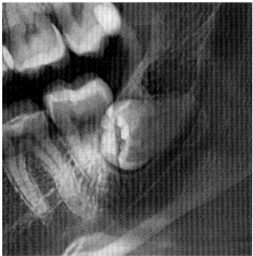

Se observan áreas radiolúcidas en ambos lados de los terceros molares inferiores del mismo paciente, pero la radio lucidez no se limita a las raíces, sino que se extienden hacia el exterior de ellas.

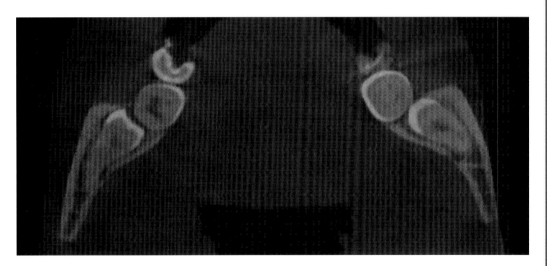

En este caso, es un signo que aparece cuando una raíz en crecimiento presiona el CNDI hacia el lado lingual del hueso cortical. La apariencia radiolúcida se observa no solo en las raíces, sino también en el área circundante porque el conducto no se dobla a 90 grados después de toparse con la raíz, sino que se desplaza horizontalmente como la cuerda de un arco.

¡Espera!

Cuando el CNDI pasa entre las raíces caso 1

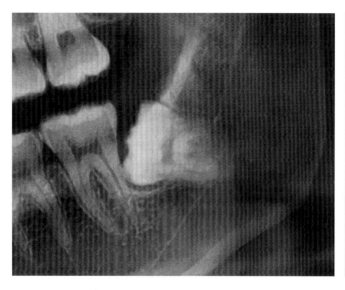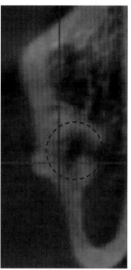

Una imagen panorámica donde no se observa claramente la raíz del tercer molar. Se tomó un escaneo CBCT porque algo no parecía estar bien. Resultó que el tercer molar tenía cuatro raíces y que el nervio estaba ubicado en medio de ellas. Aunque no es una situación de radiolucidez mencionada anteriormente, creo que el razonamiento fundamental detrás de estos fenómenos debe ser similar. Se recomienda precaución durante la extracción si las raíces aparecen difusas.

Hay cuatro raíces en esta imagen. Se observa que el CNDI podría posiblemente pasar por las raíces en forma de C o pasar entre dos raíces mesiales.

Aunque en este caso de extracción pude haber excedido un poco debido a mi ego, en caso de un dentista general, es recomendable realizar una odontosección coronal. Cuando se realiza este tipo de extracción, también se debe tener precaución, teniendo en cuenta el dolor y la sensibilidad del paciente.

Cuando el CNDI pasa entre las raíces caso 2

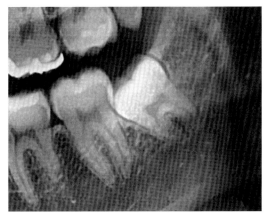
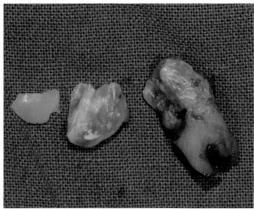

Con la raíz y el CNDI pareciendo superpuestos, el conducto muestra más discontinuidad que la raíz, mientras que la forma de la raíz parece estar bien conservada. Este fenómeno no indica automáticamente que el CNDI se encuentra entre las raíces, por lo que es importante revisar cuidadosamente.

Esta imagen fue tomada desde mesial del tercer molar extraído. Al final de este libro, se discutirá con más detalle la técnica de extraer solo la parte coronal del tercer molar, por lo que no me referiré a esa técnica en particular aquí. El CNDI hace su recorrido entre las dos raíces como se muestra en el video CBCT.

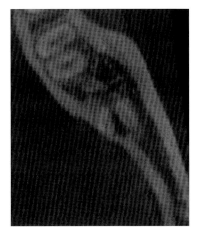
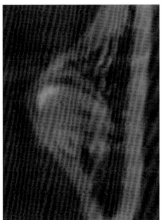
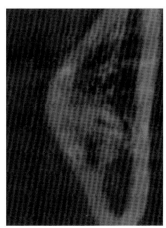

En cortes transversales, el CNDI se encuentra entre las dos raíces. En este caso, los síntomas del paciente deben observarse durante todo el procedimiento.

Incluso desde una vista coronal, se puede observar al CNDI antes de entrar y pasar entre las dos raíces. Durante la extracción, el paciente se quejó de sensibilidad y tuve que continuar revisando el grado de dolor durante todo el proceso. Esta extracción se terminó en aproximadamente dos minutos, sin signos de daño nervioso.

13
Odontosección coronal intencional ★★★

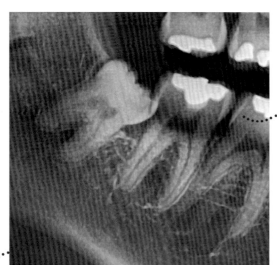

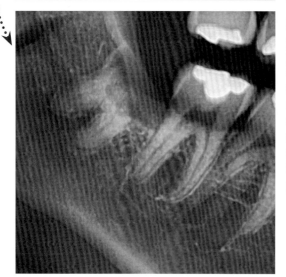

Si se observa claramente una banda radiolúcida y la extracción no parece simple, es mejor no perder tiempo y realizar un corte coronal intencional desde el principio. La imagen de abajo se tomó una semana después de la extracción cuando el paciente se presentó en la clínica para retirar la sutura. El paciente está satisfecho y asintomático incluso después de un año de la extracción. El seguimiento se realizó por teléfono ya que el paciente vivía demasiado lejos para visitar nuestra clínica.

¡Referencia!

Sorprendentemente, hay muchas excepciones

La mayoría de las veces, la aparición de radiolucidez indica proximidad entre el CNDI y la raíz. Sin embargo, esto no significa que la ausencia de esta indique que el CNDI y la raíz están muy separados. Aunque el conducto y la raíz son contiguos, a veces no se observan hallazgos significativos en una ortopantomografía. Cuando se observa una radiolucidez, la mayoría de las veces se debe a que la raíz se encuentra en el lado lingual, y puede haber muchas variaciones entre los huesos corticales del lado lingual.

14
Desviación del CNDI debido a la presión de un tercer molar ★★★

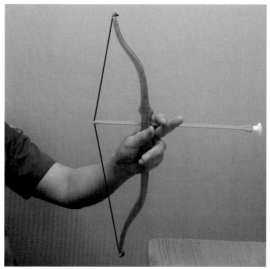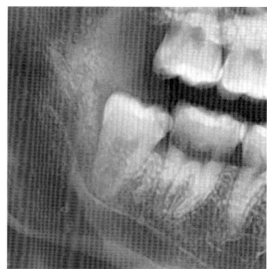

Este caso ocurre cuando la raíz desplaza al CNDI al crecer directamente hacia el canal durante la etapa del desarrollo. En esta ortopantomografía, el CNDI parecía doblado como una cuerda de arco por el efecto de la raíz. Si se observa este signo en la radiografía, es muy probable que el conducto se encuentre inmediatamente debajo de la raíz, por lo tanto, se debe evitar el uso de fuerza excesiva en caso de fractura de la raíz.

Lo que es importante notar en este caso es que la dureza del CNDI fue débil como una tubería de plástico en el momento de encontrarse con las raíces. Incluso la más mínima fuerza durante la formación de la raíz puede causar este nivel de desplazamiento del nervio, porque el tejido óseo que rodea al conducto era débil. En un caso como este, la extracción debe realizarse con cuidado, ya que puede producirse un daño nervioso debido a la naturaleza débil del CNDI. El reporte subjetivo del paciente de sus síntomas debe verificarse periódicamente durante todo el procedimiento. Si la raíz del diente se fractura durante la extracción, se debe tener precaución al extraerlo.

★★

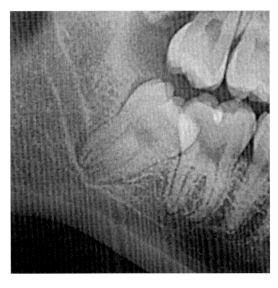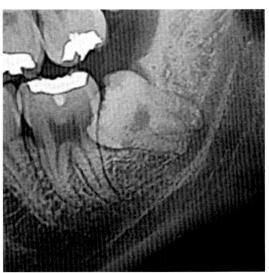

Observando estos terceros molares del lado izquierdo y derecho del mismo paciente podemos pensar que el CNDI era frágil como una banda de goma durante el desarrollo del diente.

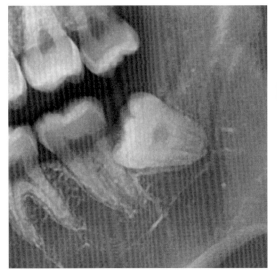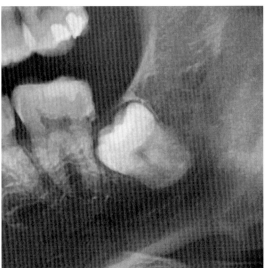

Como muestra la imagen en el lado izquierdo, hay casos en los que solo el CNDI alrededor del ápice se desplazó. En el caso del lado derecho, la raíz se dobló al contactar con el CNDI, desplazó y comprimió el CNDI. Este es un caso con el que tengo más cuidado.

15
Extracción del tercer molar con desviación del CNDI ★★★

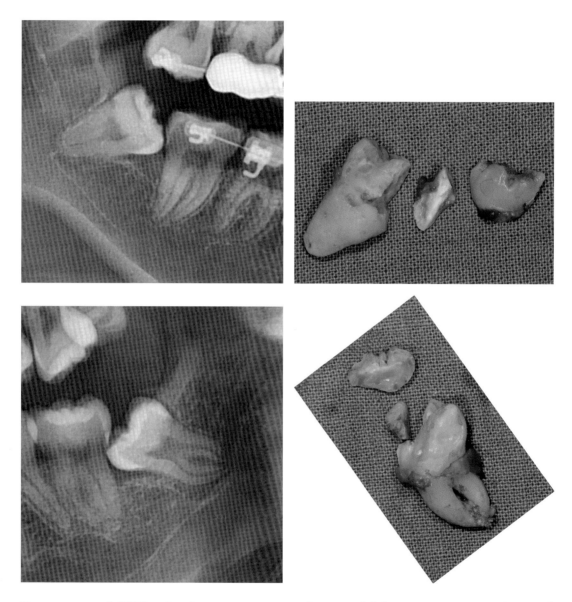

En estos casos el CNDI se desvía como un arco, pero las raíces del diente aparecen normales. En el caso presentado a continuación, el nervio no se habría dañado si el hueso alveolar entre las raíces se hubiera extraído junto con el diente. Pero en estos casos, podría ser más seguro considerar la odontosección en lugar de asumir los riesgos.

16
Radiolucidez y desviación ★★★

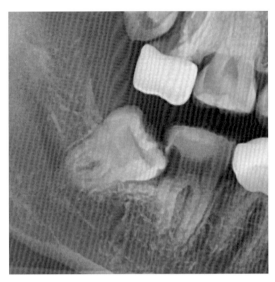 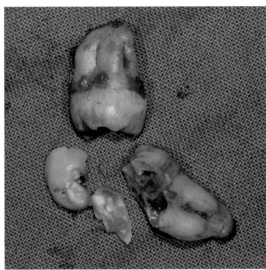

En estas fotografías muestran claramente que el CNDI pasaba muy cerca de las raíces por el lado lingual.

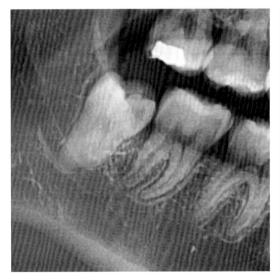 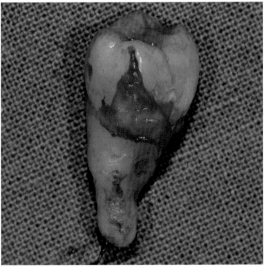

Se observa una curvatura moderada del CNDI y radiolucidez. En este caso, la posibilidad de un daño nervioso es baja, comparada con otros casos de molares incluidos. Se realiza una incisión hacia bucal y distal, de 5 mm y se extrae con un elevador.

17
Estrechamiento y desviación del CNDI cuando éste es desplazado y doblado ★★★

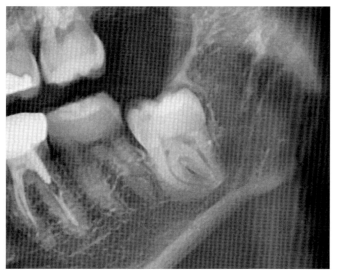 

Arriba vemos un caso en el que el canal nervioso se estrechó y desvió. A medida que se formaron las raíces de los dientes, el CNDI se estrecha y desvía dentro del hueso cortical mandibular. En mi opinión, el CNDI es como una tubería en vez de un tejido blando. Si el canal fuera firme y fuerte, las raíces de los dientes se habrían doblado o desviado del canal a medida que se formaban. En otras palabras, si el canal se estrecha y se desvía, puede sugerir que la pared del canal no es tan firme. Esta teoría no cambia la técnica de extracción. Sin embargo, en el caso anterior, primero se realizó la odontosección coronal, en la que pensé en dejar atrás las raíces, pero seguí adelante y las extraje. En estos casos, me aseguro de pedirles a los pacientes que me informen si sienten algún dolor u hormigueo mientras remuevo las raíces. En estos casos es obligatorio tener la mayor precaución.

Generalmente, se dice que el borde inferior del CNDI es un poco más duro y el borde superior es un poco más suave. En ese sentido, cuando observa la estrechez en las radiografías panorámicas, podemos inferir que el borde inferior del canal es hueso cortical denso y el borde superior es hueso relativamente más blando. A medida que se desarrolla la raíz del diente, el borde superior más suave se flexiona mientras que el borde inferior más duro se mantiene firme. Por lo tanto, cuando notes un efecto de constricción en la radiografía, debes tener mucho cuidado de no ejercer demasiada fuerza al quitar las raíces para evitar dañar el nervio con los ápices ya que el nervio descansa sobre una superficie dura sin flexibilidad debajo para absorber la presión.

18
Constricción y desviación del CNDI ★★

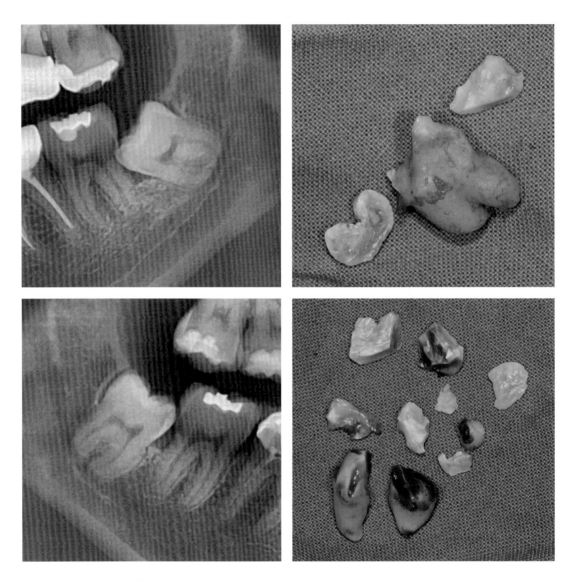

Se presenta el caso de una mujer de 35 años que vino a mi consultorio para extracción de un tercer molar a su regreso de Alemania. Arriba hay algunas fotografías junto con su ortopanto-mografía; extraje el #38 primero y el #48 un mes después. Usualmente realizo extracciones en la primera cita, # 38 se extrajo fácilmente en 5 minutos.

★★

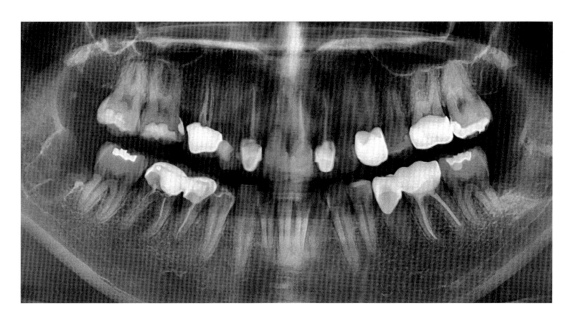

El #48 fue abordado de la misma manera, pero la corona se había fracturado. Esto se discutirá más adelante en capítulos posteriores, pero me gusta realizar el corte primero en el lado mesial, seguido del lingual. Debido a la dificultad del ángulo, la corona se fracturó cuando se aplicó fuerza con un elevador en el lado distal bucal después de retirar el exceso en lingual. Por lo tanto, el cuello del diente y las raíces se extrajeron por separado en aproximadamente 20 minutos.

Al día siguiente, el paciente se quejó de cambios sensoriales, por lo que se tomó una ortopantomografía. La radiografía no mostro ningún particular y el cambio sensorial volvió a la normalidad después.

La ortopantomografía posterior a la extracción muestra evidencia de esclerosamiento del hueso alveolar alrededor del diente # 48, lo que explica las dificultades encontradas durante esta extracción.

En conclusión, la constricción y el desvío del canal nervioso podrían implicar que el canal no está rodeado por hueso cortical firme. Por lo tanto, la extracción de estos dientes debe realizarse con mucho cuidado. Evita ejercer fuerza excesiva sobre las raíces o eliminar la raíz cuando los riesgos son altos.

19
Historial del paciente

**Este es el registro del paciente del caso previo, el primer día comienza
después de la extracción**

11/12   Extracción dental #48 (el diente #38 fue extraído el 21/09/2015)

14/11   Visita inicial

Paciente: Refiere inflamación en el lado derecho y sensación de continuar anestesiado.

Autor: Recomienda observación

16/11   Comunicación telefónica

Paciente: El cambio sensorial está presente y no presenta mejoría. El doctor me comentó la posibilidad de administración de esteroides si no hay mejoría, ¿debo empezar a considerar los esteroides ahora o debo esperar hasta el jueves?

Asistente: Le llamaré después de hablar con el médico.

18/11   Comunicación telefónica

Asistente: No hay necesidad de tomar esteroides. Hablamos con el médico y dijo que no tenía que preocuparse, mejorará con el tiempo. Lo revisaremos cuando regrese para retirar la sutura.

18/11   Comunicación telefónica

Asistente: Hola Sra. Lee, al Dr. Kim le gustaría verla para verificar su cambio sensorial en la cita de retiro de suturas. ¿Podría venir el viernes? ¿O posiblemente hoy?

Paciente: No puedo hoy, pero puedo el viernes por la mañana. Todavía se siente entumecido. Estaré allí alrededor de las 10am del viernes. ¿Puedo llevar a mi hijo para revisión ese día también?

20/11   Visita para retiro de sutura

Paciente: Sigo igual. Todavía se siente como anestesiado.

Autor: La sensación volverá, sigamos observando.

07/12   Llamada feliz

Paciente: Siento una ligera mejoría. Es difícil saber si realmente mejoró o si me estoy acostumbrando, pero seguiré observando.

Un mes después del control postoperatorio, contacté al paciente

Yo contacto directamente a los pacientes con quejas o problemas. Esto reduce el estrés de los asistentes, y me resulta más fácil ocuparme de estos asuntos personalmente.

17/12   La contacté por mensaje personal.

> Dr. Kim: Hola Sra. Lee soy el Dr. Kim de la clínica Gang-nam. ¿Cómo se siente?

> Paciente: Hola Dr. Kim, gracias por contactarme personalmente. El entumecimiento continua, pero no creo que haya sido su culpa. En cambio, podría deberse a la anatomía atípica de mi diente, ya que otros médicos que he visto antes me dijeron que no podían extraerlo. Muchas gracias por preocuparse. Seguiré esperando. Que tenga un buen día.

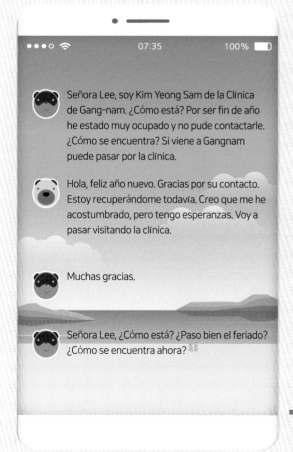

A la izquierda hay una captura de pantalla de la conversación con esta paciente dos meses después de la extracción. Ella dijo que estaba mejorando. Le envié otro mensaje aproximadamente un mes después para ver cómo estaba, pero ella no respondió. Fue uno de los pocos instantes en los que soy feliz de que mi mensaje fue ignorado por una mujer. Y el problema surgió un mes después.

■ Esta es una conversación entre mi paciente y yo, hablando sobre el proceso de curación. El último mensaje no fue leído por el paciente.

El "problema" fue que la paciente pregunto por un tratamiento estético en sus dientes anterosuperiores.

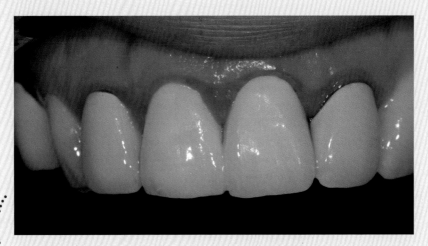

Al darle el presupuesto del tratamiento, mencionó que todavía sentía un poco de incomodidad en el lugar donde extraje sus terceros molares. Bajé el costo de su tratamiento como cortesía profesional, en agradecimiento por regresar a nuestra clínica.

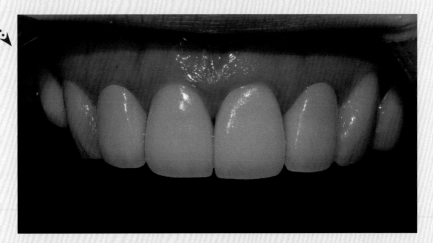

Tenía gingivitis crónica leve, pero el cuidado constante de la higiene oral y el avance de su educación, mejoraron no sólo la apariencia de los dientes y la encía, sino también su salud en general. Gracias al gran resultado de su tratamiento estético, mi única paciente que podría ser registrada con daño nervioso, se quedó muy contenta. Los pacientes confían en los dentistas que pueden realizar extracciones del tercer molar de manera competente.

Posteriormente, cuando me comento que las zonas de extracción del tercer molar se sentían normales, también le agradecí mucho.

Inflamación alrededor de terceros molares ★★★

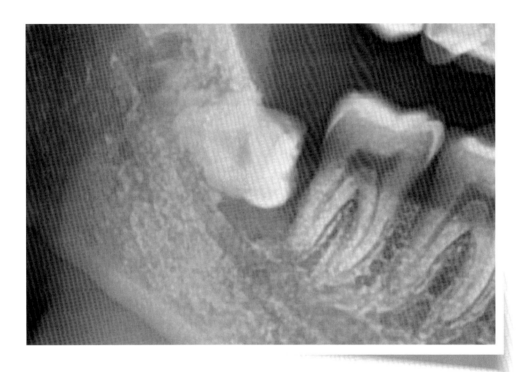

Comúnmente se cree que extraer dientes con periodontitis es relativamente fácil. Esto es cierto para dientes totalmente erupcionados con periodontitis, afectados hasta las raíces. Sin embargo, la periodontitis de terceros molares generalmente se presenta de manera diferente. A diferencia de los dientes completamente erupcionados, tienden a mostrar inflamación limitada a la zona de la corona, que a menudo está rodeada de excesivo tejido blando, resultando en bolsas profundas. Esta inflamación alrededor de la corona puede actuar casi como un quiste, ejerciendo una presión que puede hacer que el diente migre. Discutiremos la inflamación alrededor de los terceros molares que puede afectar en el nivel de dificultad del procedimiento de extracción y sus características radiográficas.

01
Inflamación crónica puede alterar la ubicación de los terceros molares

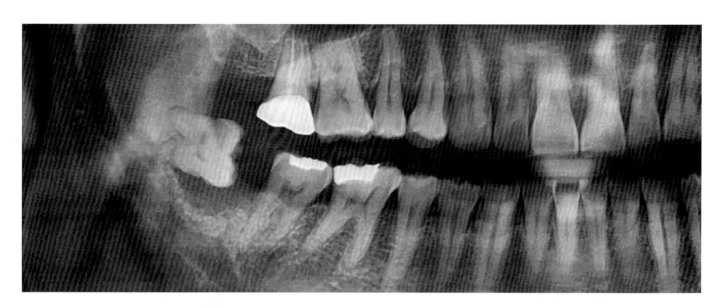

En la imagen de arriba, se puede observar el desplazamiento superior del tercer molar debido a una inflamación severa alrededor de la corona. Un fenómeno similar se observa con el desarrollo de quistes alrededor de la corona. Ya sea que se trate de inflamación severa o quistes, la presión aplicada por el tejido blando inflamado desplaza gradualmente el diente hacia apical, como si el diente se moviera deliberadamente con un tratamiento de ortodoncia. En estos casos, la extracción se vuelve más difícil debido al estrechamiento del espacio del ligamento periodontal o la fusión del hueso alveolar y la raíz del diente.

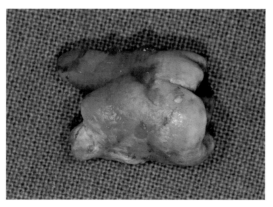 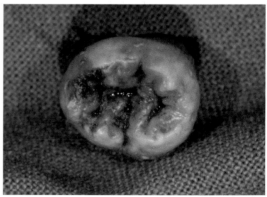

El tercer molar incluido en posición horizontal, se extrajo sin odontosección. A menudo, los restos de comida, el cálculo y los tejidos inflamatorios están presentes alrededor de la corona de estos dientes. Este diente en particular tenía el espacio del ligamento periodontal ensanchado debido a la enfermedad periodontal, que se retiró tan fácilmente como otros dientes con enfermedad periodontal.

02
Desplazamiento de un tercer molar incluido horizontalmente ★★★
debido a inflamación adyacente

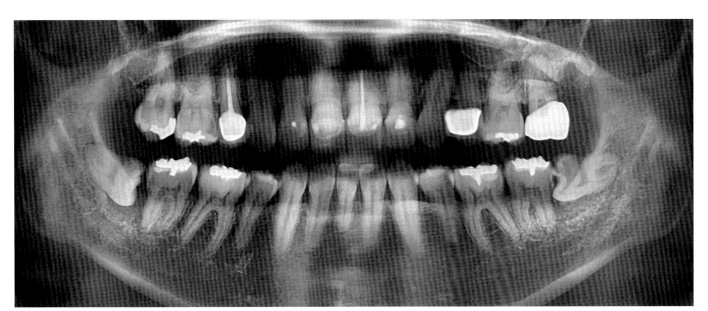

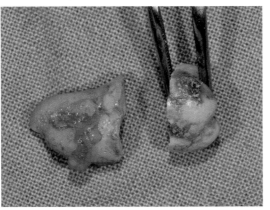 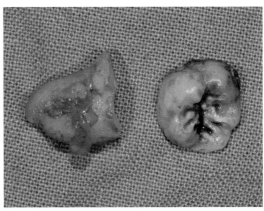

Se observó inflamación severa alrededor de la corona y múltiples cálculos en el diente extraído.

Es muy fácil la odontosección coronal en un diente como este. Cuando el nervio y la corona están cerca, un corte moderado permite una extracción por separado del diente ya que hay suficiente espacio alrededor de la corona. Si hay suficiente distancia con el nervio, se puede realizar un corte en la parte inferior de la corona, el tejido blando adyacente permite un corte seguro. Cuando se usa una fresa redonda de vástago largo, se puede sentir la diferencia de densidad en la pieza de mano al seccionar completamente la corona inferior. En este caso, el desplazamiento superior facilitó la extracción. A veces, el desplazamiento apical que puede causar la adhesión de la raíz al hueso alveolar por la inflamación alrededor de la corona resulta en una extracción complicada.

03
Severo estrechamiento del espacio periodontal debido a la ★★★
impactación apical

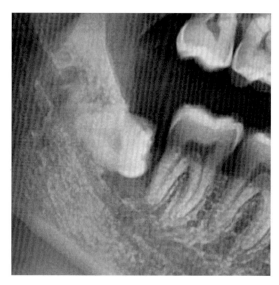 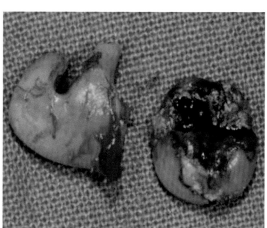

La extracción de la corona es fácil, pero es difícil insertar un elevador en el espacio periodontal debido a la impactación de la raíz al hueso alveolar. Estos dientes se pueden extraer parcialmente por odontoseccion y luxación (corte distal de la corona – discutido más adelante). Viendo la corona extraída, se puede asumir la severidad de la inflamación.

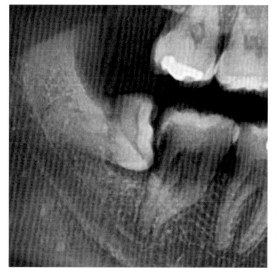 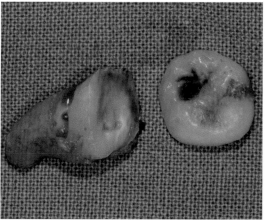

La extracción de la corona es fácil, pero debido a la dificultad de insertar un elevador dentro de un espacio periodontal muy estrecho, la técnica de odontoseccion distal de la corona se aplica utilizando el elevador como un remo.

04
Casos más complicados ★★

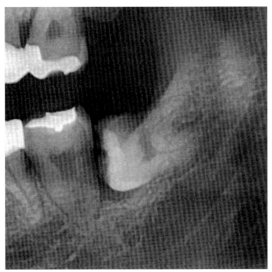 

Quitar la corona es fácil, pero este diente se extrajo seccionado debido a su bajo perfil. Un diente como este se aborda con los mismos principios que los dientes incluidos horizontalmente, pero extraerlo en partes debe considerarse como un plan de respaldo. Este tema se discute más en otro capítulo.

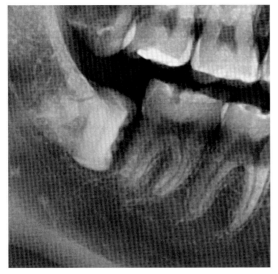 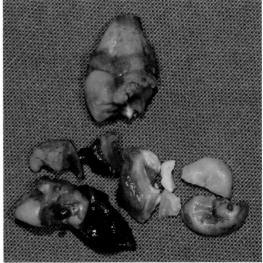

Este es un caso extremadamente difícil debido a la fusión de la raíz y el hueso alveolar. La extracción de la corona parece fácil, pero la corona se encuentra muy profunda y cerca del nervio dentario inferior; por lo tanto, se elimina en segmentos pequeños. Se observa una rotación severa en el diente, así como una curvatura pronunciada de la raíz distal.

05
Cuanto mayor sea el paciente, mayor es la posibilidad de que se produzcan ★★ más fusiones

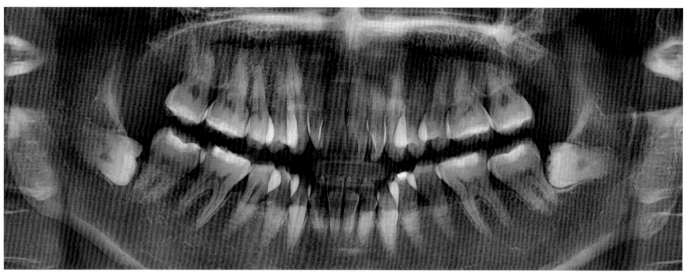

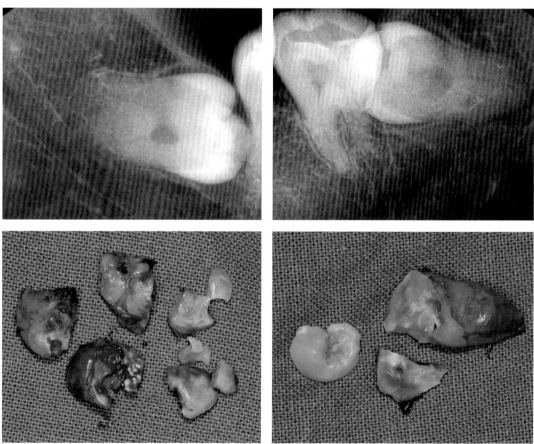

No todas las extracciones son fáciles. Una corona localizada profundamente y la presión inflamatoria constante desplazando la raíz del hueso alveolar, aumentarán la posibilidad de anquilosis. La extracción con elevador con mínima eliminación del hueso bucal como esta que realice, no es fácil, ya que no hay espacio para los elevadores. Este corresponde a una paciente femenina de 44 años con una extracción muy difícil del diente #48.

06
La extracción más prolongada del 2015 ★

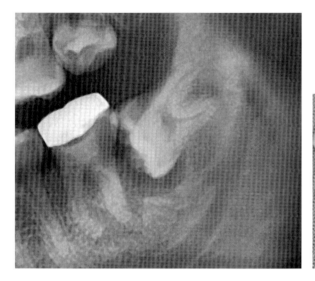
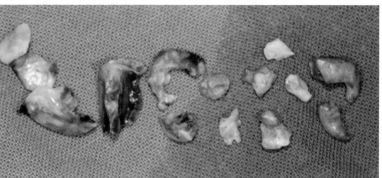

La inflamación pericoronal severa que causó la impactación hacia arriba de la raíz y la curvatura de la raíz hizo que este caso fuera extremadamente desafiante. El hermano de este paciente realizó una exitosa extracción de un tercer molar en nuestro consultorio y trajo a su hermano desde Incheon. Esta fue la extracción del tercer molar más difícil entre las muchas extracciones que realicé en 2015. Este caso me llevó más de 40 minutos.

La razón por la que enfatice el tiempo necesario para extraer este diente no es porque se presenta como un caso difícil. El tiempo y la dificultad de la extracción de terceros molares están influenciados por muchos factores. A veces, un diente como este, que se parece una extracción fácil con un abordaje de rutina, puede suponer un desafío.

¡Espera!

Debes leer este libro nuevamente

No uso el mismo caso varias veces porque hay muchos. Pero este caso particular se menciona nuevamente en la sección de dientes impactados horizontalmente porque causó una gran impresión. Omitiré la explicación de la extracción aquí. Ahora, muchos se preguntarán cómo se hizo la extracción, pero es por eso que tienes que volver a leer este libro. Tendrá más sentido cuando vuelvas a esta página, después de haber leído el capítulo más adelante.

07
Anquilosis de las raíces con el hueso alveolar ★★★

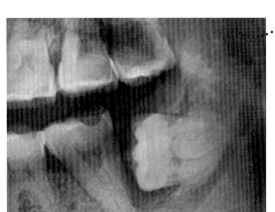

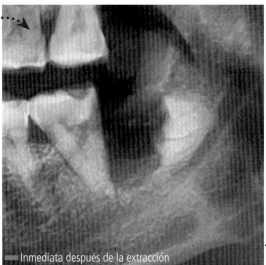

Inmediata después de la extracción

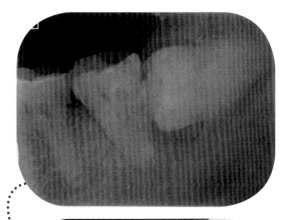

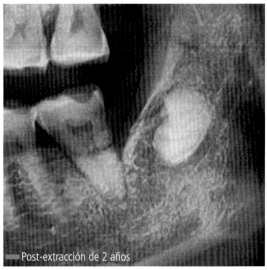

Post-extracción de 2 años

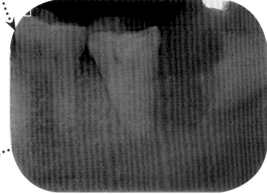

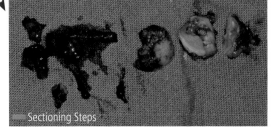

Sectioning Steps

Este es un paciente masculino de 50 años con una severa anquilosis, en quien tuve que realizar una coronectomia. Considerando la cercanía del CNDI con la anquilosis, debido a la inflamación prolongada, preferí hacer la coronectomia a una extracción completa. El paciente se encuentra asintomático y se tomaron radiografías panorámicas dos años después de la cirugía. No se observó movimiento de las raíces debido a la anquilosis.

¡Referencia!

Inflamación pericoronal vestibular distal que provoca reabsorción ósea

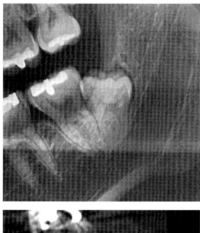
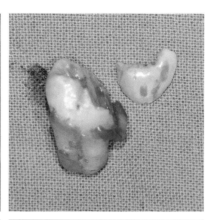
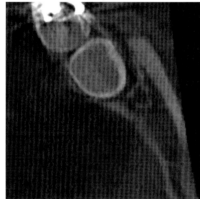
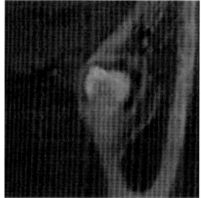

La inflamación pericoronal crónica en un tercer molar distal y verticalmente incluido provoca la reabsorción ósea alrededor de la corona. También puede desplazar la corona hacia lingual o apical. Generalmente esto no hace diferencia en los dientes incluidos verticalmente, pero pueden presentarse más variaciones, como el estrechamiento o el ensanchamiento del espacio del ligamento periodontal. En un espacio ensanchado entre el hueso bucal y el diente, un elevador Hu-Friedy EL3C, que es muy delgado, puede no ajustarse bien. A menudo uso un elevador EL5C con una punta más ancha o fórceps. Esto se discute más a fondo en el capítulo sobre la extracción de tercer molar incluido verticalmente.

¡Espere!

La anquilosis de las raíces de los dientes es poco frecuente

De hecho, la anquilosis de las raíces de los dientes es poco frecuente. No se puede suponer que las raíces de los dientes se hayan anquilosado por la edad avanzada del paciente y la inactividad en el hueso alveolar. Sin embargo, la anquilosis parcial puede ocurrir en un área limitada. Por lo tanto, utilizo el término anquilosis siempre que haya un estrechamiento severo del espacio del ligamento periodontal para ayudar a los lectores a comprender mejor.

08
La inflamación coronal puede causar reabsorción ósea circundante

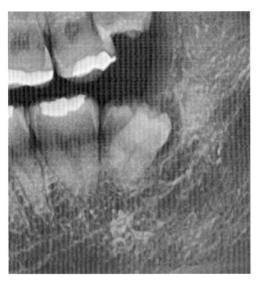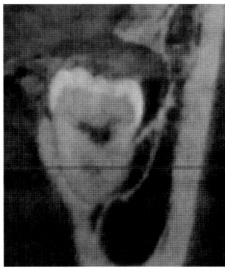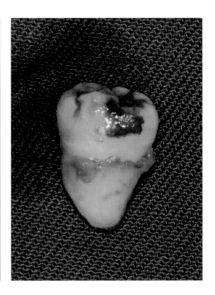

Esta es una paciente femenina de 30 años, en la que se puede ver la pérdida ósea distal en su ortopantomografía. El tejido pericoronal se ve anormal en el corte coronal del CBCT. Comúnmente, estos dientes tienen múltiples cálculos cuando se inspeccionan después de la extracción. Si es grande, se debería considerar la posibilidad de un quiste y la necesidad de una biopsia.

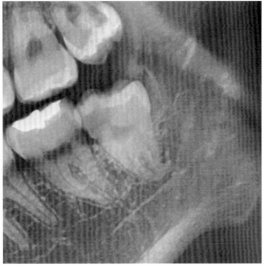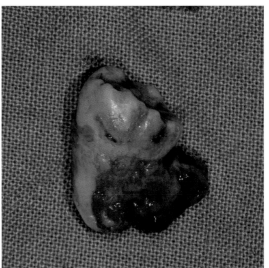

Esta paciente de 24 años tenía inflamación pericoronal severa, así que se realizó una extracción. En estos casos, similares a los casos de quistes, el tejido blando inflamatorio severo puede unirse y extraerse con el diente. Es importante desbridar el tejido inflamatorio e irrigar abundantemente con solución salina, teniendo cuidado de no dejar ningún cálculo o residuo inflamatorio en el alveolo después de la extracción.

Raíz del tercer molar y hueso cortical lingual ★★★

Signo de Youngsam

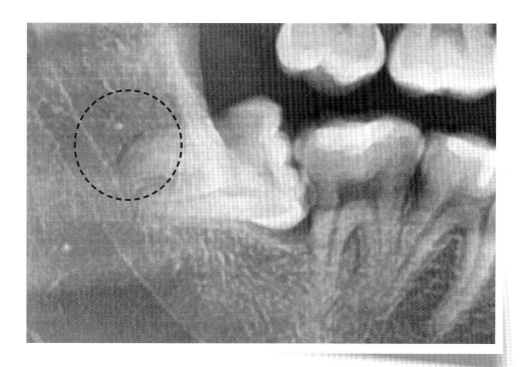

Este signo, que se puede ver en la ortopantomografía el cual parece influir en la dificultad de la extracción del tercer molar, lo llame el signo de Youngsam. Los detalles se discutirán en el texto principal. Si en el futuro el signo de Youngsam les ayuda en con la extracción, me gustaría que lo llamen por su nombre. Ahora, entremos al texto principal.

01
Casos que vemos comúnmente en problemas de la extracción ★★★
de terceros molares

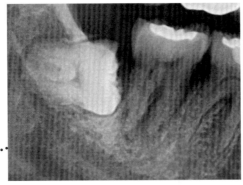

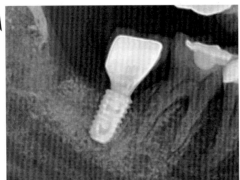

Paciente masculino de 50 años, que presenta una enfermedad periodontal alrededor de la corona de su tercer molar. Si observas la fotografía de los dientes extraídos, este caso parecía una extracción directa del tercer molar, si el #48 se extraía después del #47. Pero la extracción fue más desafiante de lo que inicialmente se pensó.

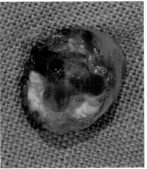

Hay evidencia en las raíces de numerosos cortes en diferentes direcciones. La parte media del diente se fragmentó y se succionó hasta que se eliminó esta sección de la raíz del diente. El diente se fracturó en lugar de extraerse como un todo. ¿Por qué este tercer molar, que parecía ser simple, planteo un desafío durante la extracción?

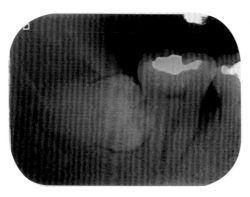

Se ve un amplio espacio del ligamento periodontal en la radiografía cerca de la región apical. Esto se visualiza más claramente en la ortopantomografía, en la parte superior, donde toda la raíz está rodeada por una franja oscura. Esto es a lo que llamaré el signo de Youngsam. Ahora puede ser un nuevo término, pero intentemos de llamarlo así, ya que se mencionará en otros capítulos de este libro.

02
¿Por qué se fracturó esta raíz? ★★★

En el caso anterior, ¿por qué se fracturó la raíz? No tenía una curvatura significativa, ni otra característica que no se detectan fácilmente. Pero entenderás por qué la raíz se fracturó después de estudiar el signo de Youngsam en este capítulo. Entre muchos otros factores que influyen en la dificultad de la extracción del tercer molar, considero que esta es una de las variables más importantes. Además, no es un tema discutido comúnmente, excepto en mis estudios. Por lo tanto, debes aprenderlo de este libro y usarlo en casos reales cuando veas un tercer molar con estas características.

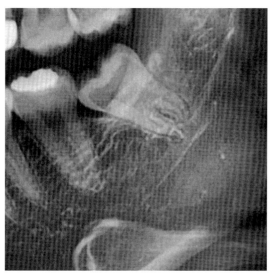 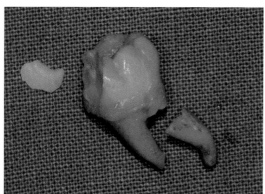

En esta radiografía, se puede ver el signo de Youngsam cerca de la raíz distal del tercer molar #38. Durante la extracción, la raíz distal se fracturó. La fotografía se tomó después de retirar la raíz fracturada por separado. ¿Por qué esta raíz distal se fracturo? No se observó una curvatura pronunciada y el ápice distal también se fracturó ligeramente.

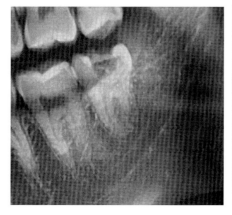 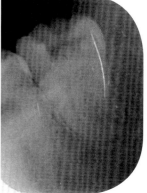 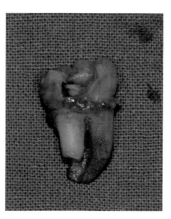

El signo de Youngsam se puede ver cerca de la raíz distal del tercer molar #38. Una radiografía estándar lo muestra más claramente. A veces, la ortopantomografía puede tener diferentes calidades dependiendo de cuándo se tomó.

El diente extraído #38 se observa desde el lado lingual en la fotografía y se ve la fractura en la raíz distal.

03

¿Ligamento periodontal radiolúcido y amplio alrededor del ápice ★★★ de la raíz?

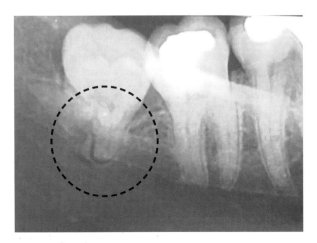

Esta imagen se mostró en uno de los videos durante mis seminarios de extracción de terceros molares. El video mostró la eliminación de la raíz mesial debido a una fractura y la radiografía mostró características típicas del signo de Youngsam.

Durante el seminario del Dr. Min-Kyo Seo, vi un video que mostraba la extracción de una raíz mesio-lingual después de que se había fracturado. ¿Por qué se fracturó la raíz? Aquí debemos considerar cuándo se ve el signo de Youngsam, que es la radiolucidez alrededor del tercio apical de la raíz o el ensanchamiento del espacio del ligamento periodontal. El signo de Youngsam indica que las raíces se dirigen hacia el hueso cortical lingual.

Personalmente no he oído hablar de esto a alguien más, sin embargo, algunos radiólogos dentales me dijeron que creen haberlo escuchado anteriormente. Menciono esto con bastante frecuencia durante mis seminarios y no parecía haber un término claro para esto, así que lo definí como 'signo de Youngsam'. Se han utilizado términos como 'signo radiolúcido alrededor de los ápices radiculares', 'engrosamiento' y 'quemado', pero creo que esto causa más confusión, por lo que lo llamaré el signo de Youngsam.

Hay una razón por la que le di un nombre. Estos casos son más difíciles de lo esperado y a menudo se presenta una fractura radicular. Se considera similar al concepto bi-cortical en el implante mandibular temprano. En mi opinión, hay gran diferencia entre la densidad del hueso en el área cervical y la densidad del hueso en apical.

Durante mi reciente seminario, titulado "La interpretación de las radiografías panorámicas para la extracción segura del tercer molar", patrocinado por Ostem Implant, el Dr. Dong-Eun Lee, el presidente en ese tiempo, mencionó que en un antiguo estudio en cadáveres se encontró una localización del tercer molar hacia hueso cortical lingual en aproximadamente el 30% de los casos. Esto se mostró nuevamente en el estudio discutido anteriormente, "Variaciones en la posición anatómica del tercer molar mandibular impactado y sus implicaciones prácticas" (SWISS DENTAL JOURNAL 124: 520-529 (2014)); su estudio citó el 31.4% del tercer molar localizado hacia hueso cortical lingual. La localización del lado bucal fue del 4.3%, mucho más baja de lo esperado.

04
Espera, ¿sólo en el lado lingual? ★

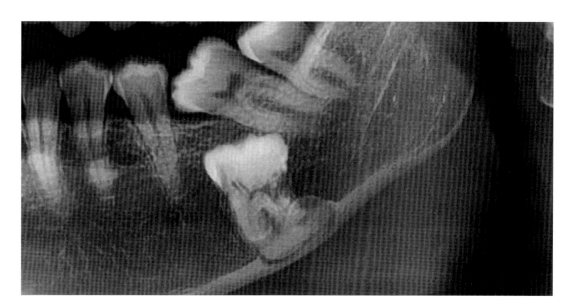

La ortopantomografía anterior muestra la deformidad de las raíces del diente debido al contacto con el hueso cortical inferior de la mandíbula. La radiolucidez se ve nuevamente alrededor de la raíz del diente. De ahora en adelante, esto puede considerarse como una raíz ubicada dentro del hueso cortical. Sin embargo, debe descartarse el agrandamiento de las raíces, caries radicular y los apicales en formación de los terceros molares.

De cualquier manera, cuando el signo de Youngsam se observa en las raíces de los terceros molares, se debe anticipar una extracción difícil debido a que las raíces están ubicadas en el hueso cortical lingual. Además, hay que tener en cuenta las altas probabilidades de fracturarse y poder desplazarse en el espacio sublingual durante la recuperación. En algunos casos, se puede palpar el movimiento de la raíz en el lado lingual. Si no tienes experiencia, no debes intentar extraer las raíces fracturadas. La clave aquí es tratar de evitar una complicación, en lugar de tratar de lograr cien éxitos. Si eres dentista con poca experiencia, y ya has retirado la corona exitosamente, no te esfuerces por quitar las raíces residuales. Esto se discute con más detalles en el próximo capítulo que cubre la coronectomia intencional.

Me gustaría decir que el valor predictivo positivo del signo de Youngsam es superior al 99%; sin embargo, también tiene una alta tasa de falsos negativos. En otras palabras, si no hay agrandamiento de la raíz, no se debe descartar la posibilidad de que los ápices estén localizadas en el hueso cortical lingual. Incluso puede verse diferente en dos radiografías panorámicas del mismo paciente. Solo recuerde que tanto los estudios nacionales como los internacionales informan que aproximadamente el 30% de las raíces del tercer molar se ubican en el hueso cortical lingual.

05
Signo de Youngsam en el hueso cortical bucal ★

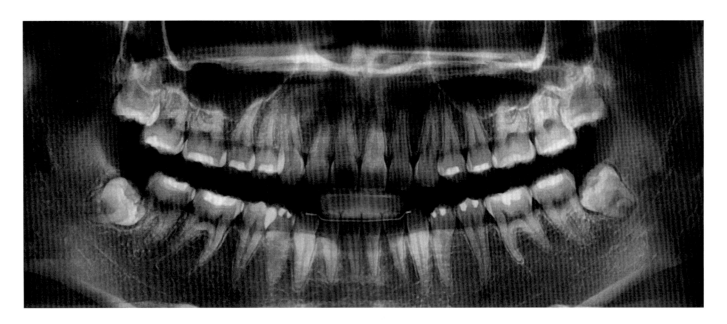

Este es un caso de una mujer de veintitantos años que se presenta para la extracción de terceros molares. En general, las raíces del tercer molar parecen estar completamente formadas. Se tomó CBCT porque se considera que la angulación hacia el lado lingual dificulta la extracción.

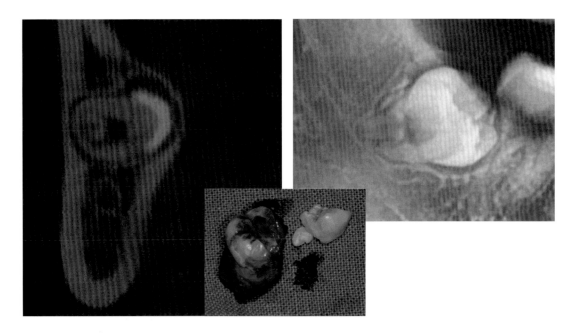

El CBCT muestra que este tercer molar está angulado hacia el lado lingual con los ápices ubicados en el hueso cortical, además del amplio espacio en el ligamento periodontal. En la mayoría de los casos en que las raíces se encuentran en el lado bucal, el estudio CBCT muestra el espacio del ligamento periodontal de manera más notoria.

06
¿Cuál es el significado del signo de Youngsam? ★★★

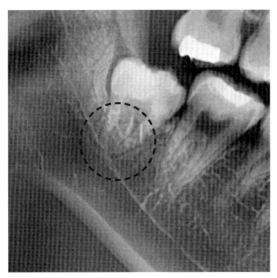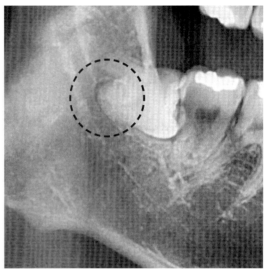

En mi experiencia, la radiolucidez observada alrededor de los ápices significa que las raíces están ubicadas dentro del hueso cortical lingual. Muchas personas pueden no creer esto, ya que no se discute comúnmente en otros lugares, pero no olviden que el autor ha extraído la mayor cantidad de terceros molares durante el período de tiempo más largo en el país.

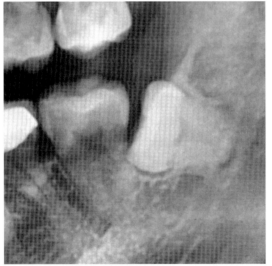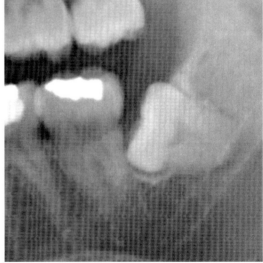

Esta es una mujer de 40 años con el signo de Youngsam visto alrededor de las raíces del #38, lo que se confirma con el CBCT. La imagen a la derecha es del mismo paciente, pero la radiografía se tomó en un aparato diferente, con una calidad inferior y tiene más de diez años. Sin embargo, se puede ver el signo de Youngsam alrededor de las raíces apicales.

07
Varios signos de Youngsam ★★★

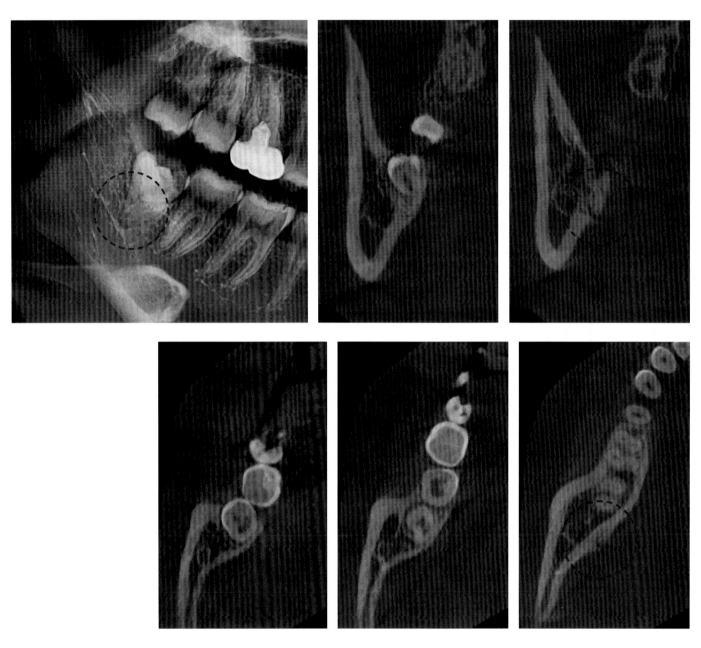

Las raíces apicales del tercer molar #48 incluido verticalmente tienen una apariencia radiolúcida, que se visualiza claramente mediante un CBCT. Se insertan cortes coronal y horizontal del CBCT para ayudar a comprender. Se pueden ver los ápices que penetran en el hueso cortical y el ensanchamiento del espacio del ligamento periodontal. Cuando las raíces como estas se fracturan, se debe tener precaución al extraer, ya que puede desplazarse al piso de la boca.

★★★

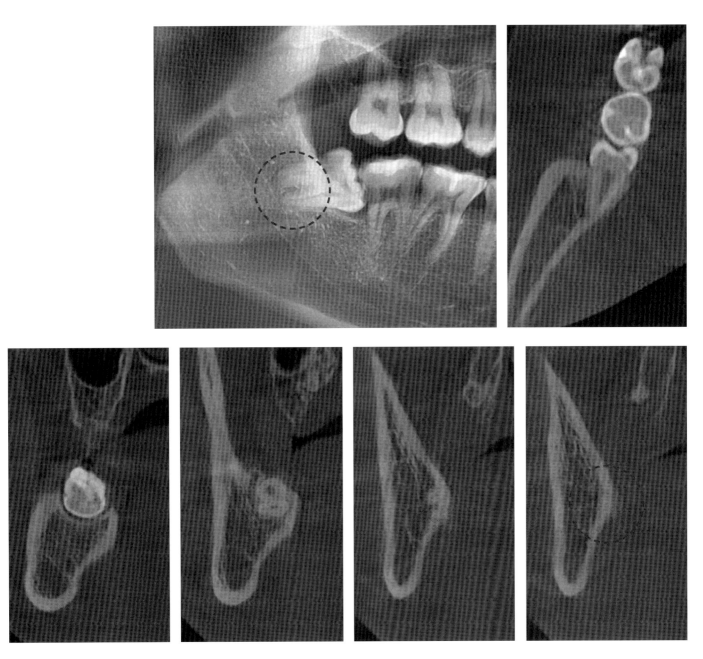

Se observa radiolucidez en la parte superior en el ápice distal de un diente incluido horizontalmente. El CBCT muestra que la raíz distal se ve afectada en el hueso cortical lingual y se observa una zona radiolúcida distalmente. Independientemente de cualquier característica visualizada en el CBCT, el signo de Youngsam a menudo se ve cuando la raíz se encuentra en el hueso cortical.

★★★

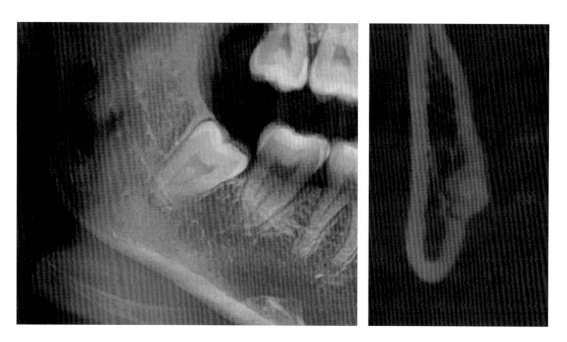

En la ortopantomografía, se observa radiolucidez superpuesta en las raíces. El corte coronal del CBCT muestra una localización intracortical y nuevamente una radiolucidez.

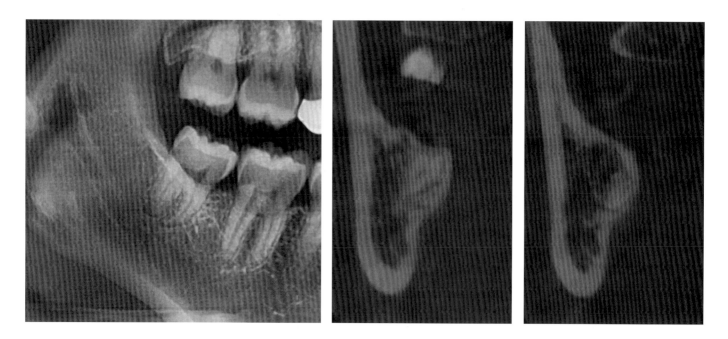

Paciente femenino de 36 años con una zona radiolúcida cerca de los ápices del diente #48, se pueden observar los mismos hallazgos en el estudio de CBCT.

08
Extracción de terceros molares con el signo de Youngsam ★★★

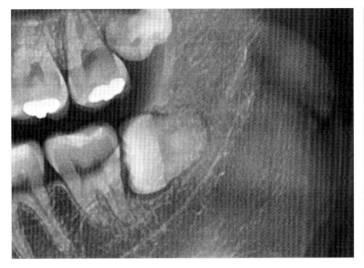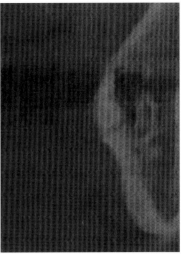

Como se discutió anteriormente, supongo que la inflamación circundante causó el desplazamiento posterior de este diente, causando que las raíces se ubicaran en el hueso cortical. Esta opinión es discutible entre otros proveedores.

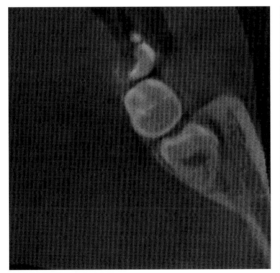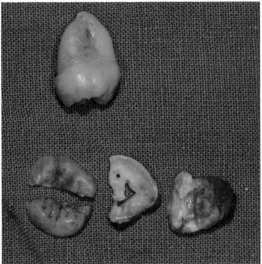

No es fácil predecir la dificultad de las extracciones del tercer molar. Sin embargo, el signo de Youngsam puede ayudar a imaginar las adversidades de la extracción hasta cierto punto. Raramente paso más de 5 minutos en una extracción, pero cuando lo hago, generalmente es en los casos que tienen el signo de Youngsam. Después de leer el capítulo sobre dientes incluidos horizontalmente, debes comprender cómo se realizó esta extracción y por qué las raíces se fracturaron en dos segmentos después de la resección coronal. Usar un elevador para la extracción fue un desafío debido al espacio estrecho del ligamento periodontal bucal.

★★★

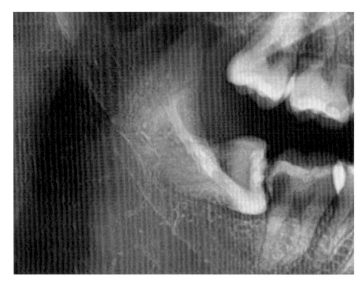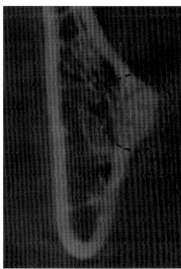

Este tercer molar horizontal parece ordinario. Sin embargo, podrías predecir qué tan difícil podría ser este caso si has estudiado sobre el signo de Youngsam.

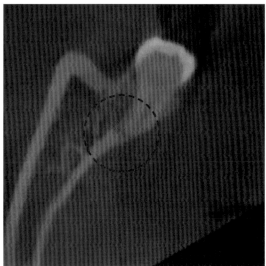

Como se muestra en las imágenes de arriba, esta extracción fue difícil. Si se tratara de un procedimiento rutinario del tercer molar, las raíces simplemente se habrían extraído con un elevador. Sin embargo, la inclusión ajustada de las raíces en el hueso cortical lingual hizo que esta extracción no fuera fácil.

★

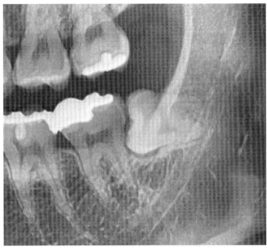

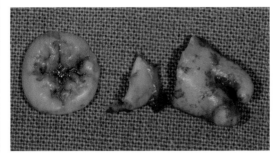

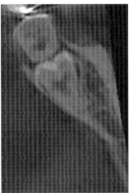
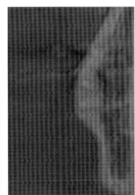

Paciente masculino de 25 años que muestra el signo de Youngsam cerca de las raíces mesiales en su ortopantomografía. El CBCT muestra que la raíz del diente se curvó hacia lingual cuando contactó el hueso cortical a medida que crecía. Además, las raíces están retenidas profundamente en el hueso alveolar debido a la inflamación pericoronal, lo que dificultó la extracción. En estos casos, es mejor olvidarse de las raíces si se fracturan.

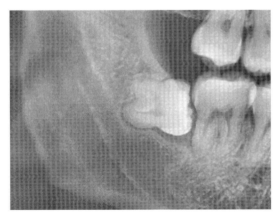

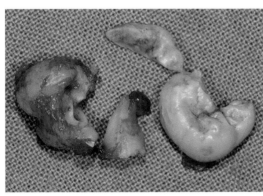

Este es otro caso similar. El signo de Youngsam se ve alrededor del ápice de la raíz mesial y la inflamación pericoronal había desplazado el diente posteriormente. También tiene raíces en forma de cacahuete, que a menudo se consideran las más difíciles. Se intentó extraer haciendo surcos, pero el diente se fracturó. La fotografía posterior a la extracción mostró evidencia de múltiples tallados en las raíces de los dientes.

★

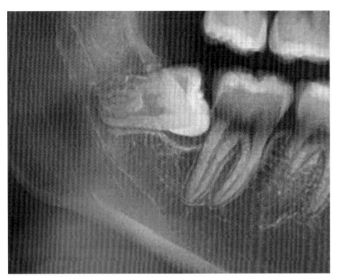

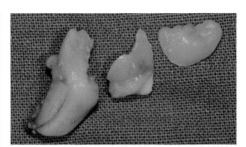

El signo de Youngsam se obseva en la ortopantomografía y el CBCT muestra la raíz ubicada en el hueso cortical lingual. Las raíces se ven poco definidas en el lado vestibular, pero la del lado lingual se correlaciona con las radiografías, como se ve en la fotografía a continuación. Parece que la formación de la raíz en lingual ha sido influenciada por el hueso cortical. Para estos casos en particular, las raíces no deben intentar extraerse si se fracturan.

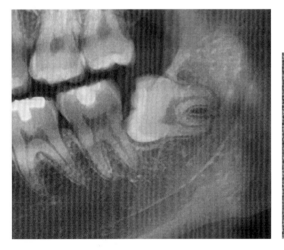

De nuevo, el signo de Youngsam se aprecia en la ortopantomografía cerca de las raíces. La mayoría de estos casos son extracciones difíciles.

09
Consideraciones al extraer terceros molares con el signo de Youngsam ★★★

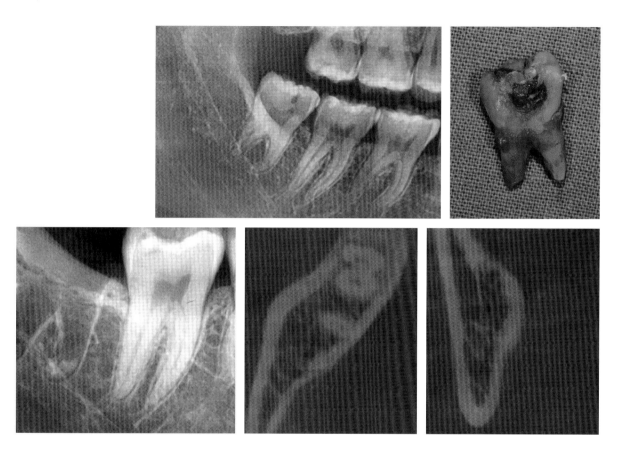

Al extraer la raíz de un tercer molar con el signo de Youngsam, no hay consideraciones especiales. Debe abordarse como si no tuviera este signo. Sin embargo, es una historia diferente cuando las raíces se fracturan. Las raíces con el signo de Youngsam son mucho más propensas a fracturarse. Es bueno si de esta manera se pudo extraer rápidamente, porque la dificultad de extracción aumenta cuando las raíces están firmemente sujetas por el hueso cortical. No tienes que luchar para extraer la raíz fracturada que queda en estos casos.

No solía dejar las raíces de los dientes en el pasado, sin embargo, esta perspectiva ha cambiado. ¿Podría ser por la edad? Con mi espalda empeorando a medida que envejezco, ¿es quizás porque ahora busco extracciones fáciles, rápidas y seguras?

Los dentistas sin experiencia nunca deberían tratar de extraer raíces fracturadas. Si se aplica demasiada fuerza con un localizador de ápice, la raíz puede caer al espacio sublingual. Cuando el autor era más joven, extraía las raíces fracturadas presionando con el dedo sobre el hueso cortical lingual. Pero en retrospectiva, esta no era la mejor práctica para el paciente. Las raíces de los dientes son parte del cuerpo humano y estaban destinadas a permanecer dentro del hueso alveolar para siempre. Por lo tanto, es mejor dejar las raíces fracturadas a menos que estén causando problemas. El próximo capítulo discutirá más sobre las raíces fracturadas como estas.

★

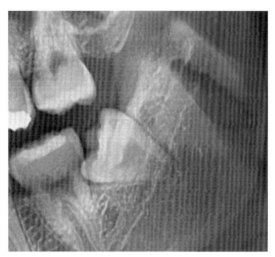 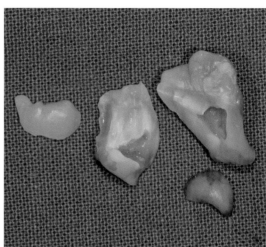

El signo de Youngsam se ve alrededor de la raíz distal del diente #38. Se intentó extraer con un procedimiento rutinario, pero no fue fácil. Sin conocer el signo de Youngsam, este caso probablemente se consideraría como una simple extracción. El diente no se movió, así que decidí seccionarlo. Al hacerlo, se produjo una fractura de raíz y se extrajo por completo.

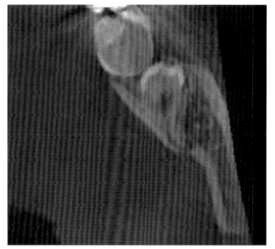 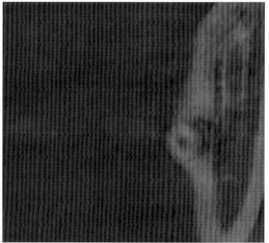

El CBCT previo a la extracción muestra la raíz ubicada en el hueso cortical. Quizás se pregunta por qué se intentó una extracción completa de la raíz fracturada. Al observar la ortopantomografía, la raíz y el CNDI parecen estar empalmados, sin embargo, no se observaron otras anomalías alrededor de esta área. Y el signo de Youngsam solo se ve cerca de los ápices. Se puede predecir que CNDI está pasando de manera segura en el lado bucal de la raíz. Por lo general, los instrumentos se aplican en el lado bucal cuando se retiran las raíces fracturadas y esto se intentó porque se pensaba que no había posibilidad de dañar el nervio. Sin embargo, un pequeño error puede desplazar la raíz hacia lingual, por lo que no lo recomiendo a los dentistas con menos experiencia.

10
Ensanchamiento del espacio del ligamento periodontal debido a caries ★★

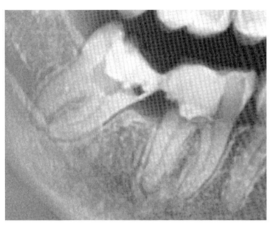 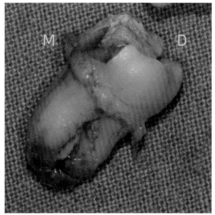

Este paciente comentó que solo se realizó un tratamiento de conductos en un consultorio dental cercano, posteriormente lo refirieron a mi consultorio para extraer el tercer molar. El signo de Youngsam se ve cerca de las raíces. Sin embargo, esto también puede ser una enfermedad periodontal que afecta las raíces debido a la propagación de la inflamación desde el espacio pulpar. La raíz distal del diente #7 muestra hallazgos similares. Por supuesto, este podría ser el signo de Youngsam. Al inspeccionar las raíces apicales después de la extracción, se observó el hueso alveolar entre las raíces, pero también se observó tejido inflamatorio unido a las raíces. Por lo general, son extracciones fáciles, pero no asumas que la inflamación apical facilitará la extracción en todos los casos. En promedio, la extracción de terceros molares con caries es más difícil. Esta fotografía fue tomada por el personal del consultorio, colocó para fotografiar el diente en mesio-distal y también bucal. El lado visible es lingual y el lado distal en realidad se encuentra en mesial.

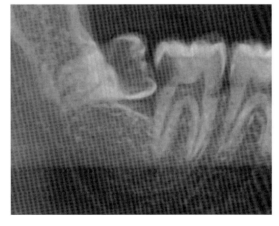 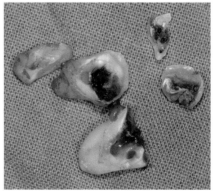

Este es un caso de extracción de un tercer molar con caries severa. El signo de Youngsam se observa alrededor de la raíz distal. Era sospechoso concluir que las raíces se magnificaron debido a la necrosis pulpar. Cabe mencionar que la extracción fue difícil y el tamaño de las raíces hizo que la extracción de la raíz distal fuera más difícil. Esta se localizó en el hueso cortical lingual y terminó fracturándose. Parece ser el signo de Youngsam en el hueso cortical lingual y no una inflamación de las raíces.

11
¿Inflamación apical o signo de Youngsam? ★

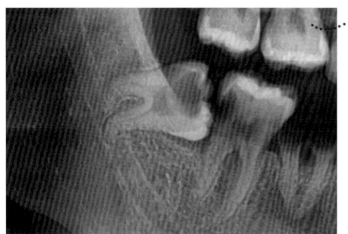 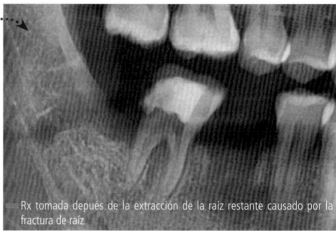

Rx tomada depués de la extracción de la raíz restante causado por la fractura de raíz

Este es el caso de una extracción del tercer molar con caries severa. Es difícil concluir si la causa del dolor es debido a pulpitis del diente #7 o el tercer molar. El principio del autor es empezar con el tratamiento de canales del #7 para aliviar el dolor, seguido de la extracción del #8. Es difícil indicar si la causa del espacio periodontal ensanchado es por la inflamación apical debido al progreso de las caries o debido al signo de Youngsam. Sin embargo, tenía una sensación incómoda al extraer el diente y la raíz se quebró. Contemple extraer la raíz o dejarla. Decidí tomar un CBCT, que es inusual, pensando que es mejor eliminar la raíz que está enferma por caries severa. Me pregunté si la fractura de la raíz se debió a la curvatura de la raíz. Ahora, observemos el CBCT.

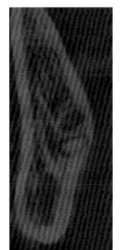 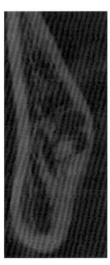 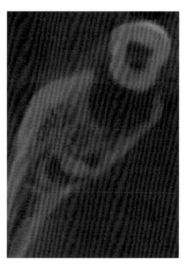 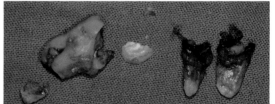

Observando el CBCT y considerando la raíz incluida en el hueso lingual cortical, la radiolucidez cerca de las raíces apicales parece indicar el signo de Youngsam, pero procedí a retirarlas cuidadosamente. Consideré el dolor subjetivo al remover las raíces fracturadas como el factor más importante. El CNDI está muy cerca al lado bucal de la raíz, haciendo la extracción más complicada. Tienes que ser muy cuidadoso en estos casos y considerar dejar la raíz.

12
Diferenciación de un diente permanente inmaduro ★★

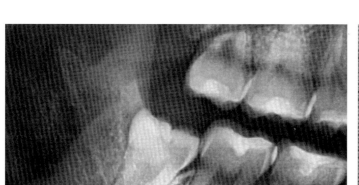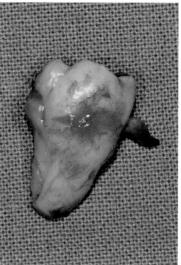

Paciente femenino de 19 años, se puede observar el foramen abierto. En estos casos, la diferenciación del signo de Youngsam es más fácil considerando la edad del paciente.

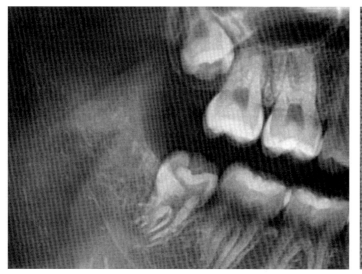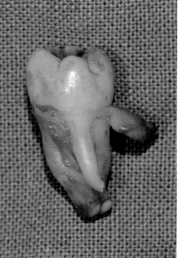

Paciente femenino de 22 años, se puede observar un foramen inmaduro.

13
Parece un signo de Youngsam, pero... ★

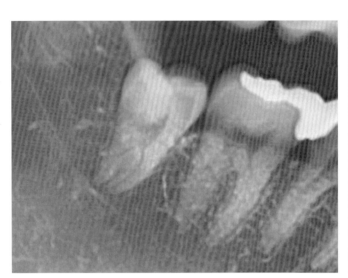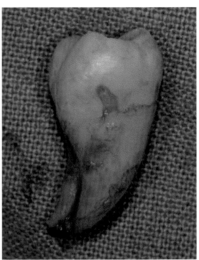

Paciente femenino de 27 años que muestra el signo de Youngsam cerca de las raíces. Se completó una extracción de rutina con elevador, y no se observaron anormalidades significativas. ¿Qué debería haber hecho si las raíces se hubieran fracturado durante la extracción? ¿Debo dejar las raíces si se observa el signo de Youngsam? ¿O debería intentar eliminarlos? Cada caso es diferente y también depende de la agenda de ese día. Sin embargo, puede pensar de manera diferente si ve el CBCT a continuación.

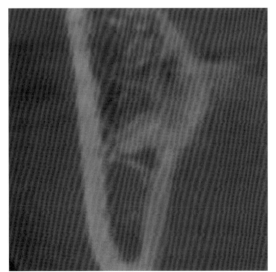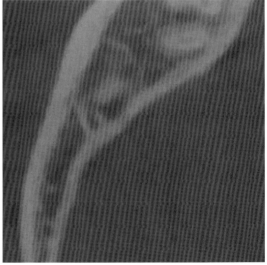

Al visualizar el CBCT, se puede ver lo peligroso que es tratar de extraer las raíces remanentes en la mayoría de los casos con el signo de Youngsam, el CNDI se encuentra en bucal de la raíz, pero no en todos los casos. El uso de instrumentos en bucal para eliminar las raíces restantes puede desplazar las raíces hacia el CNDI. Ahora, hablemos sobre qué hacer con la raíz restante en el próximo capítulo.

Coronectomía de terceros molares

Introducción y capítulo 03 traducido por.

Dr. Sung-Soon Chang

Cirujano Dentista Egresado de la Facultad de Odontología de la
Universidad Autónoma de Nuevo León
Cirujano Oral y Maxilofacial Egresado de la Facultad de Odontología
de la Universidad Autónoma de Nuevo León
Profesor Asistente de la Facultad de Odontología de la Universidad
Autónoma de Nuevo León
- Departamento de Cirugía Bucal
- Departamento de Patología Oral
- Departamento de Urgencias Medicas Odontológicas
Instructor de la Clínica del Posgrado de Cirugía Oral y Maxilofacial
- Facultad de Odontología de la Universidad Autónoma de Nuevo
  León
Miembro De Asociación Internacional De Cirugia Oral Y Maxilofacial
Miembro De Asociación Latinoamericana De Cirugía Y Traumatología
Bucomaxilofacial
Miembro De Asociación Mexicana De Cirugía Bucal Y Maxilofacial
Certificado Por El Consejo Mexicano De Cirugia Bucal Y Maxilofacial
Miembro De International Team For Implantology

Sin duda alguna la cirugía de terceros molares es uno de los
procedimientos quirúrgico-ambulatorio el cual genera mayor temor a
los pacientes, dada la cercanía de las estructuras anatómicas además
del dolor postoperatorio, inflamación, etcétera hace que cualquier
paciente genere cierto temor a dicha intervención. Como cirujano
maxilofacial la cirugía de terceros molares es el tratamiento que
con mas frecuencia realizamos en nuestra consulta es por lo mismo
debemos estar actualizados y aprender de diferentes profesores es
algo de nuestra carrera y practica profesional es fundamental para
mejorar la calidad de atención de nuestros pacientes.
Me siento muy agradecido por la invitación del Doctor Young-Sam
Kim y la oportunidad de ser uno de los integrantes del equipo de
traducción de este libro al Español, la difusión de este libro a nivel
Iberoamericana puede ayudar a la formación de los odontólogos
para brindar un mejor servicio como profesional de la salud y un
tratamiento de calidad a sus pacientes.

01
¿Qué es la coronectomía?

La coronectomía es un procedimiento donde la corona del diente se remueve mientras la raíz no se extrae. Esto se llama "Coronectomía intencional" y se realiza cuando es difícil de remover la raíz o hay alto riesgo del daño nervioso durante la extracción del diente. El objetivo es dejar la raíz cuando no hay mayores complicaciones al menos que esté expuesta o pueda generar algún problema a futuro.

La coronectomía ha sido realizada involuntariamente por muchos años, sin embargo, los antecedentes de estos estudios no tienen muchos años y la mayoría han sido publicados este siglo.

Esto se relaciona con la introducción de MTA. Algunos médicos creen que MTA debe ser utilizado después de la coronectomía, pero yo no creo que sea necesario y personalmente no lo utilizo, de hecho, no es prácticamente fácil usar MTA para coronectomía.

De todos modos, ¿por qué la coronectomía está ganando más popularidad en los últimos años? ¿Es porque la evolución humana está creando más dientes incluidos que son más peligrosos de remover? ¿Qué relación tendrá con la amplia disponibilidad de CBCT?

CBCT y coronectomía intencional

Yo atribuyo la disponibilidad de CBCT como la razón de la creciente popularidad de la coronectomía intencional en años recientes. Antes, los médicos removían terceros molares sin analizar el riesgo de dañar el nervio, pero estos días, con la CBCT, los médicos pueden identificar las posiciones del nervio en relación a la raíz del tercer molar y realizar el procedimiento de coronectomía intencional cuando el riesgo de daño al nervio es alto. Por ejemplo, en el pasado asumimos que el 1% de las extracciones de terceros molares van a implicar daño nervioso; sin embargo, ahora con la CBCT, el riesgo del 1% se puede subdividir en 0.1% al 10% y aplicar la coronectomía intencional para los casos con mayor riesgo.

¿Cómo habrá sido antes?

¡Espere!

Consejos de mis colegas sobre la extracción y raíces de terceros molares

Hay tres consejos principales que he recibido de mis colegas.

• Cuando se deja la raíz, si es menor a 5 mm, es absorbida. (Algunos dicen 3 mm). Las raíces restantes son parte del cuerpo. No te preocupes por eso.

• Si hay alguna patología alrededor de la raíz, esta se debe remover.

• Si la raíz está luxada, entonces se extrae. Si no está luxada, puede dejarse.

Estos son los consejos importantes que recibí de mis colegas cuando me convertí en dentista hace 15 años. Ha pasado el tiempo, y ahora he realizado más extracciones de terceros molares que nadie en Corea. Aquí están mis consejos basados en mi propia experiencia.

El siguiente es la conclusión de los consejos de mis colegas más mi propia experiencia.

El tamaño de la raíz restante no afecta el resultado.

Lo que importa más es qué tanto hueso se encuentra rodeando la raíz, no el tamaño de la raíz restante.

Es muy raro ver la raíz del tercer molar con patología periapical.

He realizado más extracciones de terceros molares que nadie más, aun así, no he visto muchas con patología periapical. Al menos es raro en Corea, donde el acceso a la atención es fácil debido al seguro gubernamental de bajo costo. Además, si la patología periapical está presente, por lo general, la extracción es fácil y si la raíz se deja después de quitar la corona, es probable que encuentre su salida por sí misma.

La posición de la raíz restante es importante; no importa si está luxada o no.

Incluso si la raíz ha sido luxada, no es necesario eliminarla. Una vez que se forma el coágulo de sangre, el hecho de que haya sido luxado no causa ninguna diferencia. Por lo general, después de un mes, se produce suficiente formación ósea y siempre que la raíz no encuentre la salida antes de esto la raíz permanecerá dentro del hueso.

02
Reglas del Dr. Young-Sam Kim sobre dejar atrás la raíz ★★★

Basado en la información anteriormente mencionada, yo dejo la raíz en las siguientes situaciones:

✓ Cuando la raíz es delgada y/o presenta dilaceración.

✓ Cuando el nervio está cercano a la raíz y el paciente se queja de dolor durante la extracción.

✓ Cuando el paciente se queja de dolor incluso cuando el nervio no está cercano a la raíz.

✓ Cuando hay probabilidad que la raíz restante se posicione dentro de la porción lingual del hueso cortical (Signo de Youngsam mencionado anteriormente).

✓ Cuando la salud del paciente es mala debido a enfermedades sistémicas como la hipertensión arterial.

✓ Cuando estoy muy ocupado.

Sí, la última es una broma. Mi punto es que no tienes que tener miedo a dejar la raíz. No necesitas pensar que remover todo el diente es igual al éxito y dejar la raíz es tener la mitad del éxito. Tú estás haciendo el procedimiento perfecto al dejar la raíz atrás si has reducido las complicaciones que pueden presentar si se intenta remover la raíz.

Es importante realizar la extracción libre de complicaciones dejando la raíz en lugar de tratar de remover todo el diente y causar complicaciones más graves. Dejar la raíz atrás no es un fracaso. Lo que tú has hecho es una extracción simple y segura. Pero no olvides este importante punto. La raíz restante debe estar rodeada por suficiente hueso.

Ahora sabiendo que el dejar la raíz atrás es un procedimiento seguro, ¿Lo hago muy a menudo? No realmente.

De hecho, porque recibo muchas preguntas sobre este tema, para responder a esas preguntas a veces intencionalmente dejo la raíz atrás y miro el resultado. A veces intencionalmente rompo la raíz para hacer una extracción rápida cuando está cerca del nervio o el signo de Youngsam se ha visto. La decisión de si se remueve o no dependerá de la condición de la raíz restante. A veces me hago esta pregunta.

¿Se quedó la raíz o la dejé intencionalmente?

Al final del día, no importa y no tiene gran impacto en el pronóstico.

03
Tu situación justifica tu acción

Hasta el 2014, raramente dejaba la raíz, no porque mi habilidad fuera excelente, sino porque trabajaba junto con otros dentistas y usualmente tenía más tiempo para realizar la extracción de terceros molares. Realice muy pocas extracciones donde se dejó la raíz. Cuando la extracción tomó más tiempo del requerido, mis colegas generalmente atendían a mis próximos pacientes. También en ese momento, mi orgullo no me permitió abandonar la raíz.

Pero a partir del 2014, soy el único en hacer extracciones en mi nueva oficina. A veces veo docenas de pacientes por terceros molares al día y me veo obligado a dejar la raíz. No había forma de que pueda realizar la extracción como lo solía hacer y hacer también otros procedimientos (Por cierto, la extracción de terceros molares ocupa alrededor del 50% de mi tiempo clínico en promedio).

No solo eso, tengo espondilitis anquilosante y otros problemas espinales crónicos. Recibí la cirugía dos veces, pero no puedo moverme como los demás y me resulta muy difícil mover el cuello. Tomo medicamentos antiinflamatorios todo el tiempo y en algunos días ocupados, debo tomar esteroides.

En 2015, me pidieron que diera una conferencia sobre coronectomía intencional e intenté encontrar casos. Como anteriormente mencione, generalmente hago que mi personal tome fotos las veces que hago una extracción de tercer molar dejando la raíz. Sin embargo, luché por encontrar estos casos. Entre los pocos casos que encontré, el seguimiento no fue fácil ya que la mayoría de los pacientes no sintieron la necesidad de regresar para que los revisen, especialmente porque muchos de mis pacientes provienen de otras partes de Corea e incluso del extranjero. De todos modos, podría confirmar que la mayoría de estos casos en los que dejé la raíz no causaron ningún problema. Como el título de esta sección, creo que estas situaciones me permitieron abrir mi mente sobre el concepto de coronectomía.

En estos días, traté de mantener mi filosofía (FSSE) y realizar la extracción lo más fácil posible.

Como tengo suficiente habilidad y experiencia para realizar una buena extracción, no necesito hacer una coronectomía en la mayoría de los casos, sin embargo, como la situación de cada persona es diferente, le recomiendo que lea bien este capítulo y cree sus propios principios sobre el tema.

Ahora, echemos un vistazo a las raíces de los terceros molares que dejaron otros.

Dejando la raíz ★★★

¿Qué debemos hacer con la raíz que queda debido a una fractura coronal?

He encontrado algunos casos entre mis pacientes que se hicieron extracciones dejando la raíz. Algunas son recientes, pero otras fueron hace décadas. Algunos pacientes sabían que las raíces se dejaron atrás desde el principio y otros fueron informadas por otro dentista más tarde. De cualquier manera, ninguno de estos pacientes tuvo problemas.

Cuando comencé con los seminarios sobre extracción del tercer molar, hablé sobre cómo eliminar las raíces restantes. Mostré algunos casos heroicos increíbles y me fue bien al respecto. Y ahora estoy enseñando por qué está bien dejarlo atrás. Como mencioné anteriormente, los casos que vemos en las conferencias deberían ser algo que podamos realizar nosotros mismos (No como el espectáculo de magia de David Copperfield o el Cirque du Soleil, que nos sorprenden, pero no podemos hacerlo nosotros mismos). Si es un caso que no se puede realizar, no es necesario mencionar. Los casos que menciono pueden parecer ordinarios, pero creo que pueden ser un gran consuelo para ti. ¡Cualquiera puede dejar fácilmente la raíz!

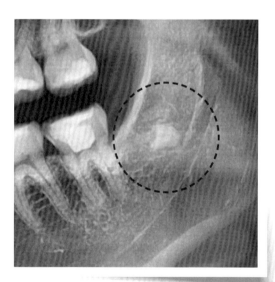 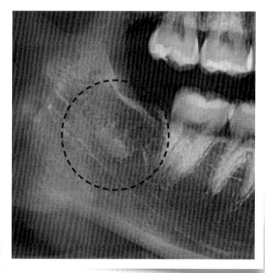

━━ Paciente femenino de 32 años menciona haber tenido extracción de terceros molares hace un par de años

━━ Paciente femenino de 26 años menciona haber tenido extracción de terceros molares hace 5 años

01
Raíces dejadas atrás por otras clínicas hace mucho tiempo

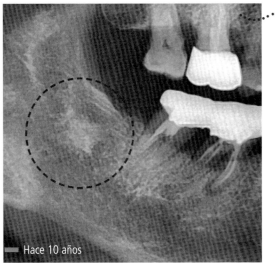

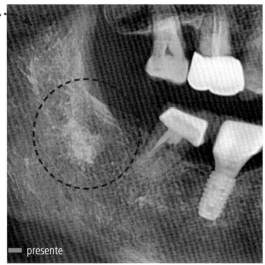

Paciente femenina de 58 años está visitando mi clínica por más de 10 años. Según la paciente, tuvo extracción del tercer molar hace mucho tiempo. He estado revisando por más de 10 años y no hay ningún cambio en la raíz del tercer molar. Realice el bonito implante en #46.

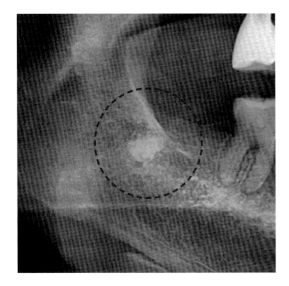

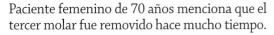

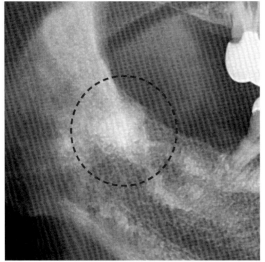

Paciente femenino de 70 años menciona que el tercer molar fue removido hace mucho tiempo.

Paciente japonés masculino de 66 años menciona que el tercer molar fue removido cuando era joven y es consciente de que se dejó un poco la raíz.

★

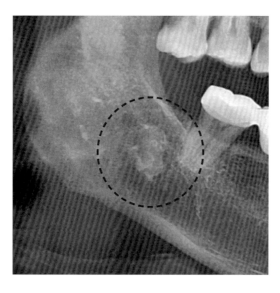

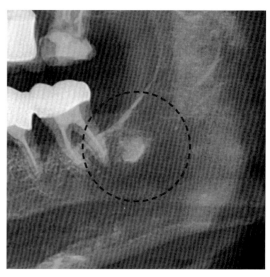

Paciente femenino de 67 años menciona que no recuerda haberse extraído el tercer molar. ¿Quizás no es la raíz que se quedó de la extracción del tercer molar? El juicio los dejo a los lectores.

Paciente femenino de 55 años menciona que el tercer molar fue extraído hace 30 años.

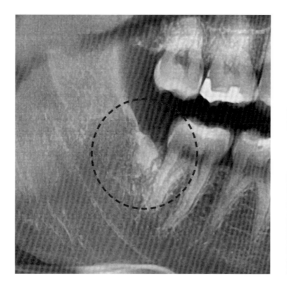

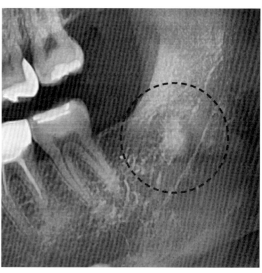

Paciente masculino de 24 años menciona que el tercer molar fue extraído hace 14 meses y fue informado sobre la raíz restante.

Paciente masculino de 44 años tuvo la extracción hace 20 años y es consciente de la raíz restante.

★

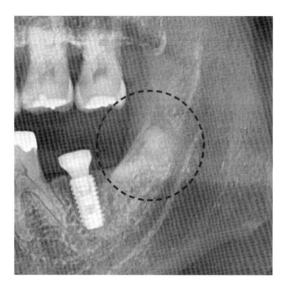

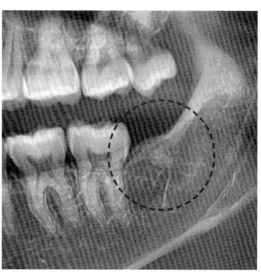

Paciente masculino de 43 años tuvo la extracción hace 15 años y es consciente de la raíz restante.

Paciente masculino de 26 años tuvo la extracción en otra clínica hace unos 3 -4 años.

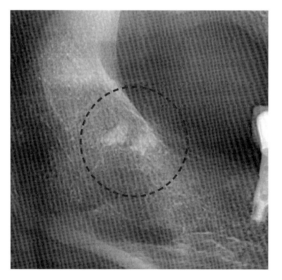

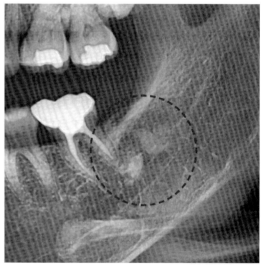

Paciente femenino de 63 años tuvo la extracción hace 10 años junto con el diente incisivo.

Paciente masculino de 41 años tuvo la extracción hace 20 años.

02
Incluso, los dientes en estos días se usan para el injerto óseo... ★

Esta imagen es un anuncio de molinos de dentina en una revista dental coreana.

Máquina de procesamiento dental para injerto óseo anunciada en un periódico dental

Como se muestra en casos anteriores, el propio diente no causa reacción inflamatoria o rechazo, ya que es parte del cuerpo una vez que se esteriliza. Tampoco parece estar completamente reabsorbido y conserva su estructura. Nunca he usado esto, pero si afirman que el propio diente se puede colocar de forma segura dentro de la mandíbula, ¿qué problemas causarían dejar una pequeña raíz (sí, entiendo que realizan un tratamiento especial en el diente antes del injerto)? Por supuesto, debe estudiarse para aprender el mecanismo exacto y cómo usarlo.

03
Raíz dejada atrás hace seis meses por otra clínica ★

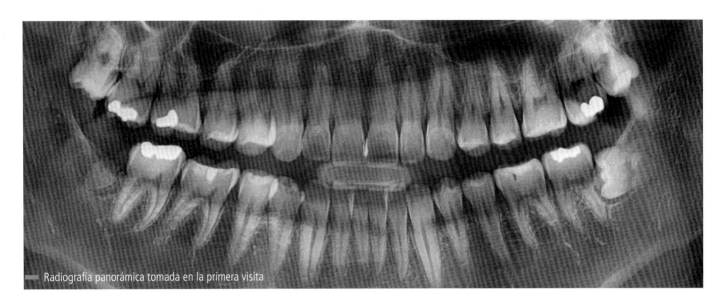

Radiografía panorámica tomada en la primera visita

Una paciente de 27 años visitó nuestra clínica para que le extrajeran el diente #38. La ontopantomografía mostró una raíz restante en la región #48. Cuando se le preguntó al respecto, mencionó que esta se realizó la extracción en otra clínica hace seis meses. He solicitado una copia de la radiografía preoperatoria.

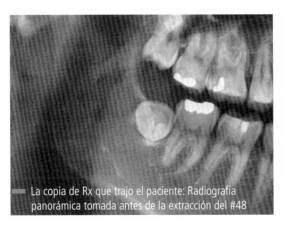

La copia de Rx que trajo el paciente: Radiografia panorámica tomada antes de la extracción del #48

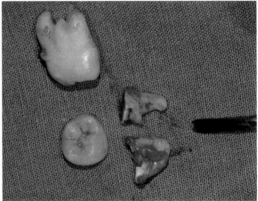

Parece que no pudieron eliminar la raíz debido a la severa inclusion hacia lingual. En estos días, la CBCT ofrece una imagen clara de la situación, pero cuando solo está disponible la ontopantomografía es más difícil de evaluar. De acuerdo a mi experiencia, este tercer molar parece estar impactado hacia lingual. De todos modos, considero esto como una extracción exitosa.

La imagen en la derecha es el diente #28 y #38. También se puede ver el elevador en esta imagen. Lo que significa esta imagen es que después de seccionar la corona, el elevador se insertó entre las dos raíces y se usó para fracturar la raíz, ya que la superficie distal del segundo molar evitó que saliera. Verás más fotos como esta más tarde.

04
Seguimiento de las raíces dejadas por mí <1> ★★

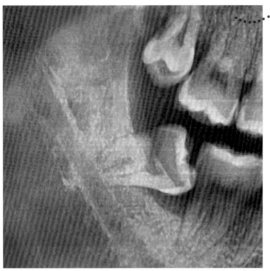

Imagen de los dientes extraídos

Puedes ver el signo de Youngsam en esta ontopantomografía preoperatoria. Durante el procedimiento, ambas raíces se fracturaron. La raíz distal fue removida, en cambio la raíz mesial se dejó atrás ya que el paciente se quejaba de dolor al más mínimo toque de la raíz. Probablemente el nervio lingual se encontraba muy cercano a la raíz.

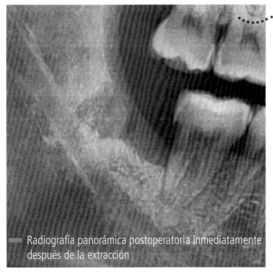
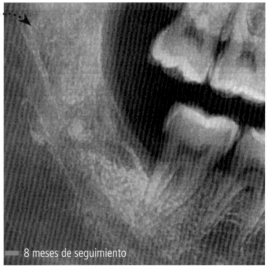

Radiografía panorámica postoperatoria inmediatamente después de la extracción

8 meses de seguimiento

Muchos pacientes de mi clínica no volvieron para el seguimiento. Este paciente volvió ocho meses después para que le removieran el otro tercer molar y así poder revisar la otra raíz. Puedes ver que la raíz restante migró ligeramente hacia mesial. Las raíces restantes tienden a migrar 1-2 mm hacia el centro de la cavidad curativa solo durante el primer mes después de la extracción. Cuando el tamaño de la cavidad es grande, tienden a migrar más. A menudo vemos esta migración incluso cuando la raíz está atrapada fuertemente en el hueso cortical.

Seguimiento de las raíces dejadas por mí <2> ★

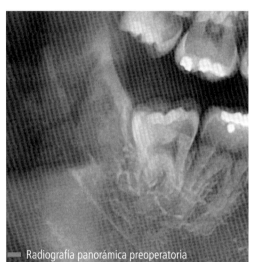

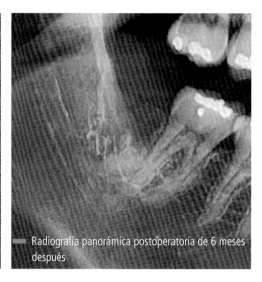

Radiografía panorámica preoperatoria

Imagen de los dientes extraídos

Radiografía panorámica postoperatoria de 6 meses después

La raíz mesial del diente #48 era delgada y curvada, así que decidí dejarla atrás (¡Y estaba muy ocupado!). No tome una ontopantomografía postoperatoria inmediata después del procedimiento. La radiografía de la derecha fue tomada exactamente seis meses y trece días más tarde cuando el paciente volvió para que le removieran el otro tercer molar. El otro tercer molar tenía una pequeña fractura en la raíz distal pero la raíz no fue removida.

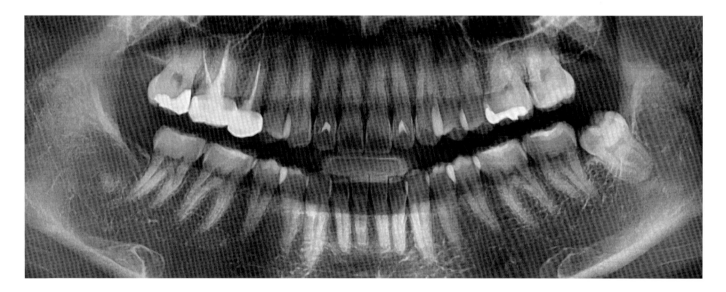

Paciente femenina de 39 a la cual le removí su tercer molar inferior derecho #48 hace 13 años, volvió para que esta vez le removieran el otro tercer molar #38. Según la paciente, le informé de la pequeña porción de raíz dejada después de la extracción. No hubo problemas ahí. Supongo que volvió porque le gusto mi extracción.

Seguimiento de las raíces dejadas por mí <3> ★

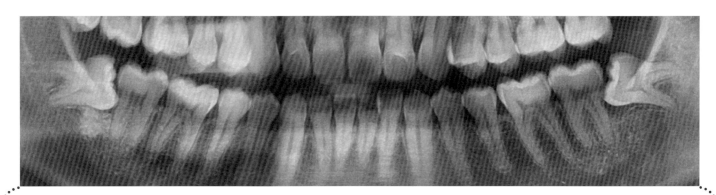

Ontopantomografía de paciente masculino de 28 años tomada en su primera visita. Puedes ver el signo de Youngsam en la raíz mesial de ambos terceros molares.

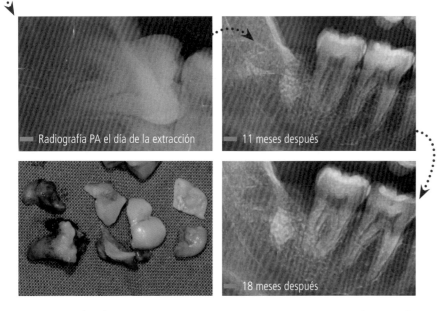

Radiografía PA el día de la extracción

11 meses después

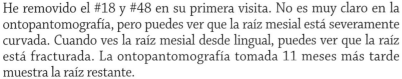

18 meses después

He removido el #18 y #48 en su primera visita. No es muy claro en la ontopantomografía, pero puedes ver que la raíz mesial está severamente curvada. Cuando ves la raíz mesial desde lingual, puedes ver que la raíz está fracturada. La ontopantomografía tomada 11 meses más tarde muestra la raíz restante.

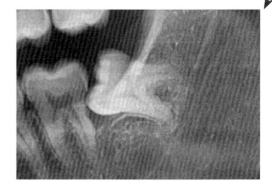

Esta es la ontopantomografía tomada 11 meses despuésés para revisar la raíz restante de la #48 y puedes ver el signo de Youngsam. Puse esta radiografía para mostrar que el signo de Youngsam puede ser diferente incluso en el mismo paciente.

Esta es la imagen tomada después de que el #38 fuera removido. Puedes ver que la raíz está arqueada y la raíz mesial que muestra el signo de Youngsam está fracturada. La ontopantomografía muestra que no hay mucho movimiento de la raíz después de la extracción debido a la severa curvatura de la raíz.

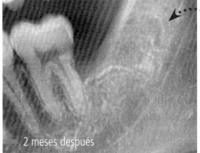

2 meses después

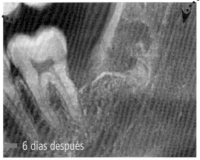

6 dias después

Seguimiento de las raíces dejadas por mí <4> ★

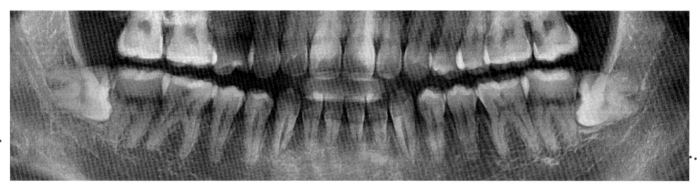

Esta ontopantomografía fue tomada en la primera visita del paciente. Puedes ver el signo de Youngsam en ambos terceros molares. He decidido eliminar el problemático #38 primero y remover el #48 más tarde.

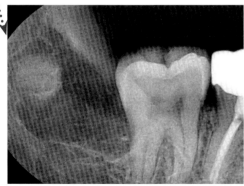

Radiografía tomada después de remover el #48, 2 meses más tarde

Esta es la fotografía tomada después de la extracciónón del #38. Siempre extraigo los terceros molares de la misma manera, así que con solo mirar la imagen puedes decir cómo se extrajo. Primero se cortó la mitad superior de la corona y luego se cortó y retiró la mitad inferior. Luego realice un corte oblicuo (explicado en el capítulo 7) para eliminar la parte mesio-lingual de la corona y parte lingual de la raíz. Creo que me llevó alrededor de tres minutos quitar el diente.

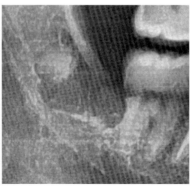

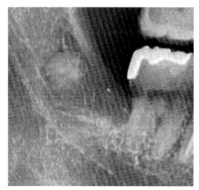

Radiografía tomada dos días después de la extracción (Se menciona más adelante, pero parece que intenté la extracción L)

Ontopantomografía tomada una semana después en una cita de remoción de sutura

Ontopantomografía tomada 45 días después de la extracción

Basado en la observación hasta ahora, es poco probable que la raíz restante cause problemas más adelante.

Seguimiento de las raíces dejadas por mí <5> ★★★

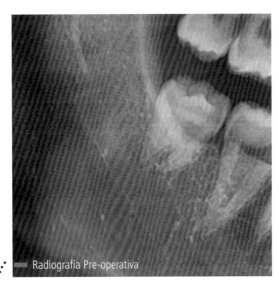

Radiografía Pre-operativa

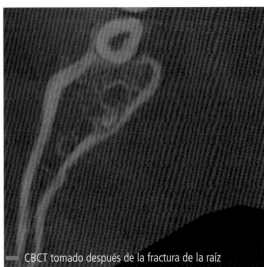

CBCT tomado después de la fractura de la raíz

Ontopantomografía preoperatoria muestra el signo de Youngsam. El paciente, quien previamente tomó una TC en otra clínica, solicitó otro CBCT, pero como esta no estaba cubierta por el seguro del gobierno el procedimiento se realizó sin CBCT. Después de la extracción, el paciente solicitó nuevamente un CBCT cuando se le informó que la raíz distal estaba fracturada. Como se esperaba, la raíz fracturada estaba dentro del hueso cortical lingual y parecía haberse movido ligeramente durante la extracción.

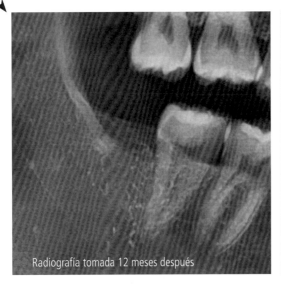

Radiografía tomada 12 meses después

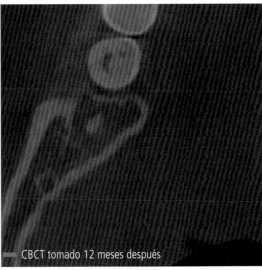

CBCT tomado 12 meses después

El paciente me visitó un año después de la extracción, para que le removieran el otro tercer molar y solicitó nuevamente un CBCT. Se pudo ver que la raíz restante del #48 migró hacia el centro del hueso. En ese momento, estaba molesto por la solicitud de tomar un CBCT, pero ahora le doy las gracias a mi paciente porque puedo usar estas imágenes para el libro. :)

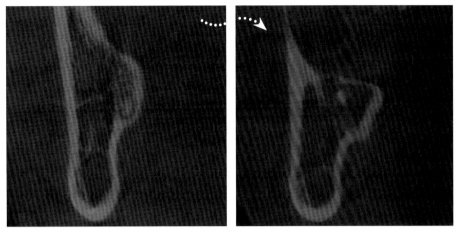

▬ Vista coronal de la tomografía tomada 12 meses más tarde mostrando la migración de la raíz

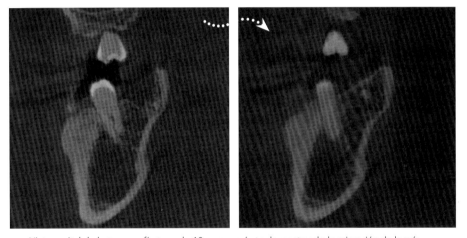

▬ Vista sagital de la tomografía tomada 12 meses más tarde mostrando la migración de la raíz

Estas son las vistas coronal y sagital del CBCT tomada 12 meses más tarde mostrando la migración de la raíz. La raíz migró más de lo esperado. Puedes ver la formación del hueso cortical sobre la raíz.

La mayoría de las siguientes imágenes y radiografías se tomaron cuando los pacientes regresaron para extraerse el otro tercer molar. Para la mayoría de los adultos, usualmente no tomó ontopantomografías dentro de los 2 años. Sin embargo, la solicitud del paciente me permitió mostrarle este maravilloso caso.

Por favor se consciente...

La intención de este capítulo no es alentar a dejar la raíz atrás. Mi mensaje es que no necesitas estresarte demasiado cuando no tienes otra opción más que dejar la raíz. A veces, forzar la remoción de la raíz puede conducir a resultados desagradables. Mi conclusión es que dejar la raíz intencionalmente puede ser la opción apropiada tanto para doctores como para pacientes.

Coronectomía Intencional ★★

1. Sea que fue intencional o no…

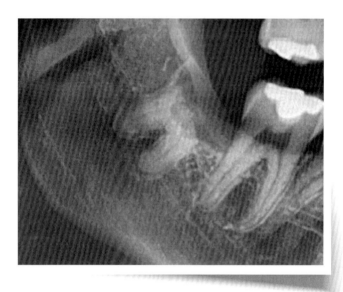

Esta es una imagen de una coronectomía intencional llevada a cabo por la radiolucidez que se ve alrededor de la raíz. Probablemente esta es la primera coronectomía intencional verdadera que he realizado. La mayoría de los casos de coronectomía que tengo se deben a muchas otras razones forzadas, como la falta de tiempo.

Casos previos muestran raíces dejadas por fractura. Entonces ¿Cómo separamos entre "raíces dejadas atrás" y "coronectomía intencional"? Probablemente la intención de dejar las raíces atrás o no, no es la consideración más importante aquí. A menudo dejo las raíces intencionalmente. La mayoría de los casos, aplico intencionalmente más fuerza para fracturar la raíz y extraer.

Esto no está definido científicamente, así que yo mismo hice la regla. Bueno, mis colegas me dicen que las raíces de menos de 5 mm de longitud se absorben por lo que se pueden dejar atrás (en realidad hay más casos en las que no se absorben). Entonces digamos que la coronectomía es cuando el tamaño de la raíz restante es superior a 5 mm. Llamémosle coronectomía cuando hay dos o más raíces y la longitud de las raíces suman más de 5 mm.

01
Para la exitosa coronectomía intencional ★★★

Varios estudios muestran que la clave para una coronectomía exitosa es tener la parte superior de la raíz restante posicionada al menos 3-4 mm por debajo del nivel óseo y tener un buen cierre primario. Yo creo que mientras la corona esté bien removida, la posición de la raíz y un buen cierre primario no es tan importante. Mientras que se remueva la corona y la raíz se coloque a 1-2 mm por debajo del nivel óseo el coágulo de sangre puede llenar bien el alvéolo, por lo que no hay mucho dolor o problemas más tarde y se sana bien. La cavidad es redondeada y el nivel óseo a su alrededor no es constante. Por lo tanto, es importante remover bien la porción coronal y asegurarse que ninguna parte de la raíz esté posicionada por encima del nivel óseo.

Algunos estudios mencionan que la coronectomía intencional no es para principiantes que no son buenos para la extracción, pero es un procedimiento realizado por expertos para prevenir el daño nervioso. Me gustaría que leyeras este capítulo para convertirte en un experto.

Conclusiones basadas en los estudios y mis propias experiencias:

✓ Está bien remover el diente 2-4 mm por debajo del nivel óseo.

✓ La extracción de la raíz restante se realiza dentro del 5%

✓ Se reporta la migración de la raíz restante entre 14-81 %.

✓ La raíz restante migra menos de 3 mm en los primeros 6 meses y no mucho después. Se reporta que no hay movimiento después de un año, pero yo creo que el movimiento se detiene mucho antes. Probablemente sea mejor decir que la raíz no se mueve después de la osificación de la cavidad.

✓ Se utiliza la fuerza ortodóntica para remover la raíz restante de forma segura o para alentar el crecimiento óseo en distal del segundo molar. Pero no creo que sea tan necesario.

✓ La raíz restante de una coronectomía exitosa no causa problemas dentro del hueso.

✓ La coronectomía definitivamente reduce el riesgo de daño nervioso (Por cierto, nunca he experimentado ningún daño nervioso incluso en una extracción en general).

✓ El dolor postoperatorio es menor que en una extracción normal.

✓ No parece haber ninguna correlación con cavidad seca.

✓ No hay muchos estudios disponibles. Se requieren más estudios y números de muestra.

✓ La coronectomía no es para principiantes.

02
Estudios relacionados a la coronectomía… ★

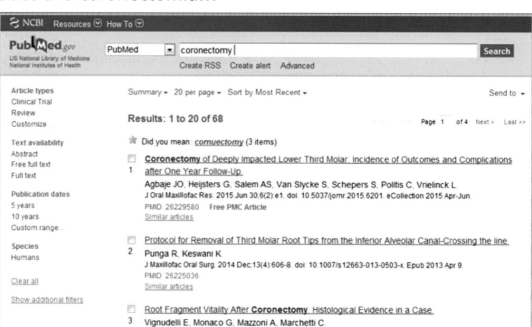

No hay muchos estudios sobre el tema. Y es aún más difícil encontrar artículos en revistas reconocidas. Tampoco pude encontrar mucha información en los libros de texto utilizados en Corea y en el extranjero. Algunos ni siquiera mencionan la coronectomía. Probablemente porque la principal enseñanza es no dejar la raíz atrás. Creo que deberíamos desarrollar el concepto de la coronectomía (Intencional o no) individualmente en base a trabajos recientes y mis experiencias discutidas en este libro.

Algunos artículos útiles en mi opinión

1. Revista Dental Británica Cirugía Maxilofacial 2005; 43: 7–12. Prueba clínica aleatoria controlada para comparar la incidencia de heridas al nervio inferior alveolar como resultado de coronorectomia y extracción de terceros molares mandibulares

2. Cirugía Oral, Medicina Oral, Patología Oral, Radiología Oral, y Endodoncia 2009;108: 821-827. Coronectomía segura versus extracción de tercer molar. Prueba aleatoria controlada Yiu Yan Leung, BDS, MDS,a and Lim K. Cheung, BDS, PhD,b Hong Kong THE UNIVERSITY OF HONG KONG

3. Revista Dental Británica 209, 111 - 114 (2010) Publicada online:14 August 2010. Coronectomía – respuesta para la cirugía oral a la odontología moderna

4. Odontología Interna Publicado por AEGIS Communications. Febrero 2013, Volumen 9, Issue 2. Coronectomía de Terceros Molares Mandibulares Reporte de Caso describe procedimiento donde los molares están cercanos al nervio inferior alveolar. Por Giuseppe Mónaco, DMD | Giselle de Santis, DMD | Michele Diazzi, DMD | Claudio Marchetti, MD, DDS

5. Cirugía Oral, Medicina Oral, Patología Oral, Radiología Oral, y Endodoncia 2004. Coronectomía (Dentalctomía Parcial Intencional de un tercer molar inferior)

6. Revista Oral Maxilofacial Surg 2004. Coronectomía: Una técnica para proteger el Nervio Inferior Alveolar

7. Odontología Internacional. Coronectomía – Terapia alternativa para un tercer molar incluido sintomático - Reporte de 9 casos

8. Revista Dental Británica Oral Maxilofacial Surg 2006. ¿Se prefiere una coronorectomía a una extracción?

9. J Oral Maxillofac Surg 2009. Evaluación Clínica de Coronectomía (Dentalctomía Parcial Intencional) para tercer molar por tomografía computarizada– Estudio de Caso Controlado

10. Cirugía Oral, Medicina Oral, Patología Oral, Radiología Oral, y Endodoncia 2009. Seguridad en Coronectomía versus extracción del tercer molar – Prueba Aleatoria Controlada

11. Cirugía Dental 2010. Revisión de Coronectomía

12. Revista Dental Británica 2010. Coronectomía – Respuesta de cirugía oral para los dentistas conservativos modernos

13. Actualización Dental 2010. Coronectomía de una 3ra molar con quiste enucleación de revestimiento dental, en el manejo de un quiste dental

14. Actualización Dental 2011. Coronectomía de Tercer Molar. Técnica de riesgo reducido de daño para el nervio inferior alveolar

15. JOMS 2011. Coronectomía en pacientes con alto riesgo de trauma en nervio alveolar inferior diagnosticado por Tomografía Computarizada

03
Coronectomía intencional por otras personas

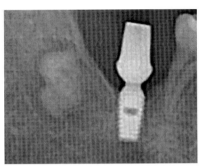

Paciente masculino de 40 años vino después de perder un implante coronal en la #47. De acuerdo con él, el tercer molar fue removido hace 10 años y no hubo ningún problema desde entonces.

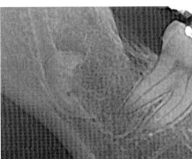

De acuerdo con el paciente, el tercer molar fue removido alrededor de hace 4 años. No sé la forma original del diente, pero puedo ver que tan difícil fue la extracción. No sé si dejar la raíz atrás fue intencional o no, pero puedo decir que esta fue una coronectomía exitosa.

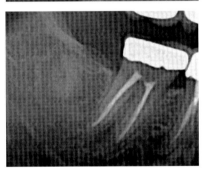

Paciente femenina de 41 años recuerda que la extracción fue muy difícil, pero no recuerda cuando se la hizo. Ella me ha estado viendo por los últimos 5 años y no ha habido cambios en la raíz. Recuerdo que el tratamiento de canal fue muy difícil en esta paciente debido a sus largas raíces. Supongo que su tercer molar también tenía una larga raíz.

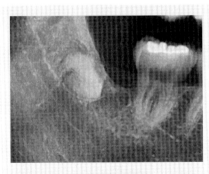

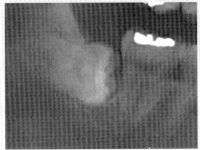

Paciente masculino de 42 años, le extrajeron un tercer molar hace 18 meses en uno de los hospitales dentales de la Universidad en Seúl. De acuerdo con el paciente, el instrumento se fracturó durante el procedimiento y tuvieron que detenerse. El paciente era mi pariente lejano y le pedí una copia de la radiografía preoperatoria. También conozco a un colega en el hospital y le pregunte sobre el procedimiento, me informo que la extracción fue realizada por el profesor más experimentado del hospital. Enfatizo nuevamente que la coronectomía no está diseñada para dentistas novatos como se puede ver en este caso. No está muy claro en la radiografía preoperatoria, pero se puede ver claramente el signo de Youngsam en la radiografía posoperatoria.

★

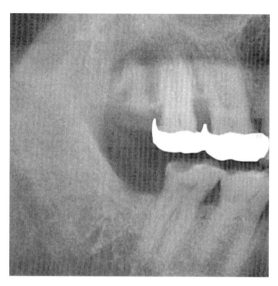 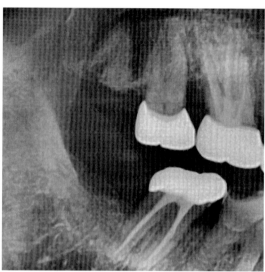

Estas son radiografías de un paciente masculino de 74 años. Las radiografías de la izquierda se tomaron en el 2008 y la de la derecha en el 2016. Vi a este paciente desde el 2002 cuando abrí mi clínica actual. Él era el administrador del edificio de mi clínica. En ese entonces, no tenía ontop-antomografías digitales y los registros médicos ya no existen. Ahora está retirado, pero aún viene a mi clínica. Recuerdo que ya tenía raíz restante del tercer molar, pero el paciente dice que yo lo le extraído. De todos modos, recuerdo que su tercer molar inferior fue una de las dos extracciones más difíciles que he hecho con raíces largas y fuertes. Ambas extracciones difíciles se realizaron en pacientes varones fornidos mayores de 50 años.

Muchos dentistas piensan que la indicación para la coronectomía es un tercer molar incluido horizontalmente que se superponga al nervio alveolar inferior. Pero también agregaría a la lista el tercer molar bien erupcionado de pacientes varones de mediana edad. He trabajado junto con una cirujana oral durante unos 10 años. Sus habilidades quirúrgicas fueron las mejores de todos los cirujanos que he conocido. Hay muchos cirujanos que me mostraron algunos buenos casos, pero con ella pude ver todos sus casos y puedo confirmar que ella es realmente buena.

Pero a pesar de todas sus habilidades, no pudo realizar una extracción de terceros molares bien en casos como este. Extracciones de dientes bien erupcionados, son difíciles y requieren muchas fuerzas. En casos como este, es una buena idea remover la corona del diente usando una pieza de mano de 45 grados o realizar una coronectomía.

Coronectomía intencional ★★

2. Tercer molar inferior con impacto vertical

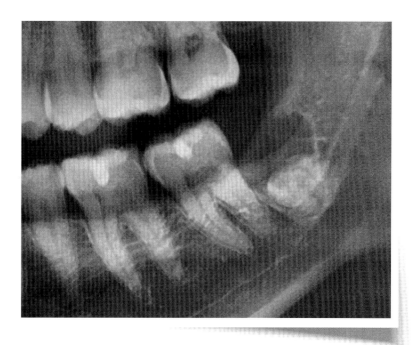

Primero, discutiremos impacto vertical en el tercer molar inferior.

Si se considera el éxito de la coronectomía sola, un tercer molar completamente incluido donde hay más hueso alrededor del diente puede mostrar el mejor resultado, sin embargo, el proceso de extracción de la corona puede ser más difícil en esta circunstancia. Además, el diente incluido que generalmente no puede cumplir su función, es muy fácil de extraer, por lo tanto, a menos que exista un riesgo de daño nervioso, la coronectomía intencional generalmente no se realiza. Más bien, un tercer molar completamente erupcionado puede ser más difícil de extraer y, por lo tanto, la coronectomía puede ser más beneficiosa.

01
Coronectomía intencional en tercer molar erupcionada <1> ★★★

CASO 1

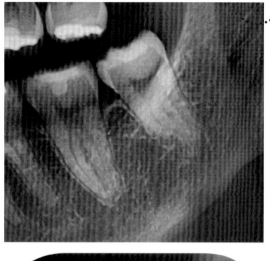
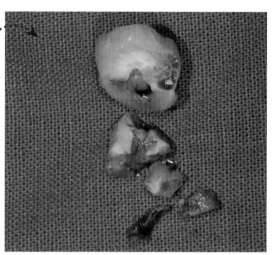

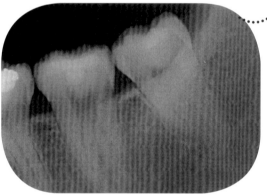
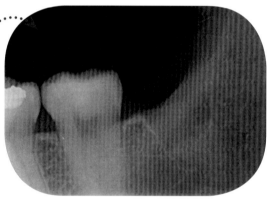

Esta es un tercer molar bien erupcionada donde las raíces parecen estar superpuestas en el nervio alveolar inferior. Por lo general, las pinzas se usan para extraer el diente, pero el paciente recientemente tuvo un procedimiento de recorte de ángulo en la mandíbula inferior y no pudimos usar los fórceps. En cambio, se utilizó una pieza de mano de 45 grados y se realizó una coronectomía. Además, el paciente se tenía que extraer otro tercer molar más tarde y el seguimiento fue posible.

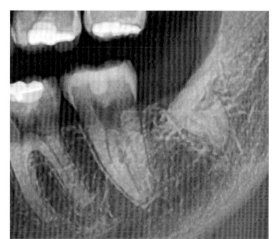

Esta ontopantomografía se tomó tres meses después; no hubo quejas del paciente y clínicamente mostró una buena recuperación. En una conversación telefónica reciente después de un año, confirmó que no hay dolor en el área. Veamos cómo se realizó la coronectomía en este paciente.

Procedimiento de coronectomía intencional

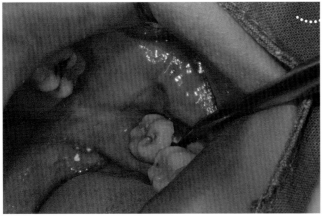

■ Se usó el elevador para fracturar y quitar la corona después de cortar el área mesiobucal utilizando una pieza de mano de 45 grados

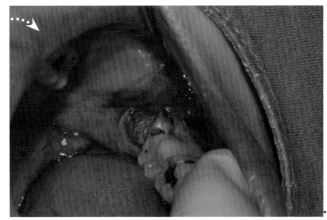

■ Después de remover la corona usando el elevador

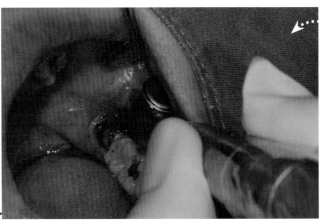

■ Para la reducción vertical del área bucal, se realizó un corte adicional

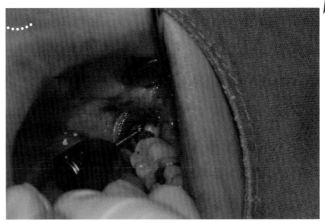

■ Eliminación de más estructura dental en el área lingual para reducir la altura en movimiento en zig-zag

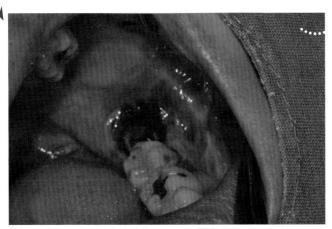

■ Puedes ver que la altura de la corona es reducida

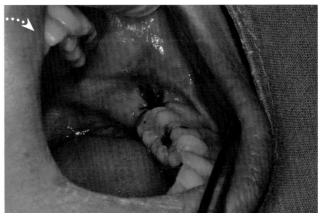

■ No creo que la sutura ayude al éxito de la coronectomía, pero se realizó de todos modos para mantener el coágulo de sangre

Coronectomía intencional en tercer molar erupcionada <2> ★★★

CASO 2

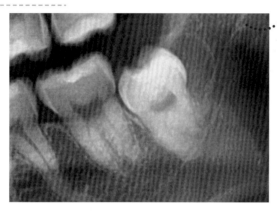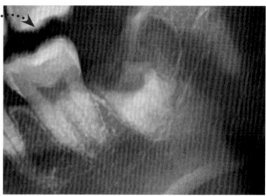

Radiografías pre y postoperatorias tomadas inmediatamente después del procedimiento de una paciente de 24 años. Se puede ver el quiste dental en la radiografía preoperatoria. Se sugirió la biopsia, pero el paciente se negó. ¿Por qué realicé una coronectomía en un caso que no parece muy difícil?

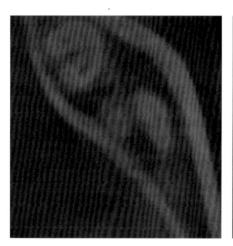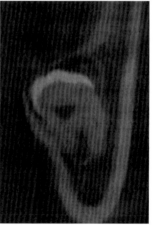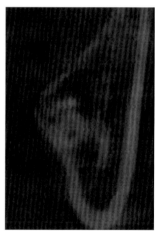

Estas imágenes tomográficas muestran que el nervio alveolar inferior se encuentra entre dos raíces. Hubiera extraído el diente si no supiera esto, pero sabiendo esto, pensé que este sería el caso perfecto para una coronectomía. Por lo general, en estos casos, utilizo una pieza de mano de 45 grados para cortar el aspecto vestibular de la corona y quitar la corona.

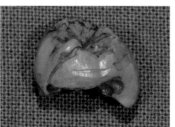

Puedes ver cómo utilicé la pieza de mano en estas dos imágenes. Encontrarás que la corona se puede quitar fácilmente sin cortar demasiado. Tengo algunos videos de este procedimiento, así que sigan visitando mi canal de YouTube. Mi principio es subir todos los videos que grabo en mi canal de YouTube, así que verás estos casos allí..

Coronectomía intencional en tercer molar erupcionada <3> ★★

CASO 3

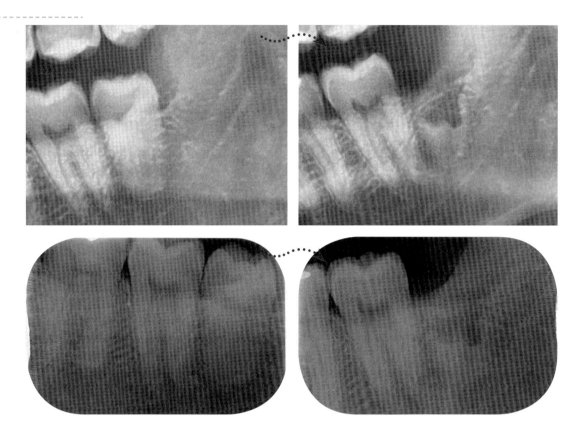

Este es un caso de un paciente masculino de 54 años con afecciones médicas subyacentes de presión arterial alta, colesterol alto e hipotiroidismo. El paciente sufría de pericoronitis, por lo que estaba satisfecho de que la inflamación no se repita. Debido a la distancia desde su casa hasta la clínica, no pudo volver a verme nuevamente. En un caso como este, rara vez eliminó el hueso alrededor del diente.

CASO 4

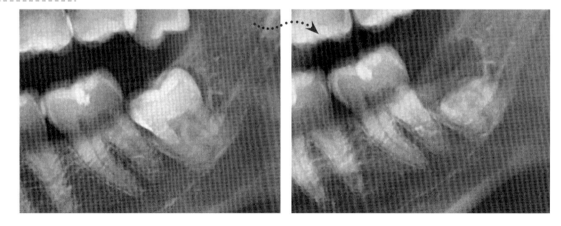

Este es un caso de un paciente masculino de 34 años. El diente tenía raíces superpuestas en el nervio alveolar inferior y se realizó una coronectomía. No pude darle seguimiento al paciente. He tratado de pedirle que regrese, pero dijo que no hay problema y se negó a regresar.

Coronectomía intencional en tercer molar erupcionada <4> ★

CASO 5

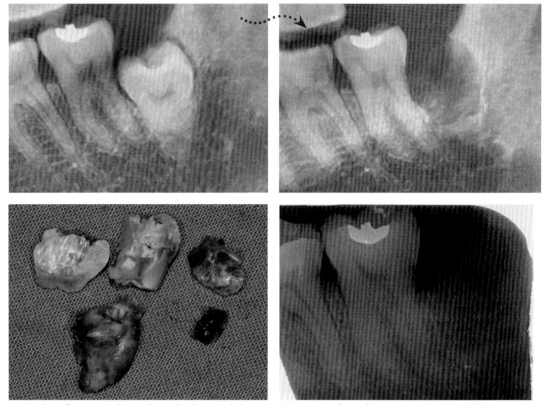

━ Radiografía periapical tomada un día después de la extracción y se puede ver la pequeña raíz restante de manera más clara que en la radiografía panorámica

Este es un caso de un paciente masculino de 46 años que tuvo una experiencia traumática de extracción de un tercer molar y vino a verme para que se la quitaran. Según el paciente, fue al hospital dental de una universidad para la extracción de sus terceros molares y durante más de cinco horas, seis dentistas intentaron extraerlas. No muchos dentistas estarán dispuestos a removerlas teniendo en cuenta el historial del paciente.

La ontopantomografía muestra que la corona del diente gira 90 grados y que el nervio corre sobre la mitad apical de la raíz. La oscuridad en la superficie de la raíz apical indica que el nervio está corriendo allí. Como se puede ver en la radiografía postoperatoria, realicé la extracción ósea mínima, sin embargo, hubo un sangrado más de lo normal durante el procedimiento, este tuvo que detenerse temporalmente y continuarse más tarde. Estaba pensando en detener el procedimiento después de seccionar la corona en tres partes y retirarla, pero finalmente decidí eliminar la raíz restante. El día de la extracción, no se pudo hacer una radiografía intraoral debido al exceso de sangrado y se tomó una radiografía panorámica. La ontopantomografía mostró que se eliminó toda la raíz, pero cuando se tomó la radiografía periapical un día después, se confirmó que la parte de la raíz se quedó atrás. Cuando se realizó la extracción, no me di cuenta de esto, así que debería llamar a esto "coronectomía intencional no intencional". Le he pedido que regrese para una revisión, pero no volvió desde entonces, ya que no tiene problemas.

Coronectomía intencional en tercer molar erupcionada <5>

CASO 6

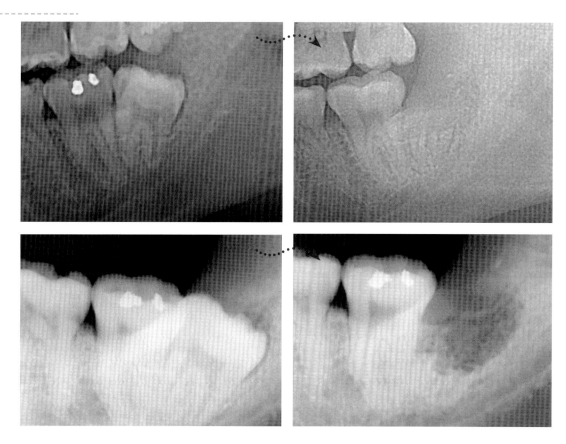

No hay radiografías postoperatorias inmediatas y estas fueron tomadas 8 meses después del procedimiento. El paciente no volvió desde entonces. El caso se realizó hace 5 años.

CASO 7

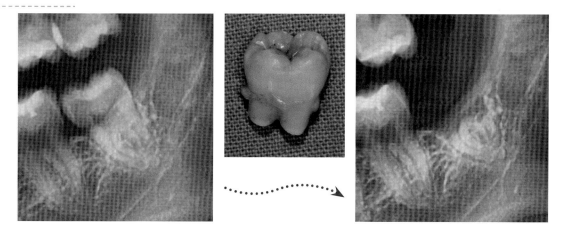

Las raíces se fracturaron durante la extracción y decidí dejarlas intencionalmente para hacer un seguimiento y ver el pronóstico. Sin embargo, el paciente no volvió desde entonces. Me avisaron por teléfono que no hay problemas.

Coronectomía intencional en tercer molar erupcionada <6> ★

CASO 8

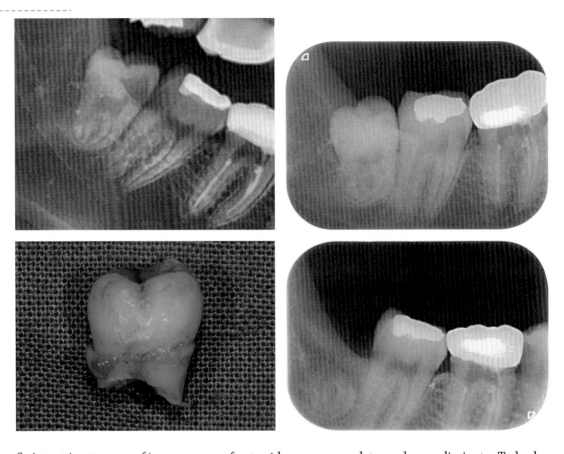

Se intentó extraer con fórceps, pero se fracturó la corona y se detuvo el procedimiento. Todas las radiografías anteriores se tomaron el mismo día de la extracción. Puedes ver que las raíces son delgadas y curvadas tocando el nervio.

La radiografía de la derecha se tomó 10 meses después del procedimiento, cuando el paciente regresó para extraer el tercer molar del lado opuesto. Teniendo en cuenta que el haz de los rayos X estaba en ángulo para tomar una ontopantomografía el día del procedimiento, la raíz solo se movió alrededor de 1 mm. A menudo recibo una pregunta, si es necesario eliminar la raíz cuando se confirma que la raíz está migrando coronalmente, incluso si no está expuesta. No creo que sea necesario eliminarlo, pero al mismo tiempo si la eliminación será simple debido a la migración, será beneficioso eliminarla antes que después.

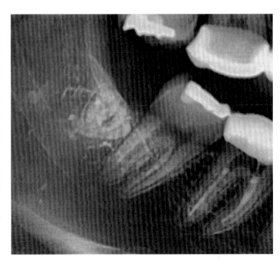

Coronectomía intencional ★★

3. Tercer molar horizontalmente incluido

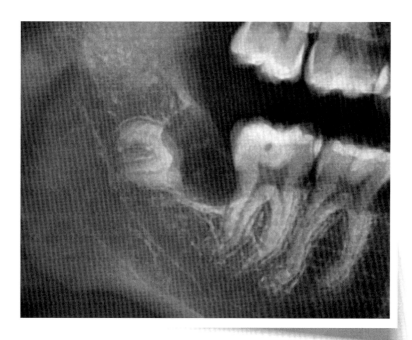

No existe un método especial para realizar una coronectomía en el diente incluido horizontalmente. La parte superior del diente incluido horizontalmente es fácilmente accesible y, por lo tanto, la extracción de la parte de la corona del diente es simple. La clave del éxito es quitar la corona por completo de la parte inferior de la misma, más específicamente el aspecto mesio-lingual de la corona. Si estás leyendo este capítulo por la primera vez, te sugiero que leas primero los conceptos básicos de la coronectomía. Si has leído el capítulo posterior del diente incluido horizontalmente, comprenderás fácilmente cómo se quita la corona y la parte coronal de la raíz. Si sigues mi técnica de extraer el diente incluido horizontalmente, verás que la coronectomía básicamente se detiene a la mitad. En especial pienso que este libro de texto ayudará a los dentistas que están leyendo por la segunda vez.

01
Coronectomía en tercer molar horizontalmente incluido <1> ★★★

CASO 1

Este es un caso de un paciente masculino de 25 años. Puedes ver el signo de Youngsam y las raíces curvadas en las radiografías. Puedes adivinar que cuando las raíces se estaban formando, entraron en contacto con la placa cortical lingual y terminaron siendo curvadas. Como se predijo que la extracción sería difícil, y se planeaba la extracción del tercer molar en el lado opuesto, se realizó una coronectomía.

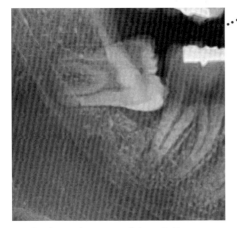
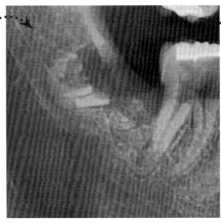
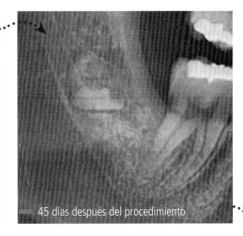

45 días después del procedimiento

━ Puede ver claramente el signo de Youngsam en esta radiografía preoperatoria

━ Ontopantomografía postoperatoria inmediata

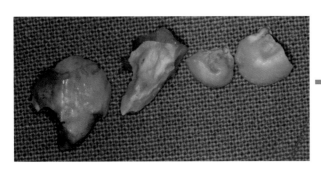

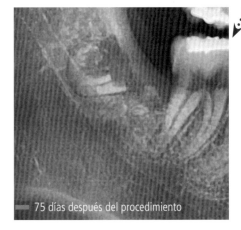

━ Imagen postoperatoria de la parte de la corona del diente. Se puede ver el signo de Youngsam, la raíz curvada, Estas son una de las extracciones más difíciles.

75 días después del procedimiento

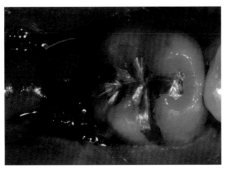
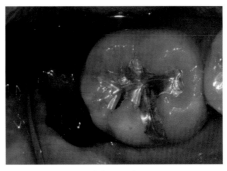
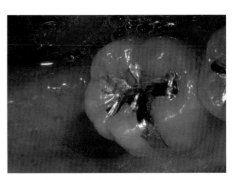

━ 1 semana después del procedimiento

━ 18 días después del procedimiento

━ 35 días después del procedimiento

Coronectomía en tercer molar horizontalmente incluido <2> ★★★

CASO 2

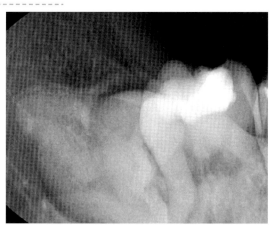 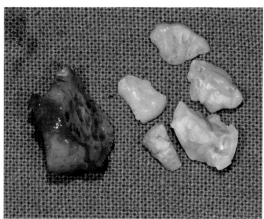

Claramente puedes ver el signo de Youngsam en las radiografías preoperatorias. Ya que la raíz está curvada hacia arriba, es probable que la placa cortical esté presente debajo de ella en el aspecto lingual.

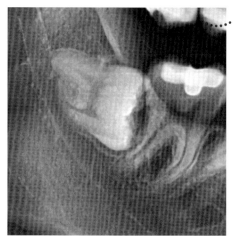 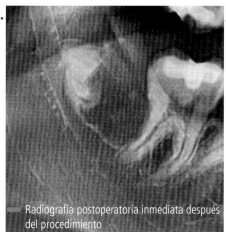 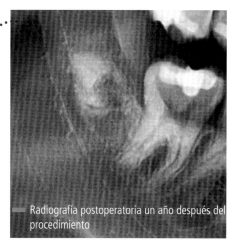

Radiografía postoperatoria inmediata después del procedimiento

Radiografía postoperatoria un año después del procedimiento

A diferencia de la ontopantomografía, la radiografía periapical claramente muestra el signo de Youngsam en la raíz mesial. A veces el signo de Youngsam aparece de formas diferentes incluso en ontopantomografías tomadas en el mismo día. Cuando ves el signo por lo menos una vez, debes asumir que es un factor de riesgo. Además, en un caso como este, hay un riesgo de dañar el nervio alveolar inferior durante la remoción de la corona. Por lo tanto, se sugiere seccionar el esmalte solo por distal de la #7 y remover la corona en múltiples piezas seguido de remover la parte media después de realizar un corte disto-cervical el cual se explicará más adelante sobre la extracción del tercer molar incluido horizontalmente.

El paciente volvió un año después, y se tomó una radiografía panorámica. La raíz se ve más borrosa, posiblemente se reabsorbió y los huesos que le rodean están bien formados. El tejido blando presenta buena cicatrización.

Coronectomía en tercer molar horizontalmente incluido <3> ★

CASO 3

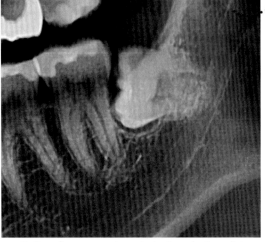
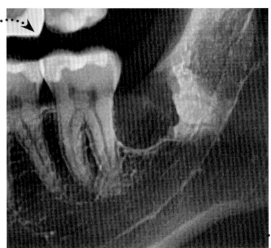

— Radiografías pre y postoperatorias tomadas inmediatamente después del procedimiento. Puedes ver claramente dónde la fresa toca la raíz.

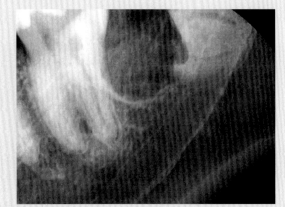

— Esta radiografía periapical fue tomada durante el procedimiento para decidir si se continúa o se detiene. Puedes ver que el corte se hizo muy cerca del nervio.

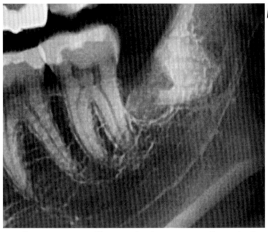

— Ontopantomografía tomada cinco meses más tarde. Puedes ver ligeramente la migración mesial de la raíz.

— Fotografía postoperatoria del diente. Puedes ver que la raíz está fracturada en múltiples piezas, pero no salió completamente.

Este es un caso de un paciente masculino de 30 años. El diente se rompió y la extracción de la raíz no fue fácil. En ese momento estaba probando algunos casos de coronectomía, decidí dejar la raíz atrás intencionalmente. La corona fue removida por división horizontal y para quitar la parte media, realicé el corte oblicuo y el corte distocervical, que se discutirá más adelante en el siguiente capítulo. Le he sugerido que regresé para el seguimiento y logré tomar una radiografía postoperatoria. El tejido blando cicatrizó completamente sin ningún signo de problemas.

Coronectomía en tercer molar horizontalmente incluido <4> ★

CASO 4

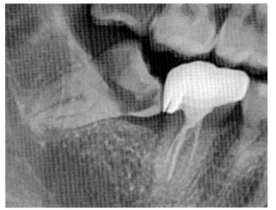

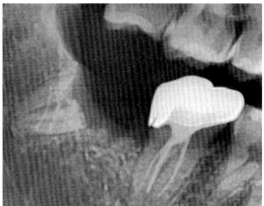

Radiografías pre y postoperatorias tomadas inmediatamente después del procedimiento. Puedes ver claramente dónde la fresa toca la raíz

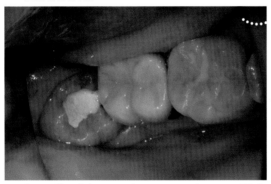

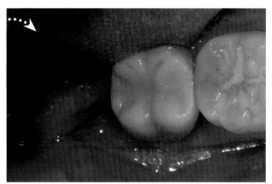

Fotografías clínicas tomadas preoperatoriamente y 34 días postoperatorios

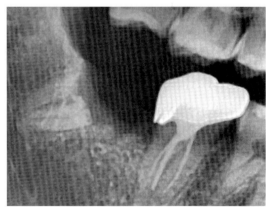

Fotografía del diente removido. Puedes ver el algodón desde el espacio de la cámara pulpar

Radiografía postoperatoria tomada 34 días después del procedimiento. Puedes ver que casi no hay movimiento de la raíz

Este es un caso de una paciente femenina de 32 años quien previamente visitó a otro dentista con dolor de tercer molar. En lugar de remover el diente, el dentista realizó una pulpectomía ya que el dolor fue causado por la caries dental. Realicé una coronectomía porque tenía curiosidad sobre el pronóstico del diente con antecedentes de caries. El paciente planeaba volver un mes después para otra extracción del tercer molar, el seguimiento esperado. Las dos últimas imágenes son una fotografía clínica y una ontopantomografía tomada 34 días después.

Coronectomía en tercer molar horizontalmente impactada <5> ★★★

CASO 5

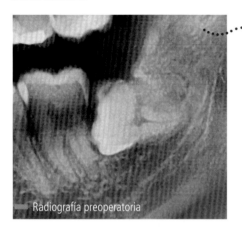
Radiografía preoperatoria

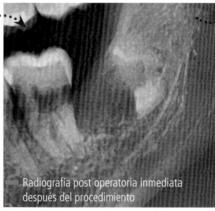
Radiografía post operatoria inmediata después del procedimiento

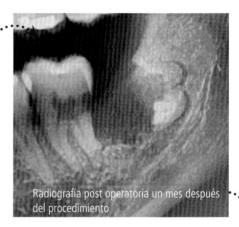
Radiografía post operatoria un mes después del procedimiento

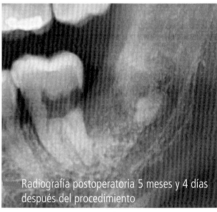
Radiografía postoperatoria 5 meses y 4 días después del procedimiento

Este es un caso de un paciente masculino de 34 años. Puedes ver el signo de Youngsam en la radiografía preoperatoria. La radiografía postoperatoria muestra la raíz restante. Comprenderás mejor cómo las raíces se dejan así una vez que leas el capítulo sobre extracción horizontal de terceros molares. Por lo general, remuevo el tercer molar del otro lado aproximadamente un mes después. La radiografía postoperatoria fue tomada cuando el paciente volvió por otra extracción del tercer molar después de un mes. En la mayoría de los casos, la raíz migra dentro del primer mes y casi no hay movimiento después.

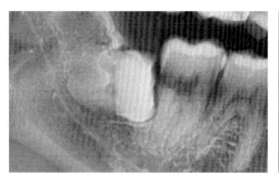

Esta es la extracción de la #48 en el mismo paciente. Puedes ver en las fotografías que las raíces no fueron removidas fácilmente.

Coronectomía en tercer molar horizontalmente incluido <6> ★

CASO 6

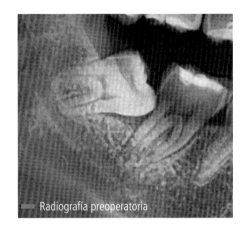
Radiografía preoperatoria

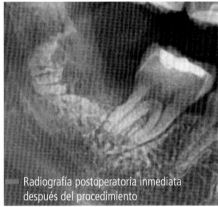
Radiografía postoperatoria inmediata después del procedimiento

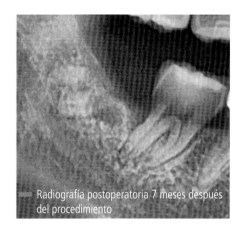
Radiografía postoperatoria 7 meses después del procedimiento

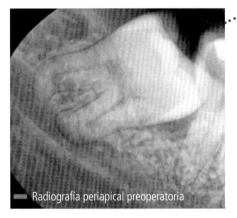
Radiografía periapical preoperatoria

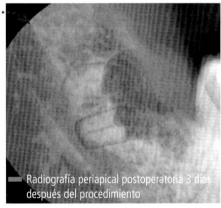
Radiografía periapical postoperatoria 3 días después del procedimiento

Fotografía postoperatoria del tercer molar

Este es un caso de un paciente masculino de 35 años. Puedes ver las radiografías preoperatorias y postoperatorias y una fotografía. Ambas ontopantomografías y la radiografía periapical preoperatoria muestran el signo de Youngsam. No se observa mucho movimiento en la radiografía postoperatoria tomada 7 meses después. El tejido blando cicatrizó completamente.

02
Coronectomía en pacientes mayores <1> ★★★

CASO 1

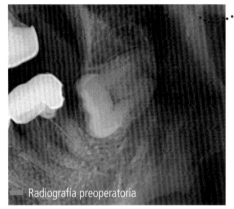

Radiografía preoperatoria

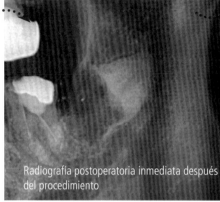

Radiografía postoperatoria inmediata después del procedimiento

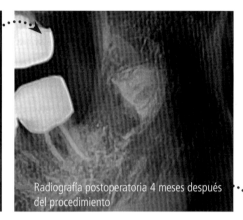

Radiografía postoperatoria 4 meses después del procedimiento

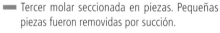

Tercer molar seccionada en piezas. Pequeñas piezas fueron removidas por succión.

Piezas del diente #48

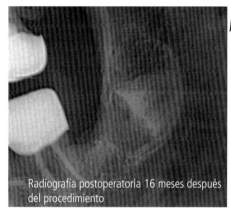

Radiografía postoperatoria 16 meses después del procedimiento

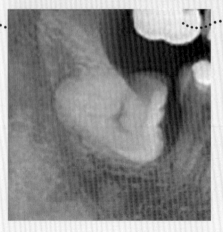

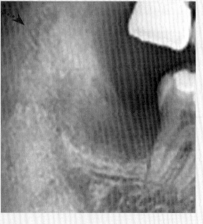

Después de remover el diente #38 y finalizar otros procedimientos dentales, el paciente quería que se le removiera el #48 también. Además, este diente muestra el signo de Youngsam debido a la pericoronitis crónica. El diente fue empujado distalmente y la extracción no fue fácil. Pero como abordo cada caso de la misma manera, la extracción se completó dentro de 10 minutos.

Paciente femenino de 58 años me visitó después de probar otras clínicas en busca de ayuda. El nervio estaba presionado por el diente y había pericoronitis severa. He removido la corona en pedazos. Debido a su avanzada edad y la inflamación crónica alrededor del diente, el esmalte en el aspecto mesial de la corona estaba anquilosado con el hueso. Debido a la apretada agenda detuve ahí el procedimiento. La paciente mostró confianza después de que le realicé la extracción y también quería que le realizara otros tratamientos. Luego, todos los miembros de su familia visitaron mi clínica y el seguimiento fue posible.

Coronectomía en pacientes mayores <2> ★

CASO 2

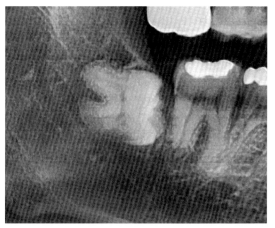

■ Radiografía preoperatoria

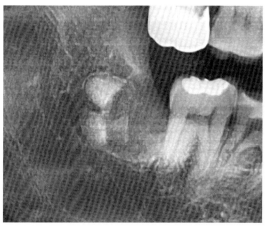

■ Radiografía postoperatoria tomada inmediatamente
después del procedimiento

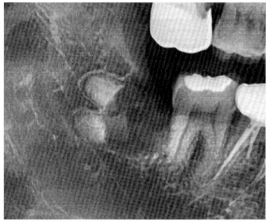

■ Radiografía postoperatoria 25 días después del
procedimiento

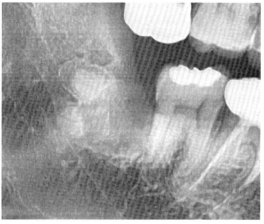

■ Radiografía postoperatoria 4 meses y 16 días después
del procedimiento

Este es un caso de un paciente masculino de 46 años quien sufría por pericoronitis crónica. Le removieron el #38 hace 4 años el cual se debió de haber removido más fácilmente que este, pero aun así tomó mucho tiempo y el dolor postoperatorio fue grave. Debido a su alta presión sanguínea, inicialmente estaba reacio a extraerlo, pero la pericoronitis recurrente le hizo decidir visitarme desde la provincia de Gangwon. La raíz continúo rompiéndose y sospeche posible anquilosis de la raíz. Detuve el procedimiento debido al dolor y sangrado a pesar de que la parte lingual de la parte media del diente se encontraba intacta. El paciente no volvió desde entonces, pero confirmó mediante una llamada telefónica que está bien sin ningún problema.

Coronectomía en pacientes mayores <3> ★

CASO 3

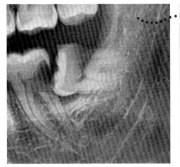 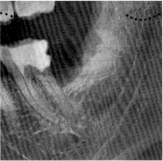 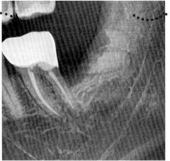 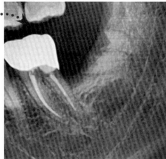

Radiografía preoperatoria

Radiografía postoperatoria inmediata después del procedimiento

Radiografía postoperatoria inmediata un mes y 5 días después del procedimiento

Radiografía postoperatoria 2 meses y 8 días después del procedimiento

Este es un caso de un paciente masculino de 50 años. El diente se continuó rompiendo durante el procedimiento y la remoción de la raíz fue difícil. El paciente era mi conocido, y fácilmente obtuve el permiso para realizar la coronectomía y una revisión regular. Siento que podría haber hecho la superficie de la raíz restante más lisa, sin embargo, el tejido blando la cubre bien y no hubo problemas.

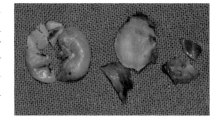

CASO 4

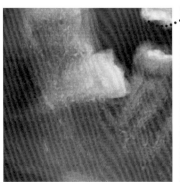 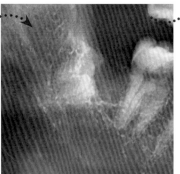 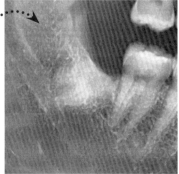

Radiografía preoperatoria

Radiografía postoperatoria inmediata después del procedimiento

Radiografía postoperatoria 11 meses y 17 días después del procedimiento

Este es un caso de un paciente masculino de 44 años con radiografías pre y postoperatorias e imágenes clínicas. La raíz parece estar anquilosada en el hueso y la raíz distal muestra el signo del Youngsam.

03
Coronectomía intencional en casos sin seguimiento <1> ★

CASO 1

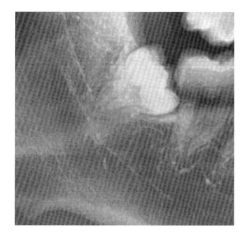 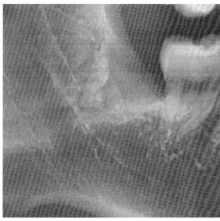 

Este es un caso de un paciente masculino de 26 años. En la radiografía preoperatoria y la postoperatoria tomada 3 meses después, la raíz se ve borrosa y el signo de Youngsam se ve levemente. Sospecho que el diente tiene múltiples raíces y una de ellas podría colocarse dentro del hueso cortical lingual. Puedes ver que una de las raíces (Mesio-lingual) fue removida completamente.

CASO 2

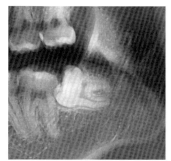 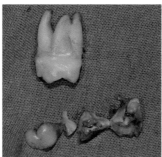 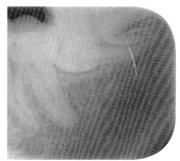 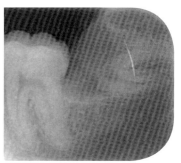

▬ Radiografía preoperatoria y fotografía del tercer molar extraído   ▬ Radiografía periapical pre y postoperatoria dos días después

Este es un caso de un paciente de 22 años. La mayoría de los casos de coronectomía no se revisan fácilmente y además este paciente no volvió después de remover la sutura. Algunos pacientes ni siquiera vuelven para la remoción de la sutura así que le agradezco que volviera para eso. Debido a que mi clínica está en el centro de la ciudad, y la mayoría de los pacientes visitan de lejos, no suelen volver después. Es por esto que traté de hacer más casos. No traté de remover lo que no necesitaban ser removidas y traté de realizar una coronectomía segura. Al menos que intencionalmente lo haga, estos casos representan sólo el 0.2% de todos los casos de extracciones.

Coronectomía intencional en casos sin seguimiento <2> ★

CASO 3

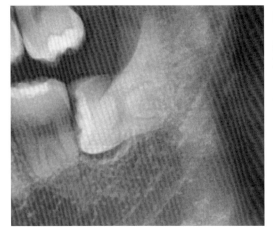 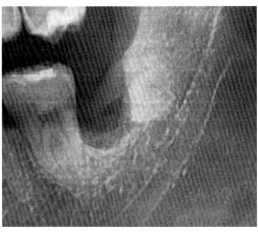 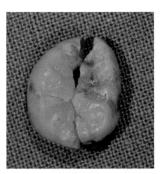 

Dado que el seguimiento de la coronectomía no estaba ocurriendo, he realizado series de procedimientos de coronectomía intencional. La serie más reciente de coronectomía se realizó a principios de 2017. Este es un caso de un paciente masculino de 30 años y puedes ver las radiografías pre y postoperatorias tomadas 7 días después del procedimiento. Como anteriormente se discutió, este es un caso de anquilosis dentaria debido a pericoronitis. Esto muestra la división vertical que realizo a menudo para seccionar la corona. Se discutirá más detalladamente en el capítulo de impacto horizontal. Es por eso que te sugiero leer este libro más de dos veces. Cuando termines de leer el libro, veras estas imágenes con más entendimiento.

CASO 4

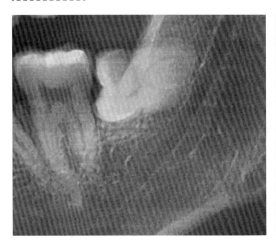 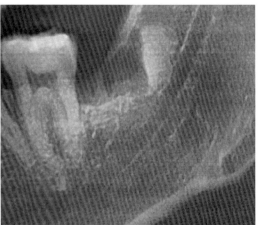 

Este es un caso de un paciente masculino de 36 años. Puedes ver las radiografías pre y postoperatorias y una fotografía clínica. Se realizó una coronectomía intencional. El paciente no volvió a visitar después de la remoción de la sutura.

Coronectomía Intencional en casos sin seguimiento <3> ★

 CASO 5

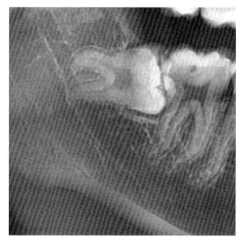 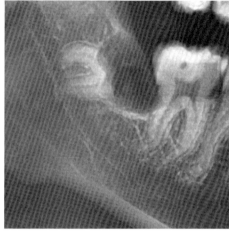 

Este caso es de un paciente masculino de 25 años de edad. Se realizó una coronectomía intencional debido a las mismas razones anteriores, no regreso para el seguimiento.

CASO 6

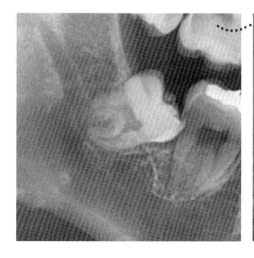 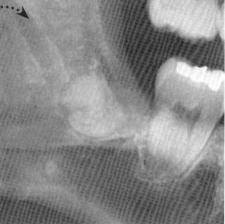 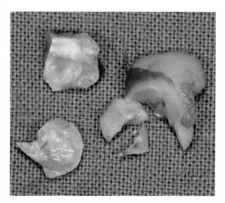

Este caso es de un paciente masculino de 30 años de edad. Puedes observar las radiografías pre y postoperatorias y una fotografía clínica. Vino de lejos y quería la extracción el mismo día. Puedes observar la banda oscura alrededor de la raíz distal. Se intentó eliminar la raíz, sin embargo, tuve que parar debido al horario de trenes del paciente. No lo he vuelto a ver en dos años, pero me envió un mensaje de texto diciendo que todo está bien.

Coronectomía Intencional ★★

4. Tercer molar incluido del maxilar

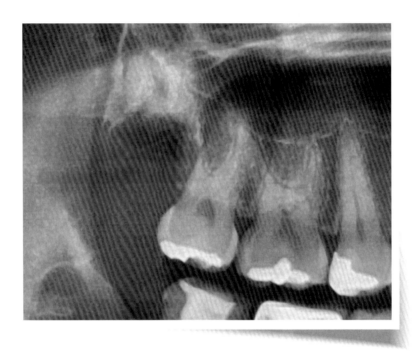

Le he llamado "incluido", sin embargo, habrá más casos de tercer molar del maxilar "no incluido". Por lo general, en el caso de un tercer molar del maxilar totalmente incluido, se levantará el colgajo y se extraerá el hueso, por lo que la raíz generalmente se eliminará por completo.

Basándome en mi experiencia, si la raíz está fracturada y se encuentra localizada dentro del hueso, te recomiendo no tratar de removerla. Especialmente, un dentista inexperto no debería de intentarlo. Cuando no se aborda correctamente, la raíz puede moverse dentro del seno maxilar y causar más problemas. También es difícil utilizar una pieza de mano de alta velocidad o pieza de mano de baja velocidad en casos de extracción maxilar. Por lo tanto, a no ser que la raíz pueda removerse simplemente utilizando un explorador, deberías considerar dejar el ápice de la raíz.

La extracción del tercer molar del maxilar suele ser fácil, por lo que no voy a dedicar demasiado tiempo a este tema, pero si le resulta difícil extraer todo el diente, debe considerarse la coronectomía. Por supuesto, incluso esto puede ser difícil para los médicos sin experiencia.

01
Coronectomía intencional en tercer molar del maxilar <1> ★★

CASO 1

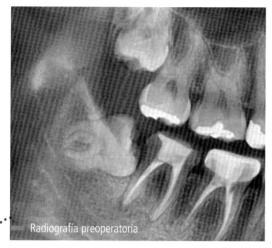

Radiografía preoperatoria

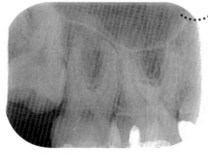 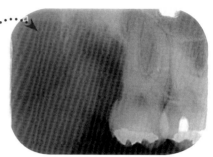

Radiografía periapical pre y postoperatoria de tercer molar de maxilar

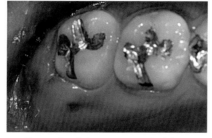 

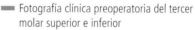

Fotografía clínica preoperatoria del tercer molar superior e inferior

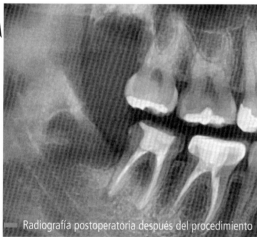

Radiografía postoperatoria después del procedimiento

Este es un caso de paciente femenino de 28 años quien me visitó hace unos días antes de mudarse a los Estados Unidos. Otro dentista la refirió porque la paciente quería que le removieran su tercer molar antes de partir. El dentista que me refirió era un cirujano oral quien no tenía tiempo para ver a este paciente. Aunque fuera difícil de creer, el diente #47 recientemente tiene una corona cementada con un cemento temporal. Ya que era un cemento temporal, removí la corona antes de la extracción. La radiografía muestra ligeramente el signo de Youngsam. La extracción fue difícil y tomó mucho tiempo. La extracción del tercer molar superior en mi opinión no era necesaria, sin embargo, la paciente solicitó la extracción ya que estaba preocupada por el alto costo de la extracción de terceros molares en los EE. UU. Ya que pase mucho tiempo tratando de remover el tercer molar inferior y muchos pacientes estaban esperando, detuve el procedimiento después de remover la corona del tercer molar del maxilar. Esta fue la primera coronectomía intencional de un tercer molar del maxilar y no ha habido problemas desde entonces.

Coronectomía intencional en tercer molar del maxilar <2> ★

CASO 2

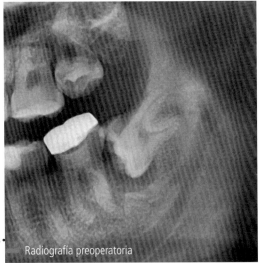

Radiografía preoperatoria

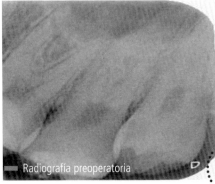

Radiografía preoperatoria

Este caso fue presentado en el capítulo anterior. Como previamente se mencionó, este es un caso que recordaré por un largo tiempo, y se discutirá nuevamente en el capítulo de tercer molar horizontalmente incluido. Déjame explicar por qué este caso también se presenta en este capítulo.

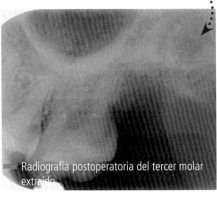

Radiografía postoperatoria del tercer molar extraído

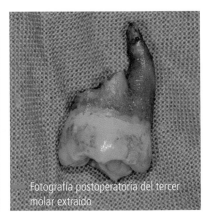

Fotografía postoperatoria del tercer molar extraído

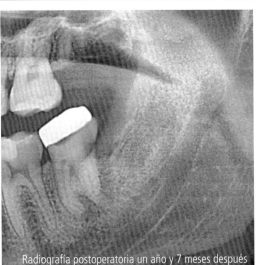

Radiografía postoperatoria un año y 7 meses después

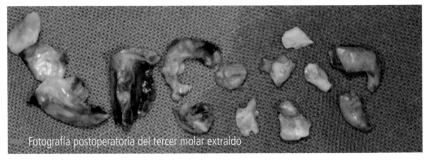

Fotografía postoperatoria del tercer molar extraído

Este es un caso de un paciente masculino de 27 años quien vino a verme con su hermano de lejos solo para remover su tercer molar. El #38 estaba empujado distalmente y mostró signos de anquilosis debido a la pericoronitis y la curvatura de la raíz hizo la extracción más difícil. Esta extracción tomó el tiempo más largo entre todas las extracciones que hice en el 2015. Estaba trabajando solo y había muchos pacientes esperándome, pero mi orgullo no me permitió detenerme y terminé la extracción. Esperaba que el tercer molar del maxilar fuera simple, sin embargo, se fracturó la raíz. Debido a mi retrasado horario, tuve que detener el procedimiento después de obtener el consentimiento del paciente. Para revisar la raíz restante, le pedí que volviera, sin embargo, debido a la distancia de su hogar, me envió una copia de su ontopantomografía tomada en una clínica cercana un año y 7 meses después del procedimiento. La raíz restante no está causando ningún problema y se encuentra en el mismo lugar. Además, la cavidad en el tercer molar inferior se sanó muy bien.

Coronectomía intencional en tercer molar del maxilar <3> ★

CASO 3

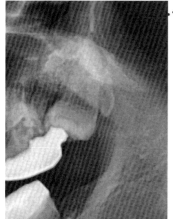 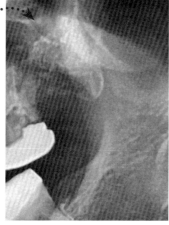 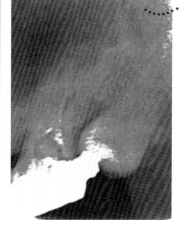 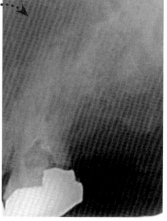

▬ Ontopantomografías pre y postoperatorias tomadas dos días después del procedimiento

▬ Ontopantomografías pre y postoperatorias

Este es un caso de un paciente femenino de 29 años. Generalmente abordo estos casos desde bucal utilizando pieza de mano de baja velocidad. Sin embargo, este día, mi asistente me dio la pieza de mano de alta velocidad que usualmente utilizo para la extracción de tercer molar mandibular. Tal vez ella también pensó que se requería la remoción de la amalgama. Como se mencionó, si yo hubiera usado la pieza de mano de baja velocidad, hubiera removido la corona abordando desde el aspecto bucal, sin embargo, debido a que estaba utilizando la pieza de alta velocidad lo hice de la misma forma que en la extracción del tercer molar mandibular. Generalmente no utilizó la pieza de alta velocidad para la extracción del tercer molar del maxilar, pero cuando no es necesario levantar el colgajo, a veces se usa. Discutiré este tema más a fondo en el capítulo de extracción de tercer molar del maxilar.

Como la corona se fracturó, detuve el procedimiento. Después del procedimiento, también pulí la saliente de amalgama del diente #27. El paciente no regresó, sin embargo, ningún problema se reportó mediante la conversación telefónica. Hubiera removido este diente utilizando solo un elevador si la remoción de la amalgama no hubiera sido requerida.

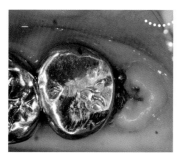  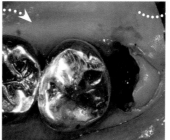 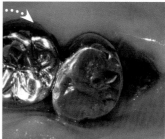

▬ Dos días después del procedimiento

Estas son fotografías clínicas tomadas durante el procedimiento y dos días después.

Coronectomía intencional en tercer molar del maxilar <4> ★

CASO 4

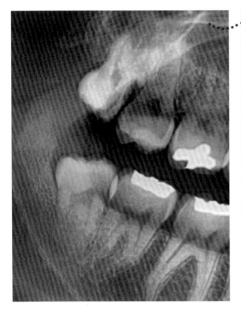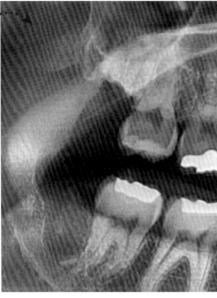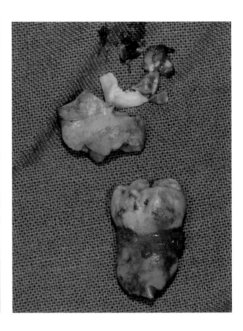

Este es un caso de un paciente masculino de 29 años. La corona de su tercer molar estaba inusualmente grande y otro diente estaba fusionado hacia lingual. Como puedes ver en la fotografía clínica, el ancho buco lingual era grande, y no pude agarrar el diente con el fórceps. También tenía múltiples raíces curvadas. La extracción no fue sencilla, y decidí remover la corona utilizando la pieza de mano a 45 grados y observar. Tomé una ontopantomografía postoperatoria después del procedimiento para revisar la raíz restante. También puedes ver la pequeña porción de la raíz restante del tercer molar mandibular. El paciente no volvió desde entonces.

La remoción de la raíz restante ★★★
después de coronectomía intencional

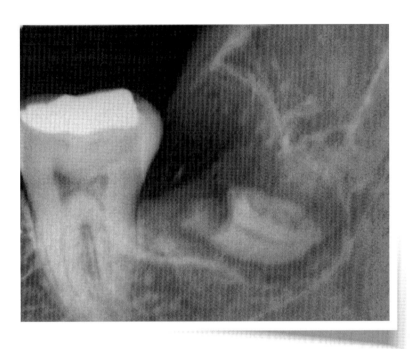

Hay dos razones principales para hacer coronectomía intencional.

Primero, debido a que la extracción de la raíz es peligrosa, el objetivo es enterrar la raíz de forma permanente. Segundo, la extracción de la raíz no es apropiada en esta etapa, y el objetivo es removerla en un futuro. En este caso, para extraer la raíz restante de forma segura, a veces se realizan tratamientos adicionales como la intervención ortodóntica.

Sin embargo, cuando la coronectomía intencional se realiza correctamente, la raíz restante debería removerse solo cuando surgen problemas. En los casos problemáticos, la raíz migró a una posición segura y favorable para la remoción, por lo tanto, la remoción puede realizarse correctamente.

Por lo tanto, en mi opinión ambas opciones, dejar la raíz sin ninguna complicación o remover la raíz restante después, pueden considerarse una exitosa coronectomía intencional.

01
La remoción de la raíz restante después de coronectomía intencional <1>

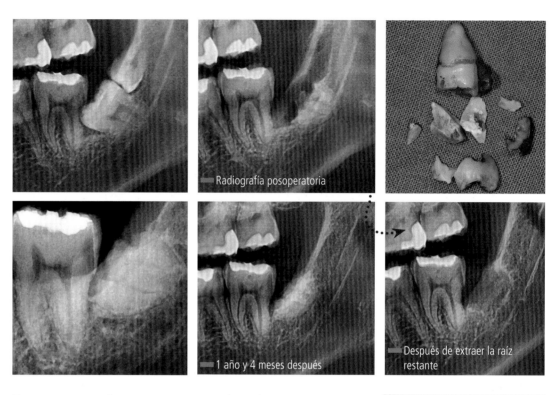

Radiografía posoperatoria

1 año y 4 meses después

Después de extraer la raíz restante

Este es un caso de un paciente masculino de 33 años quien decidió remover ambos 3ro y 4to molar inferior en el mismo día. Primero extraje el cuarto molar supernumerario y luego intenté quitar el tercer molar. Sin embargo, después de remover la corona, la raíz no pudo removerse fácilmente, y el paciente se quejaba de dolor, así que decidí dejar la raíz. No se notó ningún problema el día de remoción de la sutura. El paciente y yo estábamos satisfechos con el resultado. Sin embargo, el paciente volvió después de 1 año y 4 meses quejándose de incomodidad en el área. La ontopantomografía muestra que la raíz ha migrado coronalmente. La raíz restante fue removida ese mismo día, pero no tan sencillamente. Desde ese entonces ha pasado un año, y el paciente no ha tenido ningún problema. Considero esta una coronectomía exitosa.

Sin embargo, necesitamos pensar por qué la raíz restante ha migrado. Creo que probablemente se debe al 4to molar (o distomolar). La raíz restante debería estar rodeada por hueso sano, sin embargo, debido al espacio de la cavidad del 4to molar, la raíz estaba expuesta hacia el tejido blando y migró coronalmente.

La razón por la cual la extracción fue difícil al principio puede responderse al observar la forma de la raíz. Las raíces en forma de cadera son las más difíciles de remover.

La remoción de la raíz restante después de coronectomía intencional <2> ★★

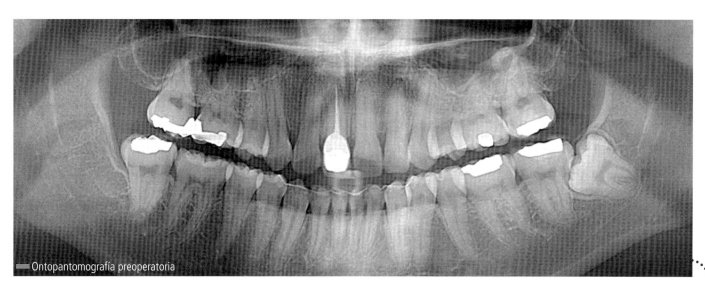
Ontopantomografía preoperatoria

Este es un caso de una paciente femenina de veintitantos años quien trabaja en el laboratorio dental que yo utilizo. Ella quería remover el diente #38 a pesar de que el diente no le molestaba. Ella vino a verme satisfecha por la extracción que realice en su diente #48. También revisé la radiografía postoperatoria del #48 preguntándome porque removí el diente en ese entonces.

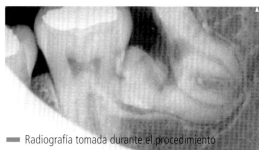
Radiografía tomada durante el procedimiento

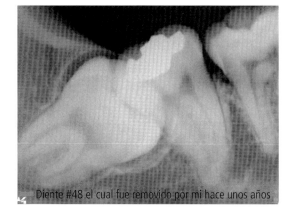
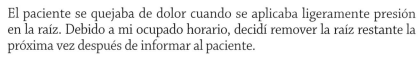
Diente #48 el cual fue removido por mi hace unos años

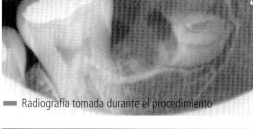
Radiografía tomada durante el procedimiento

El paciente se quejaba de dolor cuando se aplicaba ligeramente presión en la raíz. Debido a mi ocupado horario, decidí remover la raíz restante la próxima vez después de informar al paciente.

Después de los 40 días postoperatorios se tomó una radiografía que muestra que la raíz ha migrado dentro de la cavidad.

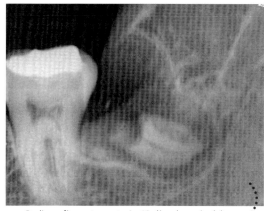
Radiografía postoperatoria 40 días después del procedimiento

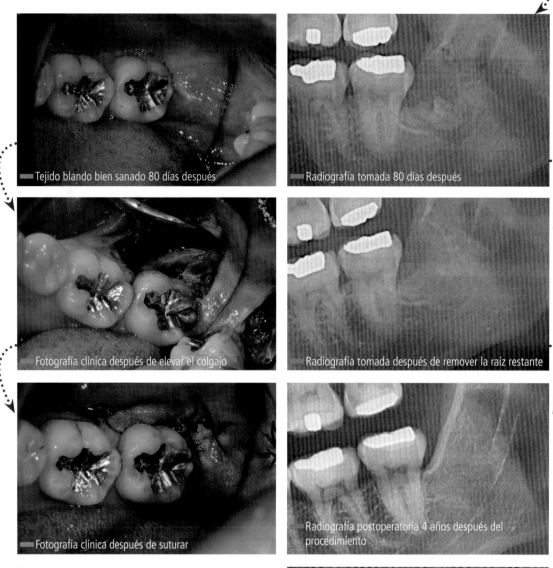

Tejido blando bien sanado 80 días después

Radiografía tomada 80 días después

Fotografía clínica después de elevar el colgajo

Radiografía tomada después de remover la raíz restante

Fotografía clínica después de suturar

Radiografía postoperatoria 4 años después del procedimiento

El paciente volvió 80 días después para que le removieran la raíz restante. No experimentó ninguna incomodidad mayor y no quería que se la removieran, pero yo quise removerla. La fotografía clínica muestra que la cavidad ha sanado bien.

Las raíces eliminadas muestran dónde pasa el nervio alveolar inferior (flecha). Ya que la raíz fue removida solo 80 días después, es difícil predecir cómo reaccionara la raíz restante si se hubiera dejado, sin embargo, creo que puede haberse quedado sin causar ningún problema. Este es un caso de hace 5 años, en ese tiempo tenía el principio de no dejar la raíz. Si el paciente hubiera venido a verme ahora probablemente la hubiera dejado. Puede variar mucho dependiendo del ángulo del haz de rayos x, pero si observa la imagen después de removerla, se siente como si las raíces estuvieran haciendo un arco. Si es así, es posible que la pared del canal no haya sido muy fuerte. Por lo tanto, en mi opinión el más ligero toque en la raíz causaría un dolor muy severo durante el proceso de extracción.

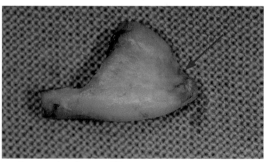

imagen de raíz removida

Extracción de la raíz restante del tercer ★★ molar extraído en otras clínicas

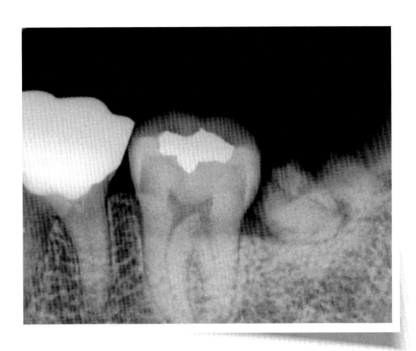

En los dos casos anteriores, yo realicé ambas la extracción y la remoción de la raíz restante. Pero también tuve algunos casos donde la extracción inicialmente se intentó en otras clínicas. No mencionaré aquí el caso que otros dentistas solicitaron durante la extracción o cuando se esclareció la falla y se solicitó la extracción. No hay muchos casos, pero si algunos de ellos leen este libro, podrá reconocer su caso.

Algunos de los casos presentados aquí son aquellos en los que se informó al paciente que la extracción se realizó por completo. Incluso yo que he realizado muchas extracciones de terceros molares no tengo muchos casos donde la raíz restante cause problemas. Sin embargo, viendo muchos casos de otras clínicas donde las raíces restantes causan problemas me ha hecho pensar que puede deberse a las diferentes filosofías de este concepto más que a los diferentes niveles de habilidades. Como previamente se mencionó, es de importancia filosófica cuándo dejar la raíz. Vamos a echar un vistazo a algunos casos. Estos casos te guiarán a los siguientes capítulos sobre extracciones completas.

01
Extracción de raíz restante por coronectomía hecha en otras clínicas

CASO 1

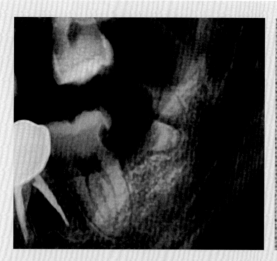
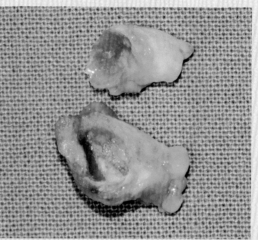

Este es un caso de un paciente masculino de 30 años a quien le extrajeron su tercer molar en otra clínica hace 6 meses. Debido al dolor severo visitó mi clínica y se le removió la raíz restante. Consideré obtener la radiografía preoperatoria de la otra clínica, pero al final decidí no hacerlo.

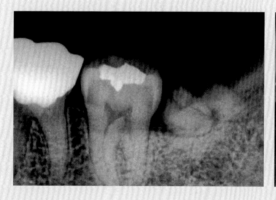
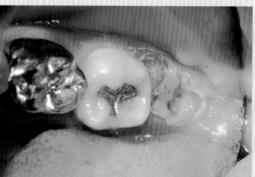

Este es un caso de un paciente femenino en sus treintas. No recuerda cuando se realizó la extracción, pero vino a verme cuando sintió dolor en el área. La fotografía fue tomada después de remover la raíz restante. Quería ver la radiografía pre y postoperatoria de la extracción, pero no pude solicitarla al paciente.

Sin embargo, la raíz fue removida de forma segura sin ningún daño nervioso, así que la considere como una coronectomía exitosa.

★

CASO 2

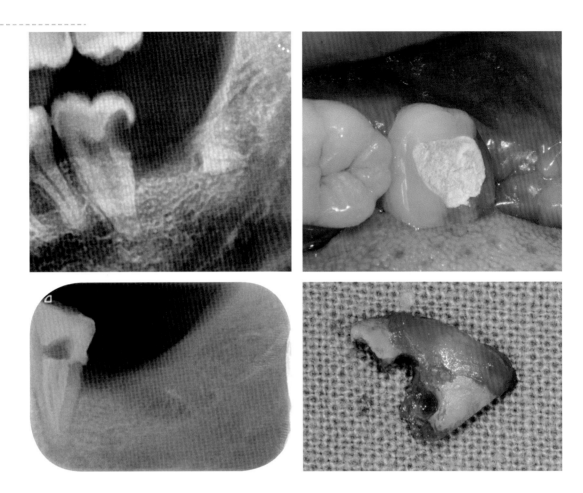

Este es un caso de un paciente masculino en sus cuarentas. Le removieron su tercer molar hace un par de meses y cuando visitó mi clínica expresó severo dolor en el área, por lo que pidió remover la raíz restante. Le explique que el dolor en el área era debido a las caries del diente #37. Sin embargo, el paciente insistió. Después de completar el tratamiento de conductos en la #37, removí la raíz restante. Personalmente no creo que la remoción de la raíz restante fuera necesaria. A pesar de que la raíz se ve pequeña, buco lingualmente era más grande de lo esperado y la extracción fue difícil. Había presencia de hueso coronal en la raíz, por lo que se extrajo el hueso utilizando pieza de mano de alta velocidad.

★

CASO 3

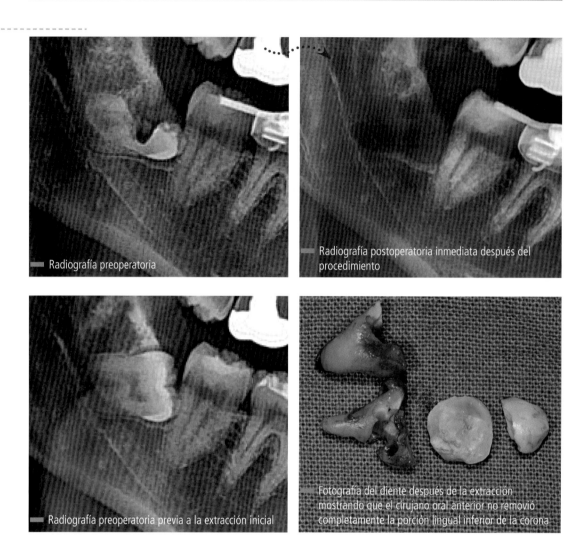

Radiografía preoperatoria

Radiografía postoperatoria inmediata después del procedimiento

Radiografía preoperatoria previa a la extracción inicial

Fotografía del diente después de la extracción mostrando que el cirujano oral anterior no removió completamente la porción lingual inferior de la corona

El dentista que me recomendó este paciente remitió inicialmente al paciente al cirujano oral más cercano para que le extrajeran los dientes #18 y #48 antes del tratamiento de ortodoncia. Pero como puedes ver, el resultado de la primera extracción no fue ideal. El dentista le preguntó al cirujano oral si la extracción se había completado y la respuesta del cirujano oral fue que sí. Se realizó en la ciudad de otra provincia y, por lo general, cuando la extracción se remite a un cirujano por razones de ortodoncia, el dentista remitente generalmente no puede exigirle demasiado al cirujano oral debido al bajo costo de extracción en Corea bajo el seguro nacional. Entonces, cuando el paciente regresó al dentista de esta manera, el dentista no pudo decirle al cirujano oral que no estaba contento con el resultado y, en cambio, me remitió al paciente. No tengo la intención de criticar a nadie solo por la historia de un lado y entiendo que cualquiera puede cometer un error. Probablemente también he cometido errores similares en el pasado. Sin embargo, esto claramente no es coronectomía, ya que la corona del diente no se extrajo adecuadamente. Si la corona se hubiera retirado correctamente, diría que esta es una extracción exitosa ya que el paciente no sentiría ningún dolor y el tratamiento de ortodoncia habría sido posible. Discutiré más sobre más sobre la extracción de tal diente en el capítulo posterior sobre el tercer molar incluido horizontalmente. De todos modos, el factor más importante en la coronectomía intencional es la extracción completa de la corona.

★

CASO 4

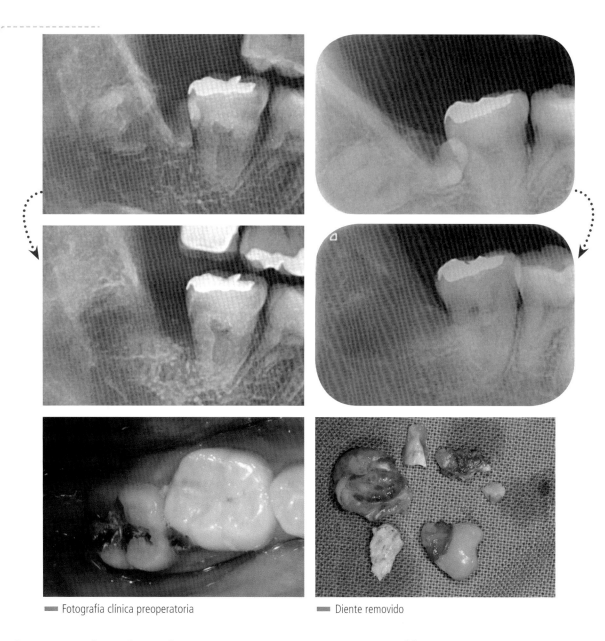

■ Fotografía clínica preoperatoria   ■ Diente removido

Este caso fue mencionado en el capítulo 1. Rara vez repito mismos casos en este libro, pero, este caso aparecerá como tres veces en el libro. Tendemos aprender más de los errores de otros.

Al paciente se le realizó la extracción en otro lugar, pero vino a verme debido al severo dolor en el área. Como puedes ver en la radiografía preoperatoria, clínicamente no parece haber mayor problema. Sin embargo, la ontopantomografía preoperatoria muestra que la corona no está completamente removida. Discutiré más sobre como remover tal diente en el siguiente capítulo de tercer molar horizontalmente incluido. La radiografía también muestra el signo de Youngsam, sugiriendo que la extracción de la raíz puede ser difícil.

En el caso, la corona estaba muy inclinada hacia el lado lingual, por lo que parecía que el dentista que estaba extrayendo los dientes no podía atreverse a sacarla hasta el final de la corona lingual. Como resultado, la corona mesial lingual, la parte más importante de la extracción del diente horizontalmente incluido, no fue removida correctamente. No puedo enfatizar demasiado en que el factor más importante en una coronectomía intencional es la extracción completa de la corona.

★★

CASO 5

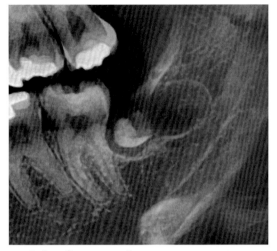

━ Radiografía preoperatoria

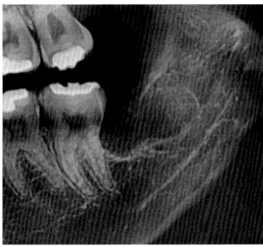

━ Radiografía después de remover la corona restante

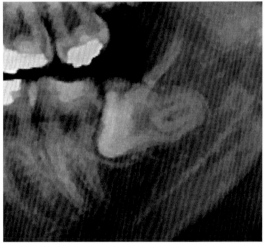

━ Radiografía preoperatoria antes de la extracción inicial

━ Corona restante removida

Este es un caso de un paciente femenino en sus veintes. Se realizó la extracción 4 días antes de visitar mi clínica. El paciente no tuvo ningún síntoma mayor aparte de los esperados dolores después de extraer el tercer molar, pero la ontopantomografía muestra que la parte mesial de la corona fue dejada atrás. Después de anestesiar al paciente y remover la sutura, removí la pieza y me di cuenta de que era el aspecto mesiolingual de la corona --la parte más difícil de remover durante la extracción del tercer molar. Observando el diente, parece que se usó la fresa fisurada de mango largo. No creo que haya sido intencionalmente, pero hay muchas formas de remover el diente sin remover la parte mesial (especialmente el aspecto lingual) de la corona. Cuando se usa la fresa fisurada, se debe utilizar directamente la pieza de mano. Probablemente después de remover la parte superior de la corona, la baja velocidad fue usada para seccionar la mitad de la corona. Entonces, partes de la corona se dejan atrás. De todas formas, la parte restante de la corona usualmente causa problemas, así que elegí removerla.

Introducción y capítulo 04 traducido por.

Dra. Jessica I. Ancona Alcocer

Graduada de la Facultad de Odontología en la Universidad Autónoma de Yucatán, México. Egresada como especialista en Cirugía Oral y Maxilofacial del Hospital Metropolitano "Dr. Bernardo Sepúlveda" en Monterrey, Nuevo León.

Me siento muy agradecida de formar parte de este equipo, ya que el libro contiene diversos capítulos interesantes acerca de cirugía de terceros molares y pienso que es una gran oportunidad para aprender. Espero que sea de utilidad para estudiantes y colegas cirujanos, debido a que todo el equipo mostró gran dedicación por desarrollar este proyecto.

01
Filosofía básica de la extracción según Dr. Young-Sam Kim ★★★
– Tener miedo al fracaso

Extracción: Fácil, Simple, Seguro y Eficiente (FSSE)

Ahora, permítenos introducirte al mundo de la exodoncia. Antes de empezar, revisaremos mi importante filosofía en extracciones de terceros molares.

Tener más miedo al fracaso que al éxito

Incluso cuando logres un éxito en el 99% de los casos de extracción, es mucho más preocupante tener el 1% de fracaso. Una vez que te sientes derrotado, toma cierto tiempo recuperar de nuevo la confianza. Para lograr una continua mejora en tus habilidades quirúrgicas, necesitas evitar crear casos frustrantes. Hay muchos otros casos, alrededor de ti.

Nunca meterse con la superficie lingual

Es mejor no intentar una extracción que meterse con la superficie lingual. La incisión debe ser 90° con respecto a la superficie bucal. Siempre realiza la incisión en la sección del diente o hueso, en un área que sea segura.

La extracción no es sobre la fuerza sino de aprender la habilidad que encaja con tu estilo (especialmente en tu capacidad de fuerza y percepción)

Descubre tu propio método. Todo el mundo maneja una bicicleta de manera diferente. Incluso el mejor atleta juega béisbol en un estilo individualizado que encaja con su tipo de cuerpo. En lugar de imitar a otra persona, encuentra la postura y método que te hará único en tu capacidad de fuerza y percepción.

Usa instrumentos que son familiares para ti

Si aprendes a jugar golf o béisbol por primera vez, necesitas usar las herramientas básicas. Utilizar una variedad de herramientas es bueno, sólo si tienes un nivel de maestría. Primero es necesario aprender a cómo usar adecuadamente instrumentos básicos.

Cada paciente es diferente. Cada caso es diferente. Yo sólo utilizo los instrumentos que son familiares para mí. Si tienes un instrumento que quieres usar, necesitas primero practicar utilizándolo en casos simples.

Ahora, veremos los instrumentos que son familiares para el Dr. Kim

02
Bandeja de extracción de cirugía oral de varios hospitales y clínicas ★ dentales <1>

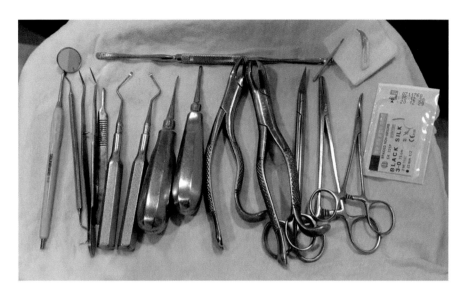

Instrumentos para extracción de cirugía oral del Hospital Gangnam Severance

Como una institución educacional hay muchos instrumentos en la bandeja de extracción. Pero no es realista tener tantos instrumentos en la práctica privada. Para alguien como yo, que realiza decenas de extracciones al día, no es fácil una bandeja como esta.

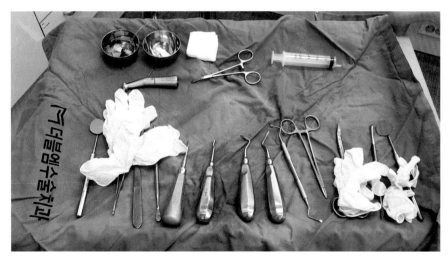

Clínica Kwang Ju Double M: Práctica dental privada que es famosa por extracciones de terceros molares en Corea del Sur

Esta es una bandeja de extracción de un Cirujano Maxilofacial que realizará extracciones de terceros molares. En este simple kit, puedes encontrar pieza de mano. Puedes ir al capítulo 1:5 para informarte sobre el uso de la pieza de mano.

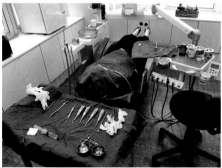

Bandeja de extracción de cirugía oral de varios hospitales y clínicas ★ dentales <2>

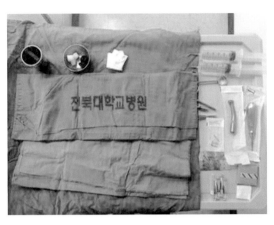 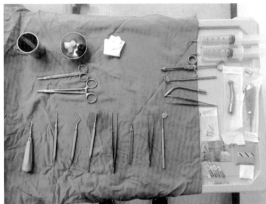

Bandeja de extracción del Hospital Dental, Universidad Nacional de Chonbuk

Esta es la bandeja para extracción de mi alma máter. Es simple y similar a mi bandeja personal. Por su puesto, aprendí las bases en la escuela.

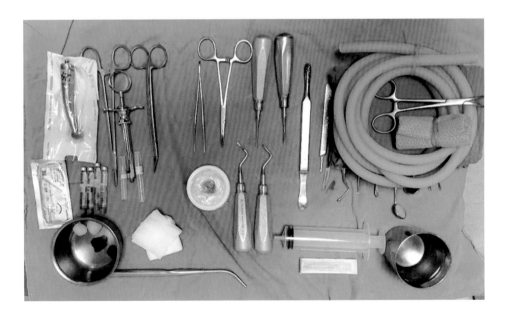

Bandeja de extracción de cirugía oral del Hospital Dental, Universidad Nacional de Seúl

Nadie podría negar que la bandeja para extracción de la Universidad Nacional Seúl es la madre de todas las bandejas en Corea del Sur. Es digno de notar cuales instrumentos siguen siendo usados en la universidad que logró un auge en la odontología en Corea del Sur.

Bandeja de extracción en varios hospitales y clínicas dentales <3>

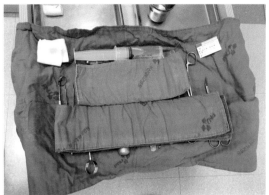

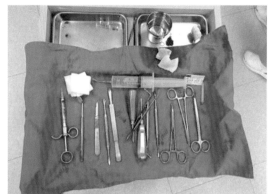

Bandeja de extracción de cirugía oral del Hospital Dental, Universidad Nacional de Busan

La bandeja de extracción es tan simple como el de la Universidad de Chunbuk. Aunque la bandeja luzca simple aquí, puedes utilizar más instrumentos en caso de ser necesario. Yo pienso, que está bien tener pocos instrumentos en la bandeja básica para exodoncia.

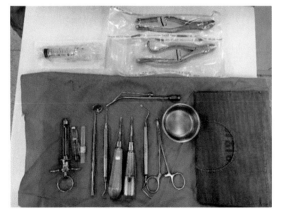

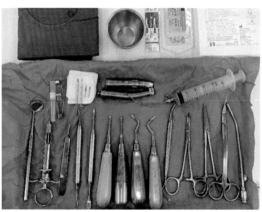

Bandeja de extracción del Hospital Dental, Universidad Kyung Hee

La imagen de la izquierda muestra una bandeja para exodoncia simple y la de la derecha para exodoncia compleja. Fórceps están siempre preparados. Puedes decir que esos instrumentos han pasado por la mano de varios dentistas. A diferencia de las universidades nacionales, puedes ver muchos instrumentos hechos en Corea del Sur en universidades privadas. Como nota, los hospitales universitarios tienen un estándar de higiene muy alto comparado con la práctica local.

171

03
Bandeja de extracción de otros países ★

Bandeja de extracción del Colegio de Odontología, Universidad Hue, Vietnam

Esta bandeja para exodoncia es de la Universidad de Hue, del Colegio de Odontología en Vietnam. Si se necesitan instrumentos adicionales, agregan instrumentos estériles a la bandeja. Igual que como en otros países de Asia, usan una pieza de alta velocidad y fresa de fisura.

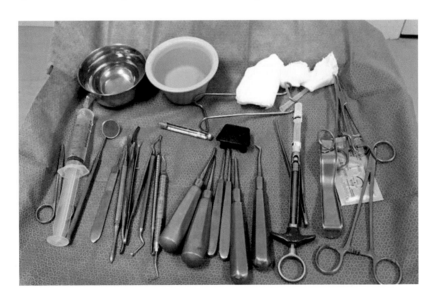

Bandeja de extracción de práctica privada, Melbourne Australia

Vi esta bandeja para exodoncia cuando visité a un cirujano maxilofacial en su práctica privada en Melbourne, Australia. El odontólogo tiene una excelente habilidad quirúrgica. Igual que en una sala para tratamiento quirúrgico, no había instrumental adicional en la silla, y usan una pieza de baja velocidad. Tomé una foto de la pieza de mano porque fue hecha en Corea. El motor es usado en cirugías de implantes, puede rociar agua dentro de la pieza de mano, pero el odontólogo tiene su asistente para proporcionar agua salina en el sitio, donde el hábilmente realiza la extracción. El normalmente extrae todos los 4 terceros molares en una intervención.

04
Algunas universidades prohíben el uso de alta velocidad ★★

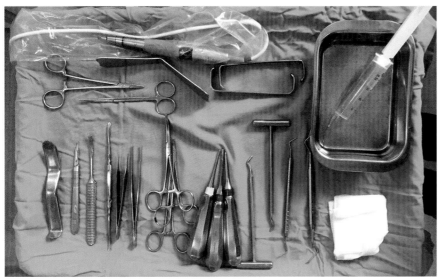

Sistema de pieza de mano de baja velocidad en el Colegio de Odontología de la Universidad de Barcelona

Este sistema separado puede ser bueno para una clínica especializada en extracciones, pero parece innecesario para la practica privada debido a la diversidad de procedimientos. Le falta poder, pero versiones mejoradas están saliendo al mercado.

Instrumentos para extracción en Cirugía Oral y Maxilofacial. Colegio de Odontología. Universidad de Barcelona

Tomé esta foto cuando visité la Clínica de Cirugía Oral y Maxilofacial en la Universidad de Barcelona. Todos los instrumentos estaban estériles. Esto es imposible en la práctica privada en Corea.

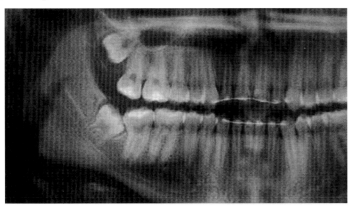

Como mencioné aún es debatible si debemos usar pieza de alta velocidad para extracciones. En Corea del Sur, sólo 1 de 11 universidades de odontología usan exclusivamente baja velocidad para extracciones. El departamento de cirugía de la Universidad de Barcelona solo enseña extracciones utilizando baja velocidad. Lo anterior no es comprendido entre el autor y el odontólogo español, sin embargo, el departamento de cirugía en Barcelona parece ser el único con esta creencia.

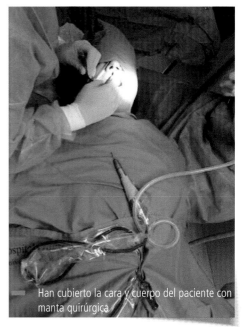

Han cubierto la cara y cuerpo del paciente con manta quirúrgica

Debido a que es un hospital universitario, tratan de tener el mejor estándar de control para infecciones. Ni siquiera usan una pieza de mano conectada a la silla para control completo de la línea de conexión de infecciones.

173

05
Extracción hecha por un residente de cirugía oral en la Universidad ★ Dental de Barcelona

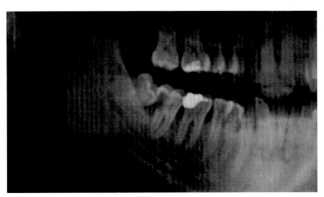
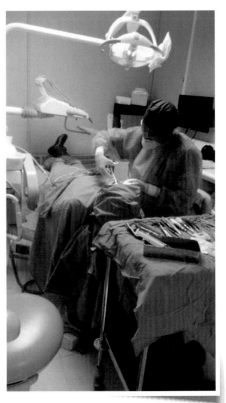
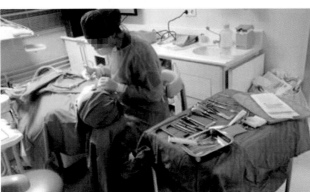

A pesar de mi fuerte preferencia por usar pieza de alta velocidad para extracción, aún sigo aprendiendo mucho observando a otros usando la pieza de baja velocidad en la Universidad de Barcelona. Las extracciones fueron ligeramente agresivas y se hicieron con remoción considerable de hueso. Esto puede suceder por la falta de experiencia de los residentes. Muchas extracciones fueron hechas con colgajo de espesor total, remoción ósea y con consumo considerable de tiempo. A mí solo me habría tomado en promedio de 3 a 5 min para terminar. Se pudieron extraer a pesar de dichas dificultades. Sin embargo, fueron realizadas con cantidad considerable de remoción ósea.

He trabajado con cirujanos orales quienes usan exclusivamente piezas de baja velocidad y personalmente yo lo he usado en muchos casos. Pero creo que la alta velocidad es más apropiada para la extracción. Sin embargo, hay una cosa la cual aprendí observando en la Universidad de Barcelona. Puedes remover mucho hueso durante la extracción. Este viaje impulsó mi confianza en la extracción.

Mi colega español, Dr. Xavi Costa, me invitó a este viaje satisfactorio en Barcelona donde pasé la mayoría del tiempo aprendiendo del estilo de extracción de la Universidad de Barcelona y sin tiempo para el famoso Gaudi. Tres años después, cuando regresé para la boda de Xavi Costas en Barcelona, pasé la mayoría del tiempo viendo la arquitectura Gaudi.

06
Bandeja de extracción en el Hospital Dental de la Universidad de ★ Meikai en Saitama, Japón

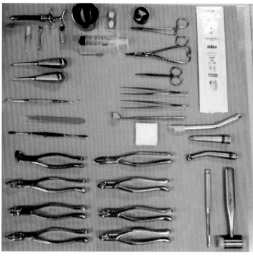

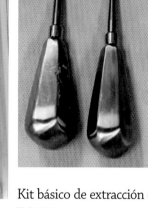

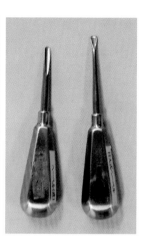

Kit básico de extracción consiste en elevador recto y curvo.

Instrumentos para la extracción en el departamento de Cirugía Oral y Maxilofacial en la Universidad de MeiKai en Saitama, Japan. Estos instrumentos son similares a los que usan en países del Este Asiático. Sin embargo, una característica notable en odontólogos japoneses es que prefieren técnicas ampliamente aprobadas y seguras. Además, la mayoría sigue técnicas aprendidas en escuelas o en grupos de estudio. En general, la técnica de extracción es similar entre todos los dentistas japoneses.

Como en otras escuelas de cirugía oral y maxilofacial, bisturí no. 15 es generalmente utilizada.

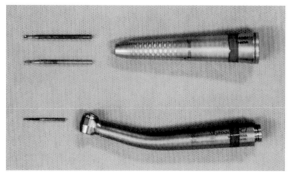

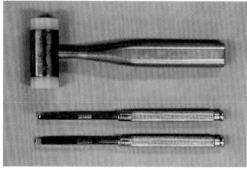

Fundamentalmente, a los dentistas japoneses les gusta usar la pieza de alta velocidad con contra ángulo para las extracciones. Algunas veces he observado usándolos piezas de 45° o rectas, pero las de alta velocidad con contra ángulos es la mayormente usada. Los dentistas no se preocupan por el enfisema. La mayoría de los casos que he observado, la fresa de fisura ha sido la más utilizada y en menor uso la fresa de fisura de diamante. Algunas veces los dentistas japoneses añaden el uso de piezas rectas de baja velocidad. Como puedes leer en otros capítulos del libro, es difícil la sección del diente con la fresa de fisura. Por lo tanto, la pieza recta de baja velocidad a menudo necesita usarse en conjunto.

Una técnica de extracción única que observé en Japón fue que el dentista utilizó cincel y martillo. Fueron usados para remover el hueso encima del tercer molar maxilar o para crear espacio para utilizar el elevador. En Corea, la universidad de Kyung Hee a menudo usa esta técnica.

07
Bandeja de Extracción del Hospital Dental de la Universidad de Peking

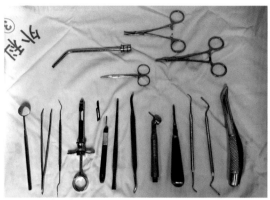

Bandeja de extracción del departamento de Cirugía oral y maxilofacial en la Universidad de Peking, en China. La bandeja luce idéntica a las de Corea y Japón. Quizás porque China es un país muy grande, existen muchas diferencias entre las clínicas dentales en diferentes regiones. Pero, fundamentalmente, la técnica para extracción es similar en países cercanos como Corea, Japón, Tailandia y Hong Kong.

En China, la mayoría de los dentistas usan pieza de 45 grados. Ocasionalmente hay piezas que no proveen aire comprimido, pero las de 45 grados sí la tienen (creando una neblina en el extremo terminal de la pieza). Entre las piezas de 45 grados que observé en la Universidad de Peking, especialmente en la sala de operaciones, había piezas que no tenían aire compresivo y sólo proporcionaban agua.

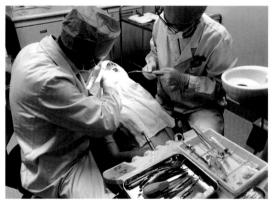

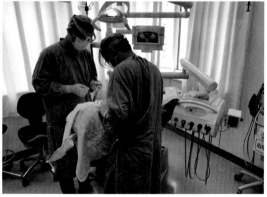

Fotografía de dentistas extrayendo terceros molares en la sala de tratamiento regular. Es impresionante observar que los dentistas permanecen en la misma silla, para realizar múltiples extracciones. Pareciera que faltaba número de sillas comparado con el número de pacientes y dentistas.

Fotografía de dentistas extrayendo terceros molares en la sala de operaciones. Dentistas realizan aquí extracciones de terceros molares, usando sedación IV como rutina. No vi mucha diferencia en equipos o instrumentos comparados con otros países del Este de Asia.

La técnica para desinfectar la cavidad oral y la piel facial, colocación de campos estériles es similar a la técnica en Corea. Sin embargo, ellos toman radiografías digitales, pero no mientras se encuentra el paciente en el sillón dental. Esta es la clínica que he visitado recientemente. Me trataron muy amablemente y fue genial observar bastantes casos de extracciones. Me gustaría visitar el lugar otra vez para enriquecerme de más experiencia.

08
Bandeja de extracción del Hospital Dental de la Universidad de ★ los Ángeles, California

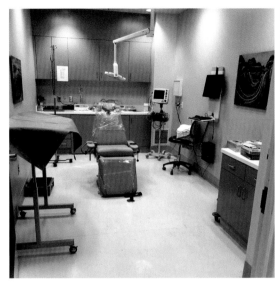

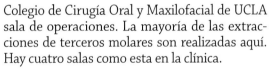

Colegio de Cirugía Oral y Maxilofacial de UCLA sala de operaciones. La mayoría de las extracciones de terceros molares son realizadas aquí. Hay cuatro salas como esta en la clínica.

Esta es una foto de la cirugía del paciente en la sala de operaciones. Justo como en la típica sala, ellos realizan la cirugía en pie. Como en otras partes de Estados Unidos y Australia, realizan cirugía poniendo toallas estériles y desinfectando la cara del paciente.

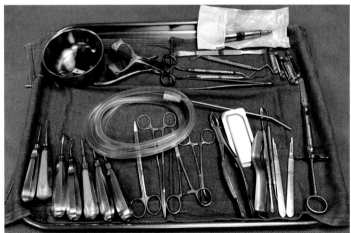

Esta es la bandeja básica para la extracción de un tercer molar en la Clínica de UCLA. Hay muchos instrumentos, tiene sentido porque en Estados Unidos, tienden a extraer los cuatro terceros molares en un solo tiempo quirúrgico. Como en muchas otras clínicas de E.U.A., usan abridores de boca y retractores de lengua. Una técnica es colocar la gubia para hueso debajo del abrebocas. Yo uso raramente la gubia cuando el tercer molar superior está muy impactado en el hueso. Además, se aprecia que el fórceps superior pequeño es incluido en todas las bandejas para extracciones. He notado que lo usan como una pinza mosquito para agarrar piezas. Es beneficioso para los residentes usar variedad de instrumentos, tienen muchos tipos de elevadores. Hay una cureta quirúrgica curva y un instrumento delgado y largo para la extracción de la raíz. Raramente los he visto usarse y en varias ocasiones la punta curva termina rota.

Hay dos hojas de bisturí, la no. 12 es raramente es usada. La mayoría de las ocasiones usan no. 15.

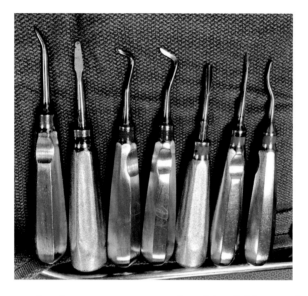

Hay elevadores básicos en la bandeja de extracción. Empezando por el lado derecho, hay un elevador curvo. He notado que es común ver al menos uno curvo en las bandejas. Para mí, esto es raro; sólo uso el elevador curvo cuando es difícil sacar el diente en el arco maxilar.

Al lado del elevador curvo, hay uno grueso y otro delgado, y elevadores derecho e izquierdos curvos. En mi opinión, los curvos raramente son necesitados, a excepción de cuando es necesario remover piezas largas de raíces fracturadas. No puedes aplicar demasiada fuerza con esos elevadores curvos. Prefiero usar los delgados. Normalmente remuevo fragmentos de raíces usando un explorador con un espejo. Son muchos instrumentos en esta bandeja, olvidaron colocar el explorador y el espejo.

Más que nada, no hay el elevador EL3C que es mi favorito. Si hay oportunidad, me gustaría regalarle uno a los residentes de primer año.

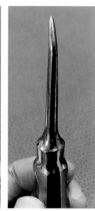

Este es el elevador Cogswell A de Hu Friedy. El instrumento es usado para romper el diente después de seccionarlo con la pieza de baja velocidad. Cuando extraigo un diente impactado verticalmente con la pieza de baja velocidad, usualmente hago hemisección de la superficie bucal y puedes usar este instrumento para romper el diente. Por supuesto, me gusta usar el elevador EL3C o EL5C para lo mismo.

Este es similar al elevador Cogswell B de Hu Friedy, pero no creo que sea de esta marca. Este instrumento puede usarse en la furcación para impulsar el diente o en la muesca de la raíz para impulsar el diente hacia afuera. Raramente he visto poner otros instrumentos entre el segundo y tercer molar para crear el movimiento. Aunque esta práctica es normal en el mundo de la cirugía, personalmente me opongo al uso de elevador entre dientes.

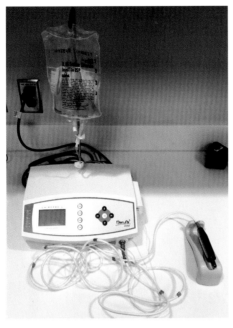

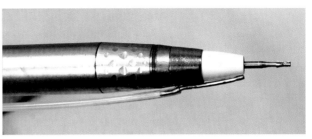

Para remoción de hueso y sección del diente, el motor con la pieza es usado normalmente con agua salina. En Europa y Estados Unidos muchos usan la pieza recta de baja velocidad para las extracciones. En Japón y Corea, usan alta velocidad, pero en la sala de operaciones no tienen alta velocidad, sino baja. Ninguna pieza tiene agua salina. El asistente es la que proporciona irrigación con agua salina en el sitio. Cuando realizo cirugía de implantes, prefiero que el asistente irrigue con agua salina en el sitio para obtener mejor campo visual.

Pieza de mano portable de baja velocidad con 80,000 RPM para la extracción. Con alto torque, es muy fácil seccionar el diente.

Hay varios tipos de fresas para el motor. Normalmente la fresa de fisura cónica y la numero 703 (espesor similar a la fresa no. 6 y 7) es usada para seccionar el diente. Las fresas varían en espesor y las delgadas pueden ser usadas para la remoción de las raíces.

Yo vi varias fresas envueltas individualmente.

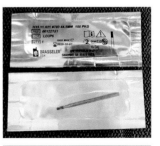

Además, hay algunas fresas redondas, pero raramente son usadas. Para los alveolos plastias, usan fresas gruesas y largas similares a las fresas de carburo para prótesis.

De todos modos, usan la pieza de baja velocidad. Profesores y residentes tienen preferencias personales menores, pero no hay grandes diferencias en el estilo de toda la clínica. Una cosa que es interesante es que los profesores son muy amables y amigables, por lo que el ambiente laboral es muy cordial. Los residentes parecían estar muy orgullosos los unos de los otros en un ambiente armonioso.

09
Bandeja de extracción de terceros molares del Dr. Young-Sam Kim

Me gusta usar la misma bandeja para todas las extracciones; no sólo para los casos complejos, sino también para los casos simples. Solo hay una razón para esto. Tengo muchos pacientes que necesitan extracción de terceros molares y es imposible personalizar una bandeja para cada caso. En mi clínica es poco común tomar radiografías antes de la extracción. Por lo tanto, no hay tiempo de individualizar las bandejas para extracciones.

Es bueno utilizar varios instrumentos para personalizar cada caso de extracción, pero es mucho mejor usar los mismos instrumentos en la bandeja de exodoncia para varios casos. Es similar como el sentimiento de comodidad al manejar tu bicicleta antigua, en lugar de una nueva. Recomiendo dominar bien un instrumento. Leyendo este libro, vayamos acostumbrando a mis métodos e instrumentos para extracción.

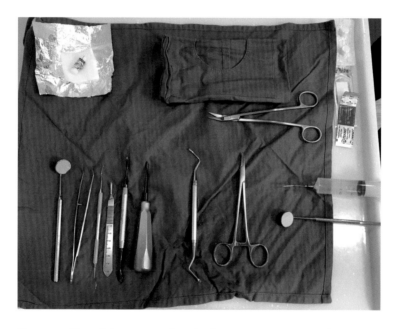

Esta es mi bandeja para exodoncia. Los instrumentos incluyen: espejo para boca, pinzas algodoneras, explorador, mango de bisturí, periostótomo, elevador, cureta quirúrgica, carpul y tijeras. El instrumento de color negro en la fotografía es un nuevo Hu Friedy. Sólo tengo uno y le tomé una fotografía. Puedes añadir sutura, gasas y campos estériles. Excluyendo los fórceps, usualmente realizo extracciones usando sólo estos instrumentos en el 98% de los casos.

Excepto por el elevador (Hu Friedy EL3C), puedes sustituir cualquier otro instrumento por uno que parezca similar, pero tengo el hábito de usar los mismos instrumentos que me sean familiares. Veamos de cerca cada uno de ellos.

10
Tres instrumentos esenciales para la extracción además de la bandeja ★★★ básica para exodoncia

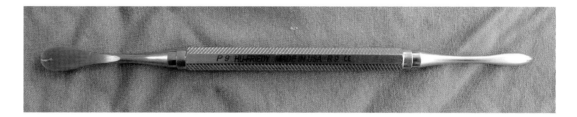

Hu-friedy EL3C

Uso este elevador la mayoría del tiempo, y algunas veces lo complemento con el elevador EL5C que es más ancho. Necesitas usar instrumentos de buena calidad especialmente cuando un instrumento necesita ser delgado y puntiagudo. Por buena calidad nos referimos a instrumentos que son menos propensos a romperse, por lo tanto, llegan ser económicos a largo plazo.

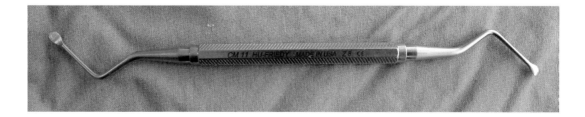

Hu-friedy P9

Utilizo este periostótomo la mayoría del tiempo. A diferencia de otros instrumentos, si puedes encontrar alguno similar a este, no importa que no sea de la misma marca. Recientemente he estado usando instrumentos hechos en Corea o Pakistán que son menos caros.

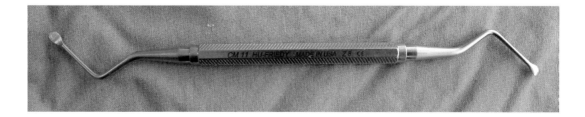

Hu-friedy CM 11

Uso esta cureta quirúrgica la mayoría del tiempo. Sirve para limpiar la cavidad después de la extracción. Lo utilizo más para retirar el tejido blando dentro de los dientes y en la superficie lingual, para romper la corona después de seccionar el diente y para impulsar hacia afuera pedazos de dientes seccionados. Si encuentro algún instrumento similar en tamaño, no insisto en usar únicamente esta marca. Especialmente un dentista que está cómodo con las extracciones, no necesita usar más fuerza cuando utiliza la cureta quirúrgica, así que no hay preocupaciones de romper el instrumento. Pero un dentista sin experiencia, es muy común que dañe instrumentos por uso inapropiado. Algunos dirán que los dentistas sin experiencia usan los instrumentos baratos porque de todos modos la rompen. Pero en algunos aspectos, los instrumentos Hu-Friedy es tan duradero tienen excelente calidad que el precio no es tan malo a largo plazo. De cualquier manera, me gustan las curetas quirúrgicas con diámetro de 2 a 2.5 mm de cualquier marca.

11
¿Debo legrar el alveolo agresivamente después de una extracción?

¿Es necesario limpiar el alveolo post extracción con una cureta quirúrgica?

Estudios recientes reportan que el remanente del ligamento periodontal puede ayudar a la recuperación y por lo tanto no necesita ser eliminado. Pero si es necesario remover todo el folículo dental que envuelve la corona del diente incluido. Si deseas mantener un alveolo limpio, recomiendo irrigar el sitio y sus alrededores con solución salina; especialmente con solución salina estéril si seccionas el diente o si existe infección alrededor del tercer molar.

Algunas veces escucho quejas sobre dentistas nuevos que no aplican fuerza en la cureta quirúrgica porque tiene un mango pequeño. ¿Acaso piensas que las compañías de manufactura no saben eso? La razón del mango pequeño en la cureta es porque no es necesario usar mucha fuerza. He visto curetas con mangos gruesos, pero estas están hechas para advertir que no pongan muncha fuerza sobre el instrumento.

¡Referencia!

Mi bandeja para implantes FSSE

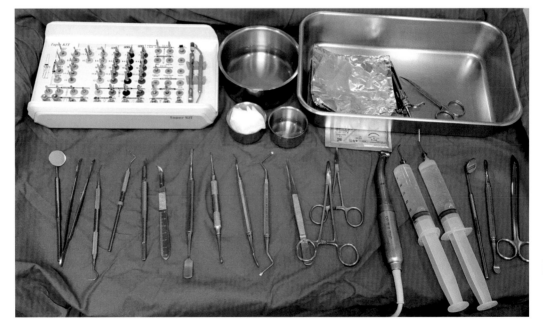

Esta es mi bandeja para implantes. No hay mucha diferencia con la bandeja de exodoncia, excepto que esterilizamos los instrumentos de asistencia para la bandeja de implantes.

Anestesia para la extracción del tercer molar ★★

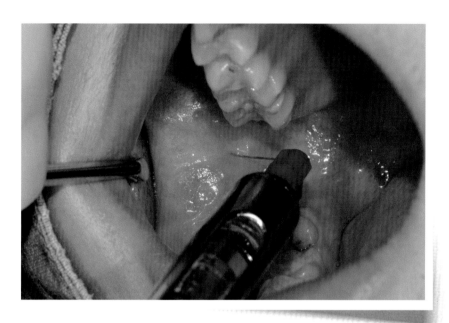

Debatí mucho sobre incluir un capítulo de anestesia, porque quienes lean el libro o quienes asistan a seminarios de extracción de terceros molares han realizado suficiente anestesia a lo largo de sus vidas. Si no anestesias el área de manera suficiente, es difícil concentrarse en la exodoncia de un tercer molar. Cuando era anfitrión de cirugías en vivo en seminarios, se le proporcionaba anestesia al paciente y una de las cosas más difíciles es cuando el paciente se queja de dolor durante la extracción. Necesitamos concentrarnos en seccionar el diente, osteotomías, el posicionamiento correcto de elevadores y fórceps, fuerza, etc. Cuando el paciente se queja de dolor, necesitamos detener lo que estamos haciendo y perdemos el ritmo del tratamiento.

Aunque tenga el hábito de empezar la extracción justo después de colocar anestesia, raramente el paciente se queja de dolor durante el tratamiento. Mi tiempo promedio de extracción son de 2 a 3 minutos, y los pacientes son anestesiados durante ese tiempo. Quizás 1 o 2 pacientes de 100 que se han quedado de dolor, les he proporcionado anestesia adicional durante el tratamiento. Algunas veces he hecho apuestas con los miembros de mi equipo sobre esto, ya que, en 1 de 200 casos de extracciones de terceros molares, el paciente se queja de dolor. El objetivo no es presumir que soy bueno anestesiando; se trata de saber cómo un dentista que realiza muchas extracciones de terceros molares, realiza la anestesia con buenos resultados sin complicaciones.

01
Instrumentos de anestesia del Dr. Kim para la extracción de terceros molares

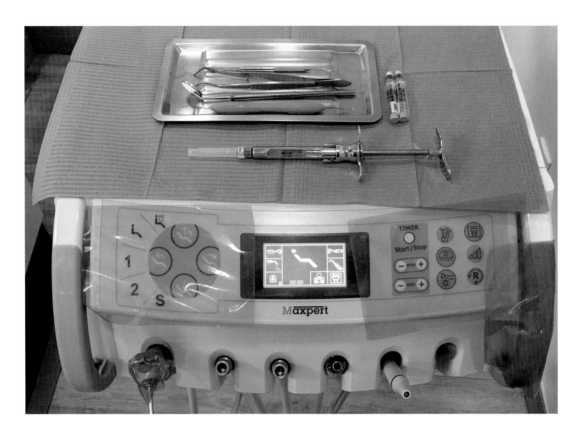

Estos son los instrumentos básicos para la anestesia antes de la extracción: un espejo, pinzas algodoneras, explorador y escariador dental. El escariador es para remover el cálculo alrededor del tercer molar y de los dientes adyacentes. Pienso que eliminar el cálculo es el mejor método de antisepsia para la extracción del tercer molar. Cualquier método que utilices, es imposible matar todas las bacterias de la boca. Sin embargo, es importante limpiar el área físicamente. La mayoría de las veces los pacientes presentan inflamación alrededor de los dientes, por eso es importante limpiar el área alrededor del tercer molar. Si pasas un explorador alrededor del tercer y segundo molar, puedes apreciar cálculo y placa. Si alguno de éstos entra al alveolo posterior a la exodoncia puede causar inflamación, por eso es recomendado removerlos.

Recuerda. Es imposible esterilizar la boca, pero puedes limpiar el sitio de extracción mecánicamente o físicamente. No puedes matar todas las bacterias, sólo puedes reducirlas.

¡Espera!

Varios debates relacionados sobre la extracción del ★★ tercer molar <1>

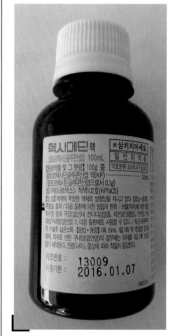

■ Clorhexidina de venta en Corea

¿Qué usamos para limpiar la boca?

Existen varias opiniones sobre la necesidad de limpiar la boca antes de la exodoncia. Muchos dentistas y hospitales dentales tienen diferentes opiniones. Encontré que los antisépticos más ampliamente utilizados son Yodopovidona, Peróxido de Hidrógeno y Clorhexidina. No creo que la Yodopovidona actualmente tenga otros efectos antisépticos más que tranquilizar al paciente. Yodopovidona un antiséptico extraoral que se utiliza para limpiar la piel facial que los campos estériles no pueden cubrir. Y tienes que esperar 30 minutos después de su aplicación para que se seque, lo que no es muy realista. Solo uso yodopovidona en cirugías de implantes. El peróxido de hidrógeno puede tener efecto antiséptico, pero no estoy seguro si tiene mucho sentido usarlo. No puedes matar todas las bacterias dentro de la boca. Para reducir la actividad bacteriana, es más común usar la clorhexidina. Otros colocan una gasa con clorhexidina posterior a la extracción. Normalmente no lo uso porque es molesto. Artículos recientes mencionan que los enjuagues con clorhexidina son los antisépticos más lógicos.

Si necesitas limpiar la boca antes de una extracción, recomiendo ampliamente que utilices un escariador dental. Previo a la cirugía de implantes, realizo profilaxis; remueve tanta placa como sea posible. No es posible matar todas las bacterias intraorales. A pesar de eso, uso el escalador dental para limpiar el área quirúrgica para que las bacterias de la placa no se introduzcan dentro del alveolo posterior a la exodoncia.

Raramente tengo pacientes que posterior a la extracción tiene inflamación y le doy muchos créditos al uso del escalador. Si estás extrayendo el tercer molar, es importante mantener el diente adyacente físicamente limpio.

Uno de mis colegas en un seminario me hizo énfasis en esta parte. Algunas veces él ve paciente que tienen mucha placa en su boca, pero rechazan la limpieza con el escariador, y únicamente se realiza la extracción. Si conoces pacientes así, te recomiendo que leas la siguiente carta.

Queridos pacientes que necesitan extracción del tercer molar:

Si te caes y te clavas una espina en el brazo, ¿te sacarías solo la espina? ¿No removerías la suciedad alrededor de la espina, limpiarías el área, luego removerías la espina para que la herida se sane bien? Es importante limpiar el área como sacar el tercer molar. Tomen esta oportunidad para extraer el tercer molar y crear un hábito de limpieza e higiene oral.

02
Set de antisepsia del Dr. Kim

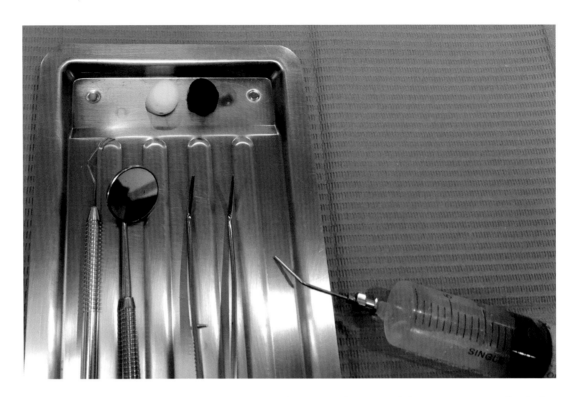

Este es mi set de antisepsia. Igual que otros dentistas de Corea del Sur, uso peróxido de hidrogeno y yodopovidona. Para ser honesto, la gasa con yodopovidona es solo para el show. La yodopovidona es un antiséptico para la piel extraoral y la solución es efectiva en cierto periodo de tiempo y no es muy efectiva adentro de la boca. Para ser efectivos en reducir las bacterias, utilizo la remoción física de la paca con una gasa. Si quieres usarla, debes poner yodopovidona en la piel facial antes de realizar la exodoncia o en cirugías de implantes.

La solución salina estéril es muy importante durante o después del procedimiento. Es muy esencial lavar para eliminar suciedad o pus. Aquí, la solución salina es efectiva como mecanismo físico, más que como mecanismo químico.

Recuerda. El mejor método para reducir el número de bacterias en la boca es lavar el alveolo con suficiente solución salina.

Nota

Cuando visité el departamento de cirugía oral y maxilofacial en un hospital dental de un país, vi que irrigaban el sitio con yodopovidona diluida con solución salina estéril. No estoy seguro si combinando las soluciones obtenemos un mejor efecto. Pero puedo entender la intención. Tengo la esperanza de que podría funcionar y he estado usando la mezcla de ambas soluciones como irrigante.

03
¿Qué aguja usar?

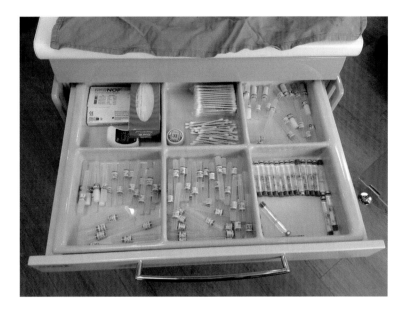

En el cajón superior del carrito móvil, hay varias agujas y lidocaína. Observa que hay mucha cantidad de agujas en caso que necesite tomar una nueva.

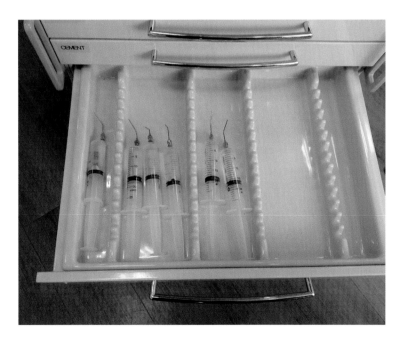

En el carrito móvil, hay muchas jeringas para irrigación de 30 cc, que son esterilizadas para ser usadas por los asistentes. Me gustaría esterilizar todas las jeringas y ponerlas en el set de exodoncia como en la cirugía de implantes, pero hacemos pocas extracciones en mi ciudad. Esto sería poco realista. Pero como sugerencia, esterilizo solo las puntas o las puntas metálicas de jeringa triple esterilizables.

04
Mi tipo de aguja ★

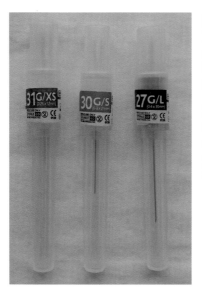

Mi consultorio dental tiene muchos tipos de agujas. Prefiero las de calibre 30, longitud 25 mm. Cuando yo era principante, como aprendí en la escuela, usaba calibre 27, aguja larga para bloquear los nervios, así lograba buena anestesia. Para infiltración usaba calibre 30 y aguja corta para reducir el dolor.

Pero al realizar tantas extracciones de terceros molares como me eran posible, es muy eficiente utilizar sólo un tipo de aguja. Para mi método de extracción, yo solo uso calibre 20 y aguja larga. Es bueno saber las propiedades de cada instrumento, pero es mejor familiarizarse con uno sólo.

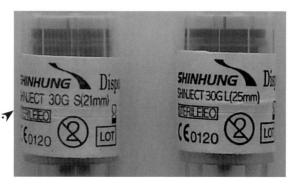

El objeto a la derecha son agujas de calibre 30 de 25 mm de longitud que uso la mayoría de las veces. Si la aguja se dobla o rompe después de colocar anestesia, puedo cambiar la aguja por una de calibre 30 y corta para la técnica infiltrativa. Si usas aguja delgada de calibre 30, hay menos dolor y daño al tejido. Me gusta anestesiar suficiente en el lado lingual, no utilizo aguja gruesa calibre 27 por miedo a causar daño al nervio lingual.

05
¿Cómo uso la aguja? ★

Debido a mi dolor de espalda y por costumbre, me gusta doblar la aguja e insertarla perpendicularmente como sea posible en el área, superior y frontal al foramen mandibular. Además, no aspiro la aguja. Inserto la aguja como si fuera a realizar infiltración, porque pienso que puedo causar daño al tejido adyacente si se realiza aspiración. Es solo mi pensamiento basado en la experiencia. Me gustaría alentar a los lectores a colocar anestesia como suelen hacerlo. Solo estoy escribiendo mi estilo porque otros dentistas me preguntaron durante sus visitas.

Si el ángulo de contacto es difícil cuando se anestesia la superficie lingual mandibular o palatina maxilar, doblo la aguja más de una vez e inserto la aguja lo más perpendicular posible. Como mencioné anteriormente, este es mi estilo, no tienes que hacerlo de esta manera. Pero si estás usando aguja delgada como yo, se cuidadoso que la aguja no se rompa en el tejido blando. Si doblas la aguja, usualmente entra al tejido perpendicularmente y es muy raro que penetre profundamente al tejido. Si se rompe la aguja, es fácil remover la parte rota con pinzas algodoneras.

06
Cómo anestesiar el nervio alveolar inferior ★★

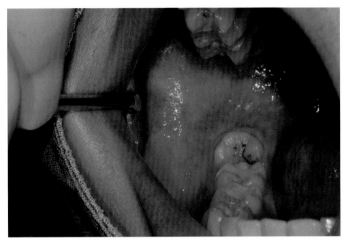 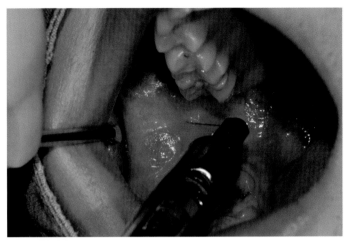

▬ Esto es como bloqueo el nervio mandibular. Regularmente no uso los dedos, sino un espejo. Uso un espejo para presionar fuertemente los bordes anteriores de las ramas, en vez de palpar el área con el dedo, y estimo que el grosor del tejido suave es de 1 cm, y coloca la aguja en frente del foramen mandibular.

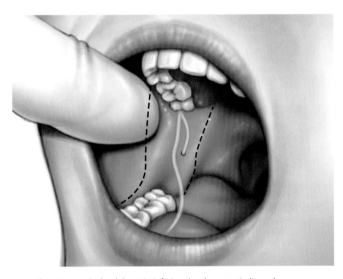

▬ El camino estándar del nervio inferior alveolar y nervio lingual

Trato de minimizar la anestesia en bloque. Me gusta usar un carpul para lograr anestesia adecuada. Para ser honesto pienso que la mayoría de extracciones de terceros molares pueden hacerse con técnica infiltrativa. Pero administrar anestesia en bloque es mejor que la infiltrativa y en circunstancias no esperadas, mejor anestesiar en bloque. Nunca uso aguja gruesa calibre 27, ya que al tener contacto con el hueso y aspirar puede causar mucho daño al tejido. Si un dentista como yo, que realiza más de diez mil extracciones de terceros molares, administra anestesia de esa forma, seguro algunos podrían tener daño al nervio lingual o efectos similares en el sitio. Se que es algo controversial. Como mencioné anteriormente, puedes realizar la técnica que mejor te acomode. Escribí esta página porque otros dentistas me preguntaron sobre mi técnica.

Así sea uno de 10.000 casos, me gustaría evitar cualquier complicación. Esta es la razón por la cual sólo uso un carpul con aguja larga calibre 30.

No pretendo imponer mi técnica anestésica a otros dentistas. Un dentista debe tener su propia técnica anestésica. Si logras un buen resultado anestésico sin causar complicaciones, pienso que es lo correcto.

07
Variaciones anatómicas son comunes y el daño al tejido puede ser severo

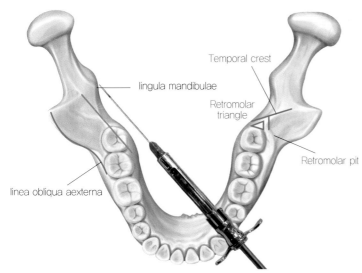

Esta ilustración muestra el camino de la aguja en la mandíbula. El ángulo de la jeringa es similar al ángulo de la superficie interna de la mandíbula.

De acuerdo al artículo de Moris et al, sobre 44 cadáveres, introdujeron la aguja en el nervio alveolar inferior para anestesia en bloque y realizaron una disección alrededor del área de inserción y aseguraron la distancia entre la aguja y el nervio lingual/ língula, así como la distancia del tercer molar al nervio lingual/ nervio alveolar inferior. Establecieron que la distancia entre la aguja y el nervio lingual es 0.73 +- 0.70 mm (0.00-3.00 mm). En la simulación de 44 casos, la aguja atravesó el nervio lingual en 2 casos (4.5%) y pasó 0.1 mm del nervio lingual en 7 casos (16%). También en este estudio, el promedio del diámetro del nervio lingual cerca de la língula es de 3.42 +- 0.38 mm (1.95-4.15 mm) y el promedio del diámetro del nervio alveolar inferior es de 2.53 +- 0.29 mm (1.95- 3.25 mm).

<Moris CD, Rasmussen J et al. J Oral Maxillofac Surg 2010;68:2833-2836>

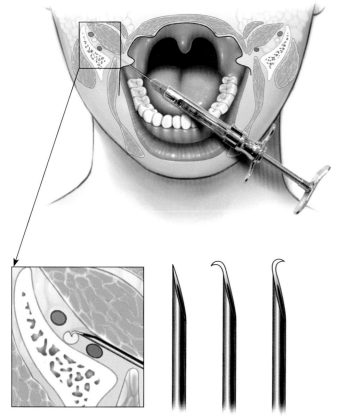

Imagen muestra que la anestesia de transmisión puede dañar las estructuras internas de la mandíbula

De acuerdo con el artículo de Stacy et al, hay 78% de probabilidad de causar parestesia como resultado del doblez de la aguja durante la infiltración anestésica del nervio alveolar inferior (1994). Más del 2/3 muestran daños y puede causar grandes cambios al nervio cuando se remueve después de la infiltración anestésica.

<Stacy GC, Hajjar G et al. Oral Surg Oral Med Oral Pathol 1994 Jun;77(6):585-8>

En este libro, traté de evitar la citación de artículos tanto como fuera posible, pero cité los artículos anteriores refiriéndome a la columna del Dr. Sang-Hoon Cho de La Clínica Dental Buena Mandíbula en Ulsan, Corea del Sur.

Cuando trabajas como dentista por un tiempo, olvidas conocimientos básicos de anatomía que aprendiste en la escuela. A lo mejor, soy sólo yo, pero cada vez que siento que he caído en el olvido, abro mi libro de anatomía. Aprendí a colocar la aguja 1 cm encima del plano oclusal en la porción anterior de la rama mandibular, tomando como referencia el lado opuesto del primer molar. Y en orden anestesiar el nervio lingual o el nervio bucal largo, y mover la aguja y posteriormente insertarla.

Aquí tenemos que recordar dos cosas.

La primera es que el área de inserción tiene muchas estructuras anatómicas importantes como el nervio mandibular, así como otros nervios, vena arteriales, y hay muchas variaciones anatómicas.

La segunda es que dependiendo del ángulo de la mandíbula, la aguja no puede tener contacto con el periostio desde la inserción del ángulo. Cualquier dentista tendrá esta experiencia. Para que el hueso entre en contacto con la aguja, insertas la aguja varias veces o mueves la aguja mientras es insertada. Sin embargo, esta es una práctica muy peligrosa.

08
Administrar suficiente infiltración anestésica local a la superficie lingual ★★★

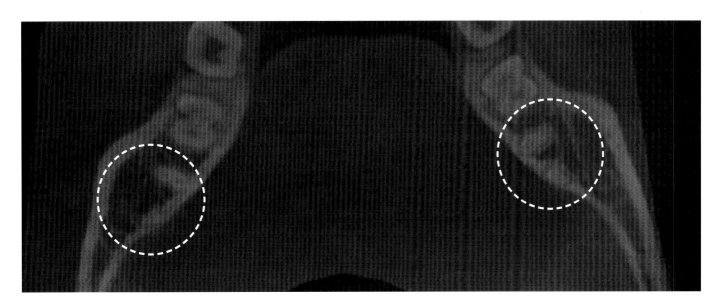

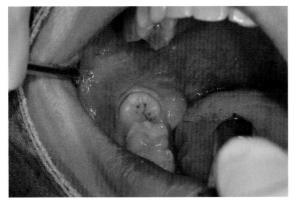

Para extracciones de terceros molares, necesitas administrar suficiente infiltración anestésica a la superficie lingual.

Todos los dentistas han tenido dificultad anestesiando los segundos molares mandibulares. He extraído terceros molares cien veces más que segundos molares y raramente he tenido problemas con la anestesia. Pienso que es porque coloco cantidad suficiente en la superficie lingual. Los segundos molares mandibulares son difíciles de anestesiar aún si proporcionas anestesia en la superficie lingual. La razón es porque los dientes hasta los segundos molares mandibulares están rodeados por grueso hueso cortical, tanto en la superficie bucal como lingual, lo que dificulta el acceso al foramen apical. Veamos el tercer molar rodeado de color blanco en la fotografía de arriba. El tercer molar usualmente está localizado cerca de la cortical lingual y es más delgada que la cortical del sitio bucal. Como mencioné en el capítulo de interpretación radiográfica, artículos muestran que el 30% de los terceros molares tiene raíces que pasan a través de la cortical lingual mandibular. Es muy esencial proporcionar suficiente anestesia local infiltrativa en la superficie lingual para lograr ausencia de dolor en la extracción de terceros molares.

Ya he discutido al principio del capítulo sobre cómo se ven en la radiografía panorámica las raíces de los terceros molares localizados en la superficie lingual de la cortical mandibular, y en que tener cuidado durante la extracción. Así que omitiré aquí los detalles. Pero varios dentistas me han dicho la razón por la cual no colocan cantidad suficiente de anestesia infiltrativa en la superficie lingual es por el miedo de causar daños al nervio lingual. Me gustaría decirles que confíen en mi experiencia; nunca he causado daño al nervio lingual, y he realizado muchas extracciones de terceros molares. Usar aguja delgada minimizará el daño incluso si infiltras cerca del nervio lingual. Considerando el grosor del nervio lingual (3-4 mm) no necesitas preocuparte de causar daño usando aguja de calibre 30 (0.3 mm).

09
Cuando ejerces demasiada fuerza... ★

Rompí dos inyectables mientras administraba anestesia. No estoy seguro si soy muy fuerte o si los inyectables estaban defectuosos. Podría ser raro para otros, pero yo experimenté esta situación con bastante frecuencia. Desde que empecé a realizar muchas extracciones en poco tiempo, adopté el hábito de administrar anestesia muy rápido. Además, porque uso doblaba la aguja de calibre 30, me pasa más frecuentemente.

Pienso que pongo la jeringa con más fuerza que otros dentistas. A veces rompo inyectables y pincho cartuchos. Cuando trabajaba con otros dentistas, no podía modificar los instrumentos a mi gusto y tenía que utilizar las jeringas de otros dentistas. Y me frecuentaba los casos mencionados arriba.

No estoy mencionando que sigas estos ejemplos; solo quiero recalcar el no utilizar demasiada fuerza cuando administramos anestesia infiltrativa. Estos días siento pereza y compro jeringas que no tienen aro, que son imposible aspirar. Antes solía remover el aro de mis jeringas. Te diré por qué en la siguiente página.

10
Jeringa metálica que utilizo quitando el aro ★

 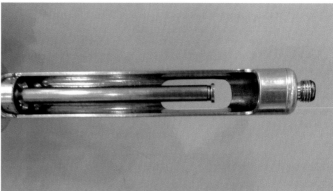

Si el diente está impactado en el maxilar o la mandíbula, mi filosofía es empezar la extracción después de aplicar anestesia. Porque tengo muchos pacientes, tengo que utilizar los mismos instrumentos y las mismas bandejas para todos los pacientes.

No aspiro mientras uso aguja delgada de calibre 30. Durante 20 años de práctica dental, nunca he aspirado a excepción de cuando estaba en la escuela, y nunca tuve problema. Pienso que mover la aguja cerca del foramen mandibular puede ocasionar daño al nervio.

La razón por la cual uso jeringas de aspiración con un asa para el dedo y no aspiro, es porque puedo empujar la parte posterior del asa del dedo para administrar anestesia con fuerza. Si tienes manos largas como yo, me entenderás. Pero si usas jeringas con aros, te atorarás y eso causará problemas. Me gusta remover el aro como se muestra en la imagen de arriba.

Pienso que lo mejor para administrar anestesia es la manera que sea más familiar para ti, pero teniendo en mente cual es el método que dominas.

Pienso que mover una aguja gruesa de calibre 27 puede causar daño al tejido y mientras más lo hagas, tendrás más probabilidades de causar daño al nervio.

PRECAUCIÓN Sé que mi técnica anestésica puede ser controversial. Nunca obligo a otros a realizar lo mismo. Cada dentista puede tener su propia técnica. Por favor entiende y considera mi técnica como una referencia.

¡Referencia!

¿Si no puede lograr una anestesia durante extracción del tercer molar?

Consejo 1

Si es un diente incluido verticalmente, puedes colocar un elevador en la superficie bucal para hacer una habitación, luego aplicar anestesia al ligamento periodontal con aguja fina de calibre 30. Esto es como si estuvieras administrando anestesia al ligamento periodontal cuando tiene dificultades para adormecer un segundo molar mandibular para tratamiento de endodoncia. Dado que se extraerá el tercer molar, no es necesario preocuparse por causar un trauma en el ligamento periodontal. Así que coloca un elevador en la superficie bucal y administra anestesia para lograr una anestesia profunda.

Consejo 2

Al igual que en el tratamiento de endodoncia, aplique anestesia pulpar. Cuando secciona un diente impactado, el paciente puede quejarse de dolor por frío. Como en el tratamiento de endodoncia, se hace un agujero en la cámara pulpar y se administra anestesia a la pulpa. Normalmente, es fácil anestesiar el ligamento periodontal, pero la pulpa puede no ser anestesiada si la anestesia no llega a la superficie de la raíz. Si el paciente tiene dolor incluso después de la administración de suficiente anestesia alrededor del tercer molar y el ligamento periodontal, sugiero administrar anestesia pulpar y continuar con la extracción.

Consejo 3

<Superficie cervical como objetivo>. No puede hacer un agujero en la superficie cervical durante la endodoncia, pero esto no importa en la extracción del tercer molar. La superficie cervical está muy cerca de la pulpa, por lo que un simple corte puede llegar a la pulpa. Incluso para un diente incluido verticalmente, apunte a la superficie cervical distal.

11
Administrar anestesia pulpar ★★

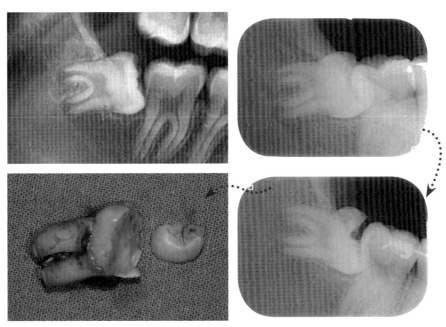

Paciente masculino de 16 años que fue referido para extracción del tercer molar por motivos ortodóncicos. Seccioné la corona mesial y se quejó de dolor. Anestesia complementaria fue inefectiva; realicé corte disto cervical y administré anestesia pulpar. Debido a que el paciente es joven y tiene una gran cámara pulpar, seccionar levemente la superficie distal y cervical, permite un acceso fácil para la cámara pulpar.

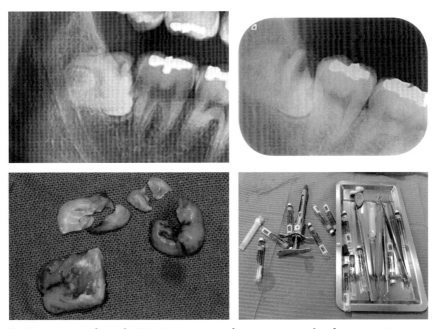

Paciente masculino de 27 años que no obtuvo una profunda anestesia, así que fue difícil continuar seccionando la superficie mesial de la corona. Después de intentar con diferentes métodos, finalmente utilicé el método de seccionar la parte disto cervical para la anestesia pulpar, como en el caso anterior. Tomé una fotografía conmemorativa para apreciar el más alto número de las agujas (3), lidocaína e inyectables (13) que he usado en años recientes.

Bloque del nervio inferior alveolar y daño en nervio lingual ★★

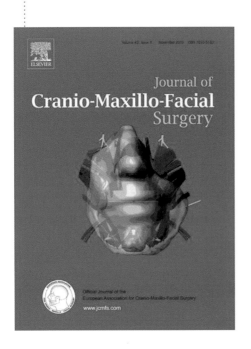

En el artículo <Investigación clínica sobre la incidencia del daño al nervio lingual causado por anestesia local> en el Journal of Craniomaxillofacial Surgery publicado en 1994, administraron bloqueo mandibular a 12.104 pacientes. 72,4% de los pacientes recibieron tratamientos de preparación de corona y / o cirugía, 27,13% recibieron tratamientos periodontales, y el 0,3% restante recibieron otros tratamientos dentales. Solo 18 pacientes (0,15%) experimentaron una sensación anormal en la lengua, y 17 de estos pacientes se recuperaron completamente dentro de los 6 meses. Solo un paciente (0,008%) tuvo sensación leve persistente anormal en la lengua después de un año. Del mismo modo, no puedes eliminar por completo la posibilidad del daño del nervio lingual en la anestesia de bloque, pero tampoco necesitas preocuparte demasiado. — Dr. Jae-Wook Lee

La figura de la izquierda muestra el mensaje de texto que recibí de un compañero de año superior que tiene 20 años de experiencia clínica.

El trabajo de investigación anterior dice que es muy poco probable que cause daño del nervio después del bloqueo del nervio mandibular, pero todavía tienes que tener cuidado como mencionado en este mensaje de texto. Incluso aunque sea uno en 10.000 posibilidades, esto puede pasar a un dentista como yo que hace toneladas de extracciones. Entonces, para minimizar el daño de tejido durante la anestesia en bloque, yo uso una aguja delgada de calibre 30.

Compañero :
Hey Young-sam. Perdón por contactarle de repente. Recientemente he bloqueado un nervio mandibular al preparar una corona y el paciente dijo que no tienen sensación en su lengua y labio. Nunca había visto algo así. Me podrías sugerir algún tratamiento.

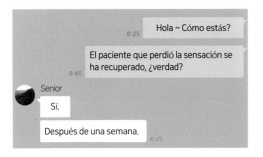

Hola ~ Cómo estás?
6:25

El paciente que perdió la sensación se ha recuperado, ¿verdad?
6:45

Senior
Sí.

Después de una semana.
6:45

Le pregunté a mi superior cómo estaba ese paciente, hacia el final de terminar este libro, y me dijo que el paciente se recuperó bien.

Incisión y sutura en la extracción del tercer molar ★★★

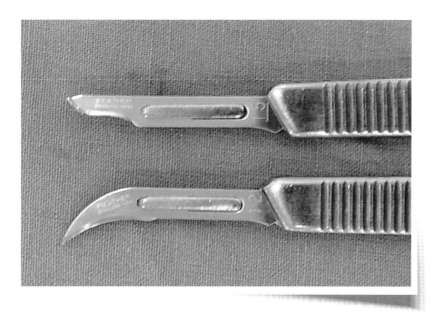

Normalmente uso la hoja número 12 o número 15. Durante cirugías de implantes, para incisiones delicadas, uso el número 15c. Durante extracciones uso solamente no. 15. Para cirugía de implantes preparo ambas hojas (No. 12 y 15c). Para incidir la superficie distal del diente adyacente al sitio quirúrgico, uso no. 12. Durante la extracción del tercer molar, utilizo la hoja no. 12 en el tercer molar no erupcionado para remover la encía de la superficie distal.

Como referencia, los costos de las hojas por caja (100 hojas) del no. 15, no. 12, no. 11 son 22,000 won (220 won c/u). No. 15c es 54,000 won (540 won c/u). No es caro, pero no pienso que tengas que usar algo más caro.

El tema de incisión y sutura es mencionada en muchos otros libros y lecturas. En este capítulo quisiera mencionar brevemente mi opinión acerca de mi filosofía de extracciones.

01
Hojas de bisturí del Dr. Kim ★

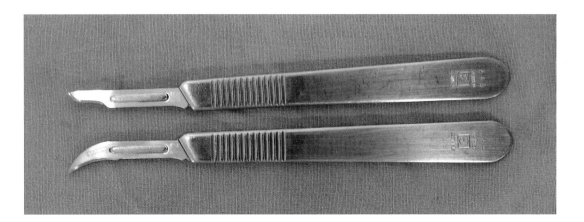

Si el tercer molar no es visible, el orden para realizar una incisión limpia en la superficie distal del 7, es usar una hoja no.12. Para otros casos usualmente uso la hoja no.15. Si necesitas hacer una incisión vertical, recomiendo usar la hoja no.15. Para extracción del tercer molar normalmente uso solo una hoja. Esto no es porque trato de economizar el costo, sino porque no me gusta realizar muchas incisiones y no lo considero tan importante. Pero si eres un dentista nuevo, usa la que tú quieras.

Omitiré la incisión básica, el diseño del colgajo, y el procedimiento de sutura, ya que muchos otros textos lo mencionan. Pero quiero enfatizar que necesitas hacer la incisión en el periostio del tercer molar. Debes pensar que solo necesitas cortar el periostio; la mucosa se cortará con él. La incisión y sutura para extracción del tercer molar necesita ser realizada en el mucoperiosteum.

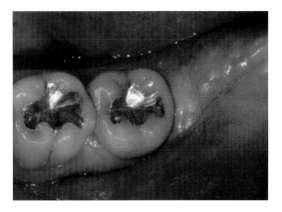

Esto es cuando normalmente uso la hoja no.12. Puedes ver que la encía recubre el tercer molar impactado en la superficie distal del 7.

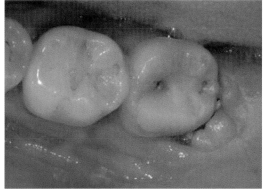

Esto es cuando normalmente uso la hoja no.15. Puedes visualizar la parte del tercer molar. La gran parte está recubierta por la encía. Si necesitas hacer incisión vertical, es mejor utilizar la no.15.

02
Incisión del Dr. Kim ★★

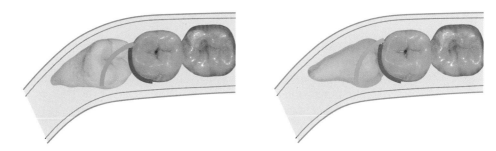

Cuando la corona no es visible, uso la hoja no.12 para hacer una incisión limpia distal a la superficie del 7 (mirar la línea verde). La línea roja usualmente se usa para retraer la encía, pero recomiendo que los dentistas nuevos usen la no.12 para realizar incisión a lo largo de la línea roja. Hablaremos de la extensión de la incisión en la superficie mesial en la siguiente página.

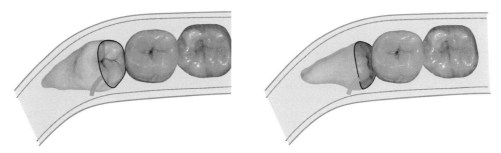

Si ves menos de la mitad de la corona, uso el no.15 en lugar del no. 12. Con la hoja no. 15, pienso que se puede hacer una incisión, si no ves la corona del diente en absoluto. Si te extiendes de la línea verde, la línea de incisión parece similar al caso de la corona no visible.

La hoja no.12 tiene una superficie irregular para corte, y es más inestable en la mayoría de los casos. No.15 es mucho más cómodo para realizar incisiones verticales, si es necesario. Pero si tengo que usar solo una para exodoncia, usaría el no. 12.

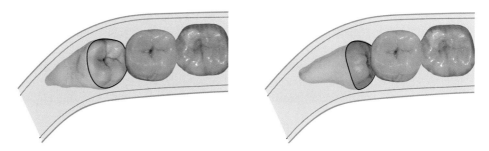

Si ves más de la mitad de la corona, no necesitas realizar incisión. En casos raros, cuando la extracción es complicada, hago una incisión con colgajo para poder visualizar ampliamente. Trato de minimizar la extensión de la incisión, y solo lo hago con mi propia filosofía.

03
Filosofía del Dr. Kim para realizar incisiones <1> ★★★

Es mejor realizar una incisión que tener tejido desgarrado

Para nuevos dentistas, más que una extracción fácil y rápida, importante es si puedes extraer el diente o no. Por lo tanto, es importante hacer una amplia incisión y colgajo cuando es necesario. Mínima incisión es un esfuerzo para minimizar la incisión y colgajo que permite hacerlo. Para los dentistas nuevos es importante obtener habilidades para realizar incisiones limpias/colgajos, así como para cirugías de implantes. Hasta que la habilidad sea lograda, recomiendo participar haciendo amplias incisiones y colgajos quirúrgicos como realizan los residentes de cirugía oral y maxilofacial.

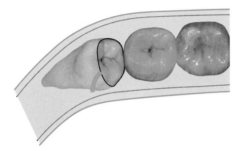 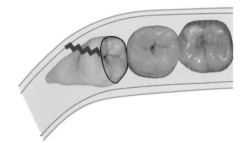

■ Mi método de incisión favorito es hacer una pequeña incisión como la línea verde. En estos casos uso la hoja no. 15. Si puedo ver la corona, no tengo que usar la hoja no. 12 para hacer una incisión cerca de la superficie distal del no. 7, por lo que uso la hoja no. 15. Si la extracción no es fácil y necesita hacer una incisión vertical adicional, el no. 15 es más fácil que el no. 12.

■ Normalmente no hago una incisión, pero si no haces una incisión, la encía lingual puede romperse como la línea púrpura. Esta es el área que no quiero que se rompa. La filosofía más importante al realizar una incisión es que es mejor hacer una incisión que rasgar el tejido. Según mi experiencia, aunque el tejido no este desgarrado, si la encía o los tejidos blandos reciben demasiada tensión y daño durante una extracción, hay mayor dolor e hinchazón post operatorio que cuando se hace una incisión limpia. Además, existe el riesgo del daño del nervio lingual cuando se desgarra la encía lingual, por lo que es necesario ser muy cuidadoso.

Cuando fui recién egresado, solía usar muchas incisiones porque aprendí de esa manera. Pero, cuando empecé a realizar más extracciones, hice menos. Sin embargo, a medida que pasaron los años, me di cuenta de que si no se hace demasiada incisión, la parte no deseada de la encía se estirará más allá del rango elástico, incluso si no se rasga, lo que también es un gran trauma para la encía. Entonces, empecé a hacer incisiones necesarias. Hablaré de esto con más detalle en mis últimos capítulos (extracción vertical, horizontal e incluida del tercer molar).

Imaginemos qué sería más traumático: hacer una incisión de 1 cm en medio de la encía y suturarla o desgarrar la encía 2 cm y ponerla de nuevo en su lugar. Hacer una incisión causará mínimo trauma limitado a esa área, pero desgarrar el tejido 1 cm causará más daño a todo el tejido adyacente.

¡¡Es mejor realizar incisión que desgarrar el tejido!!

Cuando extraes un diente, la mayoría de las veces mi staff me comenta que extraje el diente como el nacimiento de un niño. Luego lamento que incidí el tejido muy poco. Trato de minimizar la incisión, pero nunca es bueno limitar la elasticidad del tejido gingival. Cuando haces incisión, el tejido cicatriza. No es bueno estrechar o retraer demasiado porque tu incisión era pequeña. Haré un buen ejemplo aquí. Algunos de ustedes han escuchado sobre incisiones en la región perineal para parto.

Perineo: área entre el ano y la vulva

¿Has escuchado sobre perineotomia?

Al dar a luz, la cabeza del feto es visible alrededor de 3-4 cm, y luego se hace una incisión en la vagina desde la parte frontal hacia la parte posterior del perineo en un área de 3-4 cm para facilitar la salida del feto. La mayoría de los ginecobstetras, recomiendan perineotomía. ¿Por qué? Porque es mejor hacer una incisión que lesionar o desgarrar el tejido; para prevenir laceraciones en el área y evitar daños a la uretra, recto, ano, o esfínteres. Por supuesto, las mujeres deciden dar un nacimiento natural sin perineotomía, por lo que hay una gran tendencia de que las madres no reciban este procedimiento. El perineo es bastante elástico y no necesita ser incidido para dar suficiente estiramiento. Los músculos son elásticos.

De cualquier manera, muchos la recomiendan, pero el periodonto no es creado para dar a luz sino creado para envolver fuertemente el diente. Por lo tanto, necesitas una incisión no solo para visualización, si no para sacar el diente de la encía. Si no incides suficientemente, se te desgarrará el tejido en el área, y esa área puede ser la superficie lingual. Siempre hay que tener cuidado con la superficie lingual, y asegurarse de tener espacio en la superficie bucal.

Cuando uso este ejemplo en mi lectura, algunas personas dicen que soy un pervertido. Pero en la lectura pienso que es importante escuchar y entenderlo en el momento. Por eso me gusta usar ejemplos impactantes.

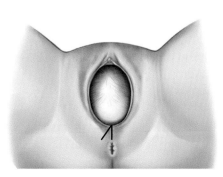

▬ ¿Qué es la perineotomía?

Como se muestra en la figura, se hace una incisión en el perineo. La incisión puede estar en el centro o de lado hacia adentro o hacia afuera. Después de dar a luz, se realizan suturas.

04
Extensión de la incisión en la superficie mesial ★★★

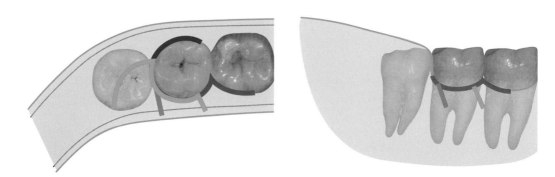

Cuando no ves la corona para nada o cuando el tercer molar está incluido en posición vertical, me gusta extender la incisión distal de la superficie del 7 usando hoja no. 12. Trato de no extender la incisión mesial del 7. En días muy ocupados o cuando el tercer molar está en la superficie bucal y necesito una visión más amplia, extiendo la línea de incisión, mesial a la superficie del 7 para crear un colgajo.

Hay 3 maneras de extender la línea de incisión en la superficie mesial:

Línea azul: Haciendo incisión vertical en la superficie distal del 7

Línea verde: Haciendo incisión vertical en la superficie mesial del 7

Línea roja: Extendiendo la incisión hacia la papila interdental entre 6 y 7

Siempre hago incisión vertical en la superficie mesial del 7 como en la línea verde. Pero este método puede ser difícil para los que apenas comienzan. También ocupa mucho tiempo suturar una incisión vertical y no es fácil, especialmente si estas usando aguja larga como yo. Estoy acostumbrado a usar una sutura de esta forma, pero, no recomiendo este método para los nuevos dentistas. Hay otros casos en los que dentistas no usan suturas, y la razón es para prevenir inflamación postoperatoria.

Algunas veces, si la hoja no. 12 no fue usada para la incisión vertical, me gusta extender mi incisión como la línea roja. Si estás usando aguja larga como yo, es más facial suturar la papila interdental que la posición vertical. La papila interdental puede ser reflejada usando un elevador perióstico sin hoja. A mí siempre me gusta suturar, pero ha algunos dentistas les gusta dejar el colgajo solo para prevenir un hematoma. Sugiero que trates diferentes incisiones y métodos para escoger el mejor, basado en tu experiencia.

Algunos inciden en la región lingual del 7. Pero yo nunca lo hago. Para mí, la superficie lingual es como el océano atlántico en el medio europeo. Me gusta conservar mi miedo en la superficie lingual como un mundo desconocido. Incluso cuando puede haber un continente de oro más allá del océano, me gustaría quedarme en el mar mediterráneo. Si ganas algo de confianza, puedes retraer la encía lingual. El problema real es el desgarro del tejido. No es un gran problema hacer una incisión y retraer la encía lingual desde la cresta.

05
Filosofía del Dr. Kim para realizar incisiones <2> ★★★

Nunca meterse con la superficie lingual

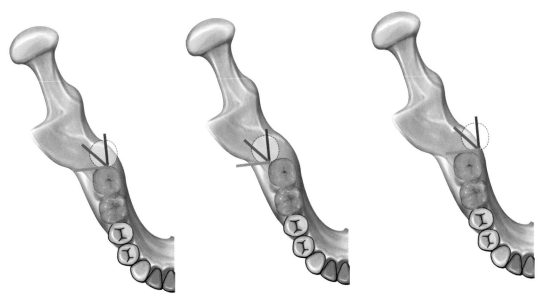

━━ Línea de incisión para terceros normales
incluidos

━━ Línea de Incisión bucal/lingual para terceros molares incluidos

Para realizar la extracción del tercer molar, encuentro de mayor importancia extender la incisión bucalmente. En las imágenes de arriba, me gusta la incisión a lo largo de la línea verde más que la línea roja. Será mejor incidir a lo largo de la línea azul, pero es más peligroso por la naturaleza impredecible del nervio lingual. Es especialmente peligroso si el tercer molar está localizado profundo a la superficie distal o localizado en la superficie lingual como en la imagen de arriba.

Dentistas sin experiencia intentan incidir en la superficie distal del tercer molar, y la hoja cae en lo profundo del tejido. La superficie distal del tercer molar no es confiable.

Justo como los europeos en la edad media pensaban que existía un acantilado más allá del océano atlántico, la superficie lingual podría ser ese acantilado. La razón por la que no he tenido daños al nervio lingual es porque nunca he invadido esta área durante la extracción.

Usando un espejo o dedo, puedes retraer el tejido incidido lo más bucal posible, y luego hacer una incisión en el hueso. Siempre recuerda esto: La incisión debe hacerse lo más bucalmente posible al periostio, así como retraer el tejido en dirección bucal.

06
Filosofía del Dr. Kim para realizar incisiones <3> ★★

Incide desde la superficie bucal siempre que puedas

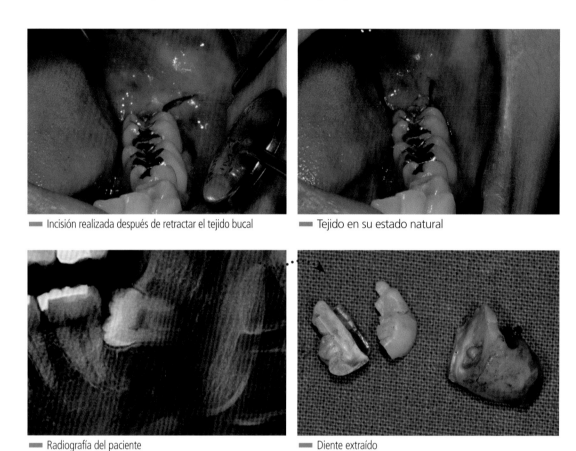

■ Incisión realizada después de retractar el tejido bucal

■ Tejido en su estado natural

■ Radiografía del paciente

■ Diente extraído

Esta incisión lineal es para extraer muelas incluidas. Cuando haces la incisión, necesitas retraer el tejido y hacer la incisión en el mucoperiostio y no desgarrar tejido. Como se muestra en la fotografía, la incisión se realiza bucalmente y la línea de incisión puede volver a la superficie lingual una vez que se ha logrado la retracción.

Por favor recuerda esto: Nunca incidas la superficie lingual.

Las incisiones se realizan en la superficie bucal, después de retraer el tejido bucal, en el periostio. Incisión sobre tejido blando debe de extenderse para conectar con el tejido duro. El propósito de la incisión es incidir el periostio en contacto con el hueso.

07
Ruta del nervio lingual ★

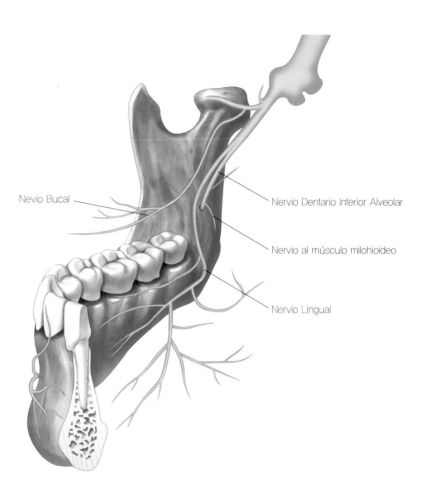

Nevio Bucal

Nervio Dentario Inferior Alveolar

Nervio al músculo milohioideo

Nervio Lingual

Nervios alrededor de la mandíbula y la ruta del nervio lingual

Porque el nervio lingual es altamente variable, puede ocasionar daños en cualquier momento. Usualmente los dentistas son muy cuidadosos con el nervio alveolar inferior durante la exodoncia, pero el nervio alveolar inferior no es fácil de dañar. Es más común el daño al nervio lingual en cualquier descuido. Así que nunca te metas con la superficie lingual.

No he tenido ningún paciente con daño al nervio lingual, después de realizar tantas extracciones. Esto es porque doy lo mejor para no tener ningún caso que me haga sentir triste.

08
El nervio lingual tiene diversas rutas ★★

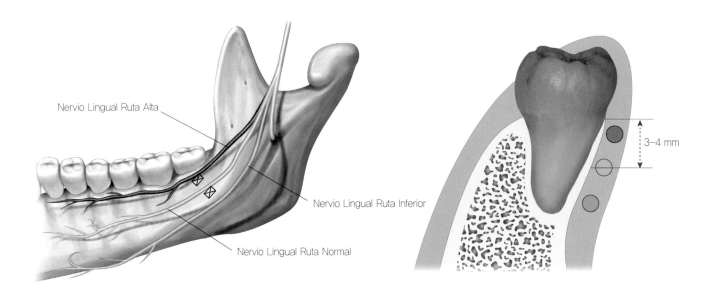

Nervio Lingual Ruta Alta

Nervio Lingual Ruta Inferior

Nervio Lingual Ruta Normal

3–4 mm

Clínicamente la ruta normal del nervio lingual es la línea amarilla. Pero puede variar como se aprecia en la línea verde (el nervio es posterior a lo normal) o como la línea roja (el nervio está muy cerca del tercer molar o de la corona del segundo molar). Leí artículos sobre conocimientos anatómicos, pero las rutas, aun son muy variables. Esto es probable porque el nervio lingual atraviese el tejido blando y existen varios métodos para la evaluación. Llego a la conclusión que el nervio lingual se encuentra de 3 a 4 mm cerca de la cresta lingual alrededor del tercer molar. La mayoría de los artículos mencionan que a 3 mm pero otros reportan un promedio de 8 mm, así que escribí 3 a 4 mm. La desviación estándar es muy amplia y hay un 7.5-17.6% del tiempo que el nervio lingual se localice en la cresta lingual. De manera horizontal, el nervio lingual está de 2 a 3 mm de la cresta lingual. Pero sólo en el 22-62% de los casos, toca la cresta lingual. Como mencioné anteriormente, cada artículo tiene su propia desviación estándar, así que necesitamos conocer el aproximado. Debemos recordar que las variaciones son bastantes, nunca debemos tocar el área lingual durante la extracción del tercer molar. De acuerdo con el artículo de Behnia et al, estudiaron 669 rutas del nervio lingual en 430 cadáveres frescos, y observaron que el 14.05% (94) del tiempo, el nervio lingual está por encima de la cresta lingual; en un caso, observaron que el nervio lingual pasa a lo largo de la almohadilla retromolar (0.15%). De igual forma observaron que los nervios linguales físicamente tocan la cresta lingual en el 22.27% de los casos (149).

Pero existen buenas noticias en la siguiente página.

Incisión desde la superficie distal o cerca de la superficie lingual del tercer molar

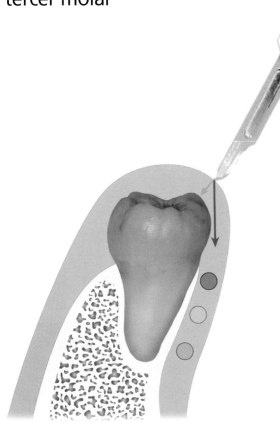

Cuando realizas una incisión en la superficie distal o cerca de la superficie lingual del tercer molar, necesitas angular tu hoja de la superficie lingual. Como se muestra arriba, necesitas incidir como la flecha verde. Si incides como la flecha roja, puede caer inesperadamente en un hoyo. Puede haber un corte más severo que la imagen de arriba, así que nunca incidas en la superficie distal o cerca de la superficie lingual de un tercer molar. Si sospechas de un corte o tienes falta de confianza, realiza la incisión lo más bucal posible.

치과의사신문 | **제119호** 2017년 4월 17일 월요일   종합뉴스 **3**

사랑니 발치 전 부작용 및 주의사항 설명 필요

대법원 "발치 후 감각 이상 신체적 특이점 있다면 치의 책임 없다"

사랑니 발치 후 혀가 마비됐더라도 보통 사람과 다른 환자의 신체적 특이점이 원인 이라면 치과의사에게 손해배상 책임이 없 다는 대법원 판결이 나왔다.

대법원 민사2부는 사랑니를 빼고 난 뒤 혀가 일부 마비된 박모(44) 씨가 치과의사 진모(63) 씨를 상대로 낸 손해배상 청구소 송(2014다10113)에게 원고승소 판결한 원 심을 깨고 최근 사건을 전주지법으로 돌려 보냈다.

재판부는 "고도의 전문지식을 필요로 하는 의료행위는 의사의 주의의무 위반과 손해발생 사이에 인과관계가 있는지 여부 를 밝혀내기 극히 어려운 특수성이 있다.

수술 도중 발생한 결과에 대해 개연성이 담보되지 않은 사정들을 가지고 막연하게 의사에게 무과실의 증명책임을 지우는 것 은 허용되지 않는다"고 밝혔다.

그러면서 "박 씨의 장애가 발치를 위한 마취 과정에서 진 씨가 주사침을 설 신경 방향 쪽으로 잘못 찔렀기 때문에 발생했을 가능성도 있지만, 박 씨의 설 신경이 설측 골판에 밀착해 지나가는 등 그 해부학적 원인 때문에 발생했을 가능성도 있다"며 "해부학적 원인에 의한 불가항력적인 손 상의 발생 가능성도 있는데 막연히 진 씨 의 과실을 추정해 손해배상책임을 인정한 원심은 잘못이다"고 말했다.

박 씨는 2008년 5월 진 씨가 운영하는 치과에서 사랑니 발치 수술을 받고 열흘 뒤 혀가 마비되는 증상이 나타났다. 박 씨 는 종합병원에서 신경이 손상됐다는 진단 을 받자 "진 씨가 사랑니를 발치하는 과정 에서 마취 주사침 등을 신경을 훼손시켰 다"며 소송을 낸 바 있다.

1심에서 재판부는 "진 씨가 진료 상 주 의의무를 다하지 못했다기보다는 박 씨의 혀 신경 위치가 남들과 달라 나타난 불가 항력적인 합병증"이라며 "다만 의사로서 시술 시 일어날 수 있는 부작용을 환자에 게 미리 설명했어야 하는데 진 씨는 이 의 무를 위반했으므로 300만원을 배상하라"

며 원고일부승소 판결했다.

2심은 "박 씨의 신체적 특징이 사고의 원인이 됐다고 보기 어렵고, 혀 마비 증세 가 사랑니 발치 시술 후 일반적으로 나타 날 수 있는 합병증의 범위 내에 있는 것도 아니다"라며 "손해배상금액을 1,500여만 원으로 대폭 올렸다.

한국의료분쟁조정중재원 관계자는 "사랑 니는 매복 정도가 깊을수록 발치과정에서 주 변조직에 손상을 줄 가능성이 높은데 사랑니 발치 전 부작용과 주의사항을 듣지 못했다면 자기결정권 침해에 따른 설명의무 위반 여부 등을 두고 다툴 수 있다"고 말했다.

구명회기자 nine@ddsnews.co.kr

Un veredicto de la Corte de Justicia Coreana en una revista dental coreana

El veredicto es sobre como el daño del nervio lingual después de la extracción del tercer molar puede ocurrir debido al grado rango de variaciones en la localización anatómica del nervio lingual en diferentes individuos. Por lo tanto, si el consentimiento informado incluye las posibles complicaciones y riesgos explicados ampliamente antes de la cirugía y si los dentistas tratan de prevenir lo más que se pueda el daño al nervio lingual durante la cirugía, el dentista no será culpable; incluso cuando el paciente presente parestesia después de la extracción.

09
¿Este es el nervio lingual? ★

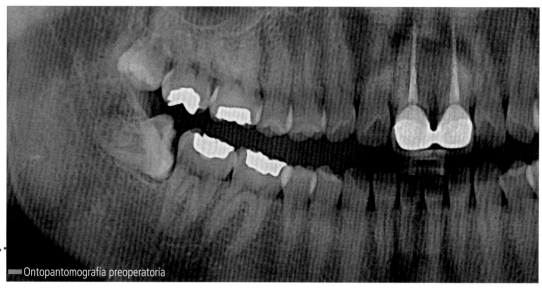

Ontopantomografía preoperatoria

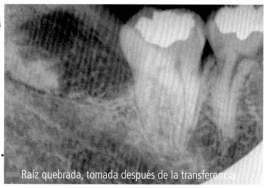

Raíz quebrada, tomada después de la transferencia

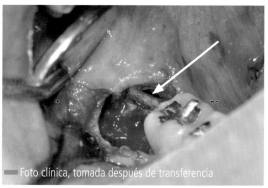

Foto clínica, tomada después de transferencia

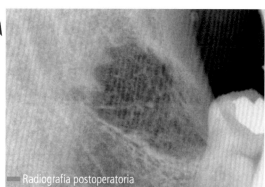

Radiografía postoperatoria

Fue solicitada nuestra ayuda con un residente que no pudo concluir la extracción de un diente porque el paciente presentaba demasiado dolor. La radiografía panorámica muestra remanente de una raíz dental. En la fotografía clínica intra-oral se muestra la línea de incisión cerca de la superficie lingual y el nervio lingual expuesto. El paciente se quejó de demasiado dolor cuando se tocó esta área. Es un alivio que el nervio lingual no se haya cortado durante la incisión.

10
Instrumentos accesorios ★★

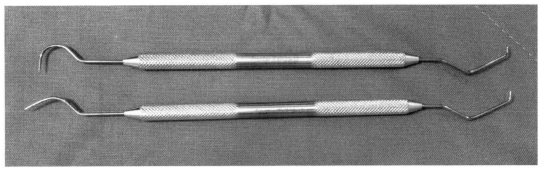

 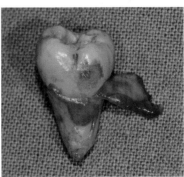

Para cortar el ligamento periodontal alrededor del tercer molar, recomiendo usar un explorador en lugar de una hoja. Recomiendo un explorador estándar en la superficie vertical y un explorador angulado para la superficie horizontal. No uso mucho ahora el explorador, pero este método se lo sugiero a los nuevos dentistas. Instruí a mi staff para cortar el ligamento periodontal alrededor del tercer molar con un explorador, antes de entrar a la habitación. Esto ayudará a los nuevos dentistas. Si extraes un diente sin cortar el ligamento periodontal, se siente como jugar a "estira y afloja la cuerda" y un perro ayuda jalando la ropa de tu oponente. Es común tener este tejido sosteniendo el diente en su lugar. El tejido del ligamento periodontal es especialmente fuerte en terceros molares erupcionados.

Este video muestra el corte al ligamento periodontal antes de extracción y anestesia

Este video muestra qué fácil es la extracción cuando se corta el ligamento periodontal alrededor del tercer molar

11

Estudio de casos post extracción: Tuve que utilizar bisturí para remover el ★ ligamento periodontal adjunto en la superficie distal del tercer molar

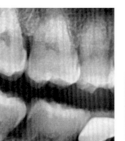
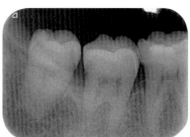

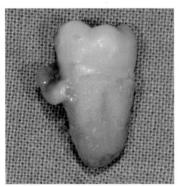
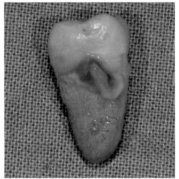
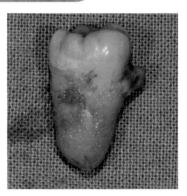

Si no remueves el ligamento periodontal adjunto a la superficie distal del tercer molar, el ligamento usualmente se removerá durante el procedimiento de exodoncia. Si el tercer molar funciona normalmente, el ligamento es grueso y está fuertemente adherido al diente. Después de remover el tejido posterior la extracción, prefiero removerlo con una incisión limpia antes de empezar la exodoncia.

Fibras del ligamento periodontal se han extendido dentro de las encías. El hecho que el ligamento periodontal esté asociado a fibras y se remuevan con el tercer molar durante el procedimiento de extracción, significa que estamos causando gran trauma al tejido blando. Para minimizar el dolor postoperatorio, acelerar la recuperación y mantener la superficie distal del 7 saludable, debemos ser cuidadosos de no eliminar el ligamento periodontal junto con el tercer molar.

¿Cómo remover las raíces? ★

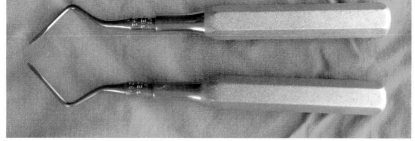

▬ Mis instrumentos Hu-Friedy (EE.UU) para remover raíces

Utilizo estos instrumentos cuando un ápice es fuertemente adherido dentro del alveolo. Estoy seguro que inventaron estos instrumentos delgados y angulados para no aplicar demasiada fuerza. En mi experiencia, no debes aplicar mucha fuerza para extraer raíces. Raramente uso este instrumento.

Recuerden nuevos dentistas, no debes gastar demasiado tiempo y energía removiendo un ápice dentro del alveolo. Eso es porque he dedicado un capítulo de coronectomia al principio del libro. Cuando tienes más experiencia con la extracción, eliminar las raíces se vuelve fácil. Si no puedes hacerlo fácilmente, no lo elimines, sólo mantén las raíces en observación. Esto es porque la mayoría de los dentistas novatos comenten grandes errores al eliminar ápices.

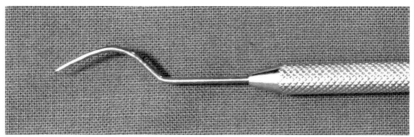

▬ Mi explorador (Observar la curvatura)

Normalmente uso un explorador. La mayoría de las raíces pueden ser eliminadas creando un espacio entre el diente y el alveolo. En el 90% de mis casos de ápices, uso el explorador. Excepto cuando estoy muy ocupado o por propósitos educativos, raramente dejo las raíces. Uso el explorador para cortar el ligamento periodontal alrededor de la raíz antes del procedimiento de extracción.

12
Sutura que utilizo ★

 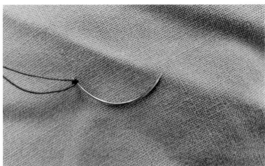

Como en la fotografía de arriba, siempre tengo suturas preparadas en mi bandeja. Utilizo aguja cortante circular 3-0 3/8 atada a seda. Esto es para salvar el costo de la sutura porque el precio de extracción es muy barato en mi país. También la aguja es grande y resistente a doblarse; por lo que puedo suturar rápidamente (10 unidades de aguja en una caja: 5,000 won (500 c/u). 24 paquetes de seda negra 3-0 en una caja: 33,000 won (81 won c/u). 1 paquete tiene 17 unidades de seda de 45 cm. A excepción de que trabaje en la región anterior del maxilar o en la superficie labial, solo uso aguja de sutura mencionada en todas las extracciones.

Algunos me recomendaron una aguja larga circular de ½ para suturar post extracciones, pero no discutiré mucho sobre la técnica de suturas.

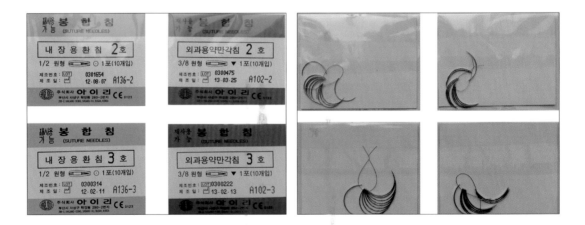

Hay una gran variedad de tipos y tamaños de agujas. Debes encontrar tu propio estilo.

13
Sutura de nailon que utilizo ★

Esta es la sutura que utilizo la mayoría del tiempo para mis cirugías de implantes. No hablaré mucho sobre técnicas de sutura en este libro. El propósito es encontrar tu propio estilo.

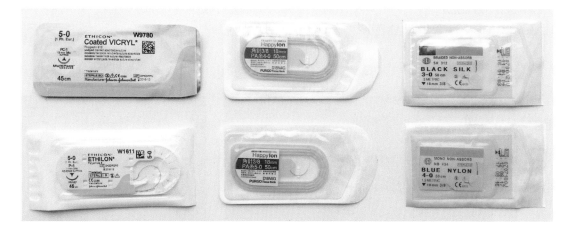

Otras suturas que utilizo. Pero raramente uso estas suturas excepto para suturar extra-oralmente o suturar colgajos en la cirugía de implantes. Aconsejo a los nuevos dentistas tener variedad de suturas disponibles. Nunca es tarde para encontrar tu estilo usando varios tipos de suturas. No te obligaré a utilizar mi técnica anestésica, incisión o técnica de colgajos. Solo quiero compartir mi técnica con ustedes mientras presento los casos de extracción en los siguientes capítulos.

¡Espera!

El punto de apoyo de los dedos en los dientes mandibulares ★★★ anteriores es imprescindible para la extracción de los molares mandibulares

Cuando dirigí el curso práctico para extracción de terceros molares, me hizo sentir nervioso cuando los participantes no usaban el punto de apoyo para los dedos. Es común verlos usando la pieza de mano como la fotografía de la derecha aunque probablemente aprendieron el punto de apoyo muchas veces en la escuela. Si eres recién egresado con menos de 15 años de experiencia laboral, te recomiendo cambiar tu postura en los siguientes años de práctica laboral. El apoyo de los dedos en los dientes mandibulares anteriores es un método seguro y rápido para tratamiento dental. Aun si realizaras cortes, incisiones, el apoyo es obligatorio. Cuando coloco múltiples implantes al mismo tiempo o cambio el ángulo de los implantes, tener un dedo estable como apoyo en la región anterior mandibular es muy importante. No he tenido un solo accidente extrayendo terceros molares por la estabilidad del apoyo de los dedos en los dientes anterior.

■ Los apoyos inestables de los dedos también bloquean el campo visual del médico. Esta postura no permitirá la sección precisa de un diente.

Algunos dentistas me dicen que no pueden realizar el apoyo porque bloquean toda la boca. Pero creo que el apoyo en la zona anterior mandibular es posible con una mordida abierta, y el apoyo se logra sin bloquear toda la boca.

■ Dedos descansando correctamente para el bisturí en el cuadrante inferior derecho

■ Dedos descansando correctamente para el bisturí el cuadrante inferior izquierdo

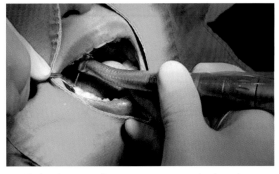

■ Dedos descansando correctamente para la pieza de mano en el cuadrante inferior derecho

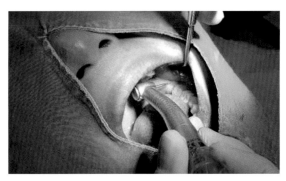

■ Dedos descansando correctamente para la pieza de mano en el cuadrante inferior izquierdo

Casos de incisión y sutura en la extracción ★★ del tercer molar

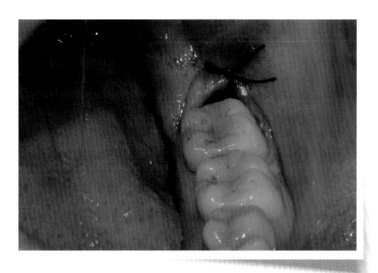

Al realizar más cirugías de implantes, encontré muy importante obtener estabilidad primaria y cierre primario. En la cirugía, nada es más importante que cerrar las heridas con suturas. ¿Y acerca del tercer molar? Mi conclusión es no te estreses demasiado por eso.

Algunos dentistas tratan de suturar de manera precisa después de la extracción, como en la cirugía de implantes. Algunos colocan un drenaje y otros cortan un triángulo de encía distal al 7 para que el sangrado escape por ahí. Otros recolocan la papila interdental entre el 6 y 7 pero no suturan. No colocar sutura no es una mala idea. Pero en Corea del Sur colocar suturas simples es necesario para recibir 10,500 won para acudir a retirar los puntos y convencer al paciente de regresar. La mayoría de las clínicas privadas como la mía, colocan suturas por esa razón. Coloco sutura en 8 para prevenir la impactación de la comida dentro del alveolo o sutura continua en medio o en la superficie distal.

Normalmente no coloco drenaje. Trato de colocar suturas, tan mínimamente como sea posible en la encía para que cicatrice en su forma natural.

01
Caso 1 – Sin incisión vertical en la superficie mesial ★

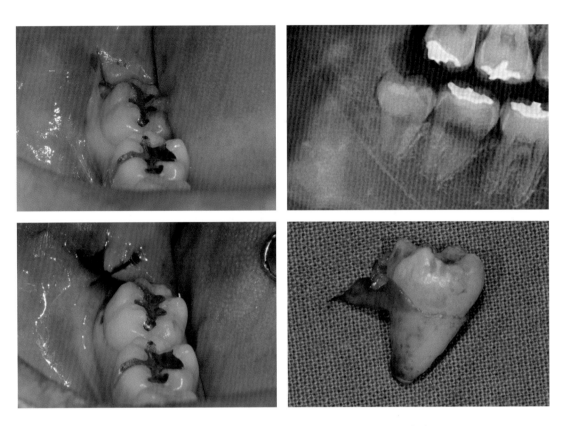

Puedes observar solo una pequeña parte de la corona, pero el tamaño de la corona es pequeña y está cerca del plano oclusal. Realicé una pequeña incisión en la superficie bucal y extraje el diente sin realizar colgajo mucoperiostico o sin remover hueso. Raramente toco la superficie distal del diente cuando comienzo la extracción, así que puedes ver la superficie distal del diente adherida al ligamento periodontal. Es importante distinguir el ligamento periodontal del folículo que rodea al diente.

Como en los casos de arriba, donde puedo visualizar la parte de la corona, usualmente uso suturas para la incisión, pero no coloco sutura en la parte inicial de la corona. El tamaño de mi aguja es muy grande y puede resultar incómodo para incisiones pequeñas, pero trato de dar lo mejor.

Cuando realizo una incisión larga porque no puedo visualizar el tercer molar, trato de suturar de acuerdo a la posición natural de la encía. A menos que se trate de cirugías de implantes -donde la sutura no se expone- la sutura la coloco holgadamente con una ligera abertura.

02
Caso 2 – Sin incisión vertical en la superficie mesial ★

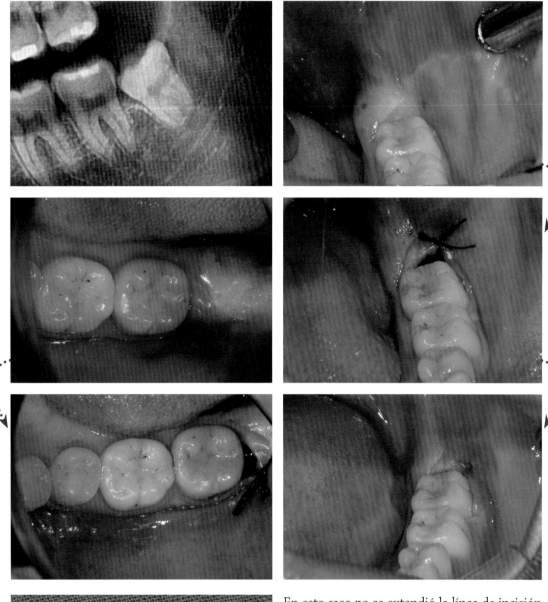

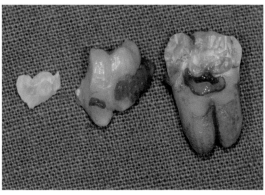

En este caso no se extendió la línea de incisión en la superficie mesial. En la foto que tomé una semana después de retirar las suturas, puedes observar la condición de la gingiva bucal del 7 que se ha retraído durante la cirugía. En este caso, seccioné la superficie mesial de la corona, y luego seccioné la superficie lingual para extraerlo. Discutiremos los detalles más tarde en el capítulo de terceros molares incluidos verticalmente. Porque esperaba un poco de hinchazón, hice suturas holgadas. Puedes apreciar que el distal del 7 tiene una ligera abertura y sostiene la forma natural.

03
Caso 3 – Sin incisión vertical en la superficie mesial ★

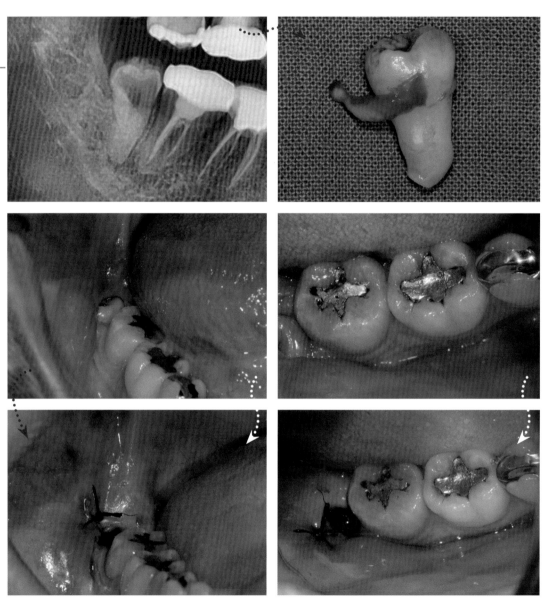

En los casos de terceros molares incluidos verticalmente, si puedes visualizar el diente, puedes hacer solo una pequeña incisión en la superficie bucal en el 90% de los casos.

Porque estoy muy ocupado, minimizo la incisión, el colgajo quirúrgico, y la sutura. Y prefiero hacer una incisión y sutura como esta. Apenas puedes apreciar la corona en este caso, pero porque el diente esta comparado verticalmente con el plano oclusal, no extendí mi incisión en la superficie mesial; hice una pequeña incisión en la superficie bucal. Coloqué una sutura donde hice la incisión. Así que hay una abertura natural distal al 7, que es bueno para prevenir la inflamación. Creo que esta abertura es genial. Muchos dentistas novatos colocan suturas en el alveolo posterior a la línea de incisión, pero recomiendo solo suturar la línea. Recientemente, llegue a pensar que la técnica de sutura como la de arriba ayuda a mantener el ligamento periodontal saludable en la superficie distal del 7.

04
Caso 4 – Sin incisión vertical en la superficie mesial ★

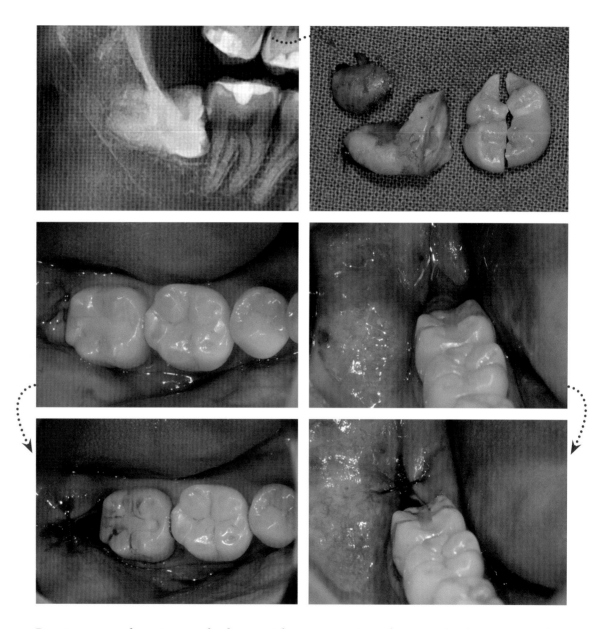

Para terceros molares impactados horizontalmente, excepto en los casos donde no puedes visualizar el diente para nada, no extiendo la línea de incisión en la superficie mesial del 7.

Para terceros molares incluidos horizontalmente, no hay necesidad de extender la incisión y raramente elimino el hueso bucal. Puedes extraer fácilmente la corona y la raíz haciendo una mínima incisión. Por supuesto, el paciente presenta menos inflamación y dolor postoperatorio.

¡Referencia!

Qué precauciones deben tener los nuevos dentistas

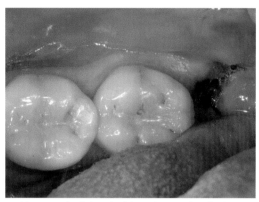 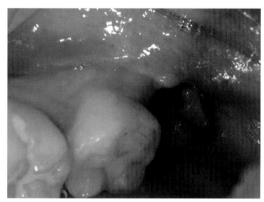

Un nuevo dentista colocó las suturas y el paciente regresó para retirarlas después de una semana. La mayoría de la sutura bucal está desgarrada

La característica más notable de las suturas colocadas por los nuevos dentistas es que la sutura bucal siempre se rompe.

Dirijo cursos prácticos de extracción de terceros molares una vez al mes, y soy yo quien retira las suturas colocadas por los participantes durante las visitas postoperatorias. Y noto que las suturas bucales siempre se rompen. La mayoría de los pacientes habrían notado que la sutura se rasga después de uno o dos días, viven incómodamente varios días, luego regresan para quitarlo. En algunos casos, los pacientes regresan sin tener ninguna sutura en la boca. A veces les digo a los nuevos dentistas que, si su habilidad para suturar no es tan buena, es mejor quitar la sutura en 3 a 4 días, en lugar de esperar una semana.

Es muy importante colocar suturas en todo su espesor. El problema puede ser que la incisión y el colgajo no se estén realizando en su totalidad. Si realiza un colgajo bucal claro de espesor total, su sutura también puede ser estable, pero si realiza una incisión superficial, su sutura también puede ser demasiado superficial. Dado que realizo la incisión mínima y el diseño del colgajo, coloco las suturas lo más profundamente posible en el tejido y evito poner demasiada tensión en la sutura.

Recuerde que, como dentista novato, las suturas bucales pueden romperse fácilmente, así que traten de evitar que esto suceda. Al igual que necesitas hacer una incisión en el periostio, debes colocar una sutura en el periostio.

05
Extensión de la línea de incisión en la superficie mesial ★
– Caso 1. Incisión vertical en la superficie distal del 7

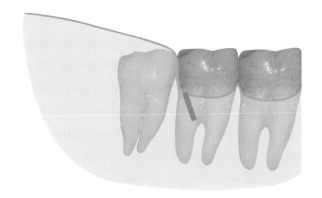

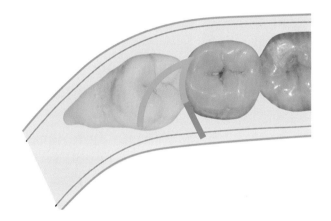

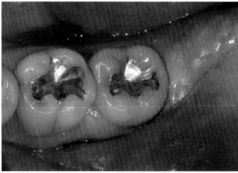

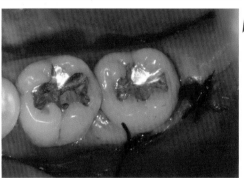

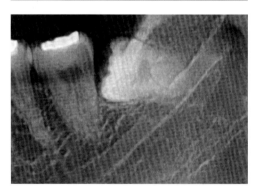

Cuando el tercer molar no es clínicamente visible, uso el bisturí no. 12 para hacer la incisión cerca de distal del 7. Pero no es fácil hacer incisión vertical con la 12, usualmente extiendo el colgajo distal a la superficie del 6 para evitar la incisión vertical. Si tengo que hacerla con la 12, como en el caso de arriba, es más fácil distal a la superficie del 7 y angular la hoja. Raramente hago esto. Solo tengo pocos casos como el de arriba. Si tengo espacio para una incisión vertical, normalmente la hago mesial al 7.

En el caso de arriba, parece que la incisión fue hecha en medio del 7 y no distal al 7. Pero la incisión se hizo diagonal desde distal al 7 hasta mesial al 7.

Nuevos dentistas tienen dificultad para suturar después de una incisión vertical. Es especialmente difícil con una aguja de sutura gruesa. Si se sutura bien en la superficie distal, no es problema suturar la incisión vertical. Esta debe ser diagonal para evitar posibles daños al nervio bucal largo.

06
Extensión de la línea de incisión en la superficie mesial ★
– Caso 2. Incisión vertical en la superficie distal del 7

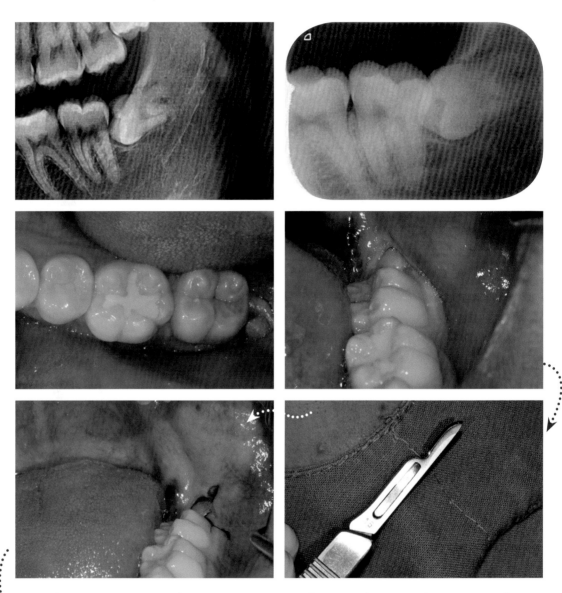

Normalmente en casos así, solo una incisión pequeña basta en el tercer molar. Pero aquí el tercer molar está localizado en la superficie bucal y pensé que sería útil hacer un colgajo mucoperiostico. Realizo incisión vertical en la superficie distal del 7. Sin esta incisión puedes forzar el tejido de la superficie bucal y crear mucha tensión mesial al 7.

Normalmente no hago este tipo de incisión, pero para finalizar el escrito de mi libro, conocí un dentista que me dijo que prefiere estas incisiones para cirugías orales. Considero que es verdad en sus cirugías, pero mi experiencia me dice que esta incisión es preferida por más periodoncistas que por cirujanos maxilofaciales, ya que prefieren hacer incisiones grandes. Tenemos estudios que respaldan lo anterior, pero es preferible que encuentres tu estilo. Si quieres hacer una incisión bucal desde la superficie distal del 7, necesitas cortar el nervio bucal largo. Esto es cierto cuando el vestíbulo bucal es superficial. Algunos dicen que no importa el daño al nervio bucal largo, pero es mejor prevenirlo.

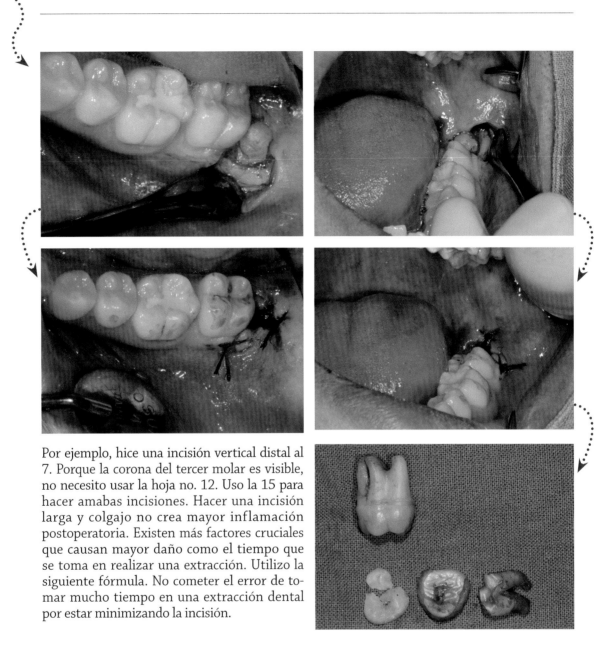

Por ejemplo, hice una incisión vertical distal al 7. Porque la corona del tercer molar es visible, no necesito usar la hoja no. 12. Uso la 15 para hacer amabas incisiones. Hacer una incisión larga y colgajo no crea mayor inflamación postoperatoria. Existen más factores cruciales que causan mayor daño como el tiempo que se toma en realizar una extracción. Utilizo la siguiente fórmula. No cometer el error de tomar mucho tiempo en una extracción dental por estar minimizando la incisión.

> Dolor postoperatorio e inflamación = cantidad de daño al hacer incisión, colgajo, odontosección, etc. X (multiplicado por) tiempo de extracción.

07
Extensión de la línea de incisión en la superficie mesial ★★★
– Caso 1. Incisión vertical en la superficie mesial del 7

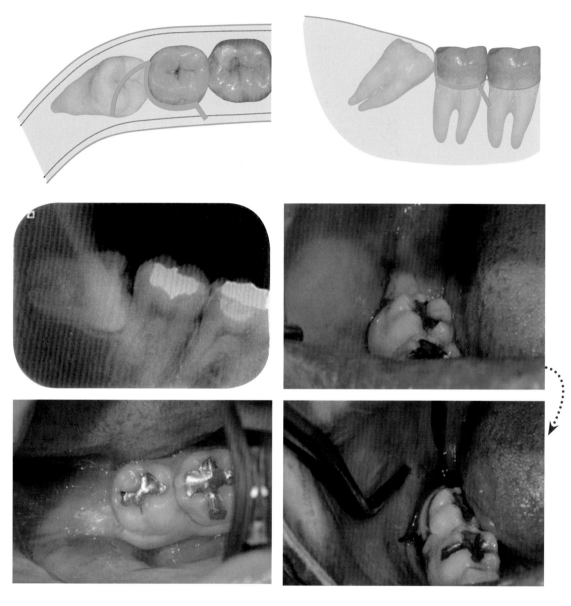

Si tengo que hacer incisión vertical, este es mi método preferido. Mi método varia día a día dependiendo de mi modo y situación, pero si tengo que extender mi línea de incisión, lo haré mesial al 7. Más que extender la incisión distal al 6, hacer una incisión vertical mesial al 7 proveé una mejor visualización; mejor estabilidad del colgajo y mejor cobertura para la sutura.

08
Extensión de la línea de incisión en la superficie mesial ★
– Caso 2. Incisión vertical en la superficie mesial del 7

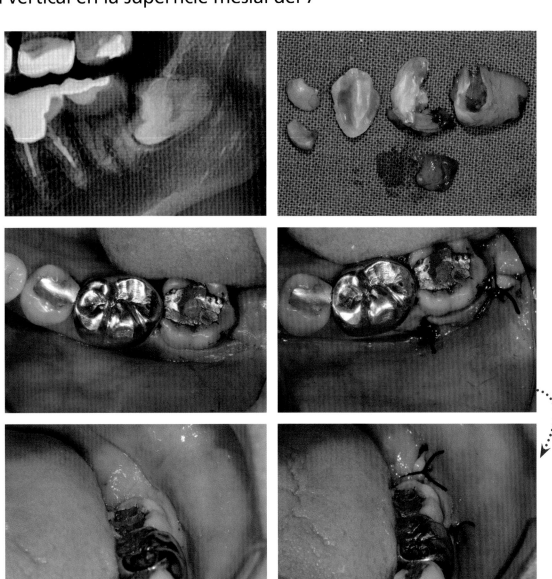

Este es mi método preferido para incisión. Uso la hoja no. 12 o 15. Si solo necesito hacer incisión vertical, uso la hoja 15, pero para hacer incisión distal al 7, uso la hoja 12; luego uso la 12 para hacer incisión vertical en la superficie mesial. Tomé las fotografías como ejemplo para el libro, y no es precisamente mi mejor caso. Espero que puedas entender que solo tomé algunas fotos de conocidos en días tranquilos.

09
Extensión de la línea de incisión en la superficie mesial – Caso 1. Extensión ★ de la línea de incisión incluyendo papila interdental entre 6 y 7

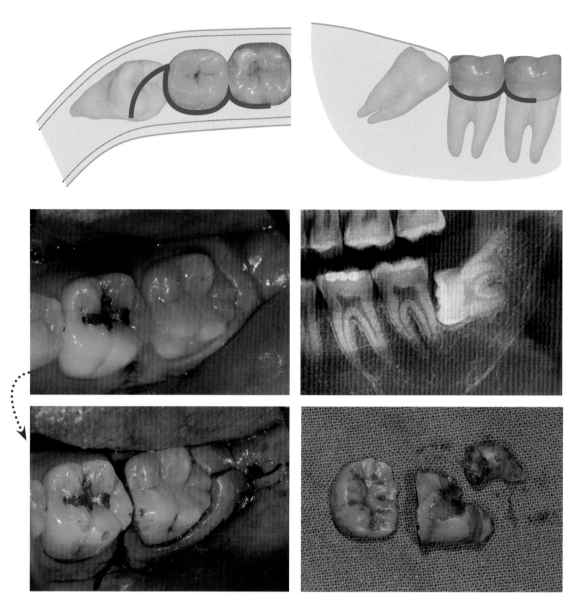

Uso esta incisión como método cuando estoy apresurado. Usualmente hago una incisión pequeña cerca del tercer molar y extraigo el diente. Pero si el tercer molar está localizado lejos de bucal o requiere una visualización más amplia, uso el extremo afilado del elevador periostico para separar el colgajo del 6 y la papila interdental de la incisión disto bucal del 7. Algunos dentistas no colocan sutura en la papila interdental entre el 6 y 7 para prevenir la inflamación. Yo prefiero colocar una sutura simple distal a la superficie del 7.

10
Extensión de la línea de incisión en la superficie mesial – Caso 2. ★★
Extensión de la línea de incisión incluyendo papila interdental entre 6 y 7

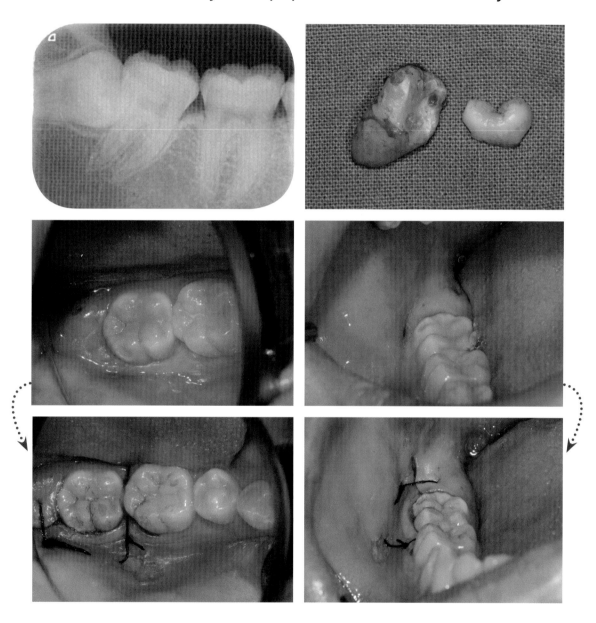

No he planeado extender la incisión mesial a la superficie de la pequeña corona, pero algunas veces cuando el tercer molar está localizado en la superficie bucal, hago una incisión en la superficie bucal y la extiendo hacia la superficie mesial. Retraigo la papila entre el 6 y 7 usando un elevador periostico sin incisión. Recomiendo a los nuevos dentistas usar la hoja no. 12. Si usas un elevador periostico con punta roma, pienso que es necesario usar la hoja en el surco.

Toma practica hacer un colgajo mucoperiostico. En mis años de experiencia de seminarios de extracciones, me di cuenta que toma un tiempo acostumbrarse a este simple movimiento. Para los nuevos dentistas es necesario repetir prácticas básicas sobre incisiones, suturas, colgajos en los procedimientos de extracciones de terceros molares.

11

¿Qué tan lejos extiendo el colgajo mucoperióstico después de hacer ★★★ la incisión?

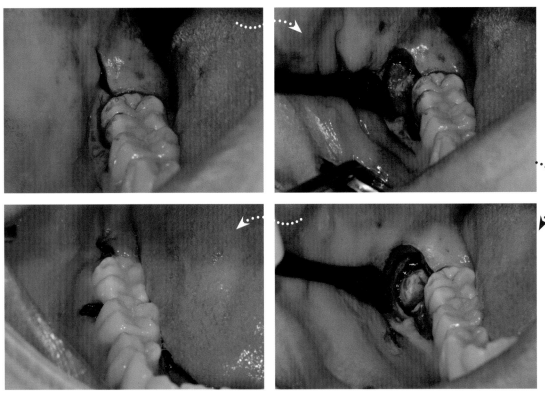

Fotografías de los casos anteriores. Se preguntará, ¿Cómo se realizó la extracción después de la incisión? ¿Hasta qué punto puede seccionar el colgajo y hacer la incisión en el hueso?

Será correcto decir que los nervios del hueso alveolar están localizados en el periostio. Especialmente cerca del hueso basal y no del alveolar, la importancia del periostio incrementa. Mi filosofía es hacer mínima incisión, colgajo y remoción de hueso. Casi nunca uso colgajo a menos que sea absolutamente necesario. En los casos en los que el tercer molar no es visualizado, retraigo el colgajo y remuevo hueso de la zona bucal para obtener visibilidad. Mi filosofía es siempre tratar de minimizar el colgajo mucoperiostico y la remoción del hueso bucal.

Realizando un colgajo mucoperiostico de manera natural mejora al tener más experiencia. Esta habilidad es muy importante para cirugía de implantes. Para nuevos dentistas recomiendo que no te concentres en minimizar el colgajo mucoperiostico. Recomiendo que practiques suficientes incisiones y colgajos. A medida que mejora tu habilidad, trata de minimizar haciendo el colgajo.

Ahora, discutiremos sobre el colgajo mucoperiostico y la remoción de hueso en la zona bucal.

Colgajo mucoperiostico y remoción del ★★ hueso bucal en extracción del tercer molar

Las fotografías de arriba son los elevadores periosticos (Hu-Friedy P9) y la cureta quirúrgica (Hu-Friedy CM 11) que uso normalmente. Sin embargo, a diferencia del elevador EL3C, si la longitud y forma del instrumento son similares uso cualquier marca. No es necesario atenerse a esta compañía. He estado usando instrumentos menos caros, hechos recientemente en Corea.

Usualmente empecé comprando c018;uretas quirúrgicas para incidir más de una vez para ampliar la incisión. Luego, uso el extremo afilado del elevador periostico para empezar el colgajo y terminar con el extremo ancho del instrumento. Cuando necesito retraer el tejido blando del diente/hueso uso el extremo afilado y el ancho intercambiando de acuerdo al tamaño del tejido, sin embargo, normalmente uso el extremo ancho para retraer.

Debido a que temas de colgajo mucoperiostico y remoción de hueso han sido discutidos en otras literaturas, decidí hablar del tema brevemente. No es necesario seguir mi estilo, solo reconocer que existe gente que piensa como yo.

01
Colgajo mucoperiostico del Dr. Kim y remoción quirúrgica del hueso ★★

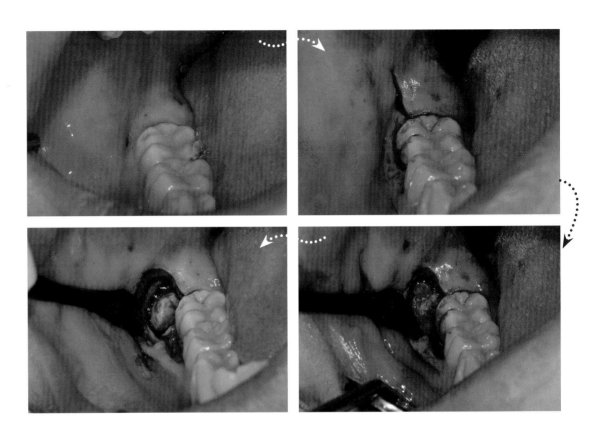

Imágenes de casos después de la incisión, colgajo y remoción de hueso bucal

Mi filosofía es minimizar el colgajo y la remoción quirúrgica de hueso bucal. La mayoría de los colgajos y la remoción de hueso están hechos para mejorar la visualización en la extracción. Si el remanente del diente es difícil de visualizar después de hacer la incisión y el colgajo, usamos pieza de alta velocidad para remover el hueso bucal del tercer molar; sirve para retraer el tejido blando alrededor del diente y mejorar la visualización del diente.

Sin embargo, el hueso bucal debe ser eliminado de manera suficiente en los casos que se requiera. Especialmente en casos donde el tercer molar es localizado bucalmente o donde el hueso alveolar se localiza encima del tercer molar. Cierto grado de hueso debe ser removido.

La mayoría de los dentistas tienen dificultad para seccionar la parte mesial de la corona. La razón más común es que el aspecto bucal de la corona no es removido adecuadamente. La superficie lingual de la corona no es completamente cortada y el remanente es fracturado con un elevador. Es necesario seccionar la superficie bucal completamente. Dentistas experimentados son buenos seccionando la superficie bucal del diente. Pero, los nuevos dentistas no pueden seccionar completamente dicha superficie. Para los nuevos dentistas, es importante seccionar completamente a través de la superficie bucal (es más fácil de visualizar y es más seguro en comparación con la superficie lingual) para ayudar a seccionar la parte mesial de la corona, incluso si no hay suficiente seccionamiento en la superficie lingual. Especialmente para los nuevos dentistas, recomiendo eliminar una cantidad suficiente de hueso hasta el punto de que la superficie vestibular del tercer molar se visualiza claramente.

02

Nuevo método de colgajo mucoperiostico y remoción de hueso bucal ★★★ recomendado para nuevos dentistas

Como mencioné anteriormente, la visualización del campo de operaciones es crítica para los nuevos dentistas. Es bueno que se esfuercen en minimizar la incisión, retracción y remoción de hueso. Pero, es necesario hacerlo después de alcanzar experiencia con las extracciones de terceros molares. Nuevos dentistas necesitan concentrarse en si pueden extraer el tercer molar o no, más que en minimizar lo anterior. Este esfuerzo se hará cuando se obtenga más experiencia extrayendo terceros molares. Hay una frase que le digo a mi audiencia en lecturas de implante: "El colgajo para cirugía de implantes no es para aquellos que no conocen como hacer un colgajo, sino para los que son competentes haciendo colgajos". Algunos dentistas se interesan en la cirugía con colgajos como una experiencia para realizarlos, pero es peligroso tanto como tratar de volar antes de caminar.

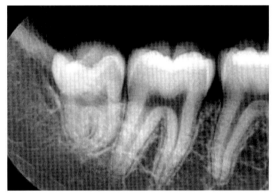
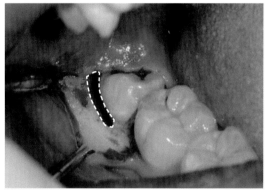

■ Yo no lo hago así, pero pueden observar la incisión clara, reflexión del colgajo, y remoción de hueso bucal por un cirujano maxilofacial

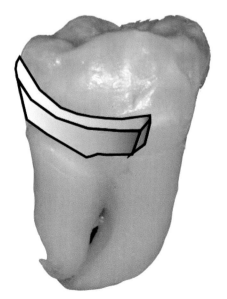

La fotografía fue tomada de la lectura de extracción de tercer molar por mi colega, quien es cirujano oral. Si fuera el operador, no habría hecho colgajo, remoción de hueso bucal o incisión.

Pero en algunos casos, es importante usar el método de arriba. Especialmente para los que apenas comienzan, pueden poner en práctica su habilidad en incisión, retracción, remoción ósea y sutura paso por paso. Así es como los residentes de cirugía oral y maxilofacial han aprendido a extraer dientes durante su residencia. Incluso cuando algunos dentistas no tengan confianza en su habilidad, este método les ayudará a hacer la extracción más fácil y exitosa. En la siguiente página observaremos otro caso del Dr. Min-Kyo Seo.

03
Colgajo mucoperiostico y remoción de hueso bucal recomendada por ★★ cirujanos orales

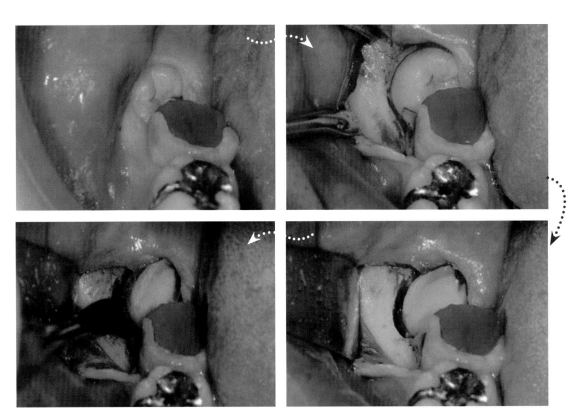

Vamos a concentrarnos en el uso de elevadores como en el caso de arriba. Es difícil usar un elevador amplio como este para remover el hueso de la superficie bucal del tercer molar. Porque uso el elevador EL3C, en vez de remover el hueso bucal para utilizar el elevador, solo eliminaba una cantidad de tejido blando para visualizar el campo de operaciones. Para alguien que usa un elevador como el mío es mejor remover el hueso bucal de manera profunda y estrecha. Una fresa de fisura es comúnmente usada para esto. La razón por la cual los cirujanos orales comúnmente usan la fresca en sus extracciones es porque es buena eliminando quirúrgicamente el hueso.

De acuerdo a mi experiencia, cirujanos orales prefieren usar este tipo de elevador. Es usualmente corto, amplio, y fuerte con un amplio arco en forma de círculo. Sin embargo, el elevador no puede ser insertado entre el hueso alveolar y el diente en su estado natural, y solo puede ser usado cuando el hueso es removido.

▬ Hu-Friedy EL4S: el elevador usado por un cirujano, que es mi amigo de hace mucho tiempo

Dr. Kim y el tercer molar ★★

Disfruto las extracciones de terceros molares, no solo porque he realizado muchas, sino disfruto del procedimiento. Personalmente me desagrada preparar el diente. Crecí más interesado por la cirugía oral y periodoncia que la prostodoncia.

La fotografía de arriba es de un grupo de soldados que vinieron a mi clínica durante su descanso para la extracción de los terceros molares. Tomé muchas fotos durante ese tiempo ya que había crecido una barba por la primera vez. Algunos de los soldados al final decidieron no realizar la extracción ya que querían tomar unos tragos en su descanso. Pero me hizo sentir orgulloso cuando la generación más joven me reconoció.

Para mí la extracción de tercer molar es como pescar. Solo porque a algunas personas no les gusta comer pescado no significa que no disfruten ir de pesca. No puedo dejar de hacer extracciones de terceros molares. Es una bendición que puedo disfrutar en la clínica dental, cuando sé que hay personas que invierten mucho tiempo en viajar para obtener la misma sensación.

En el primer capítulo, quiero explicar brevemente mi filosofía del porque disfruto extraer terceros molares y termino haciendo demasiados. Así que, si estás interesado solo en la técnica de extracción, puedes pasar al siguiente capítulo. Sin embargo, es posible que se pregunten por qué he escrito tantos "alardes" aleatorios sobre mí. Quiero que sepan que el contenido de este libro es el resultado de mi experiencia realizando innumerables extracciones más que cualquier otro, y piensen en mis "alardes" como una forma de aumentar mi credibilidad. O pueden pensar que desde que soy periodoncista, he exagerado mi experiencia con casos de periodoncia completa.

Introducción y capítulo 05 traducido por.

Dr. Andrés Palencia Garza

Médico cirujano odontólogo egresado del Instituto Tecnológico y de Estudios Superiores de Monterrey (ITESM) Estancia académica y observacional en el servicio de cirugía oral y maxilofacial del Hospital Regional General Ignacio Zaragoza ISSSTE en la Ciudad de México Actualmente residente de tercer año en el curso de especialización en cirugía oral y maxilofacial de la Universidad Autónoma de Nuevo León (UANL) en el Hospital Metropolitano "Dr. Bernardo Sepúlveda" SSA, Monterrey, Nuevo león, México

Me siento afortunado de poder participar en la traducción de este libro. La extracción de terceros molares es una disciplina que todo dentista debe dominar y quienes deseen mejorar su técnica y calidad de procedimientos, el libro les ofrecerá una gran cantidad de consejos fundamentados en la extensa experiencia del Dr. Young-Sam Kim. Los pacientes merecen procedimientos de calidad y estoy seguro que este libro podrá ayudar a aquellos quienes deseen lo mismo para sus pacientes.

Elevador para la extracción de terceros molares

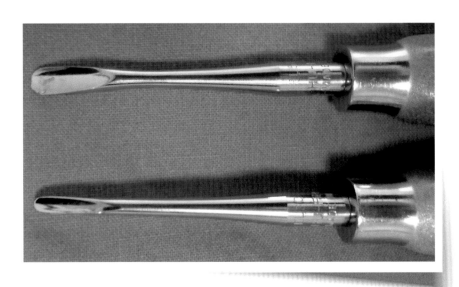

El elevador es muy importante para la extracción de los terceros molares. No entendía por qué este instrumento se le llamaba "elevador" en las etapas iniciales de mi entrenamiento de extracción de terceras molares. Creí que solo servía para crear un espacio entre la raíz y el hueso alveolar. Aprendí por qué el instrumento se llamaba elevador tras haber realizado más extracciones. Es utilizado para "elevar" la raíz del diente dentro del estrecho hueso alveolar. He visto muchos luxadores en recientes exhibiciones dentales, utilizados para aumentar el espacio entre la raíz y el alveolo. No cuento con ninguno de los anteriormente mencionados. Los luxadores no son necesarios si se usan los elevadores apropiadamente, especialmente si son elevadores delgados y curvos como los que yo uso. Un elevador inicialmente puede funcionar como luxador, insertándolo entre el espacio entre la raíz y el hueso alveolar, y posteriormente como elevador al momento de levantar el diente en el espacio LPD.

Veamos de una manera más detallada el uso del elevador.

01
Elevador del Dr. Young-Sam Kim ★★★

Personalmente me encanta utilizar éste elevador, Hu- Friedy EL3C. Mi habilidad en el procedimiento de extracción depende ampliamente en el uso de éste elevador. Su punta delgada y curva permite entrar al espacio del ligamento periodontal sin la remoción del hueso. Es tan preciado que la extracción de los terceros molares de Kim Youngsam no existiría si no fuera por el Hu-Friedy EL3C. He recomendado este elevador a otros colegas y la mayoría lo encuentran muy satisfactorio. Además, es muy duradero.

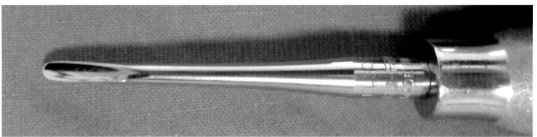

■ Llamo al EL3C elevador, pero los representantes de ventas de Hu-Friedy lo llaman luxador. En el catálogo está clasificado como elevador de luxación (luxating elevator). Los verdaderos elevadores reciben la letra "E" en lugar de "EL". He llamado al EL3C como elevador desde que comencé mi práctica y la mayoría de mis colegas lo conocen como elevador. Gracias a la numerosa cantidad de procedimientos de implantología y periodoncia, existen en el mercado luxadores muy finos y largos y para separarlos del EL3C. Considero que es sabio llamarlo elevador. Elevador de luxación (luxating elevator) sigue siendo un elevador. :)

¡Referencia!

Esto proviene de Hu-Friedy de América. En el modelo EL3C, el numero 3 significa 3 mm (ancho del elevador) y la C significa curvo. El elevador EL5C que a veces uso, es práctico cuando existe un espacio del LPD aumentado o cuando un diente es seccionado con una fresa de bola gruesa #6 (>1.6 mm). El EL5C no pertenece a mi kit de extracción sino que lo mantengo en una bolsa separada para usarlo solo en caso de ser necesario.

Otro elevador de uso común para los COMF es el EL4S, el cual el numero 4 significa 4 mm de ancho y la S significa Recto (straight), como alguno de ustedes pudieron darse cuenta. Esta es la manera en que los elevadores de uso común se nombran.

02
Elevadores recomendados por mis colegas ★

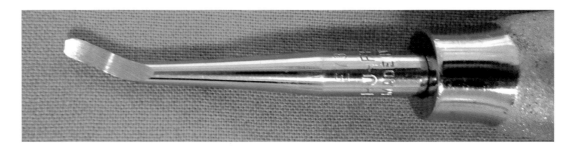

Algunos de mis colegas mayores han recomendado altamente este elevador; que es muy útil para terceros molares mandibulares incluidos verticalmente. Yo recomendaría el uso del EL3C en lugar de este elevador, ya que tendríamos que estar equipados para el uso con mano derecha e izquierda y solo puede usarse en casos seleccionados.

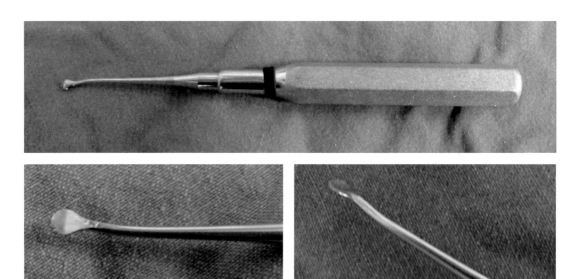

Compañeros odontólogos han recomendado esta cureta recta (Hu-Friedy CM2); es delgada, lo cual sería útil para insertarla dentro del espacio del ligamento periodontal sin remoción de hueso. Pero, el acceso pudiera dificultarse debido a su terminación recta. También este instrumento es más frágil. Sin embargo he visto he visto a muchos colegas utilizar este elevador en conjunto con otros instrumentos.

Todos los instrumentos tienen sus ventajas y desventajas, pero es más importante familiarizarse con un instrumento en particular. Por lo anterior, considero que utilizar varios instrumentos diferentes puede resultar contraproducente en términos de familiarizarte con tus instrumentos. Es por esto que utilizo el Hu-Friedy EL3C la mayoría del tiempo y numerosos odontólogos que usan este instrumento como recomendación mía lo encuentran muy satisfactorio.

03
Elevadores que uso en ocasiones

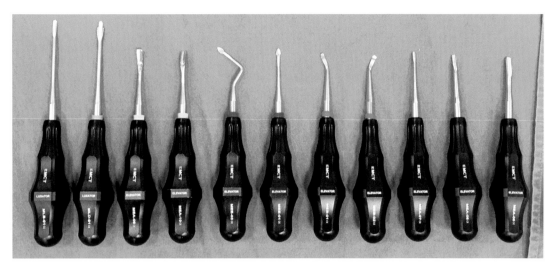

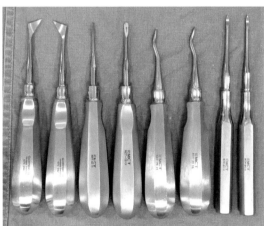

Realizo muchas extracciones y en ocasiones debo extraer terceros molares en posiciones inusuales y/o con formas radiculares únicas. Aquí es cuando uso estos elevadores especiales. Sin embargo no utilizo instrumental Hu-Friedy costoso ya que su menor frecuencia de uso significa que no es rentable. Almaceno una variedad de elevadores de precios promedio. No siempre se tiene que comprar el instrumento costoso por cada artículo, ya que "más barato" no significa que se romperá después de uso mínimo. Estos pueden encontrarse en www.2875mart.co.kr

Tras haber extraído miles de terceros molares en un lapso de tres años, raramente he usado otros elevadores que no sea el EL3C. Sin embargo, de manera intencional trato de utilizar otros instrumentos para familiarizarme con ellos y en dichos casos, procuro tomar fotografía del órgano dentario extraído junto al instrumento utilizado.

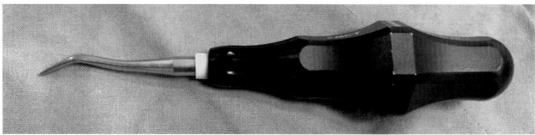

Este es el elevador que utilizo en ocasiones para terceros molares maxilares. Está indicado para caninos; sin embargo, uso este elevador cuando no hay acceso bucal y si el diente está incluido verticalmente. 97-98% de las veces utilizo el EL3C y en 1% de los casos utilizo el elevador de arriba. El resto de los elevadores y localizadores de ápices conforman el 0.1%. Mencionaré el 2% restante en las siguientes páginas.

¡Referencia!

Principio de palanca

La palanca es un principio muy importante. Es bueno recordar los siguientes tipos de palanca

Elevar un colgajo basado en los principios de palanca

Tipo 1

Tipo 2

Tipo 3

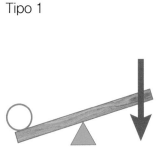

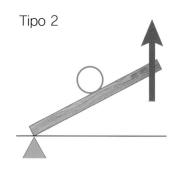

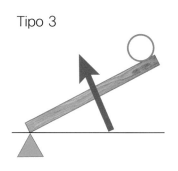

Imagen explicando los tipos de palanca. El video está en coreano, así que solo observen.

04
Cómo usar el elevador ★★★

La extracción depende de la técnica, no de la fuerza. Por supuesto que es mejor aplicar la fuerza adecuada, pero la extracción no se torna tan difícil incluso si no se cuenta con la fuerza necesaria. El elevador es una palanca que puede incrementar exponencialmente la fuerza aplicada si se conoce el principio. No existe un caso de extracción que no se pueda completar debido a carencia de fuerza. El elevador hace de la extracción dental algo fácil. Creo que el principio más importante durante el uso del elevador es nunca insertarlo en la tronera del 7.

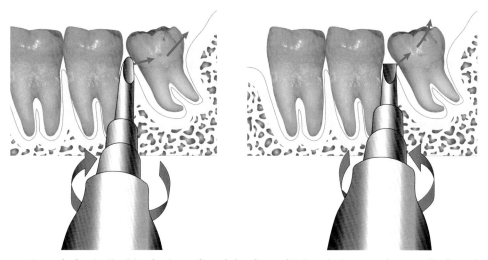

— Esta es la descripción típica de cómo utilizar el elevador en el 7. Esta técnica es usualmente utilizada en el maxilar y de vez en cuando en la mandíbula.

Es muy importante no insertar en el levador en la tronera del #7 para extraer la #8. ¡No puedo enfatizarlo más! Una complicación muy común que lleva a muchos colegas a dejar la extracción de terceros molares es sensibilidad en el 7. Sin mencionar el agrietamiento del 7 durante la extracción de terceros molares, muchos mencionan que la #7 se ha vuelto sensible posterior a la eliminación de la 8.

¿Qué causa esto? Puede ser daño temporal al ligamento del #7. Pero cuando perdura por algunos meses es debido a agrietamientos o daño a nivel cervical del 7 causada por la elevación mostrada en el diagrama superior. El dolor pudiera llevar a tratamiento endodóntico o extracción. Muchos dentistas evitan la extracción de terceros molares, no por el sangrado o el posible daño nervioso, sino por la queja del paciente al continuo dolor crónico en el #7. Puede ser algo frustrante al no presentar signos visibles. Algunos pudieran asegurar que es por la exposición de la superficie distal pero en muchos casos el dolor no cederá por sí solo.

¿Entonces dónde debo usar el elevador y cómo?

05
La base de la extracción es el principio de palanca ★★

Veamos un corto video

▬ Un clip, se utilizó la apertura de una botella para demostrar los principios de palanca que se utilizan en la extracción de terceros molares

Esto lo subí hace unos años cuando empecé a dar conferencias sobre extracción de terceros molares. Consideremos la tapa de una botella. Incluso si se es muy fuerte, es muy difícil remover la tapa de una botella sin la herramienta apropiada. Es fácil utilizando un abrebotellas. Aunque yo puedo abrirla bastante fácil si tengo cualquier herramienta dura y angulada, ya que utilizo el principio de palanca. Lo mismo aplica para las extracciones. No debería realizarse como si se extrajera algo de la tierra, sino como si se retirara un imán de un pizarrón. La extracción es similar a la apertura de una botella y no a la extracción de una zanahoria del suelo.

Esta es una anécdota mientras daba una conferencia y cirugía en vivo de extracción de terceros molares el mes pasado. Estaba demostrando cómo extraer un tercer molar mientras explicaba el principio de palanca. Enfaticé la importancia de encontrar un punto de apoyo y lo fácil que es extraer un tercer molar con el anclaje siendo éste el correcto

Dije "si tienen problema extrayendo un tercer molar incluido verticalmente, es porque no está bien colocado. Puedes ejercer una enorme cantidad de fuerza siempre y cuando se esté bien colocado en el punto de apoyo".

Uno de los asistentes era un poco suspicaz y preguntó "¿y si de todas manera sigue sin salir?"

Luego contesté "siempre y cuando tengamos una buena colocación, el diente al menos se romperá aun sin ser extraído". Al mismo tiempo, coloqué un elevador y aplique presión, y el tercer molar salió partido por la mitad.

Creo que el elevador puede demostrar mucho más fuerza que el fórceps si pudieran utilizar el principio de palanca. Si rompes la porción coronal del tercer molar y terminas el caso de ésta manera, se considera una coronectomia exitosa.

06
¡El elevador nunca debe resbalarse! ★★★

El uso del elevador reside en el principio de palanca básica; es la técnica, no la fuerza. El factor más importante para que la palanca funcione a su mejor potencial es el punto de apoyo. El elevador no debe resbalarse dentro de la boca y depende si éste está bien colocado para evitar deslizamientos. Cuando no se realiza una remoción de hueso durante la extracción, existe un incremento de probabilidad de resbalo del elevador, así que el clínico debe ser muy cauteloso. Yo ocasioné un desgarro de 7-8 cm en la laringe de un paciente mientras extraía una #38, sentado del lado derecho del paciente. No fue mucho tiempo después de haberme graduado de la universidad y tampoco me sentía confiado con las suturas. Afortunadamente no hubo mucho sangrado ni dolor así que pude terminar con un par de puntos simples. Desde entonces siempre me aseguro que mi elevador esté bien colocado en el punto de apoyo antes de ejercer cualquier tipo de fuerza y asegurarme que no se resbale. Si está usando un elevador delgado y afilado como el EL3C que uso, es crucial revisar que el elevador esté fijado en el punto donde quisieras transmitir la fuerza. Adicionalmente utilizo mi codo y mi otra mano para descansar y minimizar el daño en caso de que ser resbale. He escuchado peores casos en los que el elevador presionó bucalmente perforando extra oralmente causando mayor desgarro en la laringe del paciente.

Como los residentes son principiantes, remueven hueso vestibular para crear un canal. Sin embargo, esto resulta en un debilitamiento del hueso alveolar donde el elevador trabaja buscando un punto de apoyo, siendo este más difícil de encontrar. La mayoría de las veces no remuevo el hueso a menos que éste se encuentre por encima del contorno o de la superficie oclusal. Prefiero remover el parte del diente dentro del alveolo para crear espacio y extraerlo. Pero si eres relativamente nuevo, no es mala idea practicar usando una fresa de fisura (008 o 010) o fresa redonda (menor tamaño que la 4) para crear el canal para que el elevador no se resbale. Revisa el capítulo anterior (extracción y eliminación de hueso vestibular).

La seguridad siempre es primero. Por favor no cometan un incidente que les haga sentir triste.

Como en muchos de los accidentes viales, los accidentes clínicos suceden cuando se piensa que tenemos mayor seguridad. Es por eso que siempre debemos ser cautelosos. Yo sigo prestando atención para asegurarme que mi elevador no se resbale mientras realizo extracciones.

07
Solo utilizo esto… si solo me permiten un instrumento ★

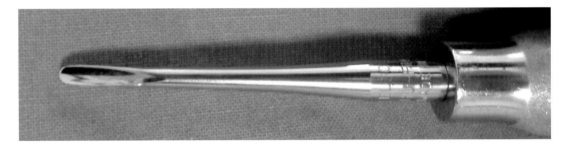

90% de mi habilidad para la extracción proviene de este elevador. Pensarían que repito las mismas palabras una y otra vez, pero así de importante es este elevador. Entremos al mundo del Hu-Friedy EL3C: delgado, afilado, pero durable.

Pero debido a su característica delgada y afilada, insistiré en que sean extra cuidadosos en entapas iniciales de carrera clínica. De lo contrario el EL5C con 5 mm pudiera ser una opción más segura. Incluso a los clínicos más experimentados, recomiendo ampliamente utilizar estos elevadores. Se puede realizar la mayoría de las extracciones sin eliminación de hueso y su punta curveada lo hace útil para los 8 superiores.

¡Espera!

Es mi principio extraer los terceros molares en el día ★
de la consulta

Recientemente contraté dentistas asociados, lo cual me ha permitido un poco de tiempo extra. Aun así, veo un promedio de 25 pacientes diarios y la mitad de ellos son para extracción de terceros molares e implantes. Es mi principio extraer los terceros molares el día de la consulta, ya que muchos pacientes vienen de muy lejos o piden un día en el trabajo para extraerse los terceros molares. Haciendo lo anterior rutinariamente ha resultado en incremento de la eficiencia y ha atraído a más pacientes para extracción de terceros molares. Adicionalmente, realizar solo extracciones de terceros molares, no sería para nada rentable y es por eso que no puedo gastar mucho tiempo en realizar extracciones aunque me encante hacerlo.

08
Mi humillante historia

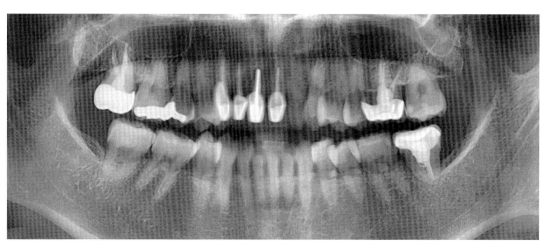

Este es el #37 reimplantado posterior a la extracción hace 15 años. Considerando que la condición periodontal del paciente no es del todo excelente, #37 no se encuentra mal en este caso.

He referido 2 pacientes en mi carrera entera para extracción. El primero fue por mi severo dolor de espalda por escoliosis hace 7-8 años; no soporté el dolor por el tiempo quirúrgico prolongado y tuve que referirlo a un cirujano oral.

El otro caso es un poco impactante. Fue hace 15 años cuando recién salía de la escuela. Mi colega me estaba ayudando con un tercer molar inferior incluido horizontalmente, pero accidentalmente retiró el del frente. Afortunadamente fue reimplantada de inmediato, se realizó tratamiento de conducto radicular y colocación de corona. Este paciente sigue siendo mi paciente regular.

¡Espera!

Sigo mejorando en mis extracciones

En etapas tempranas de mi carrera, creía que era muy bueno para las extracciones, pero estaba mejorando mientras hacía más casos. Admito que era algo arrogante al pensar que era el mejor y que nadie lo hacía mejor que yo. Cuando sentí que ya no estaba mejorando empecé a preparar cursos de extracción de terceros molares. Cuando preparaba para el seminario empecé a buscar cómo otras personas lo hacían y me di cuenta que habían muchas otras técnicas. Empecé a incorporar estas técnicas y comencé a mejorar. Fui muy humilde en aquella etapa.

Hay una frase que dice: "La mejor manera de aprender es enseñar". Es por eso que hago el seminario cada año y espero que escribiendo este libro tenga el mismo resultado.

09
Hu-Friedy EL5C con punta más amplia ★★★

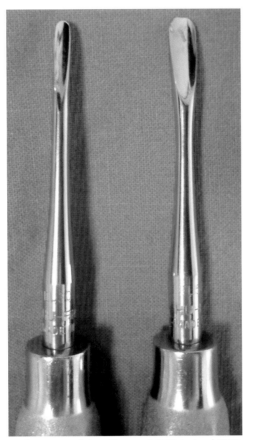

━━Esta es una fotografía con el EL3C junto al EL5C. 5C no es el doble del ancho del 3C pero en mis ojos se ven más del doble de ancho.

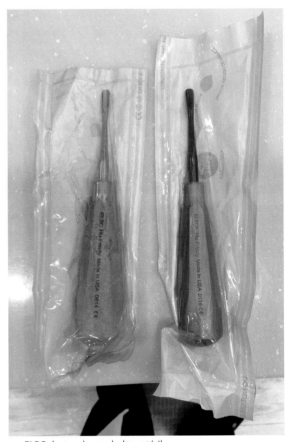

━━EL5C dentro de una bolsa estéril

Debido a la alta frecuencia del uso, EL5C está dentro de su propia bolsa estéril para poder utilizarlo fácilmente. Como el EL3C es muy afilado, recomiendo comenzar con el EL5C para los principiantes. Normalmente el elevador recto más utilizado es de 4 mm de ancho y para los dentistas acostumbrados a este elevador recomiendo usar el 5C antes del 3C.

Este elevador no está en el kit básico de extracción; está siempre separado en su bolsa estéril y se utiliza solo cuando es necesario. Cuando el espacio del ligamento periodontal se encuentra aumentado debido a la inflamación alrededor de terceros molares erupcionados verticalmente o cuando el diente es seccionado con una fresa gruesa de al menos 6, utilizo el elevador EL5C un 2% de las veces.

El elevador negro de la fotografía de arriba es un producto nuevo de Hu-Friedy, con un mejor tratamiento de superficie. Hasta ahora estoy muy satisfecho.

10
Comparación del ancho de los elevadores ★

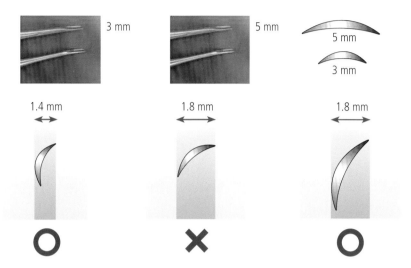

■ Esta imagen ilustra que si un elevador de 3 mm va a un espacio más ancho, puede estar inactivo. Los diferentes espacios pueden crearse por la fresa #4 o #6. Los elevadores de 3 mm pueden ser útiles sin eliminación de hueso en espacios angostos, pero si el espacio se ensancha, se torna difícil posicionarlo.

■ Esta imagen ilustra como un elevador de 5 mm trabaja en espacios más anchos. El espacio ha sido creado con una fresa redonda #6. Pero puede ser utilizado en casos donde el espacio es demasiado ancho para que un elevador de 3 mm se posicione correctamente. Utilizo el elevador de 5 mm para extraer terceros molares inferiores incluidos verticalmente donde la inclusión no es muy profunda y cuando hay pérdida ósea vestibular debido a la inflamación que hace del espacio demasiado ancho para un elevador de 3 mm.

Elevador de 3 mm (EL3C) no puede ser utilizado si se utilizó una fresa redonda #6 (1.8 mm) para seccionar el diente. Por eso una fresa redonda #4 (1.4 mm) se utiliza para remover la parte coronal del diente. Si existe un espacio del ligamento periodontal aumentado o una gran hendidura que haya sido creada por la remoción de una parte del diente, el elevador de 5 mm se vuelve útil.

Cuando no haya muchos casos de extracción de terceros molares, recomiendo que incluyan un EL5C por cada tres EL3C. En cambio si se realiza con mayor frecuencia, un EL5C por cada cinco EL3C sería preferible. Pero si se realiza osteotomía de hueso frecuentemente o se utilizan fresas redondas grandes, será sabio tener más EL5C preparados.

¡Espera!

Varias discusiones sobre la extracción del tercer molar <2>

Elevador o fórceps. ¿Cuál prefieres?

Elevador vs. Fórceps

La mayoría de los clínicos piensan que es ´cool´ usar el elevador para las extracciones en lugar del fórceps. Claro que depende del profesor/clínico demostrador y qué instrumento estaba permitido y te hayan enseñado a utilizar. Lo anterior pudo haber causado que los elevadores y los fórceps sean totalmente contrarios uno del otro, pero no lo son. Cada instrumento tiene su propio uso. Uso frecuentemente el elevador, pero cuando el diente puede extraerse con el fórceps, uso el fórceps primero. Fórceps es utilizado en primera instancia especialmente en los casos en que los terceros molares inferiores están casi totalmente erupcionados haciendo complicada la elevación vestibular o para terceros molares superiores totalmente erupcionados. Si existe suficiente hueso vestibular para usarse como punto de apoyo, usaría el elevador primero. Pero si es necesario realizar osteotomía para crear el punto de apoyo o utilizar el diente contiguo como punto de apoyo, es ventajoso utilizar un fórceps primero. A lo largo de los capítulos, mencioné cuál instrumento es mejor en distintas circunstancias, así que no lo volveré a mencionar pero el elevador y el fórceps son complemento mutuo no contrario de cada uno.

Fórceps para extracción de terceros molares

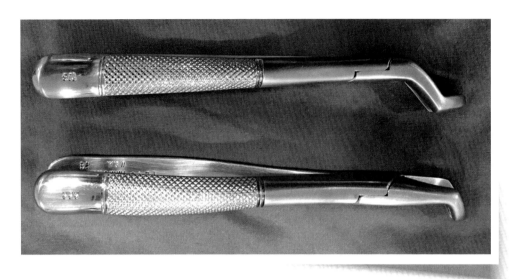

Así como me gusta usar instrumentos familiarizados, el fórceps que utilizo con mayor frecuencia, aunque sean costosos, es de Hu-Friedy. Ya que el fórceps es muy durables, no se rompe aún después de 10 años de haberlo usado frecuentemente. El fórceps que utilizo se clasifica en superior e inferior y no izquierda o derecha. Y entre más lo uso más me voy familiarizando con su uso apropiado y donde ser cauteloso. En mi opinión, los dientes tienen distinta anatomía, e incluso si usa diferentes instrumentos para cada caso, será más difícil familiarizarse con ellos.

01
El fórceps del Dr. Young-Sam Kim – Hu-Friedy ★★★

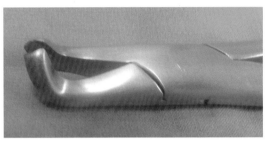

Para inferiores, utilizo el Hu-Friedy 222. No utilizo fórceps con cuñas o picos en sus bocados, ya que es mejor familiarizarse con un solo instrumento. El fórceps con cuñas o picos en los bocados no realizan un buen agarre en los dientes unirradiculares o terceros molares sumergidos. Utilizo este fórceps ya que puedo extraer el diente sin importar su forma de la raíz.

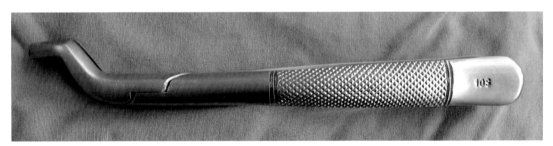

Para terceros molares superiores, utilizo principalmente el Hu-Friedy 10S. Es universal sin especificación de derecha o izquierda. Hay fórceps con cuñas que permiten que el maxilar encaje en el medio de la raíz bucal, pero no los utilizo por la misma razón que en la mandíbula. A parte del primer molar superior, el fórceps con cuña tiene un uso muy limitado debido a los diversos tipos de anatomía de terceros molares. Hasta ahora no he tenido dificultades extrayendo terceros molares con solo estos dos fórceps.

02
La comparación entre los clamps para un dique de goma y las puntas del fórceps

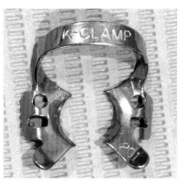 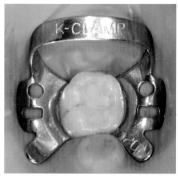 

¿Por qué los clamps para el dique de goma lucen así? Un corte a través del fórceps luce similar a la forma del clamp, excepto que el clamp tiene la elasticidad para prevenir daño a las raíces de los dientes. Es por la forma de éste que le permite obtener un agarre firme en el diente justo debajo de su máxima circunferencia. Utilizo los clamps para revisar si existe un buen agarre antes de decidir usar el fórceps. Es un punto clave utilizar el fórceps antes de usar el elevador si el clamp refleja un buen agarre en el diente.

  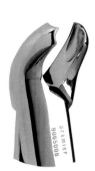 

Pero algunos fórceps tienen una cuña en las puntas; para los mandibulares, tiene una en cada lado en vestibular y lingual y en los superiores tiene una cuña en bucal. Esto permite un agarre firme hasta la furcación del diente. Sin embargo, al menos que exista una enfermedad periodontal severa, es muy difícil que la cuña se extienda hasta la furcación y aún más difícil en los terceros molares debido a la incrementada altura de hueso alveolar.

Imagínense que el clamp tuviera una cuña en medio, interferiría con su posicionamiento. Es por esto que utilizo un fórceps universal sin cuñas. Muchos fórceps con cuñas están limitados para uso sobre las 6 y las 7, dependiendo del fabricante. Nunca recomendaría usar estos para las 8 y ni siquiera para las 7 ya que existen muchas variantes y algunas no tiene furcación. Incluso si un fórceps tiene 4 puntos de agarre (las esquinas en cuña) solo se posicionaran 3 puntos en la mayoría de los casos causando que el fórceps se resbale cuando se intente movilizar el diente.

Tengo un solo fórceps con cuña el cual solo lo utilizo cuando hay una destrucción coronaria extensa con reabsorción ósea lo que permite al fórceps extenderse hasta el área de la furcación. No he usado este fórceps en años estando haciendo miles de extracciones de terceros molares.

03
En la clínica del Dr. Tae-Hee Lee en Australia…

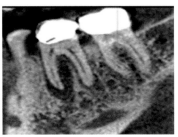

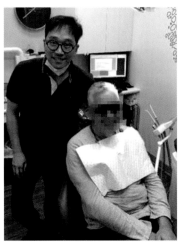

Esta es la radiografía del diente que fue extraído y el diente extraído con el fórceps utilizado. La fotografía fue tomada con el consentimiento de los pacientes en la clínica del Dr. Tae-Hee Lee.

Este fórceps con cuñas fue ideal para el diente en la radiografía de arriba el cual tenía una furcación y contaba con una corona. Sin embargo, este tipo de fórceps está diseñado para molares inferiores por lo que no sería ideal para extracción de terceros molares

Grandes fabricantes como Hu-Friedy y Premier aconsejan a los clínicos utilizar este fórceps caso por caso. Pero yo nunca lo recomiendo para terceros molares inferiores. Además de la situación de resbalo, la dirección en la que el fórceps se mueve no es en la dirección de extracción del tercer molar. Si es utilizado incorrectamente, pude dañar la superficie distal de los 7.

■ Hu-Friedy y Primer fórceps para anteroinferiores y posteroinferiores

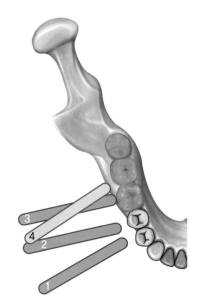

En el caso 1 y quizá en el caso 2 podría ser posible. Pero para el caso 3 sería imposible y se vería como en el caso 4. Esto pudiera causar daño en la superficie distal de la #7 al momento de su luxación. Al utilizar este fórceps para extracción de premolares, este necesita estar perpendicular a la superficie vestibular del diente. Idealmente sería mejor no utilizarlo como lo hago yo, a menos que se extraigan los anteroinferiores.

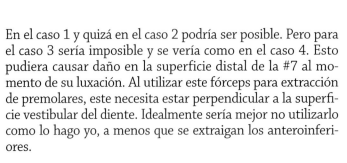

04
Nuevos Productos de Hu-Friedy

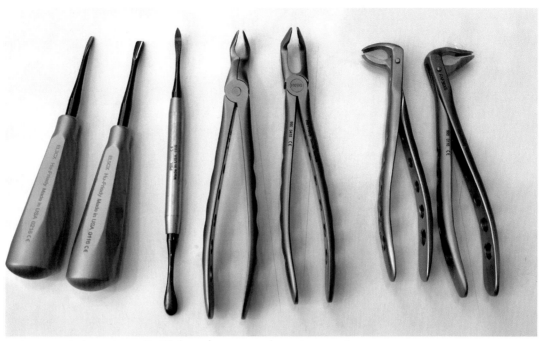

Los nuevos instrumentos por Hu-Friedy que fueron agregados a mi armamento

En 2016 me fueron regalados nuevos instrumentos de Hu-Friedy Corea. Fue por el efecto promocional a través de mis seminarios, y además estaban interesados en comentarios de mi parte acerca de los instrumentos. En realidad, quisiera expresar mi agradecimiento a Hu-Friedy por realizar buenos productos y dando paso a las extracciones sencillas de los terceros molares. Existen muchos instrumentos similares pero sin Hu-Friedy pude haber sido solo un ordinario dentista. Ya sea que esté hecho de otro material o solo sean productos nuevos, han estado recibiendo buenos comentarios por su agudez. Cómo y dónde utilizarlo sigue siendo lo mismo que la versión anterior.

Pero los nuevos fórceps son algo diferentes al modelo previo. Los nuevos fórceps tienen un poco más de elasticidad así que no estaba tan familiarizado con ellos, pero los utilizo rutinariamente cuando necesito fórceps con pinzas pequeñas. Mencionaré cómo se utilizan con mayor detalle posteriormente en este capítulo.

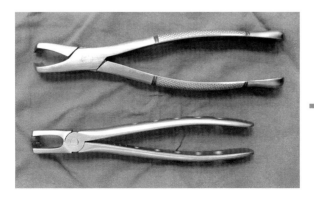

Comparación de la longitud de los fórceps nuevos y los existentes. Los nuevos son un poco más cortos. Creo que es para prevenir que los clínicos le apliquen fuerza excesiva ya que no es tan fuerte como el modelo pasado aunque los nuevos fórceps están hechos de un material especial.

05
Nuevos fórceps de Hu-Friedy con pinzas pequeñas ★

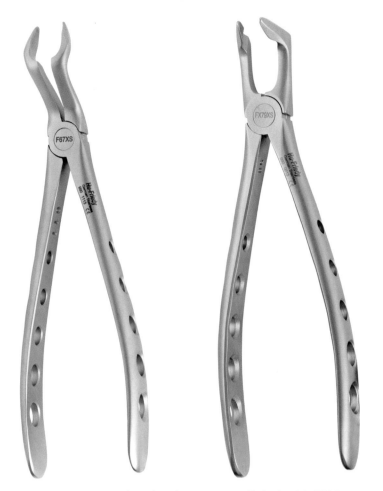

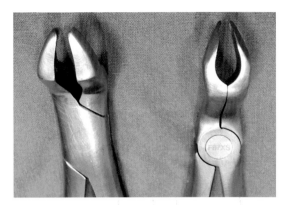

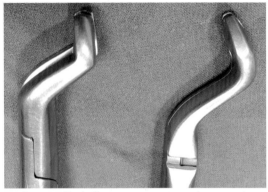

Comparación de fórceps para terceros molares superiores

Nuevos fórceps de Hu-Friedy con bocados pequeños y afilados (modelo F67XS y FX79XS)

No usaba éstos al principio, pero me han sido muy útiles en recientes ocasiones, especialmente para terceros molares superiores con una ligera inclusión vertical o tercer molar inferior posterior a la eliminación coronal/cervical. Estaba preocupado de romperlos debido a su elasticidad pero Hu-Friedy aseguró que está hecho de un metal más duradero y que es muy fuerte. Hasta ahora no se ha roto ni doblado. Aunque únicamente lo utilizo en ocasiones, pudiera ser utilizado con mayor frecuencia que otros clínicos debido a la mayor cantidad de extracciones que realizo.

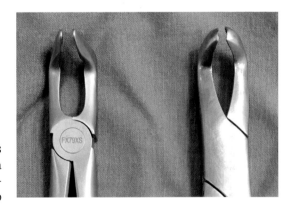

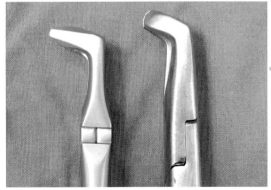

comparación de fórceps para terceros molares inferiores

06
Principios básicos de la extracción de terceros molares utilizando fórceps ★★★

Toma un firme agarre en el diente

El 60% de la fuerza se necesita usar para obtener un agarre firme en el diente y que el fórceps no se resbale. Realizo movimientos de vaivén no para luxar el diente, sino para asegurarme que tenga un agarre firme. Si no está seguro que el fórceps tenga un agarre firme, entonces nunca debe aplicar fuerza. Si el fórceps con cuña se resbalan pueden fácilmente dañar los dientes contiguos. En ocasiones rebota y lastima el diente opuesto. Cuando esté haciendo extracción con fórceps, por favor no olvide de revisar si tiene un agarre firme antes de aplicar la fuerza.

Los fórceps están hechos para girar, no para jalar

Este es el primer principio que enseño durante el seminario de extracción de terceros molares. Lo recalco de primera instancia si veo a un estudiante tratando de jalar. Pudiera tomar un poco de tiempo para dejar el hábito de jalar. Estoy seguro que alguno de los lectores realiza la extracción de esta manera. Esto hace la extracción más difícil y un día el diente adyacente será lastimado.

¡Por favor tengan en cuenta el diente adyacente!

Cuando agarren el tercer molar inferior, coloquen su dedo en el diente adyacente antes de aplicar la fuerza. Esto será explicado posteriormente en el capítulo. Para extracción de terceros molares superiores, no solo incrementarías la eficiencia, pero también se previene el daño al diente adyacente mediante la torsión.

Cuando tuerzas y menees el diente, limita la fuerza sobre el diente

Un día uno de mis asistentes me preguntó "¿cómo es que ninguno de sus pacientes de se queja de dolor de la articulación temporomandibular después de una extracción con fórceps? Mi dentista previo realizaba una décima de lo que usted hace y muchos se quejaban de dolor de ATM durante o después de la extracción". Yo simplemente contesté "es importante que la fuerza no se transmita hasta la articulación temporomandibular". Cuando abres la tapa de una botella, la fuerza solo necesita ser trasmitida a la tapa de la botella. Si la fuerza se transmite a toda la botella, hay un problema. Volveremos a lo anterior pero cuando meneas y rotas el tercer molar inferior con un fórceps, es crucial asegurarse que la transferencia de la fuerza a la ATM sea mínima. Para realizar lo anterior, el diente necesita estar en el centro de la fuerza de rotación del fórceps. Una vez familiarizado, podrás dividir la fuerza en diferentes partes del diente.

Cuando rotes el diente, por favor considera la forma de la raíz

Lo he mencionado anteriormente así como siempre se menciona en diferentes libros o clases. Pero no creo que sea un principio tan importante como los demás. Es importante también luxar el diente con el fórceps; entonces, considerar la forma de la raíz será de gran ayuda. Cuando tengo dificultad al extraer un diente con elevador o con fórceps, intento alternar dos instrumentos y puede ser de ayuda para luxar de acuerdo a la forma de la raíz.

07
Un buen agarre en el diente con fórceps ★★★

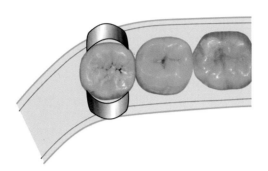 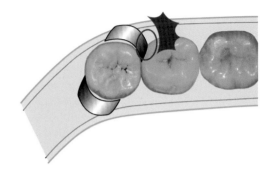

Cuando agarras un diente con un fórceps, necesitas estar muy firme. Si tu fuerza entera es al 100% cuando extraes una pieza usando fórceps, 60% de esa fuerza debe de ir en agarrar la pieza. Eso prevendría que el fórceps se deslice como en el diagrama de abajo. Es común pasar por alto la fuerza de deslice del fórceps. Esto puede dañar el diente contiguo debido a la fuerza de la palanca.

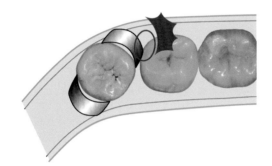 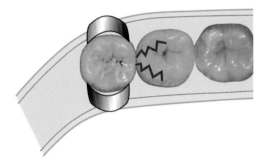

Mientras mueves el tercer molar con fórceps, el movimiento del diente puede dañar la parte coronal del diente adyacente incluso sin el desliz del fórceps. Terceros molares pequeños o con mucho giro, pueden provocar daño en el diente vecino inclusive con poco movimiento. No hagamos un incidente que te ponga triste en lugar de 99 incidentes que te hagan feliz.

Aunque el fórceps no se deslice o el tercer molar no roce el diente adyacente, aun así puede haber daño en éste durante la luxación del tercer molar. Cada fuerza que se aplica debe de ser dirigida lejos del diente adyacente.

Como el diagrama de la izquierda, si agarras un tercer molar y empujas el fórceps en la dirección de la flecha con el diente adyacente de frente, se partirá. Cuando el fórceps se desliza, el borde del pico golpea el diente adyacente mucho más fuerte que esto, por lo que debe ser muy cuidadoso. Si el diente adyacente está sensible al frío o calor después de la extracción del tercer molar, puede ser debido al daño de los fórceps.

Durante la primera sesión del curso sobre extracción de terceros molares siempre le pregunto a los presentes, ¿Qué les hace asistir al curso?, "Mientras yo observaba a mi dentista veterano extraer el tercer molar con fórceps, vi el diente adyacente quebrarse cuando el dentista comenzó a girar el tercer molar. Pensé que debía existir una técnica mejor y más segura", respondió un estudiante. Ella se dio cuenta que no es tan fácil extraer el tercer molar como lo creía. He escuchado la misma opinión de mis otros colegas y amigos. Por favor recuerden que los dentistas que no extraen terceros molares, no lo hacen por miedo a dañar el nervio. La técnica que aprendemos al principio es muy importante. Esos incidentes no deben de pasar ni de vez en cuando, ni en nuestra entera carreara. No ocasionemos un incidente que nos entristezca. Necesitamos apegarnos al principio.

¡Espera!

¿Qué tan bueno es el Dr. Young-Sam Kim en la extracción de ★ terceros molares?

Como he mencionado, puedo decir que en realidad soy mucho mejor que otros clínicos en extracción de terceros molares. Ellos son mejores que yo en otros campos de la odontología, así que las extracciones de terceros molares están probablemente fuera de sus intereses. La única y mejor manera en que puedo expresarme es con el número de extracciones que he hecho. Un día recibí una llamada de la "Oficina Nacional de Auditoria de Salud". Me dijeron que mi clínica había recibido la mayor aclamación por extracción de terceros molares. Estaba en la cima, con casi el doble de extracciones que las que se realizaron en la clínica en la segunda posición. Asumo que me llamaron por la excesiva demanda, pero las extracciones de terceros molares eran un tratamiento que otros dentistas no estaban dispuestos a realizar. No me molestaron más, solo tenían curiosidad, supongo.

Desde que mi práctica se sitúa en Gangnam, muchos pacientes no tienen el seguro nacional de salud, así como los residentes extranjeros y estudiantes internacionales. Así que el número actual de extracciones que hice será mayor al que la Oficina Nacional de Auditoria de Salud tendrá.

He preguntado las estadísticas exactas a la oficina, pero no pudieron brindármelas debido a cláusulas de privacidad. Por análisis que he hecho por años, mi clínica hizo el mayor número de extracciones de terceros molares del 2002 al 2011 (aquí es cuando abrió la clínica especializada en terceros molares) y ahora está aproximadamente entre el top 3 y el top 5 debido a la cantidad de clínicas que se abrieron en esta especialidad. Recientemente escuché a otro dentista decir que él había hecho el mayor número de extracciones de terceros molares en Corea, pero el numero era menor que la mitad de extracciones que yo realicé. A pesar de que mi clínica se posiciona entre el top 3 y 5 de extracción de terceros molares, reclamo mi clínica como la que ha realizado extracciones de terceros molares consecutivamente por el tiempo más prolongado. Esto es de extracción por clínica ya que es más difícil encontrar el número de extracciones por profesional.

08
Siempre considera el diente opuesto al usar fórceps ★★★

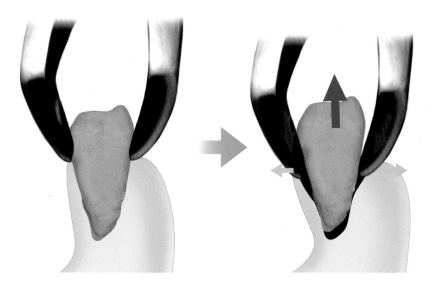

Para extracción de terceros molares inferiores debes de colocar tu dedo en el diente opuesto antes de aplicar cualquier fuerza. Para algunos clínicos masculinos, el fórceps puede rebotar solamente al agarrar el diente. Se requiere de mayor precaución en terceros molares con corona pequeña, pues cuando el fórceps rebota no se quiebra el tercer molar, sino que puede dañar los dientes anterosuperiores.

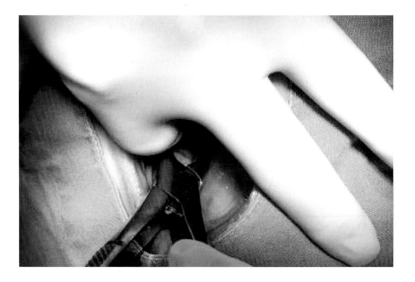

Cuando se extraen terceros molares inferiores con fórceps, el dedo debe colocarse en el diente opuesto después de agarrar el molar con la fuerza adecuada que prevenga el deslizamiento del fórceps; no es necesario mirar mientras giras y mueves el diente. Como se explica arriba, fórceps y/o los terceros molares pueden rebotar simplemente por sujetarlos y cuando un molar es extraído no es de manera gradual sino que brota de una intención del hueso.

09
Los fórceps son para girar no para jalar ★★★

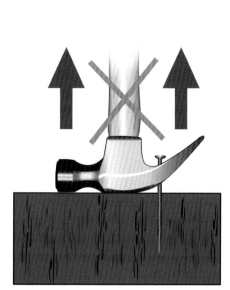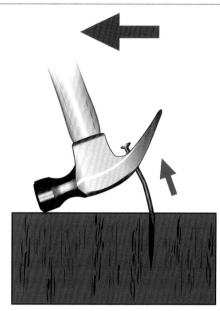

━━ Imagen que compara la extracción del tercer molar con la extracción de un clavo

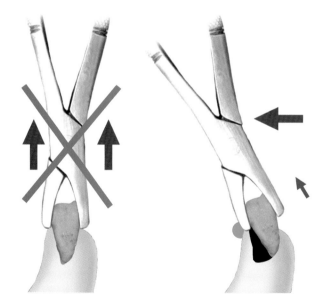

La imagen lo explica todo. La extracción del tercer molar es como quitar un imán de un metal, más que jalar un clavo. Por lo tanto, la fuerza instantánea es más crítica que la fuerza gradual. Si tratas de remover el clavo de la madera jalándolo, la base debe reposar sobre la madera para prevenir que se mueva hacia la misma dirección. Toda la fuerza necesita ser dirigida sobre el clavo y alrededor de la madera, no sobre ésta. Es por eso que la articulación temporomandibular puede doler si se mal usa el fórceps durante la extracción como resultado de fuerza excesiva transmitida sobre el ATM.

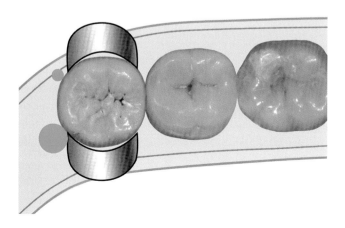

Cuando gires, haz el centro de rotación en hueso cortical distal sólido como en los círculos de la imagen. Eso hace la extracción más fácil y previene el daño del diente adyacente. No acostumbro luxar y prefiero girar. Pero si hay problema extrayendo solo girando, luxo un poco para tener la dirección correcta para aplicar la fuerza.

10
Nunca aplicar ninguna presión en el ATM ★★★

Mis asistentes dentales siempre me han preguntado cómo es que mis pacientes no sufren dolor de ATM en el postoperatorio incluso con el uso frecuente de fórceps, ya que es común durante la extracción de terceros molares inferiores o después de la extracción en las que se usan fórceps. Incluso pacientes de dentistas femeninas sufren de este dolor durante el procedimiento. Por el contrario yo tengo bíceps sólidos, creo que donde coloco mi centro de rotación es la clave para minimizar/eliminar el dolor del ATM. He visto muchos principiantes sosteniendo el tercer molar con fórceps, girando y jalando a lo largo del eje, y poniendo mucha presión en el ATM. El centro de rotación debe estar en el diente y alrededor, como se discutió en la página previa.

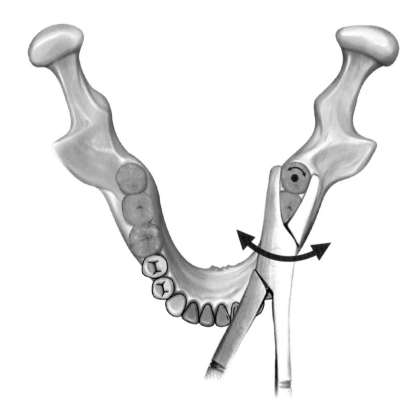

Dentistas en el inicio de su carrera tienden a agarrar el tercer molar con fórceps y girarlo anchamente a lo largo del eje vertical; esto puede provocar presión en el ATM. El fórceps debe dirigirse hacia el diente no al ATM. Esto es referente a la explicación de jalar un clavo fuera de la madera y abrir la tapa de una botella de cerveza. La fuerza es dirigida sobre el clavo y la tapa, no sobre la madera ni la botella. Esto tendrá más sentido entre más extracciones realices.

11
Gira considerando la forma de la raíz ★

▄▄▄El diagrama explica que el movimiento de giro debe seguir la forma de la raíz

Dependiendo de la anatomía de la raíz, rotar y girar el diente es considerado como regla, con lo cual concuerdo. Pero no debe de ser la única consideración cuando comienzas a girar el tercer molar. La radiografía es bidimensional mientras que las raíces son tridimensionales. Que tan elástico y denso sea el hueso alveolar alrededor de las raíces debe considerarse antes que la forma de las raíces. Cualquier practicante puede comenzar a girar de acuerdo a la forma de la raíz, pero, el hueso alveolar en esa superficie puede ser muy denso complicando la extracción. La extracción depende de la elasticidad del ligamento periodontal y hueso alveolar. Más importante, los terceros molares que están en función tienen más denso el hueso alveolar y el ligamento periodontal alrededor de las raíces, resultando así en una extracción más complicada que la de un tercer molar incluido y fuera de función.

En conclusión, no se debe confiar solamente en la forma de las raíces, sino que hay que aplicar la fuerza hacía varias direcciones. Luxa y sienta en qué dirección sería mejor aplicar la fuerza.

Por cierto, si no hay una tomografía computarizada (TC), la anatomía coronal de la raíz no se puede determinar como en el diagrama de arriba. Echemos un vistazo a la imagen del lado derecho. Si el hueso alveolar de la izquierda es lingual, las extracciones no pueden ser de la misma manera que en el diagrama de arriba. Es preferible girarla hacia bucal usando el hueso bucal como apoyo y elasticidad en el hueso alveolar lingual.

12
Considerar el centro de rotación cuando se gira con el fórceps ★

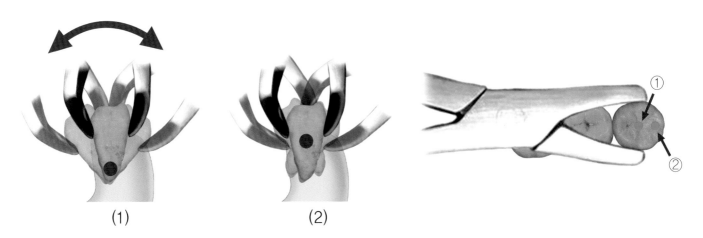

(1) (2)

Cuando el tercer molar es "sacudido", el centro de rotación necesita ser controlado. Entre más extracciones hagas, mejor serás en encontrar correctamente el centro de rotación. Serás capaz de concentrar la fuerza sobre el centro incluso usando un fórceps grande y largo. Cuando estoy ocupado y la raíz es delgada y curva, rompo la corona a propósito para extraer la raíz con el fórceps.

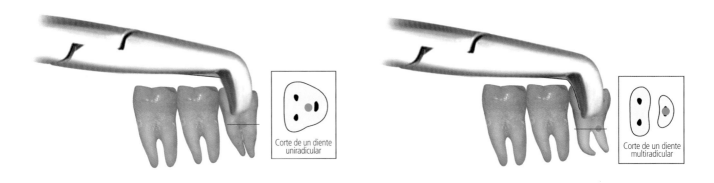

Corte de un diente uniradicular

Corte de un diente multiradicular

Como controles el centro de rotación será considerado según si el molar es unirradicular o multi-articular. Cuando te conviertes en un experto, romper la corona puede ser preferible para extraer la raíz. Es imposible explicar esto a través del texto o un diagrama. Debes de mejorar al haciendo más extracciones. Es importante alcanzar un estado donde los pacientes no se quejen de ningún dolor temporomandibular durante o después de la extracción. Una vez logrado esto, trata de concentrar la fuerza en la raíz. Aun con toda esta explicación, no creo que sea tan crucial como otros principios.

13
Como minimizar la presión sobre el ATM ★★★

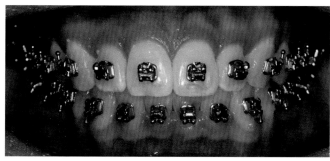

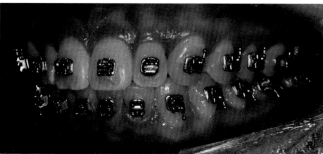

¿Cómo deberían los clínicos aproximarse a minimizar la presión transmitida al ATM?

Si miramos a los brackets de ortodoncia, estos pueden mover los dientes. Incluso las raíces de estos, durante todo el tratamiento la fuerza entera es aplicada para mover los dientes. ¿Y cuando retiramos los brackets? Tratamos de no transmitir ninguna fuerza mientras lo hacemos. El mismo principio debe aplicarse al extraer terceros molares para prevenir cualquier exceso de fuerza que se transmita hacía el ATM. Como se mencionó en la página anterior, el diente está siendo separado no jalado hacía afuera; no jalando sino girando.

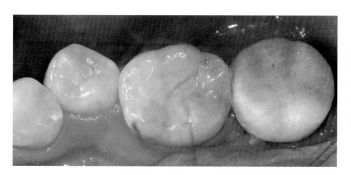

¿Qué tal si removemos una corona temporal con fórceps? ¿No tratamos de ejercer fuerza en la corona y no al diente? Es el mismo principio para el ATM, el lado opuesto de donde se está girando actúa como apoyo de palanca.

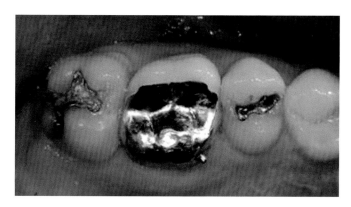

Cuando removemos la corona temporal ejercemos la fuerza en una sola dirección, si la corona temporal no se separa del diente debemos aplicar la fuerza de manera opuesta pero nunca aplicar presión de la dirección opuesta al mismo tiempo.

Para enfatizar una vez más, el tercer molar está siendo separado, no jalado. Y si esto puede recordarse que la extracción será delicada sin ninguna fuerza excesiva transmitida al ATM.

Cada fuerza que aplico para extraer el diente debe de ser aplicada sin que ninguna se vaya fuera del diente.

Pieza de mano y fresa para extracción de ★★ terceros molares

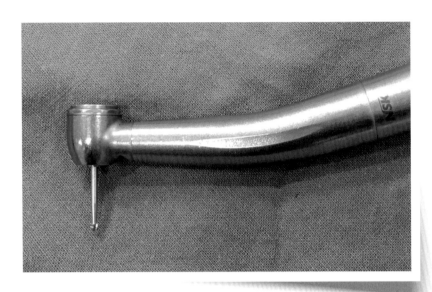

Principalmente se usan piezas de mano de alta velocidad y fresas redondas quirúrgicas para extracciones quirúrgicas. Explicaré a la brevedad porqué es este el caso para la mayoría de los practicantes incluyéndome. Sin embargo, parece no haber diferencia significativa entre piezas de mano, ya sea de alta o baja velocidad, y también entre diferentes marcas. El tamaño de la cabeza de la pieza de mano no es de gran importancia, con tal de que tengan poder suficiente e iluminación con fibra óptica. Si tengo que hacer una recomendación, personalmente prefiero el costo y el mantenimiento efectivo de las piezas de mano NSK. La preferencia de fresa quirúrgica es predominantemente en las fresas tallo largo. Compartiré las ventajas y desventajas en comparación con las fresas de fisura en este capítulo.

01
La pieza de mano del Dr. Young-Sam Kim ★

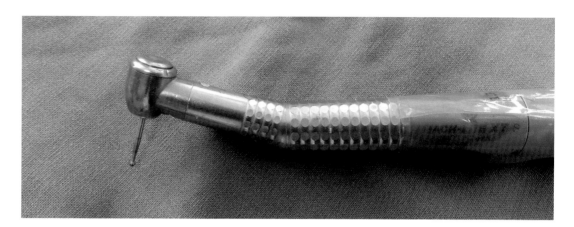

No tengo preferencia entre las piezas de mano, con tal de que cuenten con fibra óptica. Utilizaba KaVo (Alemania) y actualmente utilizo NSK (Japón), MORITA (Japón), W&H (Austria).

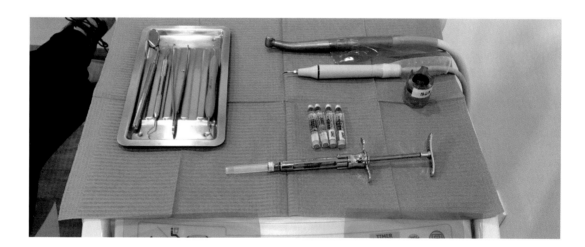

Es fundamental que todo instrumento pase por esterilización. Sin embargo, los sets de instrumentos básicos como la jeringa de anestesia, piezas de mano y escariadores de ultrasonido son colocados en bolsas de esterilizado individual. En comparación con el nivel de clase mundial, puede ser un control deficiente de infecciones, pero en Corea, donde la extracción de terceros molares tiene un costo extremadamente bajo, este grado también se evalúa como un nivel alto de control de infecciones. Las piezas de mano y las puntas de los escariadores ultrasónicos son esterilizados después de cada uso y son envueltos con un anillo de goma antimicrobiano para su uso. Sería bueno contar con la pieza oscilante dentro de la esterilización de la misma manera, pero todavía no es el tiempo para Corea. A pesar de mis mejores intentos, frecuentemente recibo oposiciones de proveedores dentales basado en la escases del sistema y la demanda.

Usando un escariador ultrasónico para casos de cálculo denso puede agrietar el esmalte. El campo de la cirugía de los terceros molares debe de ser limpio, y por esa razón hacemos remoción de placa de rutina a menos que el sitio esté impecable.

02
Repasando la anatomía de la pieza de mano de alta velocidad

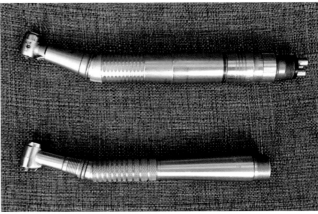

Cuando estaba en Australia para dar una conferencia de extracción de terceros molares, visité una clínica dental dónde estaban exponiendo instrumentos viejos en área de recepción. Abajo está la comparación entre piezas de mano viejas y las nuevas.

Pieza de mano de 2 orificios raramente usados en países desarrollados, pero aun siendo utilizados en otros países

Las piezas de mano de alta velocidad modernas tienen 4 orificios de tamaño estandarizado internacionalmente y tiene dos pines metálicos que proveen electricidad para el foco

En general las piezas de mano de alta velocidad son aire transmitido y agua atomizada hacia la fresa. Las piezas de mano antiguas no contaban con un tubo de escape de aire. Sin embargo, las piezas de mano relativamente nuevas presentan un tubo de escape separado en el cual todo el aire que se produce por rotar la fresa sale por la parte trasera. Sorpresivamente muchos dentistas siguen teniendo en cuenta que el aire de la turbina que rota la fresa sigue saliendo atomizado al mismo tiempo que sale el spray de agua. Este aire se le llama aire comprimido, el cual está separado de la turbina. Antes solía haber una sola salida de agua en spray en la pieza de mano, sin embargo ha evolucionado a tener tres salidas de agua en spray para prevenir que el diente se sobrecaliente y se queme. Podemos apagar el aire comprimido en la pieza al igual que apagamos el agua de la jeringa triple.

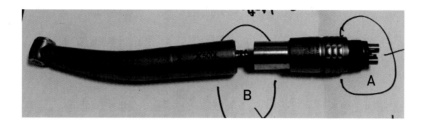

Si la parte del conector de la pieza de mano luce como la letra A, sería algo difícil conectar el cable principal del operador diariamente. Es por eso que hoy en día las piezas de mano tienen un estándar como en la letra B. cada compañía tiene diferentes formas, así que es crucial revisar si el conector es el adecuado para la pieza de mano.

Es común utilizar pieza de mano de alta velocidad incluso después de haber levantado un colgajo. Los contras ángulos de alta velocidad son comúnmente utilizados en Japón y Corea para extraer terceros molares. Sin embargo en algunos países se usan únicamente las piezas de mano rectas de baja velocidad debido al riesgo de enfisema tisular. Pudiera generar problemas legales si ocurre enfisema tisular y también otras complicaciones. Sin embargo, nunca he experimentado y nunca me han reportado ningún caso de enfisema tisular durante la extracción de terceros molares con pieza de mano de alta velocidad. Me pasó un par de veces mientras pulía una restauración clase 5 cervical o mientras lanzaba el aire dentro del surco gingival en la toma de las impresiones.

He extraído decenas de miles de terceros molares utilizando pieza de mano de alta velocidad y aún no he visto un enfisema tisular. Incluso muchos dentistas y periodoncias en Europa y América utilizan alta velocidad tras haber realizado un colgajo.

Es algo seguro el utilizar piezas de mano de alta velocidad en la extracción de terceros molares. He adjuntado la fotografía para mostrar que el aire que suelta la turbina no sale en la misma dirección que el agua; es aire comprimido el que sale atomizado. He pedido a los miembros del staff que realicen cirugía apagando el aire comprimido si sienten que existe una preocupación por el enfisema tisular, sin embargo se negaron a hacerlo. Algunos clínicos utilizan una pieza de mano de 45 grados diciendo que es seguro utilizar el aire ya que éste sale por la parte de atrás de la cabeza de la pieza. El aire que rota la fresa sale por el tubo de escape. Existe aire separado que ayuda a atomizar el agua en dirección al sitio de perforación llamado aire comprimido. Si existiera una preocupación, el aire comprimido pudiera apagarse. Las sillas de operación hoy en día tienen un botón para apagar y prender el aire comprimido. No creo que sea necesario pero hay una opción para apagar el aire si se siente preocupado. Generalmente las piezas de mano de 45 grados y las de baja velocidad tienen aire comprimido y algunos tiene el botón de apagado y prendido del aire comprimido y depende de cada fabricante.

Las extracciones se realizan en la silla y no en la sala de operaciones como en algunos hospitales universitarios en Corea. Ellos usan baja velocidad para la extracción de terceros molares y usan el aire comprimido para rociar el agua. Si se utiliza pieza de mano de baja velocidad, se necesitaría un colgajo más grande y realizar una osteotomía más grande sería necesario. En algunos casos se realiza una osteotomía innecesaria la cual se pudo haber ahorrado realizando la extracción con una pieza de mano de alta velocidad. Sin embargo, raramente utilizo pieza de mano en el maxilar, pero hay muchos dentistas que lo utilizan. La razón por la cual no la uso, que porque el enfisema tisular es más común en maxilar además que es raro que se necesita realizar odontosección en dientes superiores.

03
La fresa preferida del Dr. Young-Sam Kim ★★★

━ Las fresas quirúrgicas de tallo largo del autor: en almacén o utilizadas con anterioridad- #4, #5, #6, #8 desde izquierda a derecha

El autor usualmente utiliza fresas redondas de tallo largo. El número 4 (diámetro de 1.4 mm) se utilizaba en el pasado. Ahora mayormente utilizo el número 6 (diámetro de 1.8 mm). La 4 es utilizada como un suplemento y para terceros molares incluidos verticalmente. Las indicaciones de cada fresa serán cubiertas en este capítulo.

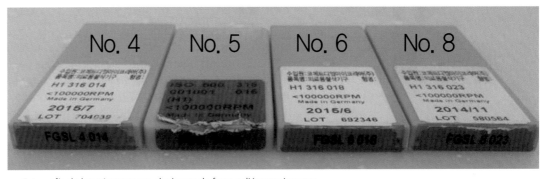

━ Fotografía de las etiquetas con el número de fresa y diámetro impreso

¿No están convencidos de la importancia del diámetro de la fresa?

Es más importante de lo que crees. El autor usualmente utiliza el número 6 pero en ocasiones se selecciona la 4.

Si el objetivo principal es cortar, entonces se utiliza el número 6. Pero para creación de puntos de apoyo y para sección del diente se utiliza la 4. El autor recomienda fuertemente a los clínicos que tengan en su repertorio la fresa 6 y 4. Sin embargo, el número 4 tiene un diámetro de 1.4 mm lo que es menor que el diámetro del tallo de la fresa. Por lo tanto, no es efectivo para cortar profundamente en el diente. Con el número 4 es necesario abrir su campo de trabajo en múltiples lugares o seccionar partes perforadas para que el tallo entre durante la extracción. No sería fácil entender con palabras; veamos unas ilustraciones.

04
Fresas quirúrgicas redondas de tallo largo: sus números y diámetros ★

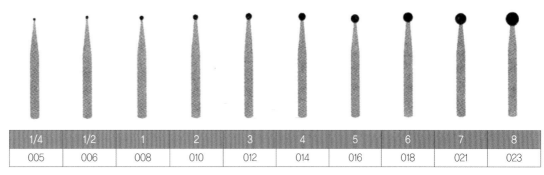

1/4	1/2	1	2	3	4	5	6	7	8
005	006	008	010	012	014	016	018	021	023

El número y diámetro de la fresa

Anteriormente utilizaba la fresa número 4 (1.4 mm). Me enseñaron que era la única fresa para principiantes, pero conforme ganaba experiencia la utilizaba por estar familiarizado y ahora la utilizo para cortes finos del diente. Sin embargo, ya que sufro de lesión vertebral, he comenzado a utilizar fresas grandes. Las vértebras colapsadas han resultado en una disminución de la fuerza en mi brazo. La fresa número 4 tiene un diámetro menor en comparación con su tallo y causa frecuentes atascamientos durante el corte y por consecuencia el uso de mayor fuerza. Por esta razón, algunos dentistas recomiendan la fresa número 8 (2.3 mm de diámetro). Con ésta fresa, el corte es mucho más sencillo a expensas del corte fino. Ellos probablemente tendrán que pagar reparación de su pieza de mano. Permitiendo alguna variación, es bien sabido que el uso de fresas de mayor diámetro tiene una mayor probabilidad de daño al cartucho de la pieza de mano. Si el diámetro de la fresa es mucho mayor que la del tallo, se incrementa el efecto dañino sobre el cartucho de la pieza de mano. Basada en mi experiencia, el uso rutinario de la fresa número 6 (1.8 mm de diámetro) en lugar de la 4, definitivamente resulta en mayor daño al cartucho de la pieza de mano. La excepción estaría con los principiantes utilizando la fresa 4 atorándola en el diente frecuentemente mientras se realiza el corte, lo que resultaría en más daño a la pieza de mano.

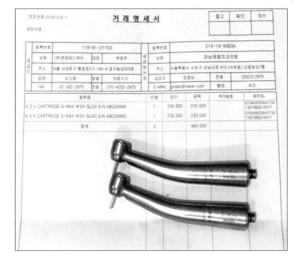

Precio del remplazo del cartucho de la pieza de mano

Un amigo mío (quien ha trabajado en la compañía dental Shin Heung por 10 años, ahora el dueño de otra compañía dental) ha estado en negocio conmigo desde hace 16 años. No sé si me estarán engañando, pero esto es lo que pago por una única reparación de pieza de mano. Considerando la cuota baja de la extracción de terceros molares, es un gran gasto. Es por esto que prefiero las piezas de mano NSK, por su bajo costo de mantenimiento.

05
¡La diferencia entre No. 5-016 y No. 6-018 es muy importante! ★★★

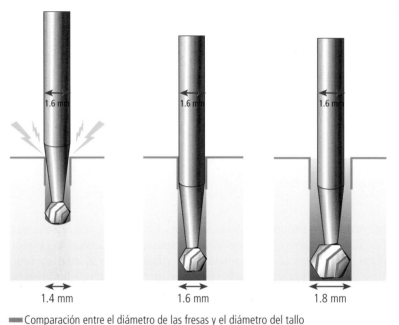

1.6 mm 1.6 mm 1.6 mm

1.4 mm 1.6 mm 1.8 mm

Comparación entre el diámetro de las fresas y el diámetro del tallo

Las fresas preferidas por el autor, 016 (izquierda) y 018 (derecha) para preparaciones inlay. La imagen nos demuestra la diferencia de tamaños.

El tallo de la fresa es de 1.6 mm, idéntico a la fresa No. 5

Tomando en cuenta el diámetro del tallo de la fresa, el diagrama ilustra la fresa No. 4, 5 y 6 de una manera ligeramente enfatizada. La fresa No. 4 es buena para seccionar finamente el diente, pero es difícil cortar profundamente debido a su tallo de mayor tamaño. Por eso, es recomendable utilizar la fresa de diámetro más grande No. 6, para la sección completa de la corona en terceros molares incluidos horizontalmente. Si necesito retirar terceros molares incluidos horizontalmente con la fresa número 4, frecuentemente fracturo la corona en múltiples pedazos cada vez que se atora la fresa.

¿Por qué no utilizamos la número 5 entonces? El punto medio no es la solución a todos los problemas. La fresa 5 tiene la negativa de ambas fresas 4 y 6. Algunos hospitales universitarios permiten el uso de fresas una única vez, pero es impráctico para muchas prácticas privada, considerando la cuota baja de extracción de terceros molares. Las fresas frecuentemente son esterilizadas para su reúso y el personal en la práctica puede confundir la fresa 5 con la 4 o la 6. Por esta razón no es conveniente tener almacenada la fresa 5. Es mucho más fácil identificar entre la fresa 4 y 6. Con la presencia de la fresa 5, se crean confusiones innecesarias en la práctica.

¡Espera!

Varias discusiones sobre la extracción del tercer molar <3>

¿Qué fresa utilizar con la pieza de mano de alta velocidad?

Fresa redonda vs. fresa de fisura

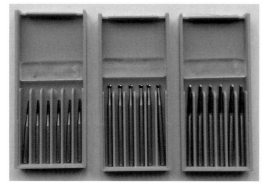 

Fresas quirúrgicas para extracción (manufacturado por KOMET, Alemania) de los cirujanos orales (COMF), que han trabajado conmigo por un tiempo prolongado.

Precio de un paquete de 6:
Fresa de fisura de carburo corta para alta velocidad: 16,150 won ($16)
Fresa quirúrgica redonda para alta velocidad: 31,000 won ($31)
Fresa quirúrgica de fisura tallo largo para alta velocidad: 47,500 won ($47)

El autor solamente utiliza fresas quirúrgicas redondas para pieza de mano de alta velocidad. Tengo dos cirujanos orales que han trabajado conmigo por mucho tiempo; uno utiliza exclusivamente fresas de fisura, y el otro utiliza de fisura y redonda en combinación. El personal se acomodaba a la preferencia del operador (En este libro el autor le llama a las fresas que no son redondas y son metálicas y cónicas 'fresas quirúrgicas de fisura' y las configuraciones idénticas en fresa de diamante son llamadas 'fresas de diamante quirúrgicas').

La preferencia del autor por las fresas redondas es porque las fresas de fisura a menudo pueden ser más dañinas para los tejidos blandos circundantes. Mi filosofía de fácil extracción de colgajo de mínima incisión puede causar que la fresa quirúrgica lastime los tejidos blandos circundantes. Los cirujanos orales realizaban incisiones de considerable longitud para elevar un colgajo completo para todas las extracciones, permitiendo utilizar fresas de fisura sin ser obstaculizados por el tejido blando. Es recomendado utilizar fresas redondas para los practicantes generales inexpertos. Algunas veces utilizamos la fresa con la que aprendimos por estar familiarizados, lo cual obstaculiza el uso de otros instrumentos. Si eres relativamente inexperto, sería buena idea utilizar las dos para comparar. El autor ha tenido experiencia considerable con las fresas de fisura y recientemente las comenzó a usar de nuevo para su libro. Sin embargo, al autor ha encontrado que la fresa redonda es la mejor respuesta.

La fresa de fisura se fractura frecuentemente, previniendo su reúso. Y las fresas de fisuras fracturadas pueden ser un problema si se alojan dentro de los tejidos.

06
Fresas de fisura de uso frecuente

▶ Fresa quirúrgica FG

Los productos de la compañía Komet, los cuales han sido mis acompañantes de mayor tiempo, conforman el 95% del mercado en Corea. Para este producto, puedes obtener una fresa de 28 mm. Yo utilizo una fresa de 25 mm considerada generalmente aceptable en su trabajo. La fresa de 25 mm comparada con la de 28 mm refleja menos esfuerzo para la pieza de mano y causa menos fracturas. El diámetro del tallo es igual que el de la parte más ancha de la fresa de fisura a 1.6 mm y se hace angosta hacia la punta de la fresa. El estrechamiento lo hace propenso a fracturas y rupturas. Si prefieres la fresa de fisura, te recomiendo el uso de la de 25 mm sobre la de 28 mm.

▶ Fresa quirúrgica FG (Zekrya Bur)

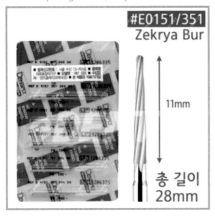

Los productos Dentsply fueron introducidos como las fresas a utilizar en un hospital universitario que visité recientemente. Probándolas, la habilidad para cortar era buena, pero era muy demandante para la pieza de mano, contribuyendo a las fracturas y rupturas. La clínica de la universidad comentó que deben tratarlas como de uso único por su alta tendencia a la ruptura y fractura. Para su información, este rango de producto vende una fresa quirúrgica '5 mm más corta' de 23 mm. Se venden en paquetes de 5 y cuestan 33,000 won ($33). Debido a su alta tendencia de fractura y ruptura, se vende a un precio más económico que otras fresas quirúrgicas.

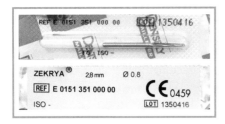

Las fresas Dentsply están individualmente empacadas, no como las Komet y pueden ser utilizadas sin esterilizado adicional. Esto es una gran ventaja considerando que es una fresa quirúrgica.

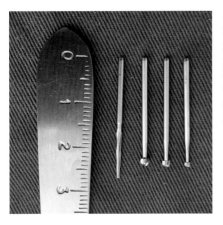

Las fresas quirúrgicas en mi clínica de izquierda a derecha: fresa quirúrgica de fisura Dentsply, fresa quirúrgica redonda Komet No. 8, 6 y 4 en orden. No estoy seguro si la fresa redonda viene en 28 mm de longitud pues en algunas ocasiones es una lucha llegar a terceros molares posicionados profundamente e incluidos horizontalmente debido a su longitud. La clínica almacena fresas más largas por estos casos, pero solo se usan selectivamente, ya que las fresas largas pueden crear mayor estrés a la pieza de mano.

07
Utilizando fresas quirúrgicas de fisura – Caso 1 ★★★

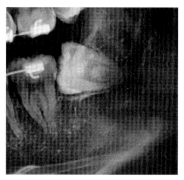 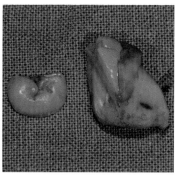 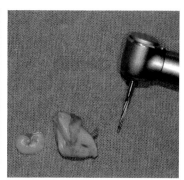

Este es un caso en que una extracción se realizó utilizando una fresa quirúrgica de fisura de tallo largo. Tengo el hábito de tomar fotografías postoperatorias con el instrumento que no se usa de rutina.

Este es un caso difícil para los que suelen usar fresa redonda, ya que existe un área considerable de corte inferior en la porción apical de la superficie distal de la 7. La fresa de fisura es conocida por su habilidad para cortar, pero no es más eficiente en su velocidad de corte en comparación con la fresa redonda. Aunque la porción mesial de la corona es seccionada, el espacio amplio del área a cortar previene que la corona puede ser removida. Por eso, es necesario realizar más cortes en la corona seccionada.

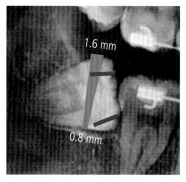

El área a cortar se marca con rojo y la superficie de corte se marca con azul. Se pude observar por qué no es fácil remover la porción de la corona seccionada. La porción inferior de la corona seccionada fue cortada por la porción angosta de la fresa de fisura, la cual es considerablemente más pequeña que el área a cortar. El diámetro de la punta terminal de la fresa de fisura es usualmente la mitad de la de su tallo de aproximadamente 0.8 mm, resultando en una anchura de corte muy angosta.

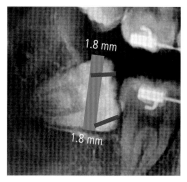

Utilizando una fresa quirúrgica redonda se muestra la sección de la porción inferior de la corona. En comparación con la fresa de fisura No. 6 (diámetro de 1.8 mm) puede cortar 1 mm más en la porción inferior, lo cual lo hace más efectivo para el área a cortar. Aun así, es más corto que el área a cortar; pero es suficientemente compensando por la rotación lingual al remover el fragmento de la corona. Ocasionalmente se pude realizar un corte vertical para facilitar su remoción. No será discutido aquí ya que se verá en siguientes capítulos. En conclusión, la parte inferior del diente seccionado por una fresa redonda es mucho más ancha y facilita la remoción compensando por el área a cortar.

Utilizando fresas quirúrgicas de fisura – Caso 2 ★

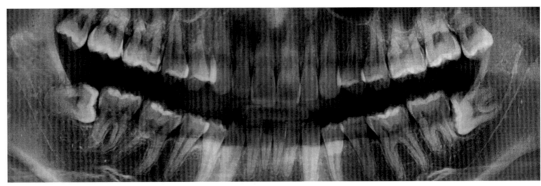

  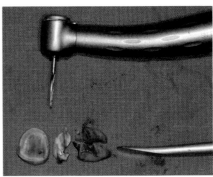

Un paciente de 25 años de edad acudió a verme después de ver mis videos de cirugía en vivo en YouTube. Es difícil satisfacer a un paciente con altas expectativas, pero la cirugía fue relativamente fácil. El diente #38 fue removido seccionando la corona seguido de la sección de las raíces utilizando elevadores; no se realizó retiro de otra estructura dental.

Como se mencionaba, a menudo tomo fotografías de los instrumentos utilizados en conjunto del diente extraído por motivos de registro. En este caso fue difícil realizar el corte de la porción distal de la corona utilizando una fresa de fisura sin lastimar los tejidos circundantes.

Si se tiene fuerte preferencia por la fresa de fisura, debería echar un vistazo a las fresas de fisura de carburo de tallo largo con punta cortante corta, sin embargo, estas pueden tener un riesgo alto de fractura en mi opinión.

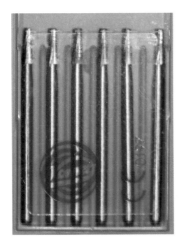

Dos cirujanos de 'Dae-Gu Cha Ahn Baek Dental', considerados dentro del top 5 en la práctica dental en Corea, utilizan estas fresas con pieza de alta velocidad. Estoy probando estas fresas para extracciones basado en recomendación.

Utilizando fresas quirúrgicas de fisura – Caso 3 ★

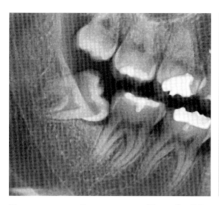
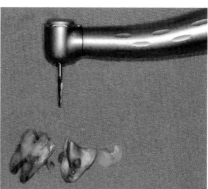

Para este paciente masculino de 21 años, el corte de la porción mesial de la corona fue realizado. Pero el camino de la remoción fue obstaculizado por la porción distal del diente adyacente #7. La subsecuente elevación y corte fue realizado. Seria recomendado utilizar fresas de fisura en estos casos donde la porción mesial del diente esta ligeramente impactada en contra de la superficie distal del diente adyacente #7.

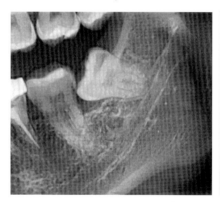
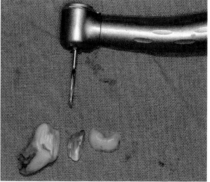

Para este paciente femenino de 30 años, las fresas de fisura pudieron ser utilizadas efectivamente en casos de ligera impactación a la superficie distal de la #7. Fue retirada con un corte oblicuo y el diente fue colocado de la otra manera para mostrar en la foto la porción lingual. El corte oblicuo puede realizarse con una fresa de fisura, sin embargo, posibles lesiones iatrogénicas al tejido blando lingual o distal deben ser consideradas al realizar el corte oblicuo, corte disto cervical y otros.

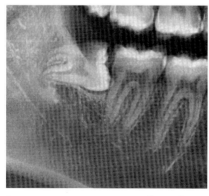
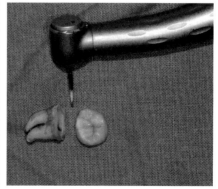

Para este paciente masculino de 22 años, debido a la falta de área para cortar en la superficie distal de la 7 y la falta de hueso alrededor de la corona, la corona fue fácilmente seccionada y removida utilizando una fresa de fisura.

¡Espera! Varias discusiones sobre la extracción del tercer molar <4> ★★★

¿ Utilizar fresas de qué material?

Fresa de diamante vs fresa de carburo

La extracción de terceros molares asistido por fresa de diamante es a menudo recomendado por su habilidad superior de corte comparado con la fresa de carburo (el autor no concuerda con esto). También se recomienda porque la fresa de carburo causa un rebote que puede dañar la pieza de mano y ocasionar que ésta se resbale y dañe a tejidos blandos. Sin embargo, hay varias negativas comparadas con sus múltiples positivas y esto ciertamente puede sobrellavarse con la experiencia del operador. El corte del diente es solo una parte de la extracción, por lo tanto, no se puede justificar el uso de fresas de diamante por su habilidad superior de corte.

Las personas con una preferencia por las fresas de carburo se preocupan por las posibles partículas de diamante introduciéndose en los tejidos circundantes y partículas de dientes que pudieran introducirse entre los espacios de la superficie de la fresa causando problemas con la esterilización. El autor no cree que no sea una contraindicación absoluta y recomienda un tipo de fresa que le vaya al estilo del operador y su preferencia.

Existen en Corea fresas quirúrgicas de diamante conocidas para la extracción de terceros molares. Su precio es razonable de 19,000 won ($19) por un paquete de 10 fresas y pueden ser de único uso.

A la derecha tenemos una fresa quirúrgica de diamante Shofu (Japón). Es una elección común en Japón, pero el autor cree que es un poco corta. O Sung (Corea) hace fresas con un concepto similar en 26.5 mm y 30 mm de longitud. Los productos O Sung no son tan frecuentemente utilizados como los Shofu (Japón), las cuales serán analizadas en el libro. En Japón la fresa de diamante chamfer es usualmente utilizada para extracciones, pero no es un estándar general a nivel internacional.

Para las personas que prefieren las fresas de diamante por su habilidad superior de corte, les recomiendo que usen fresas de carburo. Me gustaría ver si pueden confirmar su premisa después de haber utilizado ambas fresas de diamante y de carburo. Las fresas de diamante frecuentemente batallan para completar la extracción y son casi inutilizables después de su segunda esterilización. En cambio, las fresas de carburo se pueden reutilizar después de múltiples esterilizaciones. Además, las fresas de diamante no son fáciles de limpiar y posee un riesgo de esterilización, por lo que algunos dicen que no pueden ser reutilizados.

A pesar de todos estos comentarios, es más recomendable apegarse con su filosofía de tratamiento y sus manos.

08
Extracción de terceros molares utilizando fresas de diamante
– compañía coreana

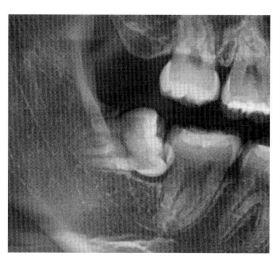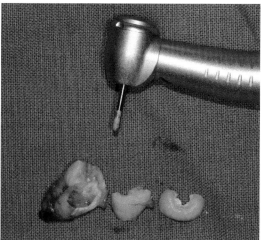

Para este paciente femenino de 22 años, la extracción fue realizada con una fresa de diamante de fisura coreana. La fresa de diamante estaba cortando muy bien en la primera porción de la extracción, pero rápidamente se volvió desafilada causando dificultad en el corte. El diente fue luxado con su subsecuente elevación y corte para completar su remoción debido al hueso rodeando su superficie distal. La longitud de la fresa se situaba entre una fresa de tallo largo y una convencional, unos 23.5 mm, y hubiera sido difícil alcanzar un corte vertical profundo.

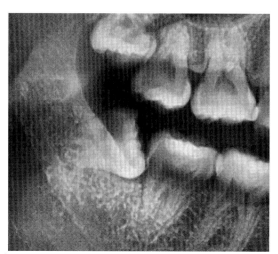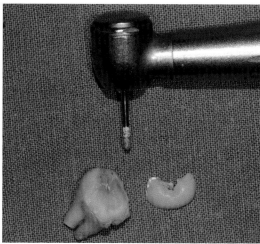

Para este paciente femenino de 25 años, un corte mesial de la corona fue realizado para la extracción. Se fracturó la raíz y los fragmentos fueron retirados posteriormente. Con un corte pequeño como se muestra arriba, una fresa de diamante puede ser utilizada, pero se sigue recomendando usar una única vez por su durabilidad disminuida. La ausencia de rebote a la pieza de mano y riesgo mínimo de fractura de la fresa pueden ser puntos positivos, pero esto mismo se puede lograr con las fresas quirúrgicas de tallo largo con precaución por parte del operador.

09
Extracción de terceros molares utilizando fresas de diamante
– compañía japonesa

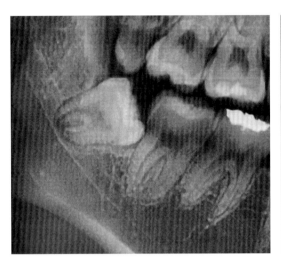 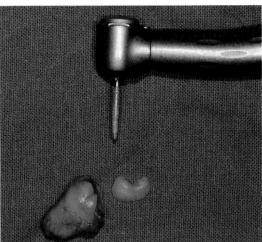

Para este paciente femenino de 23 años, una fresa quirúrgica de diamante fue utilizada. Este es producto de una compañía japonesa con una longitud de 25 mm, idéntica a las fresas quirúrgicas redondas de tallo largo y fresas de fisura. Las fresas de diamante frecuentemente cortan con facilidad estructuras dentales hasta cuando ésta se desafila causando problemas al cortar. La punta de la fresa de diamante está creando problema con mi técnica de realizar múltiples cortes para fracturar y extraer la pieza.

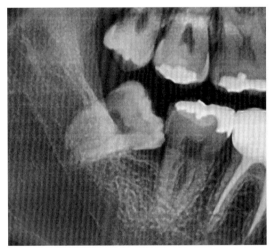 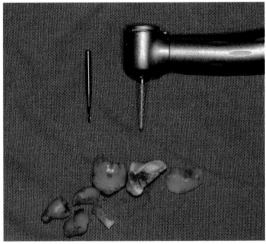

Para este paciente masculino de 28 años, se intentó realizar un corte en mesial con una fresa de diamante, pero se requirió subsecuente corte coronal lingual. La raíz estaba rodeada de hueso cortical duro, y causó que la corona se fracturara a la aplicación del elevador por lingual. Es importante saber que es difícil extraer raíces de un tercer molar funcional con la corona completamente expuesta intraoralmente. Utilicé la fresa de carburo de fisura adicionalmente para extraer las raíces.

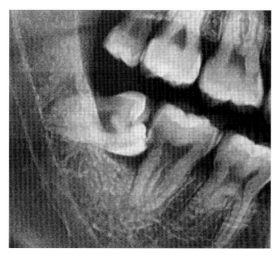 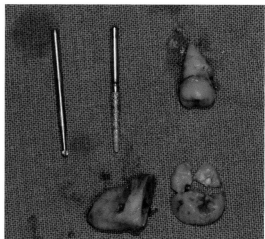

Para este paciente masculino de 27 años, el diente se encontraba horizontalmente impactado, con su corona por encima de su correspondiente hueso alveolar. Es difícil removerlo con aplicación lingual del elevador. Inicialmente fue intentado con un corte disto cervical con fresa de diamante. Como se ha mencionado antes, las fresas de diamante pierden su filo rápidamente, y resultó en múltiples cortes disto cervicales. Al final una fresa #4 tallo largo fue utilizado para el corte y para crear puntos de apoyo.

¡Espera!

Precaución para el daño de tejidos blandos causado por ★★ fresas de diamante

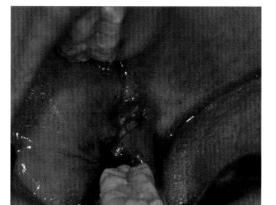

El tejido blando detrás de los terceros molares puede dañarse al realizar cortes distocevicales con fresas quirúrgicas de diamante. En lo particular las fresas quirúrgicas de fisura pueden ser dañinas ya que pueden atrapar y desgarrar el tejido blando. La mayoría de las fresas de diamante causan abrasión de los tejidos blandos al realizar el corte como se muestra en la imagen. Las piezas de mano de alta velocidad expulsan agua y aire constantemente a la parte inferior de la fresa y puede crear un gradiente de presión negativa alrededor de la fresa en acción, resultando en un efecto de tracción. Aunque no había tejido en contacto directo con la fresa cortante, el daño se cree que fue ocasionado por la tracción del tejido blando por la presión negativa que se formó.

La fresa quirúrgica redonda con terminación afilada se adapta más a mi filosofía de menor corte, menor incisión y elevación de colgajo y sección múltiple para la remoción.

10
Extraccion de terceros molares utilizando fresas largas de diamante ★★ de 30 mm

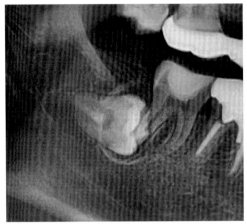 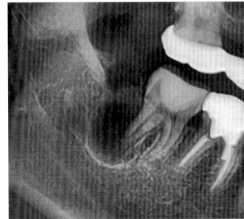 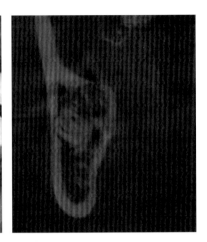

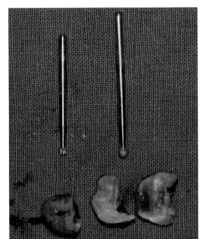

Ball Round					
	Model Name				
	Order Code	⬦001ABR-S019C	⬦001ABR-019C	⬦001ABR-S029C	⬦001ABR-029C
	Head Length	1.76	1.76	2.66	2.66
	Overall Length	25.0	30.0	25.0	30.0
	Diameter	1.9	1.9	2.9	2.9

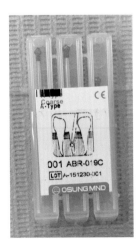 

Paciente femenino de 25 años quien fue referida por otra clínica dental. Como mi filosofía, se prefiere remover la mínima cantidad de hueso lingual, una fresa de 30 mm de tallo largo fue utilizada para acceso por oclusal hasta abajo Según mi conocimiento, ésta es la fresa más larga en Corea. Parece ser de diamante y no de carburo, para minimizar el estrés aplicado al cartucho de la pieza de mano por su tallo extralargo. La fresa redonda tallo largo #6 fue utilizada para la mayoría de los cortes y la porción apical profunda fue selectivamente cortada con una fresa de 30 mm.

Para ser honesto, la extracción pudo haberse realizado sin la fresa extra larga, pero sería bueno tener una en su cajón para circunstancias especiales. Ésta es fabricada por la compañía O Sung, y creo que puede ser ordenada mediante varios distribuidores.

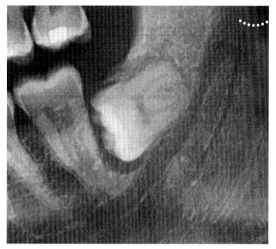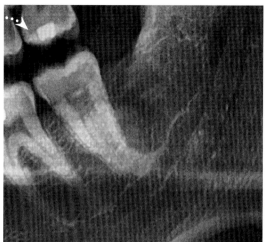

Este paciente masculino de 30 años, acudió por motivo de inflamación alrededor del tercer molar incluido. En algunos casos cuando la fresa no alcanza a llegar a la profundidad total para seccionar, realizo remoción de hueso complementario e intento lateralmente. Sin embargo, a veces uso intencionalmente estas fresas largas para la extracción.

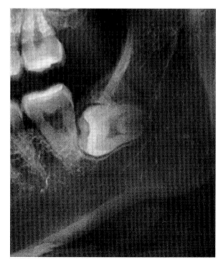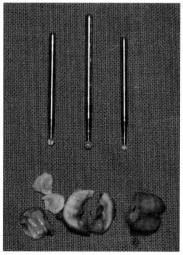

Este paciente femenino de 27 años, acudió con su madre quien es dentista. Con mi reputación y experiencia creciente, a menudo recibo pacientes referidos personalmente y/o referidos de familiares de muchos dentistas. Sería una mentira decir que no causó un poco de inquietud en mí. Sin embargo, la extracción fue fácilmente realizada en 10 minutos y la madre me felicitó.

¡Espera!

¿ Cuál pieza de mano utilizar?

Alta velocidad vs. baja velocidad

Existe una gran consideración entre usar pieza de mano de alta o baja velocidad para la extracción de terceros molares. Muchos operadores creen y exclusivamente utilizan su instrumento preferido. Basado en mis investigaciones, una sola universidad en particular de Corea usa exclusivamente piezas de mano de baja velocidad para la extracción de terceros molares, mientras otras universidades utilizan alta velocidad como principal y baja velocidad como complemento. Muchas oficinas de cirugía oral y maxilofacial no están equipadas para un equipo de pieza de mano de alta velocidad y utilizan baja velocidad para extracciones. Esta estimado que un 10% del mundo utiliza baja velocidad por prevención de enfisema subcutáneo. En la universidad de Barcelona en España, el departamento de cirugía firmemente cree que se debe utilizar baja velocidad para extracciones; sin embargo, el departamento de periodoncia realiza las extracciones con piezas de mano de alta velocidad. Mi opinión es que no necesitamos ni criticar ni seguir la opinión de otras personas; y es más importante utilizar su instrumento preferido de la manera más efectiva y correcta.

Yo utilizo principalmente pieza de mano de alta velocidad y selectivamente pieza de mano de baja velocidad para los fragmentos de raíces de terceros molares incluidos horizontalmente. No había usado baja velocidad hasta 2014. Yo creía que la baja velocidad era para inexpertos e inhábiles y pensaba que las mejores extracciones se realizaban con menos instrumentos. Para cambiar mi manera de pensar, he empezado a utilizar varios instrumentos y realizado extracciones con pieza de mano de baja velocidad por un tiempo; sin embargo, la velocidad de fue incomparable con la alta velocidad.

Más que nada, el incremento de la fatiga asociado a su uso no fue apto para un dentista con alto volumen de extracción de terceros molares como yo.

Muchos estudiantes graduandos de ciertas universidades cambian a pieza de mano de alta velocidad en su transición a la práctica privada. Yo recomiendo utilizar pieza de mano de alta velocidad especialmente para personas relativamente inexpertas que atienden al seminario porque las piezas de mano de baja velocidad es un instrumento no acostumbrado, ya que la mayoría de la práctica privada usa piezas de mano de alta velocidad.

11
Las fresas redondas para pieza de mano de baja velocidad del Dr. Kim ★★

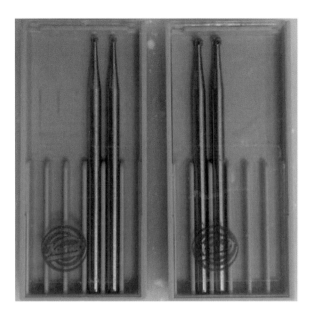

También uso fresas para piezas de mano de baja velocidad. Como antes mencionado, las piezas de mano de baja velocidad no son regularmente utilizadas y en ocasiones es usada para crear puntos de apoyo para fragmentos de raíces muy pequeños. Para ese propósito, fresa #4 o más pequeña son preferidas y es una combinación con mi elevador EL3C. Si se necesita utilizar exclusivamente baja velocidad, no sería mala idea utilizar fresas de fisura por su mejor habilidad para cortar.

Las fresas quirúrgicas para pieza de mano de baja velocidad del Dr. Kim

Claro que el tamaño de la fresa es idéntico que las de alta velocidad.

El autor también utiliza la fresa redonda #4 (diámetro de 1.4 mm) para baja velocidad.

12
Fresa de fisura para pieza de mano de baja velocidad ★★★

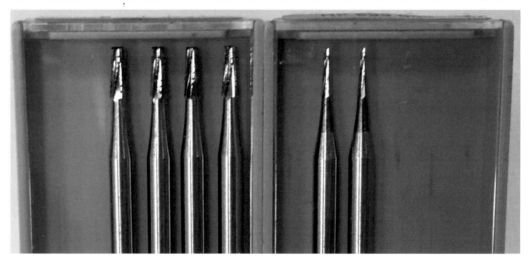

Los operadores que usan exclusivamente pieza de mano de baja velocidad con frecuencia utilizan fresas de fisura por su habilidad superior para cortar. 016 o una fresa más gruesa está indicado debido a la habilidad de corte reducido de la baja velocidad. Esta fresa es también más delgada que el diámetro del tallo (2.35 mm) y requiere un ensanchamiento adicional en el punto de entrada hacia la sección completa y profunda del diente. Las fresas de fisura para baja velocidad tienen un cuerpo cortante más corto que las de alta velocidad, resultando en una menor probabilidad de daño a tejidos blandos. Las fresas de fisura angostas como las de la derecha pueden ser utilizados para crear una ranura como las de la punta de un desarmador para tornillo de cabeza plana en los fragmentos de raíces restantes de los terceros molares incluidos horizontalmente. Parece no haber algo mejor que una fresa redonda para alta velocidad en velocidad y seguridad. Se necesita más fuerza utilizando pieza de mano de baja velocidad por su habilidad de corte reducida. Y esto puede resultar en un corte accidental de la cortical lingual y una rápida generación de estrés en la muñeca y hombro especialmente con su uso prolongado y para operadores con gran número de pacientes como yo. Los operadores con gran flujo de extracción de terceros molares a menudo empiezan utilizando baja velocidad, pero cambian a piezas de mano de alta velocidad eventualmente.

¡Espera!

¿Cómo es el estilo de extracción del Dr. Kim?

En lugar de depender en mi vista propia, he consultado con estudiantes y dentistas por un largo periodo de tiempo. Como antes mencionado, todos están similarmente de acuerdo de que mi estilo de extracción es simple y efectivo.

Mi estilo de extracción de terceros molares, basado en opiniones recaudadas, pudiera describirse como algo no tan diferente ya sea que se trate de una extracción del tercer molar difícil o básica. El autor aplica su propia técnica y principios de acuerdo a las necesidades.

Tengo mi propio método y filosofía utilizando el elevador, la pieza de mano y los fórceps; casi siempre sigo con el siguiente método si el primer intento no fue inmediatamente exitoso. Basado en mi gran experiencia, determino cual método es más efectivo en cada caso.

Aprendamos de este libro sobre los métodos del autor uno por uno. El secreto pudiera ser también el uso de instrumentos eficientes. Los instrumentos utilizados para extracciones complicadas y sencillas son casi idénticos. Para extracciones seguras de terceros molares que se realizan a gran cantidad, solamente utilizo los mejores instrumentos indicados y mejores métodos que poseo. Sobre todo, sufro contractura progresiva e inflamación crónica en mi espalda por una complicación quirúrgica anteriormente realizada. Se ha clasificado como una incapacidad. Por eso, procuro realizar extracciones rápidas tratando de evitar la misma postura por tiempos prolongado. Mi constante uso de instrumentos y métodos uniformes puede ser por que las extracciones se realizan en una sola posición con una postura estandarizada debido a mi inhabilidad de mirar hacia abajo y moverme libremente.

Extracción del tercer molar utilizando la pieza de mano de baja velocidad

Introduction and Chapter 05-2 translated by.

Dr. Andrés Palencia Garza

Médico cirujano odontólogo egresado del Instituto Tecnológico y de Estudios Superiores de Monterrey (ITESM)
Estancia académica y observacional en el servicio de cirugía oral y maxilofacial del Hospital Regional General Ignacio Zaragoza ISSSTE en la Ciudad de México
Actualmente residente de tercer año en el curso de especialización en cirugía oral y maxilofacial de la Universidad Autónoma de Nuevo León (UANL) en el Hospital Metropolitano "Dr. Bernardo Sepúlveda" SSA, Monterrey, Nuevo león, México

Me siento afortunado de poder participar en la traducción de este libro. La extracción de terceros molares es una disciplina que todo dentista debe dominar y quienes deseen mejorar su técnica y calidad de procedimientos, el libro les ofrecerá una gran cantidad de consejos fundamentados en la extensa experiencia del Dr. Young-Sam Kim. Los pacientes merecen procedimientos de calidad y estoy seguro que este libro podrá ayudar a aquellos quienes deseen lo mismo para sus pacientes.

Extracción de tercer molar utilizando la pieza de mano de baja velocidad ★

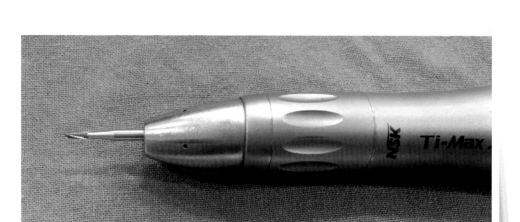

Como el autor fundamentalmente usa la pieza de alta velocidad para la extracción del tercer molar, su extracción utilizando la pieza de baja velocidad no será discutido por separado. De hecho, la pieza de baja velocidad es principalmente utilizada como un equipo auxiliar para la remoción de la punta de la raíz o el hueso alveolar vestibular y no es utilizada como equipo primario para la extracción del tercer molar, excepto en algunos hospitales universitarios dentales. Sin embargo, la extracción del tercer molar utilizando solamente la pieza de baja velocidad es común en el quirófano donde la pieza de alta velocidad no se encuentra disponible.

La extracción utilizando la pieza de baja velocidad sólo será discutida brevemente en este capítulo sin mayor mención en el libro. Se recomienda a los principiantes continuar en el siguiente capítulo.

01
Técnica común para la extracción del tercer molar utilizando la pieza recta ★★ de baja velocidad

1. División horizontal

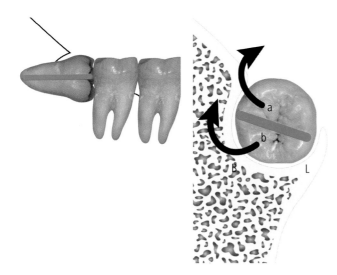

Esta es una técnica en donde el diente es seccionado horizontalmente para remover la mitad superior del diente seguido por la mitad inferior. Sin embargo, esta técnica involucra la remoción de una cantidad significativa de hueso vestibular. Los dentistas con falta de habilidad espacial encuentran difícil esta técnica de extracción y casi siempre resulta en la remoción excesiva del hueso vestibular. El autor también ha realizado múltiples extracciones con esta técnica en un tiempo razonable. Sin embargo, el autor encuentra inadecuada esta técnica para un gran número de extracciones de terceros molares en un largo periodo. Adicionalmente, esta técnica de extracción es usualmente acompañada de sangrado postoperatorio, edema y daño al nervio dentario inferior. Aún no tengo casos con dichas complicaciones postoperatorias pero estas complicaciones son comúnmente reportadas por otros dentistas que utilizan dicha técnica de extracción.

2. Corte de la corona (división vertical)

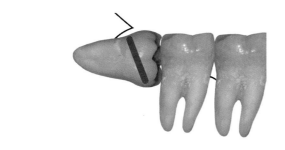

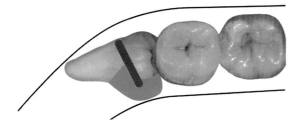

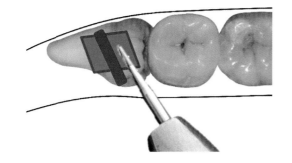

La corona del diente es removida primero, posteriormente el hueso vestibular es removido sin realizar ninguna división horizontal. Sin embargo, como la fresa y el cuerpo de la pieza de mano de baja velocidad se encuentran en línea paralela sin un ángulo, se requiere la remoción excesiva del hueso vestibular durante la odontosección, lo cual consecuentemente lleva a complicaciones postoperatorias como sangrado, inflamación y daño del nervio dentario inferior. Ocasionalmente, los dentistas con falta de habilidad espacial, encuentran dificultad en la odontosección utilizando pieza de mano recta de baja velocidad y terminan removiendo el hueso superficial para exponer el diente para su extracción. La técnica de corte de la corona puede ser utilizada por separado, pero usualmente se realiza adjuntamente durante la extracción de odontosección horizontal. El contra ángulo recto de la pieza de mano de baja velocidad puede ser de ayuda en la extracción de dientes incluidos horizontalmente con la presencia de abundante hueso alveolar encima del diente o que estén impactados profundamente en el hueso alveolar. Sin embargo, conforme a que la extracción utilizando la pieza de mano de alta velocidad se vuelve más familiar, la pieza de mano de baja velocidad puede ser reemplazada con la de alta velocidad en estos casos. A menudo utilizo esta técnica de extracción para terceros molares superiores impactados.

Atención

Este diagrama ilustra la cantidad de diente removido, el ángulo de acceso y la dirección de remoción del diente. El azul indica la cantidad y la dirección de remoción del diente mientras se secciona horizontalmente y el rojo indica cuando se secciona verticalmente. Para prevenir el daño al nervio/arteria lingual es mandatorio no dejar ninguna estructura dental en la región lingual.

02

Técnica de extracción de corte (odontosección vertical) de corona ★ utilizando pieza recta de baja velocidad

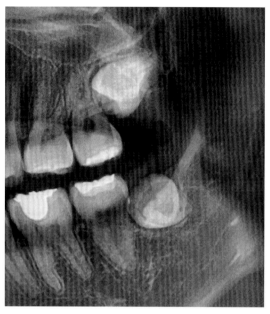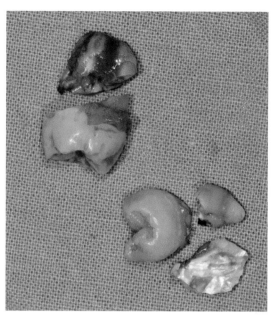

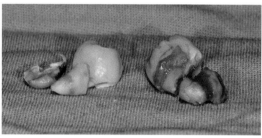

En este caso, se utilizó una pieza de mano recta para extraer el tercer molar superior incluido, y el tercer molar inferior para minimizar el número de instrumentos utilizados. El autor raramente utiliza la pieza de mano de alta velocidad para la extracción del tercer molar superior y ocasionalmente utiliza la pieza de mano recta en casos seleccionados. Sin embargo, la pieza de mano recta es rara vez utilizado para el tercer molar inferior y aun cuando es utilizado es para la división horizontal y no para cortar la corona como en el caso mostrado. Sin embargo, la pieza de mano recta puede ser muy útil en donde la corona del tercer molar está impactada lingualmente. Sin embargo, esta técnica tiene sus inconvenientes, ya que no es una técnica versátil que pueda ser utilizada en diferentes situaciones clínicas e involucra mayor extracción de hueso vestibular; sin embargo, esto puede ser solo una opinión personal del autor. Esta técnica es frecuentemente utilizada en la extracción del tercer molar superior cuando la extracción del hueso vestibular no se puede evitar o no es significativa. Esto será discutido más adelante en el capítulo de extracción de terceros molares superiores.

03

Técnica de extracción por división horizontal utilizando la pieza recta ★ de baja velocidad (1)

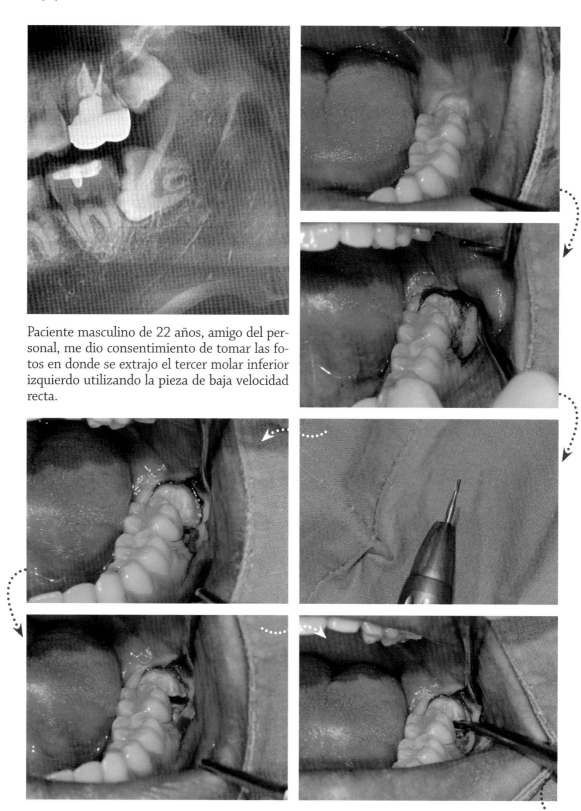

Paciente masculino de 22 años, amigo del personal, me dio consentimiento de tomar las fotos en donde se extrajo el tercer molar inferior izquierdo utilizando la pieza de baja velocidad recta.

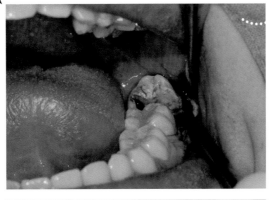
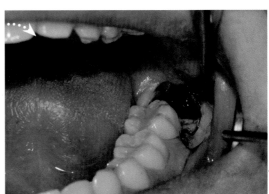

En general, la extracción del tercer molar utilizando la pieza de baja velocidad recta requiere una incisión en la región mesial del segundo molar. Además, a menos que el diente solamente tenga un pequeño grado de inclusión, la remoción del hueso vestibular es necesaria y entre más profundo esté incluido el diente, más hueso vestibular necesitará ser removido. Una vez que el hueso vestibular es removido, el diente es seccionado vestíbulo-lingualmente y es separado en segmentos mesial y distal utilizando el elevador. El segmento distal del diente, que no se encuentra en el corte de la región

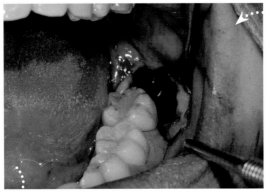
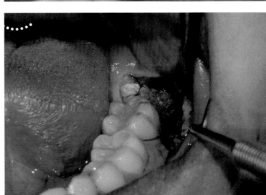
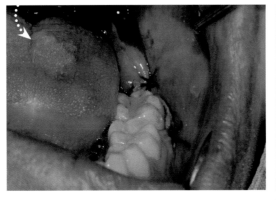
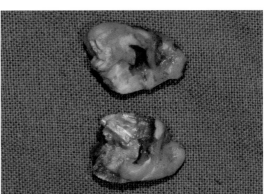
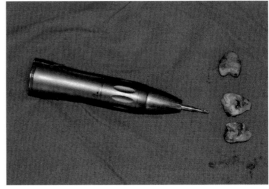

distal del segundo molar, es removido primero y después el segmento distal del diente. En situaciones clínicas, diferentes variables pueden surgir. Esta técnica es ampliamente usada para la extracción de terceros molares en el quirófano en donde la pieza de alta velocidad no está disponible. Con experiencia, el tercer molar puede ser fácilmente extraído con esta técnica en el consultorio. Sin embargo, en circunstancias donde hay un alto número de pacientes, esta técnica puede resultar estresante para la muñeca y los hombros del clínico. Además, el sangrado postoperatorio para el paciente debido a la remoción significativa de hueso vestibular, puede ser problemático. También, existe un potencial riesgo de daño al cortical óseo lingual si se aplica fuerza excesiva al seccionar la región lingual del diente. La región distal del segundo molar también está en riesgo de daño debido a la dirección de la fresa durante el seccionamiento y la fuerza aplicada durante la elevación del segmento mesial inferior de tercer molar.

Técnica de extracción por división horizontal utilizando la pieza recta ★ de baja velocidad (2)

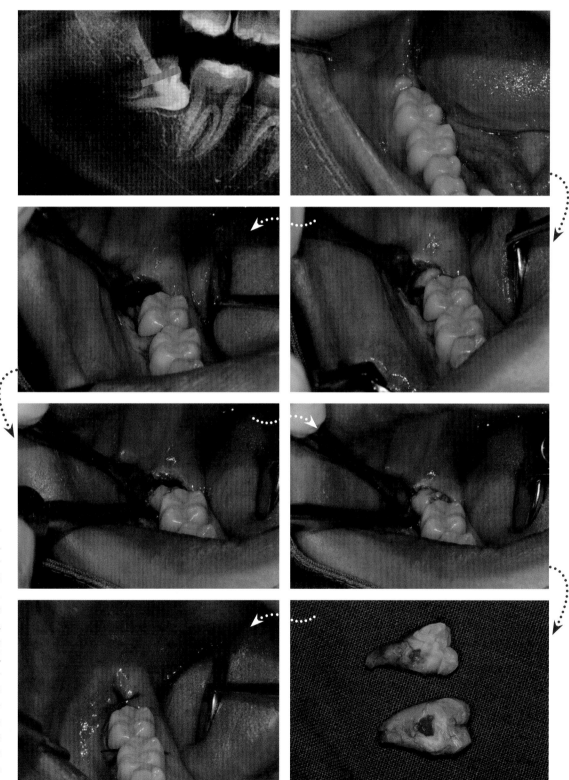

Esta técnica ciertamente implica fuerza sustancial que causa estrés significativo en los hombros y la muñeca, pero el autor lo puede referir de esta manera por el uso infrecuente de esta técnica. Si el tercer molar se encuentra posicionada más apicalmente, la remoción excesiva del hueso vestibular no se puede evitar, ya que el diente necesita ser seccionado horizontalmente hasta la furcación.

Técnica de extracción por división horizontal utilizando la pieza recta ★ de baja velocidad (3)

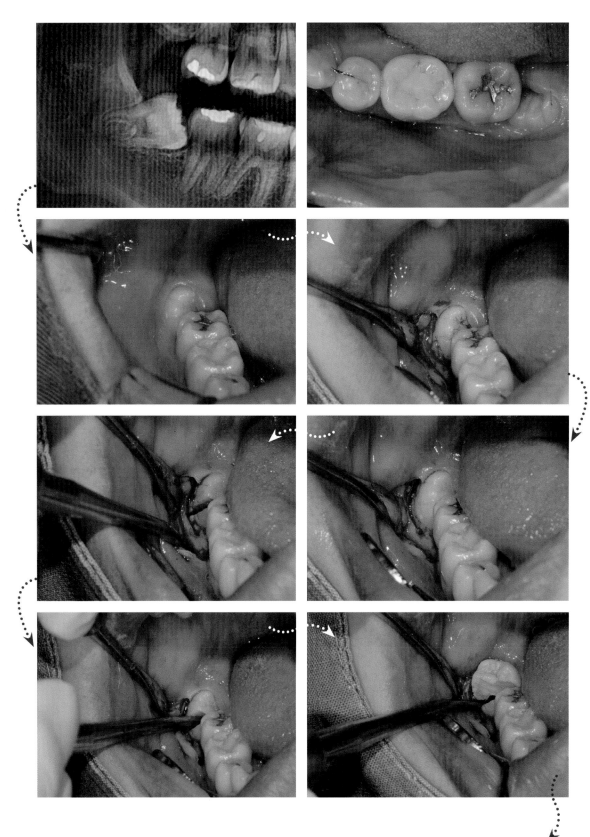

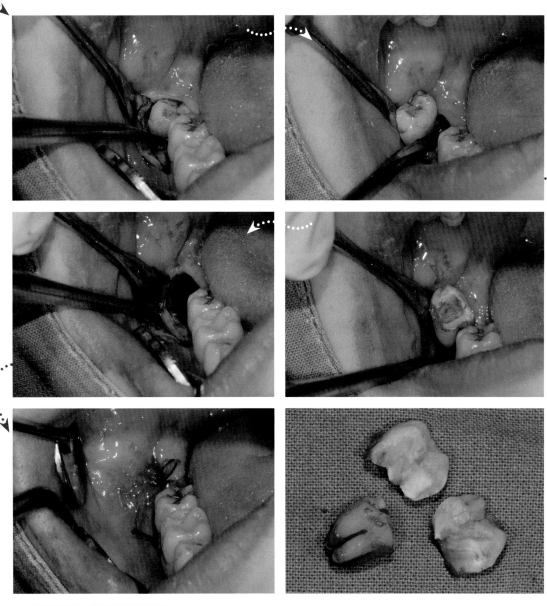

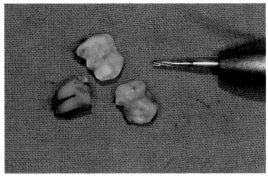

Tercer molar inferior derecha en una paciente femenina de 22 años, amiga del personal de la clínica, fue extraída utilizando la pieza de baja velocidad recta para adquirir fotografías. Como el diente aparentaba tener dos raíces separadas en la radiografía, un corte horizontal fue realizado primero utilizando la pieza de baja velocidad recta para cortar el diente a la mitad. Sin embargo, la corona se fracturó porque las raíces estaban unidas y el diente no se seccionó completamente hasta la bifurcación. La mayoría de las ocasiones hay munchas variables no esperadas durante la extracción. Hay muchas razones que se deben considerar como la forma de la raíz, menor corte de segundo molar distal región y hueso alveolar disto bucal. Si es necesario la corona y la raíz deben separarse intencionalmente para extraer el diente en casos como este.

04
Un caso de extracción de tercer molar usando pieza recta de otro ★ Dentista

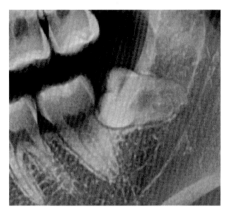 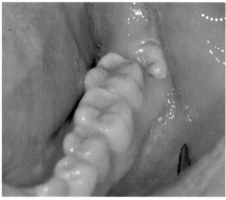 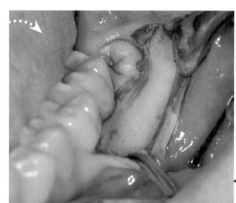

La extracción del tercer molar incluido horizontalmente, usando la pieza de mano de baja velocidad, requiere odontosección a futuro hacia a la furcación. Por esta razón, el colgajo se debe extender hacia el primer molar, y el hueso alveolar ser removida más profundamente. Más inclinado esté horizontalmente, más hueso se debe remover.

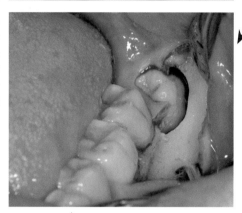

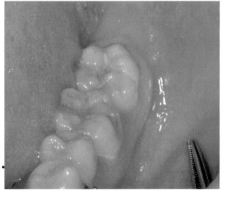

Frecuentemente, la pieza de mano de baja velocidad recta con fresa troncocónica, es usada para seccionar raíz, pero la fresa de bola es más recomendada para remover hueso alveolar alrededor del diente, como se observa en las imágenes anteriores, en este caso, la separación de periostio y remoción de hueso vestibular es inevitable al extraer #38.

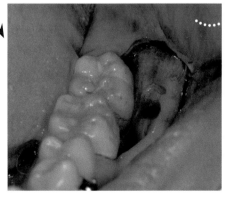 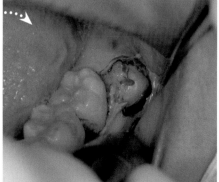 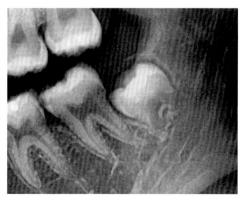

05
Técnica de división horizontal usando pieza de baja velocidad reta – Caso 1 ★

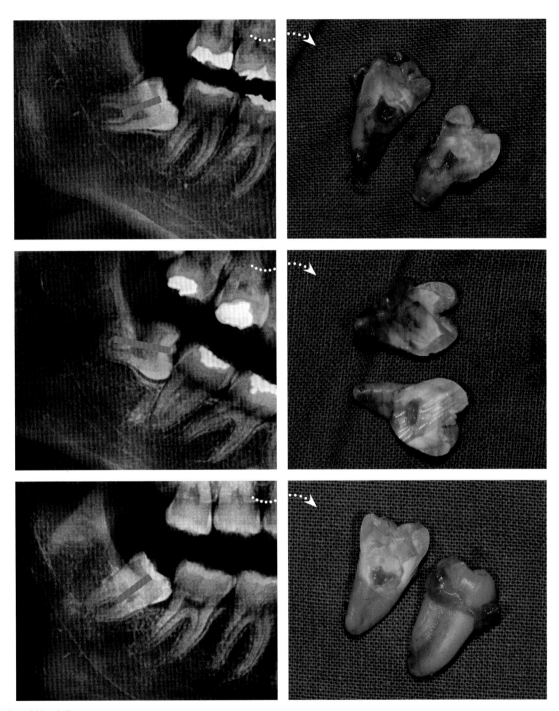

Comentario del Dr. Jae-Wook Lee

La elección de caso es crucial en extracción usando pieza de mano recta. Especialmente para clínicos inexpertos, la fuerza de aplicación del elevador en la raíz mesial después de remover raíz distal puede causar malestar en la superficie de la parte distal del segundo molar. Adicionalmente los clínicos necesitan considerar que la odontosección incompleta puede fracturar la parte mesial de la corona del diente dejando parte mesial de la raíz.

Técnica de extracción de división horizontal usando pieza de mano reta – Caso 2 ★

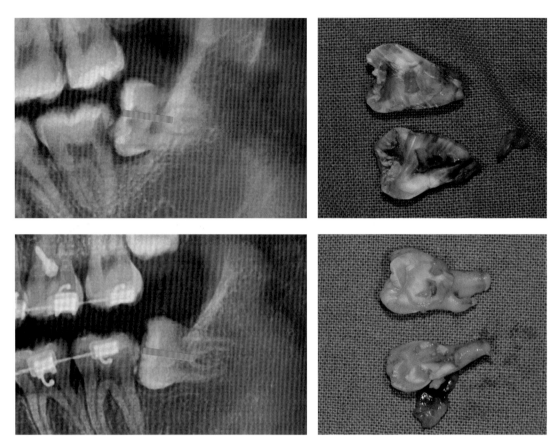

━━ Caso donde el tercer molar fue extraído con odontosección estándar

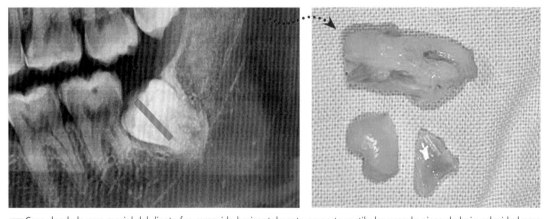

━━ Caso donde la cara mesial del diente fue removida horizontalmente en parte vestibular usando pieza de baja velocidad para remover corte inferior

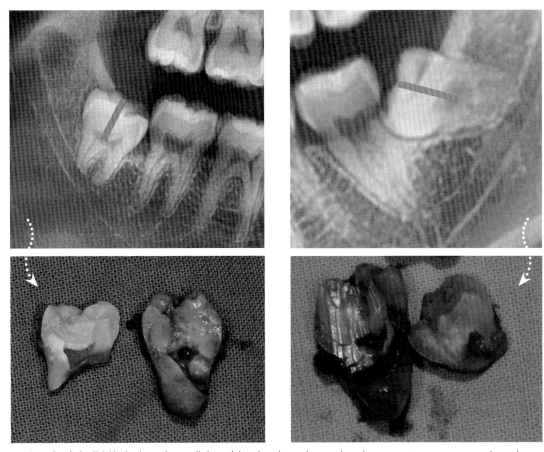

■ Caso donde la división horizontal se realizó en el área bucal usando una pieza de mano recta para remover primero la parte distal del diente y eliminar el corte inferior en el hueso alveolar dista

Como se mostró en los dos casos de arriba, un diente no puede ser seccionado perpendicularmente a la superficie oclusal usando pieza de mano recta y la máxima angulación puede ser alcanzada usando esta pieza, es la demostrada en las fotografías. Comparado con el uso de pieza de mano de alta velocidad, los inconvenientes deben ser soportados para extracción de terceros molares que no están incluidos horizontalmente. Los terceros molares que están verticales con una ligera inclusión respecto al hueso alveolar distal que están ligeramente incluidas hacia mesial pueden ser extraídas con corte dental mínimo usando pieza de mano de alta velocidad. Además, a excepción de dentistas que solo hacen extracciones, la pieza de mano recta es la pieza de mano más frecuentemente usada para la mayoría de tratamientos dentales incluyendo cirugías de implantes. Por lo tanto, uno puede favorecer para usar el mínimo equipo a través de diferentes procedimientos dentales. Para los dentistas, incluyendo al autor, quien se sintió cómodo usando pieza de mano de alta velocidad en extracción de terceros molares, logrando acceso para colocación de implantes de la segunda molar, puede resultar más sencillo.

06
Casos de extracción usando división horizontal y vertical

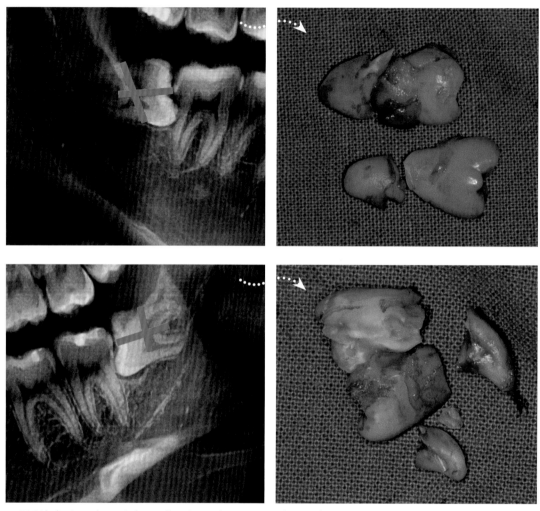

━ División horizontal y vertical se realizan juntas de manera regular para las extracciones

El autor encuentra más desafiantes las extracciones usando pieza de mano recta. Cirujanos maxilofaciales, quienes están acostumbrados a tal técnica logran que sea fácil y seguro extraer la pieza con esta técnica. Como sea, esta técnica particular normalmente involucra una extensión de colgajo al primer molar y excesiva remoción de hueso bucal, particularmente para aquellos con mayor grado de inclusión. Por lo tanto, no es generalmente recomendado, a excepción de extracciones realizadas en quirófanos donde la pieza de mano de alta velocidad no es accesible.

Es posible extraer una pieza dental removiendo primero su corona sin una división horizontal, pero sigue siendo desafiante e inconveniente. El autor sugiere el uso de la pieza de mano de alta velocidad como la primera opción para evadir el exceso de remoción de hueso y variables inesperadas.

Ocasionalmente, piezas de mano de alta velocidad de 45 grados son usadas para realizar extracciones como con las piezas de mano rectas.

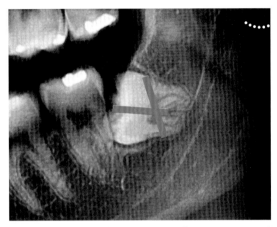
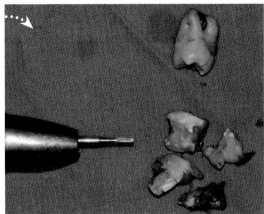

Este era un caso de extracción de un tercer molar inferior izquierda en un paciente masculino de 23 años. Debido a presencia de larga odontosección y cercanía al hueso alveolar distal hacia la superficie distal del segundo molar, remover los segmentos mesial y distal fue difícil. La muela fue dividida verticalmente para su retiro.

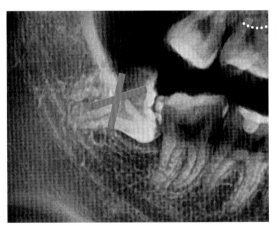
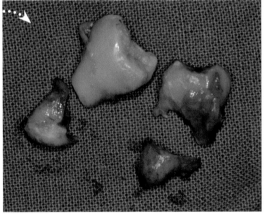

Al estar las raíces dirigidas hacia apical, el molar fue dividido verticalmente de nuevo para ser dividido en cuatro segmentos.

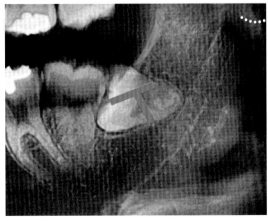
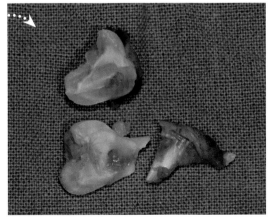

Este es un caso similar al de arriba, para remover un tercer molar que ya estaba luxada, se realizó división vertical.

07
Qué observar mientras se hace una odontosección ★★★

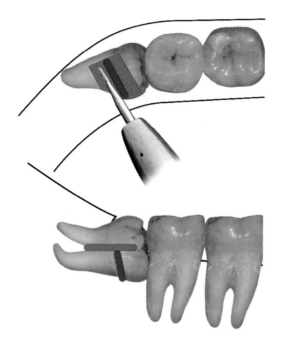

■ Sección horizontal estándar (azul) Sección vertical (rojo)

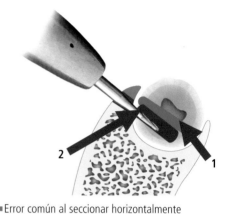

■ Error común al seccionar horizontalmente

Azul ilustra la cantidad de hueso removido al seccionar horizontalmente y el rojo cuando se realiza sección vertical.

■ Remoción del hueso bucal para seccionar el diente verticalmente. Los huesos en bucal deben ser removidos para tener un buen acceso para seccionar.

Generalmente los dentistas tienen dificultades extrayendo el diente usando pieza de mano rectas debido al retiro inadecuado del diente hacia lingual o debido a cortes más pequeños mientras se secciona. Aún con manos experimentadas es difícil seccionar todo hasta lingual sin crear un corte menor, ni tampoco nadie debería intentar hacer dicha sección; podría volverse más difícil al usar pieza de mano de baja velocidad recta. Debido a su menor potencia para cortar (algunos lo niegan) se puede resbalar por la presión excesiva o se puede resbalar a través de la corona hacía hueso lingual después de que la corona entera es seccionada debido a la diferencia en densidad. Los clínicos deberían de recordar que seccionar debe detenerse antes de remover toda la corona en lingual y la corona necesita ser quebrada de la raíz. Este problema puede ocurrir cuando la corona del tercer molar tiene inclusión vertical profunda, como el diagrama, creando un corte menor justo por debajo de la máxima circunferencia del segundo molar. En esta situación la corona se remueve verticalmente ya sea que la hemisección sea realizada o no y un corte menor seguirá estando presente después de seccionar en el área mesiobucal. Entonces, si se va a usar la pieza de mano recta, es importante remover toda la cara bucal y seccionar la parte mesiobucal de la corona. Esto aseguraría una simple extracción incluso si la odontosección se detuviera justo al alcanzar lingual. El retiro incompleto de la porción bucal de la corona puede dar pie a odontosecciones y cortes de la porción bucal de la corona puede dar pie a odonsecciones y cortes menores, y hacer difícil extraer la corona seccionada. Algunos clínicos podrían intentar seccionar hacia lingual ¡Y puede ser peligroso! Es por eso que recomiendo pieza de mano rectas.

08
Dilema de una periodoncista anónimo

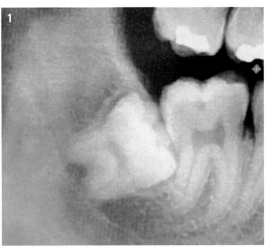

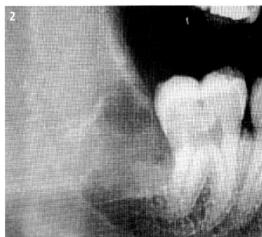

Hace un año tuve una llamada de un periodoncista. Alrededor de once escuelas en Corea, solo una de ellas enseña las siguientes extracciones usando la pieza de mano de baja velocidad.

Él era de esa escuela y solo aprendió la utilización de piezas de mano de baja velocidad rectas, el confesó que fue muy difícil e inconveniente hacer las extracciones de esa manera. Los rayos X que se muestran son de él y su trazo en la radiografía.

El extrajo los dientes en orden. Conforme a la radiografía número 3, el exceso de hueso que se removió no fue impedimento al extraer en este modo y pensó que era demasiado y no necesario.

Radiografías tomada por un periodoncista

Como periodoncista, realizó las incisiones y elevaciones rectamente, pero lidiando con la excesiva remoción de hueso, pacientes sufrieron de hemorragia, dolor y posteriormente inflamación.

Cuando él estaba en el hospital de la universidad, no estaba al tanto, pero desde que empezó a trabajar en la clínica privada no era eficiente el extraer de esa manera tan traumática.

No cobraba lo necesario y el paciente no volvía para los siguientes tratamientos.

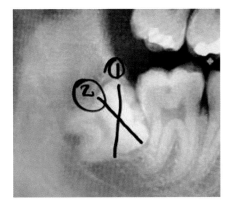

Como consecuencia él decidió usar la pieza de mano de alta velocidad para la extracción de terceros molares. Él se ha preguntado cual abordaje diferente podría tomar para el mismo caso cuando se usa pieza de mano recta.

Para resumir, se secciona como la línea 1 y no la línea 2.

09
Si abordas usando pieza de mano de baja velocidad ★★★

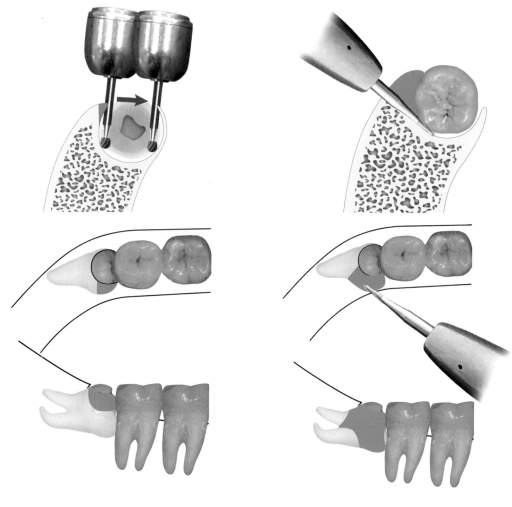

━ Cantidad de remoción de hueso requerido usando una pieza de contra ángulo

━ Cantidad de remoción de hueso requerido usando una pieza recta

Los diagramas ilustran la diferencia de cantidad de hueso que se necesita remover cuando se usan dos piezas de mano. Esto puede ser controversial y depende del clínico. Algunos de los clínicos, usando pieza de alta velocidad pueden remover algún tramo de hueso alrededor de dientes. Si alguien quisiera hacerlo con mínima invasión se realizará como en el diagrama de la izquierda. Sin embargo, si se usan piezas de mano de baja velocidad será más difícil de minimizar la invasión como un acceso que se realiza desde la boca. Además, será más cansado lidiar con más presión que se requiere para seccionar y será más difícil realizar múltiples extracciones como yo los hago. El daño en la superficie distal del número 7 podría pasar también, pero más común con piezas de mano de baja velocidad. Por eso, yo prefiero piezas de alta velocidad. Seccionar con piezas de baja velocidad hace que los clínicos tengan que elevar desde el área mesiobucal para eliminar coronas mesiales o raíces mesiales, pero esto puede incrementar el riesgo de daño hacía algún nervio.

Yo considero muy importante el principio de la palanca hacia disto vestibular como furcación y esto puede reducir el riesgo del daño al nervio y al hueso. Yo siempre trato de minimizar la elevación del hueso mesiovestibular.

Extracción de terceros molares usando pieza* de mano en 45 grados

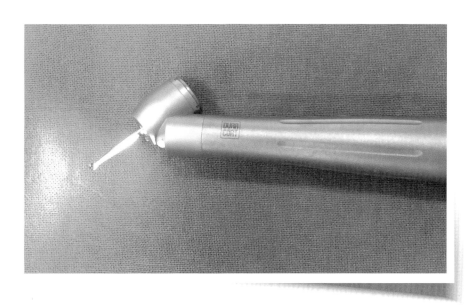

La pieza de mano en 45 grados se convierte en una herramienta muy útil para la separación de la corona en un tercer molar erupcionado verticalmente o inclinado lingualmente. El acceso a los terceros molares mandibulares con una pieza de mano regular se limita por la rama lateral de la mandíbula y es en estos casos se usa la de 45 grados. La corona del tercer molar puede ser removida fácilmente cortando el lado mesiovestibular con una pieza de mano de 45 grados y fracturando el segmento con un elevador. Por este motivo, el autor recomienda siempre contar por lo menos con una pieza de mano de 45 grados. El autor cuenta con una en su lugar de trabajo, y usualmente se utiliza para remover la corona de terceros molares superiores derechos de pacientes masculinos con un perfil de hueso denso. Esto se describirá brevemente en esta sección y será retomado en un capítulo posterior (Extracción de terceros molares incluidos verticalmente).

01
¿Pieza de mano de alta velocidad en 45 grados? ★

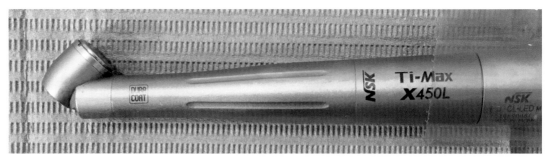

▬Pieza de mano de 45 grados usada por el autor (NSK Ti-Max X 450L)

La pieza de mano de 45 grados no es fácil de conseguir en Corea, así que esta fue enviada de un Colegio de Japón. Ahora es exportada oficialmente a Corea. Se recomienda contactarse con NSK Corea para este tipo de compras.
Debido a que muchos dentistas utilizan esta pieza para extracciones, éstas vienen con una función de encendido y apagado de la presión de aire dependiendo de la manufacturera. Ésta es diseñada solo para extracciones y no contiene adaptador de aire.

Esta pieza de mano tiene un botón para apagar y encender el aire.

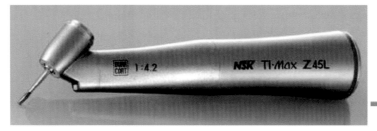

▬NSK 45 grados 1:4.2 baja velocidad. Recientemente importada a Corea.

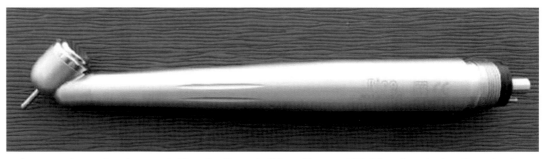

▬La compra de una pieza de mano de 45 grados directo de China solía costar 1/30 del precio en Japón o Alemania y la manufacturación en China costaba solo 1/10 del precio. Antes de hacer la compra se debe pensar si el uso de la pieza será bien aprovechado.

Como se discutió anteriormente, la pieza de mano de 45 grados se puede usar en lugar de la pieza recta durante las técnicas de división horizontales. El autor encuentra este inconveniente, pues la pieza de 45 grados no es comúnmente usada. Más bien, es más útil en técnicas de división vertical y hay dentistas que usan la pieza de 45 grados de esa manera. Esta sería una forma alternativa en las extracciones de terceros molares para dentistas con falta de habilidad.

Pero no le veo mucho sentido al usar esta pieza aparte de cortar el cuello del diente en molares incluidos o inclinados hacia lingual. Pero hay muchos dentistas realizando extracciones solo con esta pieza. Si te sientes cómodo utilizando pieza de mano contra angulada, recomendaría usar una pieza recta. Usar una pieza con la que no estás familiarizado puede incomodar el acceso cuando se secciona un diente incluido verticalmente.

02
Técnica de extracción de división horizontal usando pieza de mano de 45 ★

La técnica de extracción usando pieza de mano de 45 grados, es similar a la de pieza de mano recta. De cualquier forma, el diente es seccionado horizontalmente de lado o de la corona. En este caso el tercer molar inferior izquierdo fue extraído mediante la técnica de división horizontal para fines de demostración, pero normalmente se hubiera abordado por la parte superior con una pieza de mano. Esto será explorado con más detalle en el próximo capítulo (extracción de terceros molares incluidos mesialmente).

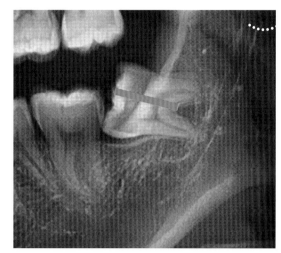

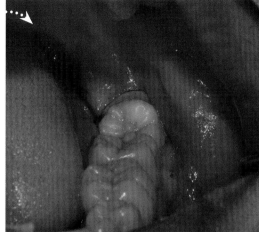

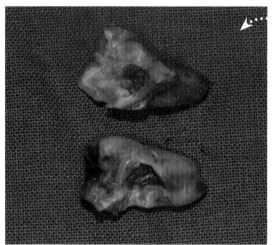

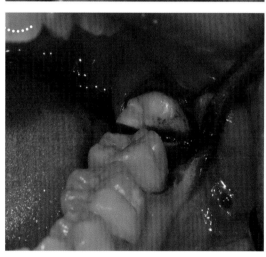

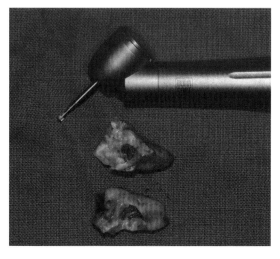

Debido a las restricciones de tiempo durante las horas de trabajo, tomar fotos y registros, y organizarlos es toda una tarea. Por esta razón, el autor tiene el hábito de tomar fotos con los instrumentos usados para extracciones particulares. Si hay algún instrumento en las fotos quiere decir que ese instrumento fue usado en ese caso. Los instrumentos que son comúnmente utilizados en las extracciones de terceros molares usualmente no son mostrados en fotos. El estilo de trabajo del autor es muy consistente, por ello, los instrumentos observados en las fotos son de casos exclusivos.

03
Técnica de extracción con división de la corona usando pieza de mano ★ de 45 grados

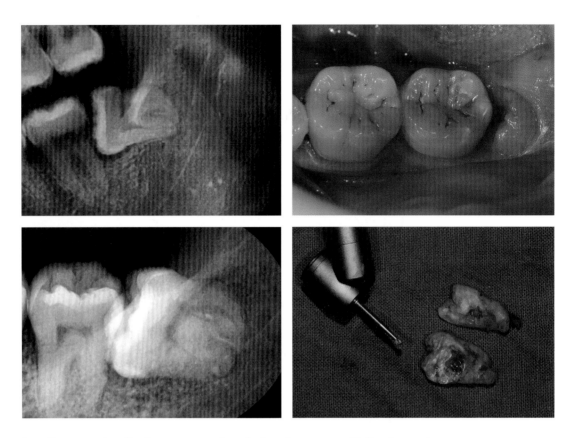

Los dientes unirradiculares o con raíces fusionadas no son fáciles de seccionar a menos que una cantidad considerable de hueso vestibular sea removida. El acceso para dividir hacia la porción apical del diente es más restringida que usando una pieza de mano recta. Algunas veces, la porción distal del diente se fractura primero y esto permite remover el resto del diente; esto es similar a la técnica usando pieza de mano recta donde la porción distal del diente es removida primero a pesar de su tamaño, seguido de seccionar la parte lateral del diente. De todas formas, el acceso es más limitado con una pieza de 45 grados y por ello el resto del diente después de la división podría quedar atrapado por el corte en la región mesial. Después de todo, el dentista debe utilizar la técnica con la que más se sienta cómodo. El autor usa la pieza de 45 grados de manera inevitable cuando no hay otra pieza de mano estéril disponible en el momento de la extracción.

04
Dientes con raíz única o fusionada no se dividen fácilmente en dos ★

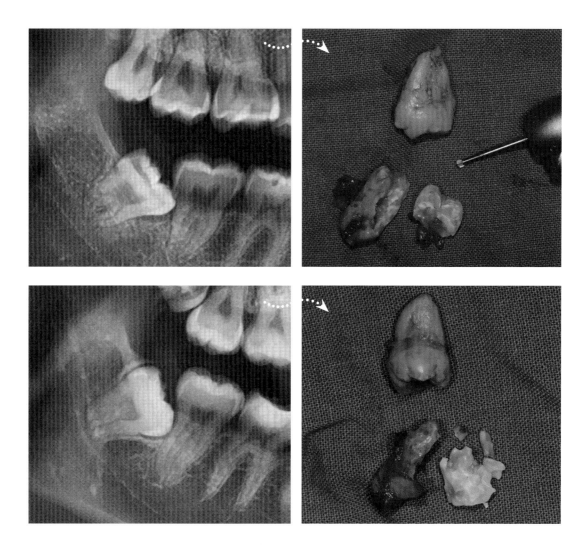

Dientes con raíz única o fusionada no se dividen fácilmente a menos que se remueva significante cantidad de hueso bucal. Y acceso para división en la porción apical del diente es más restringida comparado a cuando se usa una pieza de mano recta. A veces, la porción distal del diente se fractura primero, y esto permite remover el resto del diente. Esto es similar a la técnica utilizada con pieza de mano recta, donde la porción distal del diente se remueve primero independientemente de sus dimensiones, seguido de seccionamiento del arte lateral del diente. Pero, por el acceso limitado, el resto del diente restante, puede quedar atrapado en el corte inferior de la región mesial. Después de todo, los clínicos deben usar las técnicas con las que se sientan cómodos. El autor usa tal instrumento o método cuando no hay otras piezas de manos esterilizadas y disponibles al momento de la extracción.

05
Técnica de corte coronal usando pieza de mano de 45 grados ★

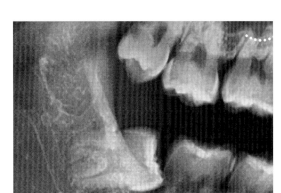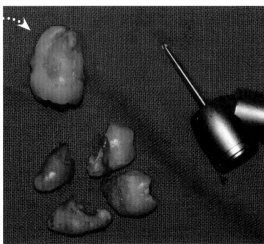

Este es un caso donde se usó pieza de mano de 45 grados en una técnica de corte coronal. A pesar de que el diente no presentaba impacto óseo, el acceso angulado complica la remoción de la corona seccionada y por ello se realizó una división horizontal adicional.

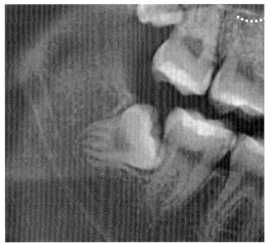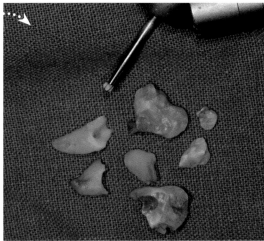

Para aquellos con mayor impacto óseo, remover el segmento seccionado puede seguir siendo un reto sin una adecuada remoción de hueso vestibular, por ello el diente es usualmente dividido en múltiples fragmentos.

06
Técnica de corte cervical usando pieza de mano de 45 grados ★★

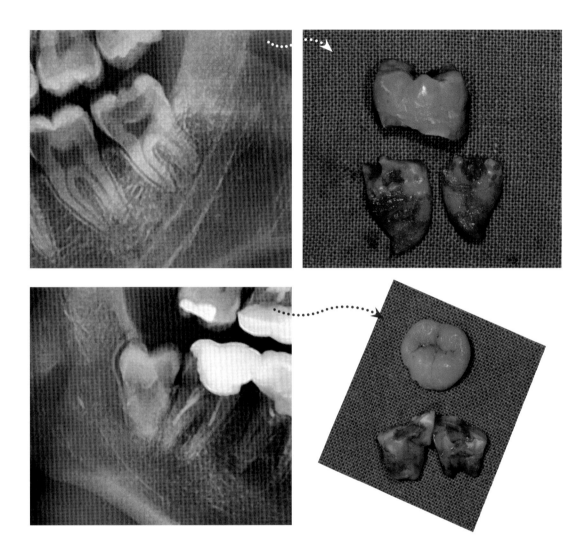

La pieza de mano de 45 grados raramente se usa en cortes cervicales en extracciones de dientes impactados horizontalmente, ya que requiere una remoción excesiva de hueso. De cualquier forma, en la extracción de terceros molares erupcionados verticalmente se tiene el acceso limitado del lado vestibular con pieza de mano regular por la rama de la mandíbula y la pieza de 45 grados puede resultar útil en estos casos. Se explorarán más detalles en un próximo capítulo donde se discute la extracción de dientes incluidos verticalmente.

Considero que si intentas hacer un buen número de extracciones de terceros molares es ideal contar con una pieza de mano de 45 grados, a pesar de que hago muchas extracciones diariamente solo cuento con 2 piezas de 45 grados de alta velocidad y una 1:5 de baja velocidad.

07
Técnica de extracción usando pieza de mano de baja velocidad con ★ contra ángulo

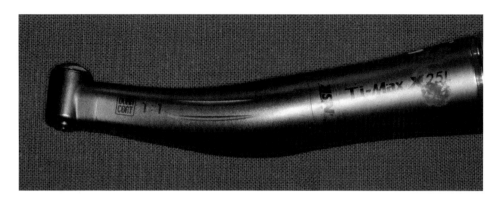

Esta es la pieza de mano de baja velocidad con contra ángulo más usada por el autor. Una versión anterior de la pieza de baja velocidad utilizaba aire en las cuales el torno era asegurado con un candado y la cabeza de la pieza era desprendible en la curva. Como sea, este tipo de piezas de baja velocidad con contra ángulo son más susceptibles a fallar y requiere de mayor mantenimiento. Ahora son más largas y remplazadas por piezas eléctricas. El gasto inicial puede ser más alto, pero a largo plazo es más económico, pues su mantenimiento es sencillo y más barato. Los nuevos modelos de piezas de baja velocidad han sido más convenientes con la instalación de luz que facilita la visión y con irrigación interna. El promedio de la presión de aire es aproximadamente 30.000 RPM mientras que la de las piezas eléctricas es de 40.000 RPM. Las piezas NSK tienen impreso el signo 1:1, lo que significa que si la rotación máxima promedio es de 40.000 RPM, la pieza tiene la capacidad de producir su máxima potencia. En general el signo 20:1 se escribe en piezas de motor para implantes, lo que significa que su velocidad de rotación se disminuye a 1/20 y el como resultado produce una velocidad de rotación de 2.000 RPM.

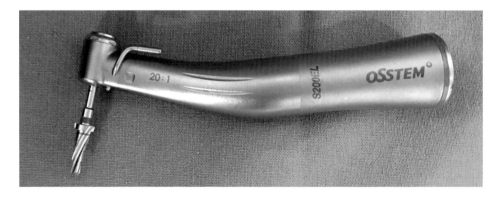

Esta es una pieza para implantes de baja velocidad con reducción de 20:1. Las piezas para implantes con esa reducción de velocidad en específico se diseñaron porque usualmente en la remoción de hueso para colocar implantes, no se requieren más de 1.200 RPM. En piezas diseñadas para tratamientos endodónticos, la reducción de velocidad varía entre 16:1 a 64:1. Las piezas para endodoncia recargables no son tan convenientes actualmente pero anteriormente fueron muy utilizadas. La mayoría de las piezas que tiene el autor son NSK; funcionan bien y tienen una buena relación costo-uso. Se reporta que las piezas de mano NSK lideran el mercado delante de Kavo.

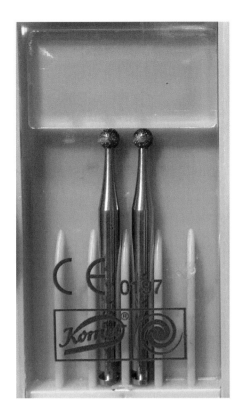

¿Es adecuada una pieza de mano de 40.000 RPM para la extracción de terceros molares? El autor obtuvo una fresa quirúrgica de 26 mm de Komet. El diámetro del mango es 2.35 mm, el mismo que una fresa de carburo, y el diámetro de esta fresa de diamante es 2.1 mm. Las fresas de mango largo generan vibraciones importantes en el cartílago de la pieza, así que una fresa de diamante regular permite un corte más suave. A pesar de que esta fresa fue inicialmente creada para uso quirúrgico, es probablemente más usado para realizar remoción de hueso en apicectomías y cirugías de remoción de tuberosidades. Si algún dentista persiste en usar pieza de alta velocidad en la extracción de terceros molares, la pieza de baja velocidad podría ser una opción alternativa. En los días en los cuales no contábamos con pieza de mano de alta velocidad, se intentaba hacerlo con pieza de baja velocidad. He intentado utilizar la pieza de baja velocidad, utilizando fresa de mango corto, pero tuve que detenerme ya que su longitud era muy corta. Raramente utilizo pieza de alta velocidad para extraer terceros molares y el uso de una de baja velocidad en su lugar podría ser considerado para extracciones simples o remoción de hueso o en las peores circunstancias, donde la pieza recta no pueda acceder.

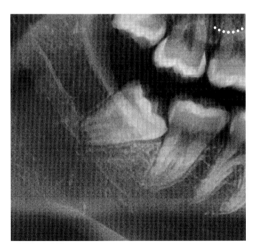

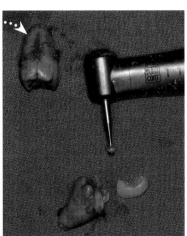

Este era el caso de un tercer molar inferior derecho de un paciente femenino de 22 años. El procedimiento de extracción fue previsto para ser sencillo, así que se intentó con una NSK con irrigación interna. El uso de una pieza de baja velocidad no fue práctico ya que la fresa se desgastaba y trababa la pieza. El largo diámetro de la fresa también dificultaba la precisión de los cortes hacia el lado lingual. A pesar de todo, la pieza continuó deteniéndose porque no tenía suficiente velocidad y torque. En general, usar pieza de baja velocidad es adecuado para remover caries. Cortar el esmalte a través del diente fue un proceso laborioso; se hicieron unos cuantos intentos más pero a causa de tiempo, tuve que cambiar a una pieza de alta velocidad. Aún más importante, el autor usa en su mayoría fresas redondas de tallo largo con pieza de alta, pero este tipo de fresas no existe para pieza de baja. Inclusive si se fabricara una fresa similar, el diámetro de la fresa es de 1.8 mm, mientras que el diámetro del mango es de 2.35 mm, lo que significa que el mango puede quedarse atascado dentro del diente. ¿Qué tal una pieza de mano eléctrica con agarre por fricción en la cual se pueda adaptar una fresa para pieza de alta velocidad?

Fotografía de pieza de mano de baja velocidad comúnmente utilizada en el pasado

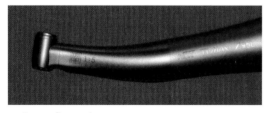

Fotografía por el autor

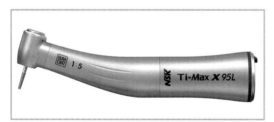

Fotografía del catálogo de NSK

Esta es una pieza de mano de baja velocidad a la cual se le puede adaptar fresas de alta velocidad. Este tipo de piezas de mano fueron extensamente usadas y siguen siendo producidas por varias compañías manufactureras, mayormente como pieza de mano de velocidad integral 1:1. El autor casi siempre utiliza la misma fresa de la pieza de alta velocidad en una pieza de alta velocidad a una baja velocidad para refinar preparaciones de cavidad o márgenes de coronas. Hay dentistas que aun utilizan estas piezas, pero entre más experiencia y habilidad tengan el uso de este tipo disminuye.

¿Qué tal si usamos una fresa de alta velocidad en una pieza de mano con velocidad reducida 1:1 para odontosección y extracción de terceros molares? La fuerza de rotación es tan pobre que el remover un diente es muy tardado. Este tipo de piezas fue desarrollado inicialmente para procesos de corte mínimo en el diente con una velocidad de rotación baja y sería irracional utilizar esta pieza en procedimientos que involucran remover un diente. En casos donde se desee utilizar pieza de alta velocidad porque la presión de aire puede dificultar el acceso, se puede considerar el uso de pieza de baja velocidad. De cualquier forma, la baja velocidad de rotación sigue siendo una barrera para los cortes en dientes.

Por esta razón se desarrolló una pieza de baja velocidad 1:5. En general, la velocidad de rotación de una pieza de baja velocidad eléctrica es de 40.000 RPM. Así que, las piezas de mano con aumento de 1:5 pueden generar una rotación de 20.000 RPM. Esta es una velocidad de rotación comparable con la pieza de alta velocidad que tiene una velocidad de rotación promedio de 30.000-40.000 RPM. El autor solía tener un problema con las piezas de alta velocidad que se detenían cuando se aplicaba una gran fuerza al momento de cortar un diente. La pieza de mano estaba atada en la línea de la pieza de baja velocidad regular 1:1 y se usó la fresa para pieza de alta velocidad para extracciones. El torque era un poco bajo, pero fue posible la extracción del tercer molar. De todos modos, la compañía de manufacturera recomienda no utilizar la pieza de esa manera, pues provoca mucha carga en el motor. La pieza funciona bien sin problema de torque cuando está conectada a la línea del motor específicamente diseñada para un aumento de 1:5 en piezas de mano de baja velocidad. Al pesar de que la pieza de mano tiene una gran eficacia y tiene instalada irrigación interna y luz, su peso sigue siendo un punto en contra.

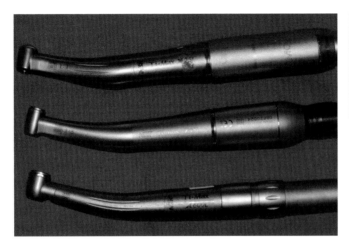
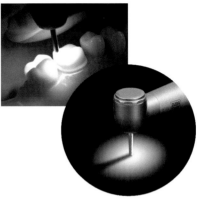

La primera pieza de arriba es una pieza de mano regular de baja velocidad; es usada para tratamientos dentales. La tercera pieza de mano en la imagen es una pieza regular de alta velocidad usada para el tratamiento de extracciones de terceras molares. La segunda pieza que se encuentra en la imagen es la nueva NSK 1:5 con torque alto y es una pieza de baja velocidad en donde las fresas utilizadas en alta velocidad pueden ser empleadas. Las piezas de mano ahora son manufacturadas en titanio, un material más ligero con una velocidad y funcionamiento excelente.

En el mercado europeo y japonés han existido piezas de mano similares por más de 7 a 8 años. Pero, en Corea se han introducido desde hace sólo dos años. Las piezas de mano no se habían extendido al rededor del mundo como se hubiera pensado, ya que necesitan de cierta instalación de una línea separada y eran muy costosas. Sin embargo, dichas piezas de mano han ido ganando su popularidad actualmente, ya que los dentistas comenzaron a buscar las piezas de mano que fueran más efectivas a la hora de trozar coronas de zirconia. Empresas manufactureras advierten a los dentistas que estén alertos de posibles complicaciones en órganos dentarios debido a fuerzas excesivas, ya que estas piezas de mano de baja velocidad son de torque alto y no se detiene la rotación debido a su velocidad. También se ha reportado el incremento de dentistas en Japón que utilizan este tipo de piezas de mano para extracciones de terceros molares. Este tipo de piezas de mano no han estado en el mercado por muchos años como para discutir su durabilidad, pero esto podría suponer una respuesta al problema de tener que reemplazar frecuentemente las piezas de alta velocidad después de un constante uso de fresas de tallo largo.

08
Extracción usando pieza de mano de baja velocidad 1:5 <1>★

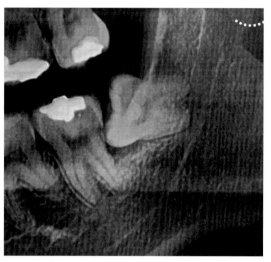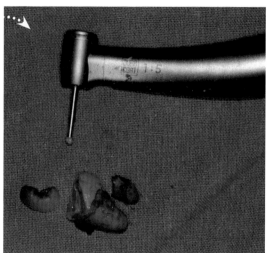

Este es un caso de extracción usando la pieza de mano de 1:5 velocidad. Las fotos son tomadas con instrumentos colocados en la dirección que normalmente se pone para dicho procedimiento. Pero el equipo de trabajo tomó la fotografía con el ángulo opuesto para mostrar "1:5" que está escrito en la pieza de baja velocidad. Aunque los casos fotográficos ya no son tomados muy frecuentemente existen fotos que son una simple extracción en donde el procedimiento requería pieza de mano y dicha pieza era probada por primera vez.

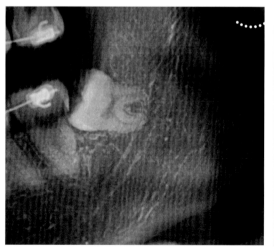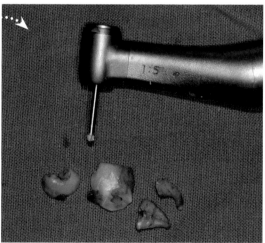

Al igual que en el caso anterior, la fotografía fue tomada de reversa por el personal encargado para mostrar el signo "1:5". Este fue un caso en el que la extracción era una técnica en L y terminó siendo una extracción en tres segmentos. El autor aconseja a los lectores que cubran la lectura de este libro en la secuencia que se indica en la introducción. Si ya has leído el libro y lo estás volviendo a leer, lo entenderás mejor.

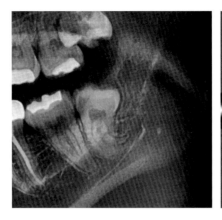 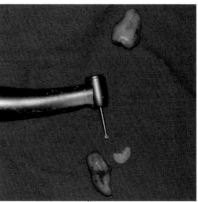

Este es un caso en donde el tercer molar inferior se encontraba con una curvatura apical aguda y fue extraída usando la técnica de corte distal de la corona. Fue una extracción relativamente fácil. Las fotografías fueron tomadas para propósitos de demostración.

No se muestra en la foto, pero además el conducto disto-lingual se encontraba con una ligera curva y este aspecto nos muestra que se encontraba orientada a la izquierda o estaba evacuado a succión. Dicho fragmento pudo haber sido excluido por el personal mientras tomaban las fotografías.

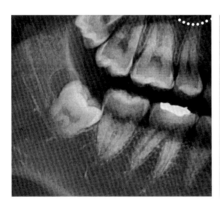 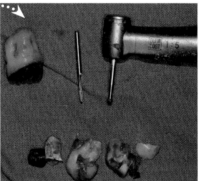

Aunque este tercer molar se encontraba impactada de forma vertical, debido a la severidad en la que se encontraba, se removió un fragmento por lingual para después realizar un corte en la corona por mesial en dirección hacia lingual. Adicionalmente se realizó corte distal de la corona porque el acceso era reducido. El autor recomienda realizar múltiples cortes en accesos pequeños para minimizar la eliminación del hueso durante la extracción. Para este caso se utilizó una fresa troncocónica para cortar la corona por mesial y una fresa de bola para realizar el resto de los cortes.

En la radiografía se observa un área radiolúcida que nos indica la presencia de un posible quiste. Por esta evidencia se realizó una biopsia en la región distal y se examinó histológicamente; fue encontrado como un acumulo de células benignas.

Extracción usando pieza de mano de baja velocidad 1:5 <2> ★

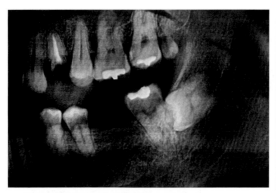 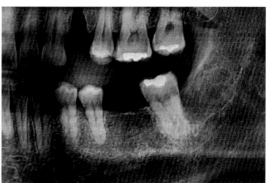

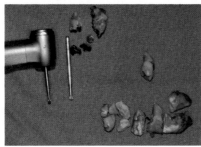

Paciente de 36 años refiere haberse realizado una extracción dental en otro consultorio de un tercer molar inferior izquierda previo a un tratamiento ortodóntico y un tratamiento de colocación de implante. El diente fue extraído por medio de la pieza de baja velocidad 1:5. Después se usó una fresa de bola No. 4 para permitir los cortes en el diente en el que la raíz se encontraba cerca del nervio alveolar inferior. Primero se realizó un corte en L, pero se fracturó la corona al tratar de extraerla y se seccionaron las raíces por mesial para posteriormente remover dichos segmentos de la raíz.

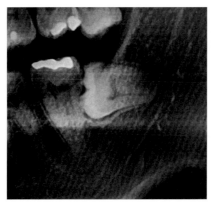 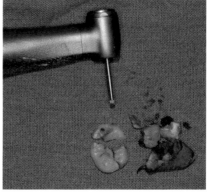

Se realizo una técnica convencional para extraer el tercer molar inferior izquierdo en un paciente de 27 años. Se utilizo un elevador bucal para tratar de remover por mesial; sin embargo, no se pudo remover y se tuvo que hacer un corte disto-cervical. Se realizaron múltiples cortes en el área disto-cervical para la extracción seccionada del diente. El signo de Youngsam era evidente en el ápice y explica porque la extracción era un desafío.

09
Incremento de piezas de mano de baja velocidad 1:5 ★

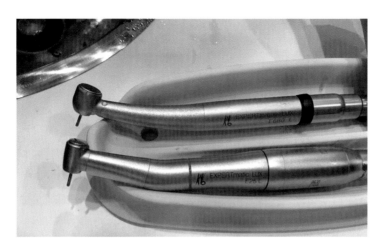

La mayoría de las compañías que fabrican piezas de mano de baja velocidad con banda roja indican que son el producto más nuevo en el mercado y le dan más publicidad. Parece ser porque ya se han colocado muchas coronas de zirconia, debido al incremento de los precios del oro. Una gran cantidad de dentistas utilizan la pieza de mano de baja velocidad para remover coronas de diversos materiales y preparar dientes pilares en lugar de utilizarlas en procedimientos de extracción de terceros molares. Varios tipos de piezas de mano fueron exhibidas en un stand de Kavo, pero solo las piezas de mano de alta velocidad y la pieza de mano 1:5 de baja velocidad fueron puestas a prueba, demostrando que tienen la mayor demanda.

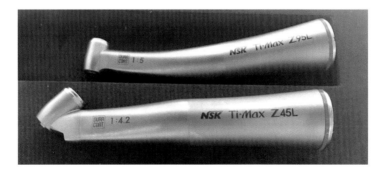

El stand de NSK exhibió los mismos modelos de pieza de mano que el autor ha estado utilizando. Este era además el producto al que le daban mayor publicidad. La pieza de mano que se muestra en la parte inferior de la foto es una pieza de mano de 45 grados que es mundialmente utilizada para extracciones, pero raramente utilizada en Corea. Yo también tengo y utilizo la pieza de 45 grados y la pieza de baja velocidad 1:4.2. Como se fabrican con el propósito de realizar extracciones, tienen fácil acceso al encendido y apagado del irrigado. Para la pieza de mano 1:5 de aire, se debe apagar la irrigación desde la unidad dental. Las opciones dependen del centro de manufacturación de encargado. Puedes observar el video de las piezas de mano con encendido y apagado de aire a través del QR.

10
Extracción usando pieza de mano de baja velocidad 1:5 de 45 grados ★

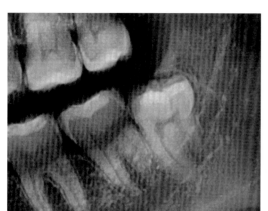
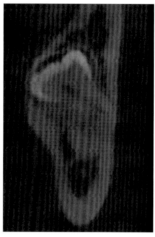
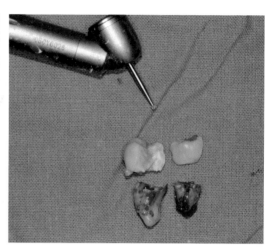

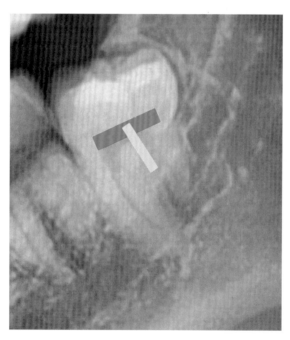
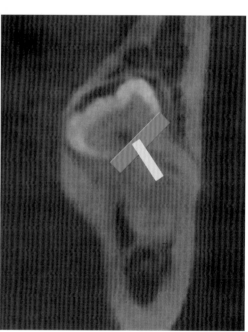

La extracción del tercer molar inferior en un paciente femenino de 37 años fue difícil, ya que se encontraba incluida disto lingualmente y cerca del nervio lingual. La técnica para seccionar la corona fue utilizando la pieza de mano de 45 grados para realizar un corte cervical con dirección mesiobucal para fracturar la corona y removerla. La corona tuvo que ser seccionada más por la línea mesio distal y removerla.

Si es complicado remover la raíz restante y el paciente se queja de dolor, también puede ser aceptable su remoción realizando una resección de mesial y distal.

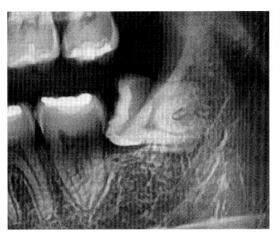
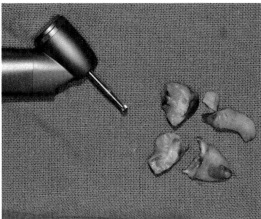

Este es un caso de una extracción en donde se utilizó la pieza de 45 grados 1:4.2 para extraer el diente de la misma manera que usando una pieza de mano recta; el tercer molar fue seccionado en dos partes para ser removida desde un ángulo lateral. La corona del diente fue también seccionada en dirección mesial y la raíz distal presentaba una curvatura diferente.

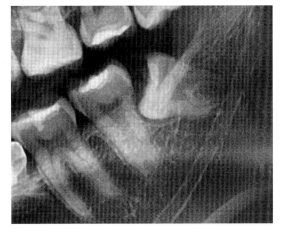
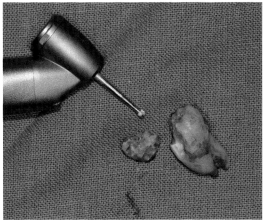

Es posible remover el diente sin dividirlo en dos segmentos.

Introducción y capítulo 06 traducido por.

Dr. Sung-Soon Chang

Cirujano Dentista Egresado de la Facultad de Odontología de la Universidad Autónoma de Nuevo León

Cirujano Oral y Maxilofacial Egresado de la Facultad de Odontología de la Universidad Autónoma de Nuevo León

Profesor Asistente de la Facultad de Odontología de la Universidad Autónoma de Nuevo León
- Departamento de Cirugía Bucal
- Departamento de Patología Oral
- Departamento de Urgencias Medicas Odontológicas

Instructor de la Clínica del Posgrado de Cirugía Oral y Maxilofacial
- Facultad de Odontología de la Universidad Autónoma de Nuevo León

Miembro De Asociación Internacional De Cirugia Oral Y Maxilofacial

Miembro De Asociación Latinoamericana De Cirugía Y Traumatología Bucomaxilofacial

Miembro De Asociación Mexicana De Cirugía Bucal Y Maxilofacial

Certificado Por El Consejo Mexicano De Cirugia Bucal Y Maxilofacial

Miembro De International Team For Implantology

Sin duda alguna la cirugía de terceros molares es uno de los procedimientos quirúrgico-ambulatorio el cual genera mayor temor a los pacientes, dada la cercanía de las estructuras anatómicas además del dolor postoperatorio, inflamación, etcétera hace que cualquier paciente genere cierto temor a dicha intervención. Como cirujano maxilofacial la cirugía de terceros molares es el tratamiento que con mas frecuencia realizamos en nuestra consulta es por lo mismo debemos estar actualizados y aprender de diferentes profesores es algo de nuestra carrera y practica profesional es fundamental para mejorar la calidad de atención de nuestros pacientes.

Me siento muy agradecido por la invitación del Doctor Young-Sam Kim y la oportunidad de ser uno de los integrantes del equipo de traducción de este libro al Español, la difusión de este libro a nivel Iberoamericana puede ayudar a la formación de los odontólogos para brindar un mejor servicio como profesional de la salud y un tratamiento de calidad a sus pacientes.

01
Clasificación de un tercer molar mandibular incluido verticalmente ★★

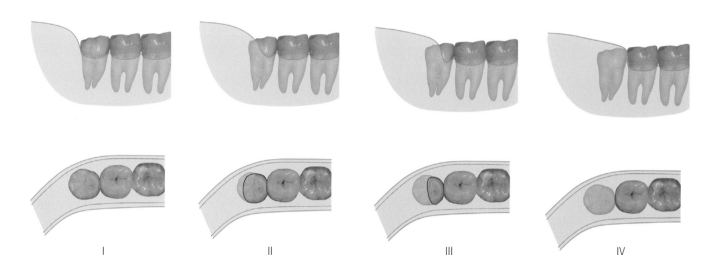

I   II   III   IV

I: Completamente erupcionado (Posición normal)

En muchos casos donde la corona está completamente erupcionada, principalmente uso fórceps debido a la falta de hueso cortical fuerte para servir como punto de apoyo alrededor de la corona. Si la extracción con fórceps no fue exitosa, entonces el diente deberá ser seccionado. Usualmente el ligamento periodontal que rodea los dientes funcionales es fuerte, lo cual hace la extracción más difícil. Esto es especialmente cierto en hombres con mandíbulas prominentes.

II: 2/3 Erupcionado (Más de la mitad de la corona visible)

La extracción de un diente en esta clasificación es relativamente más fácil que la de un diente en otra clasificación. La mayoría de los casos no se necesitan incisiones, y el diente puede extraerse exitosamente con un elevador comprometido en el área distobucal.

III: 1/3 Erupcionado (Menos de la mitad de la corona visible)

La extracción de dientes en esta clasificación también es relativamente más fácil, pero puede requerir la liberación de un colgajo mucoperióstico de espesor completo por vía bucal para evitar el desgarro iatrogénico del tejido. Es probable que estos dientes también puedan extraerse mediante fuerzas de luxación con un elevador enganchado en el área distobucal.

IV: Completamente incluido (Corona no visible)

Primero, se hace un colgajo de grosor completo en la encía para exponer la corona del tercer molar incluido. Luego, utilizando un elevador o una cureta quirúrgica, examine si la superficie oclusal distal de la corona está cubierta por el hueso alveolar. Si el área distal está cubierta por hueso, a menudo aplico la técnica de corte distal de la corona (1/2 a 1/3). Algunos dientes se pueden quitar sin seccionar a diferencia de cómo aparecen en las imágenes. Sin embargo, la extracción de hueso, además de la sección del diente, puede ser necesaria en los casos en que el tercer molar se coloca completamente más bajo que el plano oclusal del segundo molar o donde está angulado distal, bucal o lingualmente.

02
Cómo hacer la línea de incisión para terceros molares incluidos verticalmente

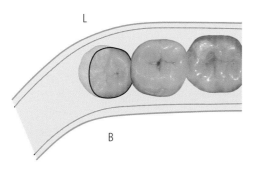 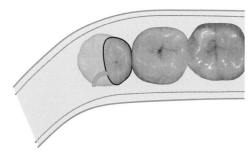

Si más de la mitad de la corona está cubierta por tejido blando, coloque una pequeña incisión bucal para evitar el desgarro del tejido durante el proceso de extracción del diente. También es importante separar el acceso periodontal usando un explorador. Recuerde, "Es mejor crear una incisión que rompa el tejido" o "¿Es mejor ser cortado que ser rasgado?"

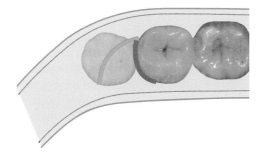

En casos de impactación total de tejidos blandos, se recomienda una incisión en forma semilunar. La incisión debe realizarse mientras la mejilla está completamente retraída hacia vestibular, y la incisión debe terminar en el lado lingual de la parte distal del segundo molar (línea verde) para evitar el desgarro durante la extracción. Si es necesario, la incisión puede extenderse hasta el vestibular del segundo molar (línea roja); sin embargo, generalmente no es necesario.

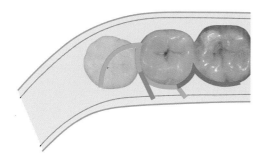

La extensión de la línea de incisión al área mesial del segundo molar (línea verde) solo es necesaria en casos en que el abultamiento cervical de la corona esté debajo del hueso cortical o cuando haya una inclinación bucal o lingual significativa.

Extracción del tercer molar mandibular ★ completamente erupcionado

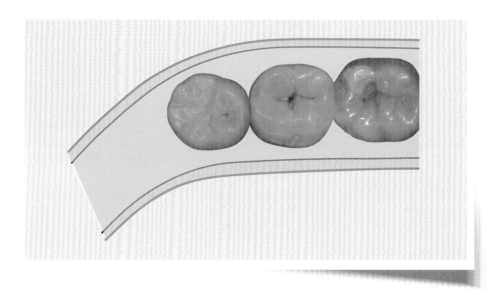

Afortunadamente (o no), me gradué de la escuela de odontología sin haber realizado una extracción porque los instructores siempre me ayudaron. Quizás esto es una indicación de que la educación en la escuela dental era defectuosa e inadecuada en ese momento, al menos. No todos los estudiantes se graduaron sin haber tenido la oportunidad de realizar extracciones por su cuenta; lo sé porque era un paciente de extracción para uno de los estudiantes del último año. Un día, los estudiantes mayores llamaron a estudiantes menores con terceros molares completamente erupcionados y era uno de ellos. Per,o el dolor que experimenté durante esa extracción es el peor dolor de mi vida hasta la fecha. Ni siquiera podía contar cuántos estudiantes se turnaron. Al final, les llevó más de una hora extraer uno de mis terceros molares mandibulares. Ahora me pregunto por qué tanto los residentes como los estudiantes recibieron una capacitación tan deficiente y dónde estaban todos los profesores asistentes. De todos modos, mi punto aquí es que extraer los terceros molares completamente erupcionados es muy difícil; es más, tienen la mayor posibilidad de ser los más difíciles.

01
Utilizar fórceps para extraer tercer molar mandibular completamente ★★ erupcionado

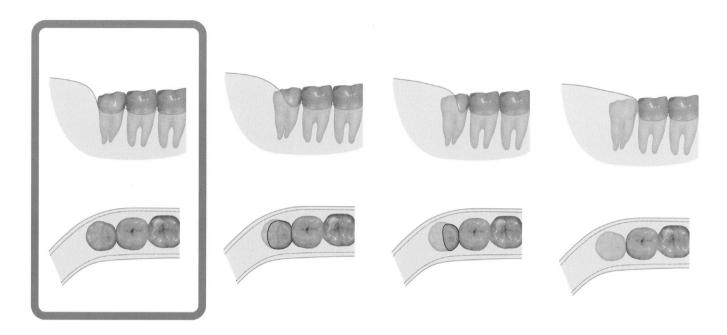

En la mayoría de los dientes completamente erupcionados, las extracciones se pueden realizar con éxito utilizando principalmente el fórceps. Sin embargo, si el área distobucal del diente está cubierta por encía o por hueso alveolar, el diente puede extraerse con fórceps de luxación con un elevador enganchado en el área distobucal. La indicación para la extracción de fórceps es que el abultamiento cervical de la corona debe estar por encima del hueso cortical para permitir que el fórceps se enganche en el diente con la máxima fuerza de agarre y se evite el deslizamiento. De lo contrario, el deslizamiento del fórceps puede dañar el diente opuesto, el tejido blando circundante y el hueso alveolar. Los dentistas que tienen menos fuerza en la muñeca deben tener más precauciones sobre el deslizamiento. Al principio, solía enseñar a los estudiantes a usar el 60% de su fuerza para agarrar el diente y el 40% para extraerlo. Sin embargo, hoy en día hago hincapié en asignar el 70% de la fuerza para agarrar el diente porque todavía presencié a muchos estudiantes deslizándose cuando usaban el fórceps por primera vez. Es importante utilizar mucha más fuerza para agarrar adecuadamente el diente, que para mover o luxar el diente. De esta manera, el fórceps no se desliza, y no hay daño iatrogénico.

02
Posicionamiento básico del fórceps para extracción ★★★

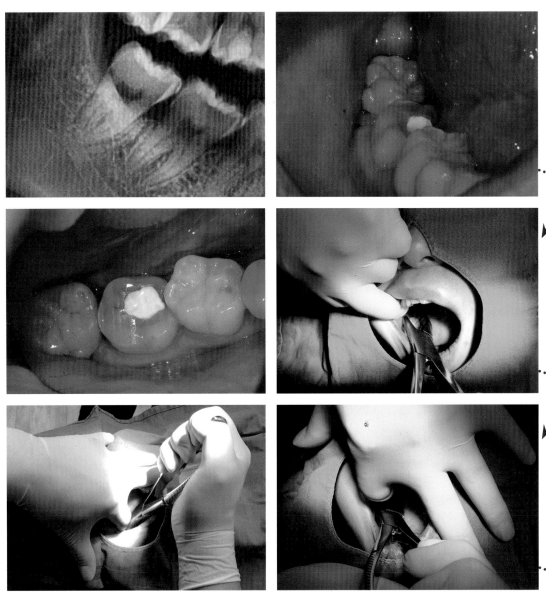

Prevenir el deslizamiento es la consideración más crítica durante la extracción con fórceps.
La importancia de agarrar el diente con fuerza y seguridad con una mano firme no puede enfatizarse lo suficiente como para evitar daños a los tejidos circundantes. A veces, la extracción del diente puede ocurrir involuntariamente simplemente agarrando el diente de forma segura con el fórceps. Al mismo tiempo, la parte posterior del fórceps puede golpear inesperadamente y dañar la dentición opuesta. Para evitar lesiones accidentales en la dentición opuesta, se recomienda agarrar el diente con un aumento gradual de la fuerza y, justo antes de aplicar la fuerza, se debe verificar una vez más que la corona del diente esté firmemente sujetada. Cuando el fórceps está enganchando adecuadamente a la corona, coloco mi dedo índice izquierdo contra los dientes maxilares opuestos para protección. Dentistas que no realizan extracción de terceros molares, no lo hacen porque no lo sepan, sino que les estresa demasiado estas complicaciones. Una de las complicaciones más comunes es el agrietamiento o fractura de los dientes opuestos por el fórceps.

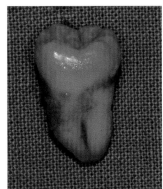

03
Ejemplos de utilizar el fórceps para extraer terceros molares mandibulares ★ completamente erupcionados

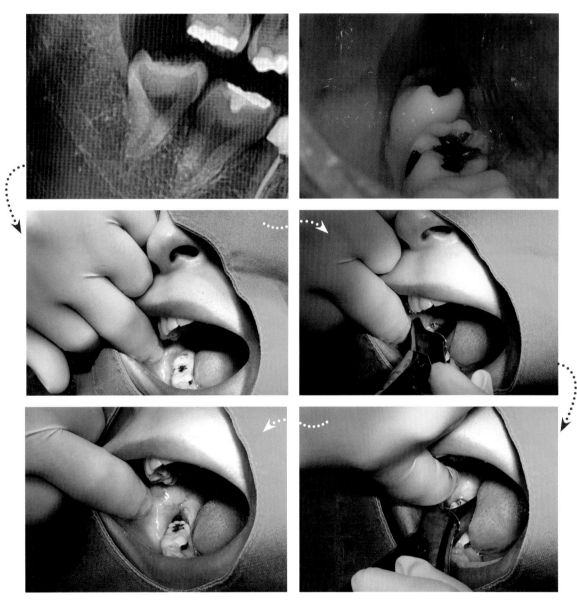

Las radiografías y las fotografías intraorales ilustran que el abultamiento cervical de la corona está por encima de la encía. Para aplicar elevadores en estos casos, se debe extraer el hueso vestibular después de un colgajo de espesor completo a fin de crear un espacio para acomodar los elevadores. Por lo tanto, en tales casos, es mejor intentar primero con fórceps. Incluso para alguien con una fuerza débil en la muñeca, terceros molares alargados y de raíz única se pueden extraer fácilmente. En la extracción de estos dientes de raíz única, solo la fuerza de agarre de la corona puede ser suficiente para luxar abruptamente el diente de la cavidad. Por lo tanto, el dedo índice izquierdo debe colocarse en el diente opuesto. El fórceps a menudo "saltan" y dañan los dientes anteriores superiores. Por eso, el dedo índice izquierdo también debe cubrir los dientes anteriores superiores tanto como sea posible, como se ilustra en la foto.

04
Fórceps para el tercer molar mandibular ★★

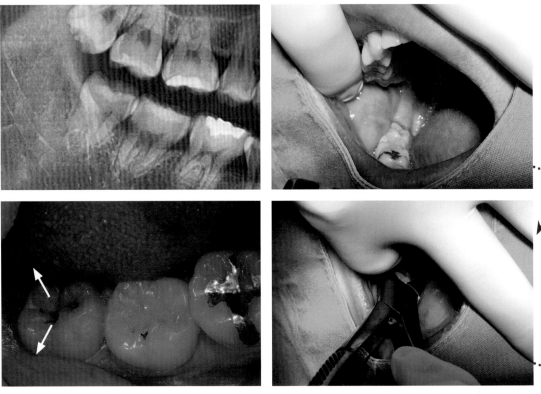

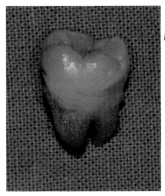

Durante la luxación con el fórceps, ten en cuenta que mesial del tercer molar está en contacto con distal del segundo molar. La presión del movimiento de luxación por el fórceps puede romper el segundo molar. Por favor, vuelve a lo que se mencionó anteriormente. Según mi experiencia, los terceros molares deben ser luxados primero para sentir si el movimiento bucal o lingual del diente es más fácil y se debe aplicar más fuerza de luxación hacia esa dirección. Según mi experiencia, se extraen más dientes con luxación bucal.

"Al final de este capítulo se cubrirán consejos adicionales para las extracciones desafiantes de terceros molares mandibulares completamente erupcionados utilizando sólo instrumentos de mano, como fórceps o elevadores."

05
Videos de códigos QR ★★★

Extracción del tercer molar mandibular completamente erupcionado con fórceps

Extracción del tercer molar mandibular completamente erupcionado con fórceps después de intentar con el elevador

Extracción del tercer molar mandibular completamente erupcionado con fórceps después de intentar con el elevador

Al agregar videoclips, no fui selectivo en cuáles agregar. Incluí tanto los casos buenos como los malos; todo lo que grabé, se cargó. Mi intención es mostrar todo tal como está, para evitar manipular a los espectadores para que piensen que todos los casos son extremadamente fáciles y rápidos usando mis métodos. Disculpe mis movimientos incómodos en los videoclips debido a la consideración del ángulo de la cámara.

Extracción del tercer molar mandibular completamente erupcionado con fórceps después de intentar con el elevador

Extracción del tercer molar mandibular completamente erupcionado usando un elevador que se aplica en la cara distal en un paciente de ortodoncia

Extracción del tercer molar mandibular completamente erupcionado usando un elevador 5C debido al espacio del enrollador alrededor de la corona

Extracción del tercer molar mandibular inclinado lingualmente completamente erupcionado y extracción del tercer molar maxilar inclinado bucalmente con fórceps

¡Espera!

Quiero ser una persona que enseñe bien las extracciones, no una persona que sea buena extrayendo

Las habilidades de extracción no se pueden medir objetivamente ni asignar valores numéricos, pero si fuera posible, no calificaría mis habilidades como altas. Especialmente los terceros molares que están en el borde inferior de la mandíbula o las que tienen quistes o tumores, nunca he intentado extirparlas ni soy capaz de tales procedimientos. Como dentista y ciudadano de Corea del Sur, admiro y aprecio desde el fondo de mi corazón a los cirujanos orales y maxilofaciales de mi país que se dedican a proporcionar servicios importantes de extracción de tumores, reconstrucción maxilofacial y extracción de terceros molares a precios muy bajos.

A veces me preocupa que mi libro pueda parecer una declaración arrogante o un desafío contra la experiencia de los cirujanos orales y maxilofaciales. No deseo ser alguien que sea bueno extrayendo terceros molares, sino alguien que lo disfrute dentro del alcance de la odontología general e intercambie información relacionada con colegas. Si bien me encuentro con la mayoría de los dentistas como instructor en los seminarios en estos días, solo soy otro dentista que quiere comunicarse y compartir con una mente abierta.

¡Espera!

¿Cómo terminé extrayendo muchos terceros molares?

Las tarifas de extracción del tercer molar son extremadamente bajas en Corea del Sur. Debido a esto, pude extraer tantos terceros molares como quisiera. Abrí mi consultorio en febrero del 2002, donde el tráfico peatonal diario supera el millón de jóvenes cerca de la estación de Gangnam. En aquellos días, una restauración posterior de resina costaba alrededor de $ 100 y un implante alrededor de $ 3.000, pero una extracción del tercer molar incluido por hueso era de alrededor de $ 30 dólares. Debido a esta tarifa ridículamente baja establecida por el gobierno (e ilegal cobrar más), la extracción de los terceros molares era algo que los dentistas generalmente evitaban. Afortunadamente, debido a esto, alguien tan humilde como yo tuvo muchas oportunidades como nuevo dentista. Desde el principio siempre me han gustado los procedimientos quirúrgicos y fui mejor extrayendo dientes que en los procedimientos de restauración. Entonces, incluso si los pacientes habían visitado mi consultorio para otros procedimientos, comencé a ofrecer extracciones de terceros molares y desde entonces he sido un dentista que disfruta de las extracciones y trabaja duro para ser bueno en ellas.

Extracción del tercer molar mandibular erup-⭐ cionado parcialmente cubierto por gingival

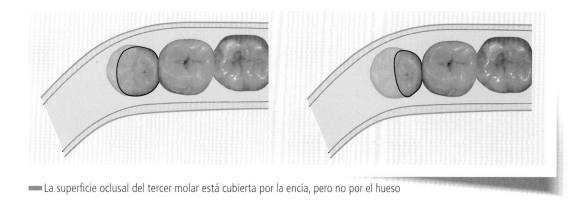

▬ La superficie oclusal del tercer molar está cubierta por la encía, pero no por el hueso

Como se mencionó anteriormente, las extracciones de terceros molares totalmente erupcionadas pueden ser las extracciones más difíciles. Entonces, ¿qué pasa con los terceros molares incluidos verticalmente que están cubiertas hasta la mitad por la encía? De hecho, estos son los más fáciles de eliminar. Puede depender del caso, pero generalmente estos son los más fáciles y la mayoría se pueden extraer solo con el elevador. Si las escuelas de odontología tuvieran que enseñar extracciones de terceros molares, creo que serían ideales para practicar y mejorar las habilidades de los estudiantes en el elevador. Por supuesto, la capacitación tendría que cubrir los usos adecuados tanto del fórceps como del elevador. Pero si tuviera que hacer hincapié en uno solo, recomendaría retirar estos terceros molares con exposición vertical; y parcialmente expuestos con elevadores porque las aplicaciones de elevadores forman la base de todas las extracciones. Cuando uno se vuelve experto en extraer estos tipos de terceros molares, los terceros molares incluidos horizontalmente se vuelven más fáciles. Por lo tanto, recomiendo que practiques el uso de los elevadores varias veces en terceros molares incluidos verticalmente para mejorar tus habilidades de extracción en general.

01
Extracción de terceros molares incluidos verticalmente con elevadores ★

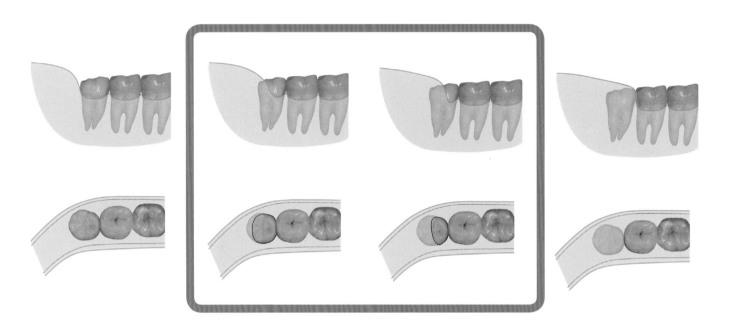

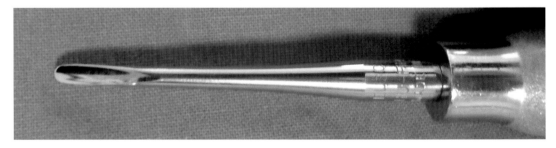

La extracción de terceros molares con aproximadamente la mitad de la corona visible puede ser la más fácil entre las diferentes clasificaciones de las extracciones del tercer molar mandibular. La mayoría de estos casos se pueden extraer solo con el elevador sin necesidad de incisiones. En lo personal, éstos son mis favoritos; se pueden extraer en unos pocos segundos una vez que hayas dominado la técnica adecuada de engranar el diente y controlar el elevador. Si logras hacerlo bien, esto te traerá una enorme satisfacción similar a la emoción de tambalearse con un pez grande mientras pescas. Esta es la parte donde me siento más recompensado en mis seminarios y cursos prácticos, donde mis aprendices se enganchan a la emoción de las extracciones en un elevador.

02
¿Dónde enganchar el elevador?

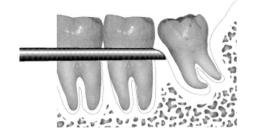 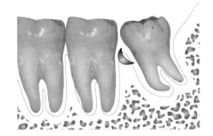 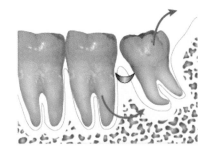

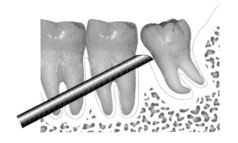 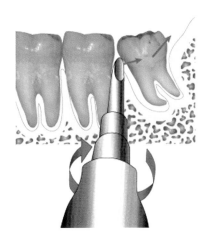 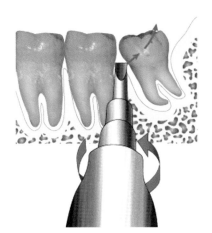

Las ilustraciones anteriores se crearon de manera similar a las que se encuentran en un libro de texto típico de cirugía oral. En lo que más enfatizo en las extracciones es evitar crear algo que me entristezca. Como siempre enfatizo, el dentista general que no realiza extracciones de terceros molares no lo hace porque no sabe cómo, sino porque se estresa después del procedimiento. Cuando se aplica el elevador entre los segundos molares y los terceros molares como se ilustra arriba, es más fácil dañar la parte distal del segundo molar. Cuando se extrae unas pocas, algunas decenas... o unos cientos, es posible que no experimente ningún problema al usar un elevador de esta manera. Sin embargo, si extrae más de diez mil como yo, algunos segundos molares seguramente tendrán daños en la raíz distal en el lado vestibular. Incluso en la parte distal de los segundos molares superiores, donde hay mucho más tejido blando que hueso denso, se debe evitar el uso del elevador. Pero usar el elevador en el mesial del tercer molar, donde la parte posterior está bloqueada por la rama, es como comprometerse a destruir lo distal del segundo molar. Para aquellos de ustedes que han estado aplicando el elevador en el mesial de los terceros molares para extracciones, podrían preguntarse si estoy abogando contra el uso de elevadores para extraer por completo. Echemos un vistazo. No solo las extracciones se vuelven más seguras, sino que se vuelven más rápidas y sencillas.

03
Videoclips encontrados de extracciones usando el elevador entre el segundo y el tercer molar

Aquí hay algunos videos de extracciones de terceros molares en YouTube. Agregué mis opiniones personales sobre su técnica, y le dejaré a usted decidir si su técnica es correcta o no.

Ver video 1

Comienza a ver desde el minuto 4:45. Algunos pacientes se quejan de la sensibilidad del segundo molar cuando mastican o comen después de la extracción del tercer molar de esta manera. Esto se debe a grietas finas (daños) en el área distal del segundo molar. Si estuviera en esta situación, habría ocupado el elevador en el área distobucal.

Ver video 2

Esta es la forma típica de enganchar un elevador en el área mesial del tercer molar. Si estuviera en esta situación, volvería a conectar el elevador en el área distobucal. Desde mi experiencia, participar en el área distal del tercer molar es más fácil y puedo extraerlo con más fuerza.

Ver video 3

Estos videos demuestran lo que se llama EWF (Extracción Sin Fórceps). En este caso, también sugiero que se enganche el elevador en el área distobucal, pero también es importante considerar el área distal. Si esto no logra extraer el diente, recomiendo cambiar a la extracción con fórceps en lugar de tratar de enganchar el elevador en el área mesial.

04
Para los dientes mandibulares incluidos verticalmente, aplique el elevador ★★ aquí mismo

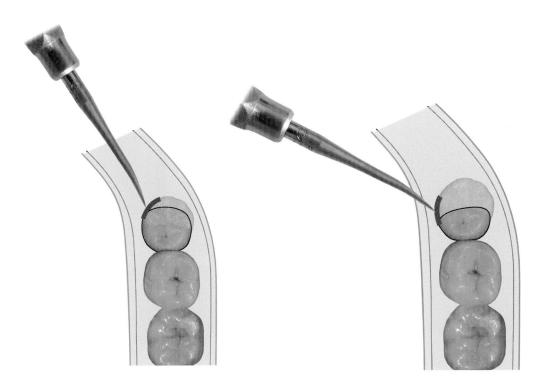

Cuando se trata de terceros molares incluidos verticalmente, la forma más fácil de extraerlas puede ser aplicando el elevador con el fulcro en el hueso distobucal. Los dentistas que se han entrenado con un instrumento más grueso como el EL4S, tienden a tener dificultades para comprender esta parte. Para utilizarlo en distobucal, debes tener un elevador Hu-Friedy EL3C, que está ligeramente curvado para que pueda moverse alrededor de la altura bucal del contorno del diente; y es estrecho y afilado, lo que le permite pegarse entre el hueso alveolar y el diente sin extraer el hueso bucal. Esta sensación de la aplicación del elevador aquí no se puede explicar a alguien que no ha usado el EL3C.

Varios dentistas que han tomado mis cursos dicen que su parte favorita fue esta... Cuán efectivo es el EL3C con la extracción parcial de huesos molares inferiores mandibulares incluidos verticalmente. ¡Recuerda! El elevador debe enganchar en distobucal del tercer molar mandibular.

"Hu-Friedy EL3C y distobucal"

05
¿Cómo colocar el elevador en bucal? ★

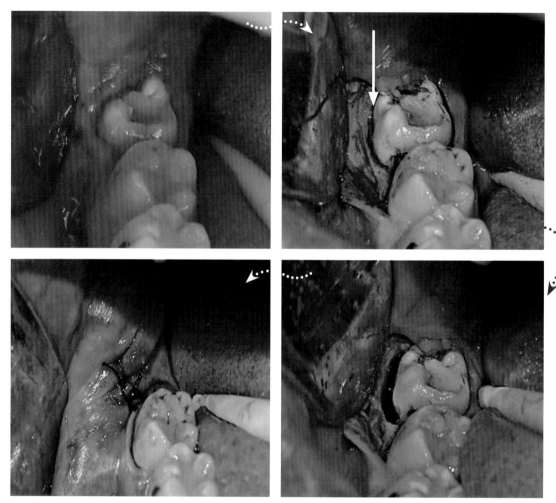

▬ Dr. Peter Kim colocó una imagen del proceso de extracciones de terceros molares en Facebook.

El caso anterior muestra el proceso más utilizado para extraer los terceros molares. La mayoría de los cirujanos orales están capacitados de esta manera en sus programas de posgrado. Esta es una forma típica y de libro de texto de entrenar y preparar residentes para cirugías mayores, probablemente utilizando un elevador más ancho y grueso como el EL4S. Sin embargo, al usar un elevador más estrecho y pequeño como el EL3C, aún puede extraer fácilmente estos terceros molares al tiempo que evita métodos más complicados como el que se demostró anteriormente.

Si tuviera que realizar el procedimiento en el mismo caso anterior, habría aplicado el elevador en el distobucal (flecha blanca en la segunda fotografía) sin hacer una incisión, colgajo y quitar el hueso. Ahora, echemos un vistazo a los casos utilizando mi técnica.

06
Extracción de terceros molares incluidos verticalmente con el elevador <1> ★★★

CASO 1

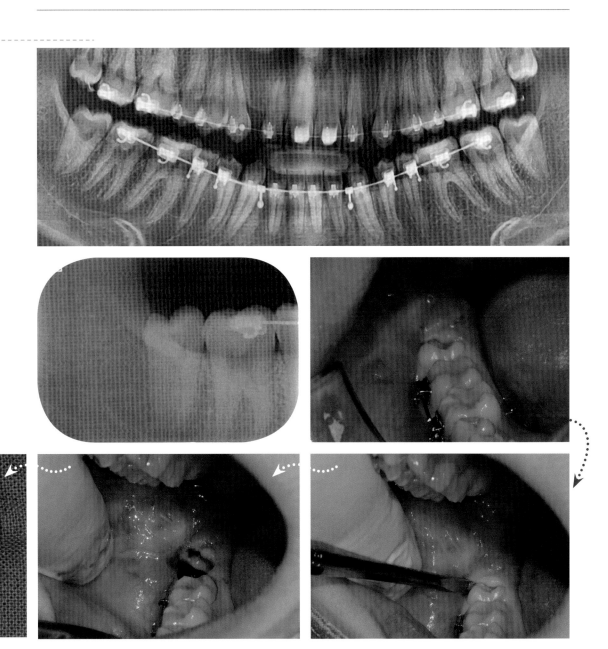

Las coronas de los #38 y #48 que se muestran arriba están principalmente sobre el hueso alveolar y parcialmente cubiertas por tejido blando. Habría un alto riesgo de daño en los tejidos blandos si tuviera que usar fórceps aquí. En mi experiencia, un elevador crea una fuerza mayor que los fórceps. En muchos casos, si estos dientes erupcionan solo un poco más o si el nivel del hueso distal es un poco más bajo, el elevador no puede encontrar un buen punto de contacto. Cuando solo la altura del contorno de la cara distal de la corona parece estar ligeramente encerrada en el hueso alveolar, este es el mejor caso para usar un elevador para extraer. Después de revisar la radiografía del #48, decidí usar un elevador; enganchando el hueso distobucal sin hacer una incisión gingival porque el tamaño de la corona no es grande y la anatomía de la raíz también permite una extracción fácil.

07
Extracción de #38 (U. S. #17) un mes después de extraer #48 (U. S. #32) ★★★ en el mismo paciente

CASO 2

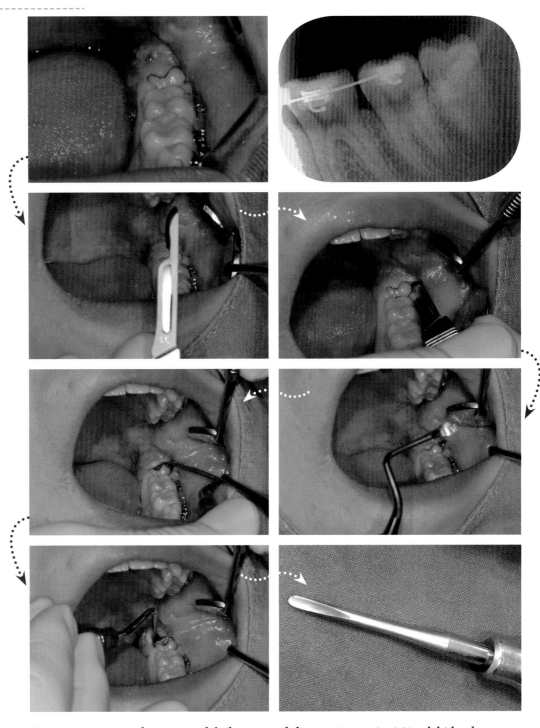

Este es un caso en el que sería difícil extraer el diente sin una incisión debido al tamaño de la corona. En tales casos, solo pongo una incisión muy pequeña en vestibular. En comparación con una incisión creada en una cirugía típica de extracción del tercer molar, el propósito de esta pequeña incisión es crear un espacio lo suficientemente grande como para insertar un elevador en la disto-vestibular. Luego se libera la encía sobre la superficie oclusal con una cureta quirúrgica (con el lado cóncavo hacia abajo) utilizando el movimiento de palanca de segunda clase (consulte el Capítulo 5-1) mientras se verifica la presencia de hueso en la superficie oclusal.

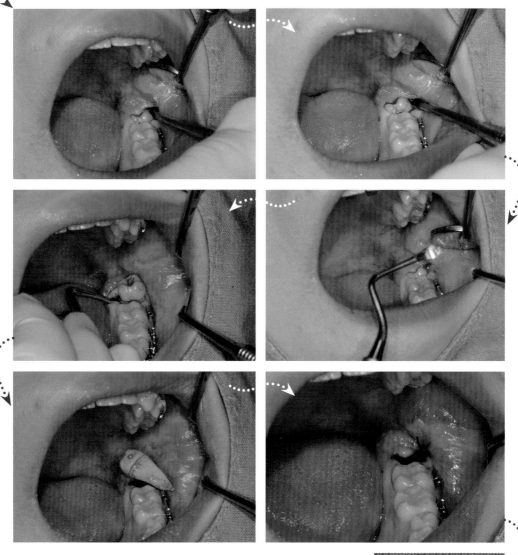

Una vez que el diente esté completamente luxado, aplico la cureta quirúrgica en el lingual y extraigo el diente hacia vestibular donde está la línea de incisión. Una cureta quirúrgica es muy útil en una variedad de formas. Y luego solo puse una pequeña sutura en la pequeña línea de incisión. Prefiero hacer pequeñas incisiones, ya que siempre debemos recordar que "es mejor cortar que rasgar". Si se rasga el tejido blando durante la extracción, esto significa que se ha excedido el límite elástico del tejido y el trauma en el área podría ser más grande de lo que espera. En casos como este, si el elevador fuera forzado a salir del diente para sacar el diente lingualmente, la encía distolingual podría haberse desgarrado.

Extracciones de terceros molares incluidos verticalmente con el elevador <2> ★

CASO 3

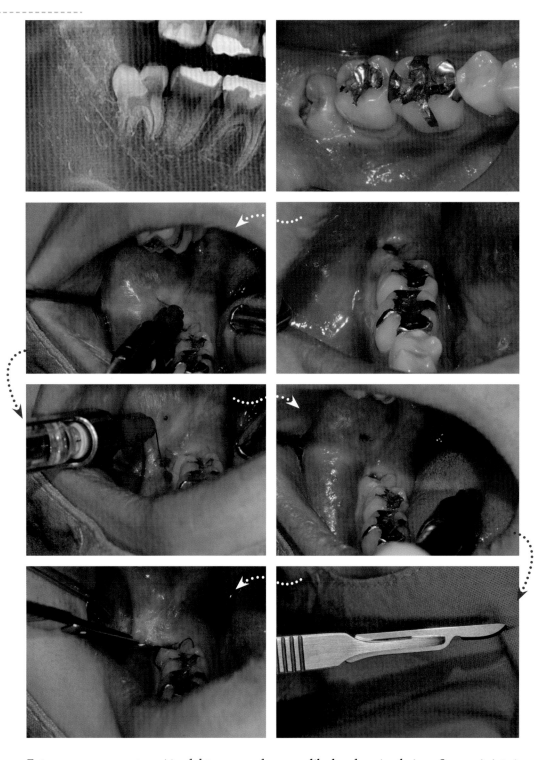

Este caso es una extracción del tercer molar mandibular de mi sobrino. Se suministró anestesia local a la rama, la bucal y la lingual, en orden de costumbre. La porción distal de la corona puede parecer incluida en el hueso alveolar según las imágenes, pero la mayoría de estos casos se pueden extraer solo con un elevador.

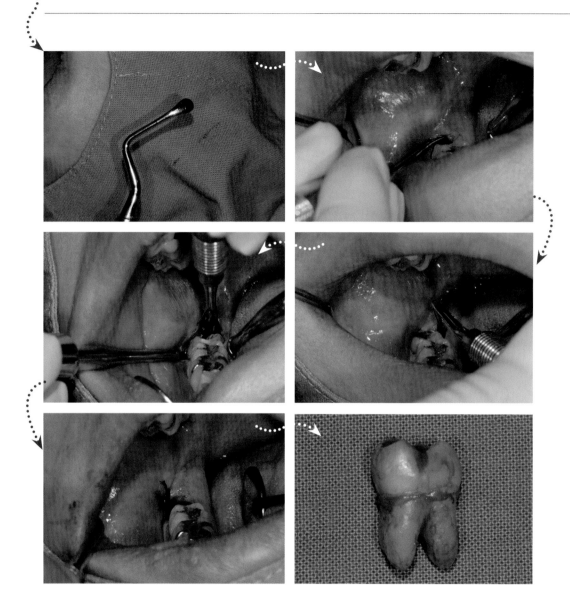

Use la superficie convexa de una cureta quirúrgica para liberar la encía distal y determinar la presencia de hueso en la parte superior de la superficie disto-oclusal de la corona. En muchos casos como este, la mayor parte de la superficie oclusal está cubierta solo por tejido blando. Para extraer el diente luxado por la aplicación distobucal de un elevador, se aplica un elevador perióstico en lingual entre el diente y el tejido blando lingual, evitando el desgarro lingual del tejido blando. Esta es una técnica muy útil, pero debes ser muy cauteloso para no utilizar más fuerza de la mínima necesaria para retraer el tejido disto-lingual. Esta técnica es muy útil cuando la corona es muy grande o está inclinada lingualmente. A pesar de la utilidad de la técnica, sigue siendo muy importante diseñar una línea de incisión adecuada.

Extracción de terceros molares incluidos verticalmente con el elevador <3> ★

CASO 4

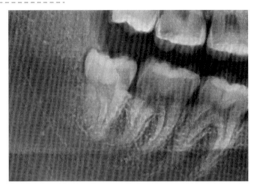
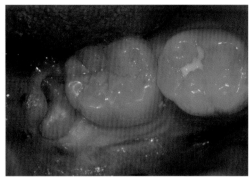

La incisión gingival se realizó en el área vestibular (nunca hago una incisión en el área lingual). El área distal de la corona parece estar incluida en el hueso alveolar según la radiografía panorámica; sin embargo, como en el último caso, la cureta quirúrgica se utilizó para confirmar que el área distal de la corona no se vio afectada

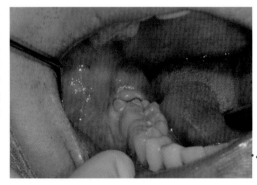

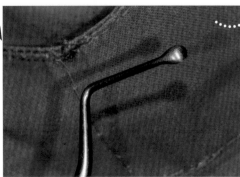
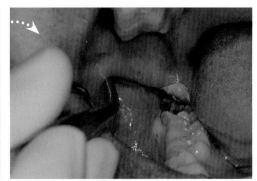

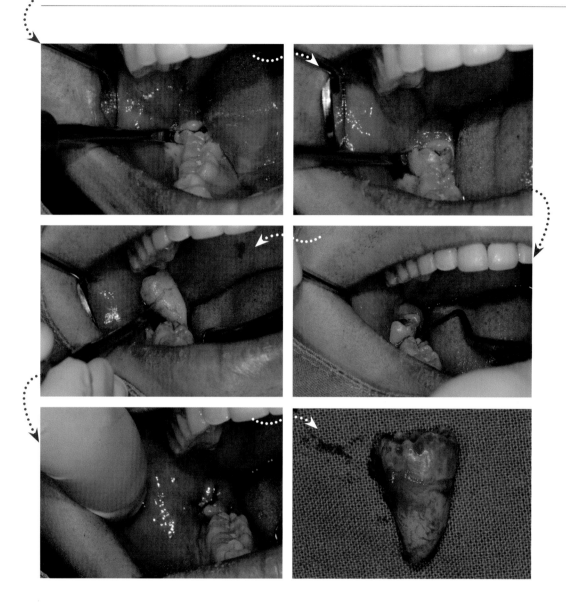

El procedimiento para este caso es muy similar al caso 3, excepto que la encía lingual se habría desgarrado si hubiera tratado de extraer el diente aplicando el elevador solo desde vestibular, sin levantar el diente hacia vestibular desde lingual con una cureta quirúrgica. Cuando la oficina está muy ocupada, a menudo me siento tentado a omitir este paso. Pero esto puede terminar costando más tiempo porque podría rasgar la encía lingual y tomar más tiempo para colocar las suturas. Por supuesto, es altamente improbable que haya estructuras anatómicas notables, como el nervio lingual donde estaría la rotura. Pero debido a que el grado de variación de la anatomía lingual es demasiado grande e impredecible, siempre debemos tener cuidado cuando se trata de tejidos linguales. Si se extraen suficientes dientes de esta manera, desgarrando el tejido lingual, eventualmente podrías encontrarte con un gran problema.

Extracciones de terceros molares incluidos verticalmente con el ★★ elevador <4>

CASO 5

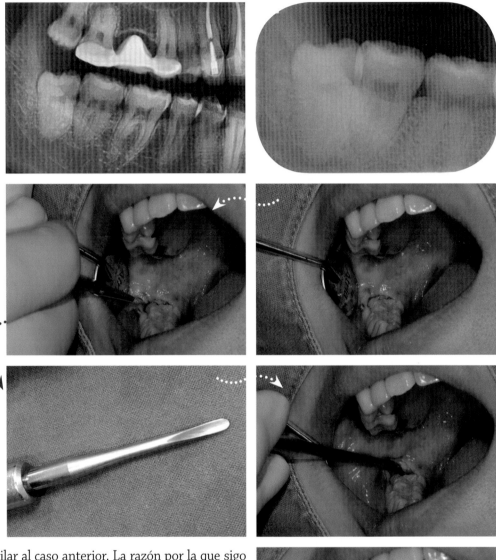

Este caso también es similar al caso anterior. La razón por la que sigo mostrando casos similares es porque cuando dominas la extracción de los terceros molares incluidos verticalmente, todos los casos se vuelven más fáciles. Debes acostumbrarte a realizar extracciones de esta manera. Incluso los terceros molares incluidos horizontalmente se extraen básicamente de la misma manera que los casos incluidos verticalmente, una vez que se corta la corona. Puede ser una buena idea enfocarse primero en extraer varias impactaciones verticales antes de pasar a casos más inclinados medialmente. Cuando estoy realmente ocupado, a veces uso solo el elevador EL3C para hacer la incisión (porque la punta es afilada y estrecha), colgajo y extraer el diente. En el caso anterior, también utilicé el mismo elevador para verificar la presencia de hueso en la superficie oclusal distal.

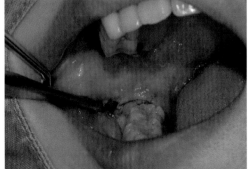

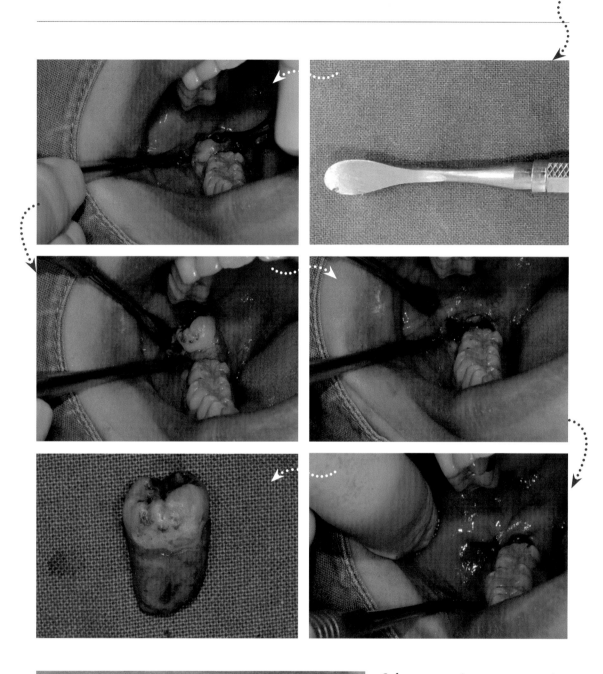

Coloque el elevador perióstico lingualmente para que el tercer molar no rasgue al tejido gingival lingual cuando salga.

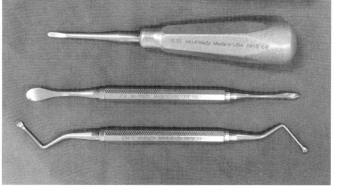

Solo se necesitan estos tres instrumentos clave manuales en mi arsenal quirúrgico (además de los instrumentos básicos) para las extracciones del tercer molar mandibular en mi clínica. Aunque extraigo más de unos cientos de terceros molares por mes, rara vez necesito otros instrumentos.

Extracciones de terceros molares incluidos verticalmente con el ★★★ elevador <5>

CASO 6

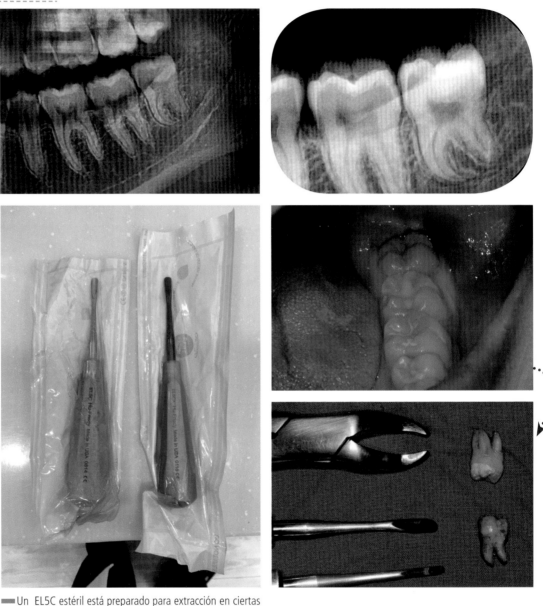

━━Un EL5C estéril está preparado para extracción en ciertas situaciones

Este diente está completamente en erupción en el plano oclusal, por lo que la parte oclusal está totalmente expuesta. Pero, la parte distal parece estar rodeada de tejido óseo. Normalmente, el fórceps no está incluido en mi kit de extracción, y predije que una extracción con elevador sería más fácil aquí que con fórceps. Así que, intenté con el elevador. Pero en tales casos, el espacio entre el hueso vestibular y el diente es demasiado grande para el EL3C, lo que hace que gire sin engancharse correctamente. En este caso lo que extraje con el elevador EL5C que es más ancho. Mencioné antes que es un hábito mío tomar fotos postoperatorias de dientes con instrumentos a su lado para recordar qué instrumentos se usaron en el proceso. La foto inferior derecha de arriba ilustra que el tercer molar maxilar izquierdo se extrajo con fórceps y el tercer molar mandibular izquierdo se intentó primero con EL3C, pero se terminó con EL5C.

Extracciones de terceros molares incluidos verticalmente con el ★★★ elevador <6>

CASO 7

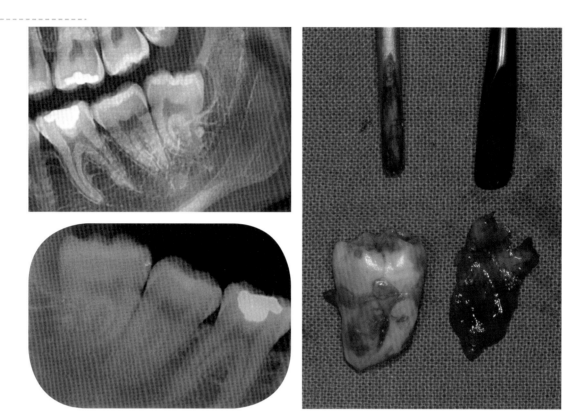

Casos similares como este se ven comúnmente en la clínica. En este caso, el nivel del hueso alveolar que se ve en la radiografía puede parecer una extracción de tres segundos con el EL3C. Pero, a menudo son más difíciles de lo que parece. La lesión inflamatoria (folículo pericoronal) distal al tercer molar mandibular ha estado presente durante mucho tiempo y ha provocado la resorción ósea, lo que creó un espacio adicional entre el diente y el hueso bucal. Tal como se discutió anteriormente, se utilizó el EL5C, que es más ancho que el EL3C. El tejido periodontal inflamatorio se eliminó junto con el diente.

08
Videoclips de pocas incisiones en extracciones usando solo un elevador

 1/2 del diente expuesto, elevador utilizado sin incisión

 La mitad del diente expuesto, elevador y cureta quirúrgica utilizada

 2/3 del diente expuesto, elevador y cureta quirúrgica utilizada

09
Videoclips de extracciones con elevador con incisión ★★

 Menos de 1/3 del diente expuesto, elevador utilizado después de la incisión

 Menos de 1/3 del diente expuesto, elevador y cureta quirúrgica utilizada después de la incisión

 Menos de 1/3 del diente expuesto, elevador utilizado después de la incisión y la sutura colocada

 1/3 del diente expuesto, elevador utilizado después de la incisión y luego la cureta quirúrgica utilizada desde lingual

 1/3 del diente expuesto, elevador utilizado después de la incisión

 1/3 del diente expuesto, elevadores (EL4S, EL3C) utilizados después de la incisión

¡Espera!

Varias discusiones sobre extracción del tercer molar <6>

¿Qué diente (mandibular o maxilar) debe extraerse primero?

Los libros de texto de cirugía oral afirman que la secuencia recomendada de extracción son los dientes maxilares antes que los dientes mandibulares (excepto los dientes con impactaciones óseas). La razón detrás de esta secuencia es: 1) el inicio de la anestesia es más rápido con los dientes maxilares y 2) los desechos pueden caer en las cavidades óseas de la mandíbula si los dientes maxilares se extraen después de los dientes mandibulares. Sin embargo, en el mundo real, las secuencias difieren de una escuela a otra. Para mí, es un poco incómodo quitar siempre los dientes superiores primero solo porque esto es lo que enseñan los libros de texto. La mayoría de los terceros molares maxilares se extraen en pocos segundos, mientras que la mayoría de los terceros molares mandibulares tardan unos minutos, a veces más de 30 minutos. Pero mientras se trabaja en los dientes mandibulares, hay un sangrado continuo del maxilar y los restos del corte de los dientes mandibulares pueden terminar en cavidades maxilares. Es difícil decir cuál es la correcta porque cada uno tiene su propia filosofía que funciona bien para ellos. Personalmente, mi regla es extraer primero los terceros molares mandibulares porque generalmente requieren más tiempo y con mayor frecuencia necesitan un seccionamiento dental. Algunos dicen que los dientes maxilares deben extraerse primero porque tardan menos tiempo en anestesiarse, pero si se sigue correctamente una técnica de inyección adecuada, independientemente de lo que sean dientes mandibulares o maxilares, se puede lograr una anestesia profunda rápidamente. Aunque normalmente se tarda más en extraer los terceros molares mandibulares, es raro que la anestesia desaparezca en los terceros molares superiores mientras se trabaja en los dientes mandibulares (porque también se extraen rápidamente) o que los dientes mandibulares tarden más en anestesiarse. Puede ser mejor decir que debe quitar los que tomarán más tiempo en lugar de decir que siempre debe quitar primero los terceros molares mandibulares. Siguiendo la misma regla, creo que sería prudente extraer primero el que consume más tiempo y después extraer el que consume menos tiempo; esto es lo que hago.

Extracción del tercer molar mandibular con ★ impacto vertical con cobertura total de tejidos blandos

LA SUPERFICIE OCLUSAL DISTAL IMPACTADA EN EL HUESO ALVEOLAR

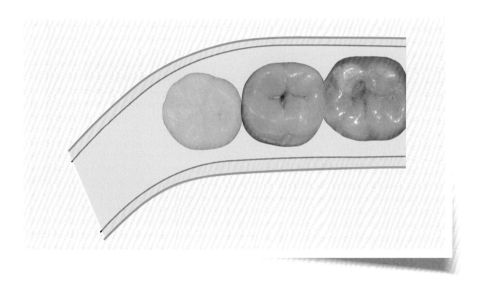

Para estos casos, a pesar de estar completamente cubierto de tejido blando, una vez que se realiza la incisión y el colgajo, el protocolo para la extracción con un elevador es el mismo que el de otros terceros molares mandibulares incluidos verticalmente. Sin embargo, algunos casos en los que la superficie oclusal distal se ve impactada en el hueso requiere extraer el hueso o seccionar el diente. En la mayoría de los casos, extraeré seccionando el diente. Es difícil saber por radiografías panorámicas si la superficie oclusal distal está realmente impactada en el hueso, independientemente del grado de cobertura de los tejidos blandos o de la cantidad de corona visible. Al final, se necesita una pequeña incisión para examinar la superficie distal y vestibular de la superficie oclusal para ver si toda la superficie oclusal está por encima del hueso alveolar. También es útil examinar si la altura del contorno está por encima del hueso. Si el diente está incluido verticalmente en el hueso, además de seccionar la porción distal de la corona, la extracción del hueso bucal o la sección lingual de la corona para crear espacio sería bueno. Por lo general, secciono la corona lingual de los terceros molares mandibulares para crear espacio para la extracción de dientes en lugar de extraer el hueso bucal. Volveré a tocar esto más adelante en el libro. En este capítulo, nos enfocaremos en extraer los terceros molares mandibulares colocados verticalmente mediante el corte distal de la corona.

01

Extracción del tercer molar mandibular incluido verticalmente con ★★ cobertura total de tejidos blandos

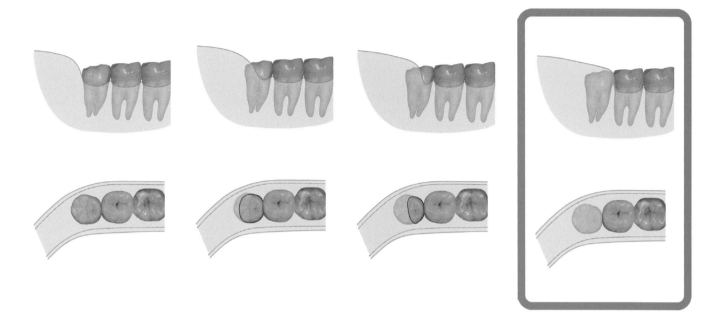

Existe una diferencia entre la impactación de tejidos blandos y la impactación ósea parcial o total. En las impactaciones de tejidos blandos, el tercer molar no es visible en la cavidad oral, pero la superficie oclusal no está cubierta por el hueso. En este caso, el nivel del hueso vestibular generalmente es hasta o alrededor del abultamiento cervical de la corona.

> **Principio básico del Dr. Young-Sam Kim para extraer los terceros molares impactados**
>
> 1. Evita las incisiones y colgajos tanto como sea posible.
> 2. Evita remover hueso tanto como sea posible.
> 3. Secciona el diente en 100 piezas si es necesario.

Mi filosofía fundamental en la extracción de dientes es minimizar el daño tisular alrededor del diente a extraer. Es por eso que prefiero seccionar el diente, que se eliminará de todos modos, en lugar de extraer el hueso. Cuando la altura distal del contorno se ve afectada en el hueso, lo más importante es seccionar la porción distal de la corona en lugar de extraer el hueso distal. Llamaré a esta técnica aquí "corte de corona distal". Al seccionar la corona, necesitamos hacer cortes intencionados en línea recta, lo que facilita tener roturas limpias y deja estructuras de dientes adecuadas para una mejor adaptación del elevador.

02
Corte distal de la corona (seccionando la porción distal de la corona) ★★★

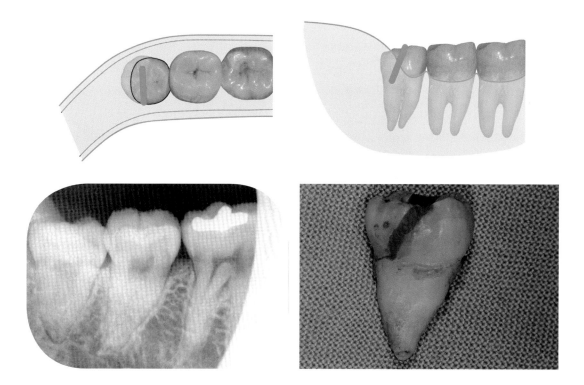

Retirar la parte distal de la corona es bastante simple. Primero, el corte en la corona distal debe ser profundo y estrecho siguiendo la línea azul en los diagramas de arriba. Prefiero usar una fresa redonda quirúrgica No. 4 de 1.4 mm de diámetro, que permite suficiente espacio para que el elevador se enganche y fracture la corona. A veces uso una fresa redonda quirúrgica No. 6 si no está disponible el 4. Pero es más difícil partir el diente en pedazos limpios. Cuando se usa No. 6 para seccionar la corona, la profundidad de corte debe ser más profunda. En este capítulo, se utilizaron fresas redondas quirúrgicas No. 4 en la mayoría de los casos, y recomendaría a los dentistas jóvenes que están aprendiendo a dominar las extracciones, comenzar con esta fresa. Como ilustran las fotos, el corte es oblicuo. Los cortes oblicuos a menudo se hacen de forma natural debido a la angulación de la pieza de mano y la limitación del espacio interoclusal en esta área. La parte más importante de este procedimiento es crear cortes limpios y perforar el hueso vestibular para crear suficiente espacio para que el elevador fracture la corona. Además, al acercarse al aspecto lingual, para evitar daños en el tejido lingual, detén el corte en dentina justo antes del esmalte.

03

Extrae el tercer molar como si estuvieras extrayendo kudzu de la tumba de tu abuelo ★★

Esta es la tumba de mi abuelo. Cada año visito aquí en el día de los padres y puedo ver muchos kudzu (una hierba que parece ginseng salvaje) en su tumba.

Los kudzus se usan en hierbas medicinales y tienen muchos beneficios para la salud. ¿Cómo los recogemos? Las raíces son profundas dentro del suelo. Si quiero removerlos sin dañar sus raíces, entonces el suelo se verá perturbado; pero no puedo perturbar la tumba de mi abuelo. La extracción de los terceros molares es similar; necesitamos minimizar el daño al tejido gingival y alveolar alrededor del diente, al igual que no arruinar la tumba de nuestros antepasados para recolectar kudzus. Siempre que sientas la tentación de extraer hueso alveolar para extraer el diente, recuerda "no arruinar la tumba de nuestro antepasado".

04
Consejos importantes para el corte distal de la corona ★★

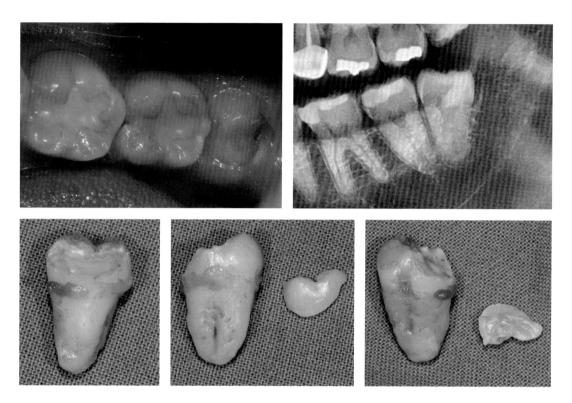

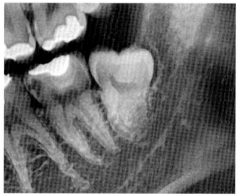

El diente anterior se retiró usando un elevador después del corte distal de la corona. Como se puede ver en las imágenes, la mayor parte del corte es de vestibular y no hasta el lingual. El esmalte es fácil de romper, por lo que no es necesario arriesgarse a cortar con una fresa hasta el lingual.

El diente en este caso también se extrae con el mismo procedimiento. Es común tener socavaciones en el área distovestibular de los terceros molares mandibulares debido a la rama. Es por eso que siempre que secciono bien la porción distovestibular de la corona, el resto del diente es fácil de extraer.

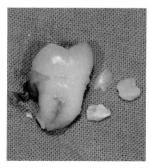

05
La regla básica del Dr. Young-Sam Kim: cortar los dientes

Seccionar múltiples piezas durante la extracción del tercer molar incluido

Este es un principio básico cuando se extrae los terceros molares. Como se mencionó con los dientes incluidos verticalmente, necesitamos seccionar los dientes, en lugar de extraer el hueso. Si se extrae el hueso, puede ser mejor para la visibilidad, pero pierde un buen hueso cortical que puede servir como punto de apoyo para los elevadores. Por lo tanto, secciono el diente lo más posible, en lugar de extraer el hueso. De este capítulo echemos un vistazo a los métodos para la extracción de dientes.

Hay reglas para seccionar los dientes

Debemos evitar absolutamente seccionar los dientes sin un propósito claro. Ahora discutiremos el seccionamiento dental. Entraremos en detalles allí ...

Al quitar las piezas de la corona seccionada, considere el corte distal del segundo molar

La extensión, la forma y el área de los cortes son diferentes para cada diente. Esto debe ser considerado. Hay muchos casos en los que la corona se corta nuevamente ("técnica de división de la corona").

Rota las piezas seccionadas bucal o lingualmente

La parte distal de un segundo molar es convexa, pero eso es solo la parte media. Buco lingualmente hay más espacio y necesitamos usar este espacio para eliminar las piezas seccionadas.

Si las raíces están separadas, a menudo es más fácil quitar el diente

Si la raíz es separada, la extracción puede ser más difícil que la raíz única. Sin embargo, en realidad se vuelve más fácil de quitar, ya que ahora son dos dientes con raíz única después del corte. Los casos más difíciles son donde la sección transversal aparece en forma de cacahuate o en forma de aleta de pato donde las raíces se ven separadas, pero están conectadas en el medio con concavidad.

Ten en cuenta que las radiografías pueden ser engañosas.

Donde hay dos raíces, elimina primero la más difícil

Este es mi estilo. Debido a que tiendo a extraer con un elevador solo sin extraer hueso, cuando hay hueso cortical inadecuado, es más difícil extraerlo. Cuando quitas la raíz más fácil primero, el soporte óseo se debilita y puedes requerir más remoción ósea al quitar la raíz más difícil. Pero esta es solo mi opinión.

No tengas miedo de dejar puntas de raíces si es necesario. Son tejidos con proteínas de la misma persona

No debes considerarlo como un fracaso cuando no puedes quitar todas las puntas de las raíces después de quitar la corona del diente. Como discutí anteriormente, eso en sí es una extracción exitosa. Solo asegúrate de quitar definitivamente toda la corona.

Varios métodos de cortes de diente para la extracción de terceros molares ★

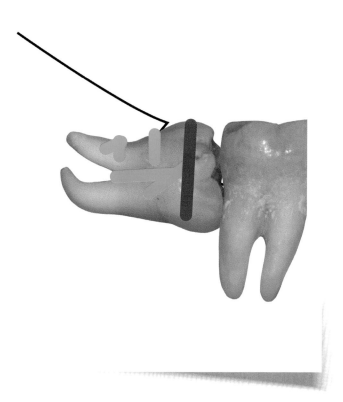

Para extraer bien los terceros molares, debe haber mínimas complicaciones postoperatorias. Para hacer esto, necesitamos minimizar el hueso y es por eso que el seccionamiento dental tiene aún más importancia. Por lo tanto, el corte de dientes es más importante. Sin embargo, seccionar el diente no debe realizarse sin una planificación previa adecuada. Seccionar el diente al azar no aumentará la capacidad de extraerlo. Tenga un propósito y una dirección clara al seccionar y nombre cada corte distinto, como "corte mesial", "corte distal", etc. No corte los dientes de una manera que no tenga un nombre. Casi siempre uso una pieza de mano de alta velocidad para la extracción, antes de analizar los métodos de extracción reales, primero aprenderá a usar una pieza de mano para seccionar los dientes. Ahora echemos un vistazo a los cortes de dientes que mencioné.

01
Técnicas de lucha tradicional coreana

La imagen explica técnicas de lucha coreana

Traducido libremente: cada movimiento de la lucha coreana tiene un nombre distintivo basado en su dirección y se distingue fácilmente de otros movimientos. Así como estas técnicas tienen nombres distintos en función de sus direcciones, etc.

━━ Lucha tradicional coreana

Cuando miras la lucha tradicional coreana, puede parecer que es un juego de poder bruto versus poder bruto, pero cada técnica tiene un nombre y pasos. Hay una gran diferencia entre alguien que probaría sólo la fuerza bruta y alguien que usa el poder en movimientos estratégicos con propósito y estrategia.

Lo mismo es cierto para seccionar dientes en extracciones de terceros molares; debe tener un plan y un propósito claro al cortar.

★★

Si seccionas los dientes sin rumbo y simplemente comienzas a cortar lo que ves, es equivalente a quitar la manija de la puerta. De esta manera, solo se elimina la parte visible de una corona para que el resto del diente no se pueda visualizar y ahora te verás obligado a extraer lo que no puedes ver. Además, cuando quitas partes visibles de una corona, a menudo es muy difícil aplicar un elevador. Para los principiantes en estos casos, sugiero tomar múltiples radiografías entre los pasos para determinar el progreso y la precisión de sus cortes.

★

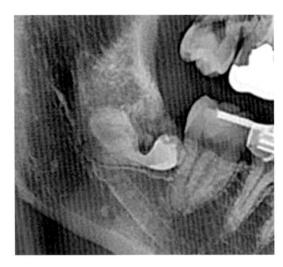 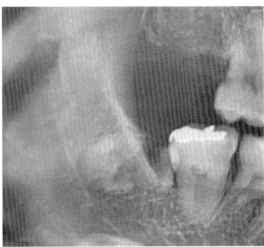

Este caso a la izquierda fue discutido previamente en el capítulo de coronectomía. Esta es una típica "puerta sin la manija", donde solo se cortó la parte visible y el corte vertical no se realizó adecuadamente. La foto de la derecha es similar.

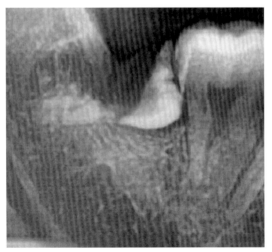 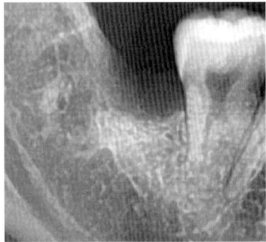

La imagen de arriba es una foto cargada por un amigo en Facebook. Puedes ver que falta el "pomo de la puerta" en la primera imagen. El primer seccionamiento vertical probablemente tenía la intención de eliminar la parte mesial de la corona; sin embargo, parece que eliminó o rectificó todas las partes visibles de la raíz distal mientras dejaba la parte mesial de la corona en su lugar. A veces extraemos terceros molares de esta manera cuando el corte distal en el segundo molar es severo, y puedes ver en un corte como este, especialmente cuando se utiliza una pieza de mano de baja velocidad o una pieza de mano de 45 grados.

Pero a partir de ahora, seccionemos los dientes con un propósito claro y preciso. Para este propósito pongo un nombre claro para cada técnica de seccionamiento. El nombre no es importante, pero se debe tener un propósito y una dirección clara.

02
Corte dental (sección) # 48 ★★★

━━ Corte coronal

① Corte de hueso bucal.

② Corte mesial coronal.

③ Corte distal coronal.

④ Corte lingual coronal.

⑤ Corte cervical.

⑥ Corte disto cervical (creación de surcos para la adaptación del elevador).

⑦ Coronectomía.

⑧ División de la corona (división horizontal (8-1) y división vertical (8-2)).

━━ Corte de raíz

⑨ Elevar y cortar.

⑩ Separación de la raíz.

⑪ Corte oblicuo.

⑫ Corte de la raíz distal (creando surco).

⑬ Creando surcos entre raíces.

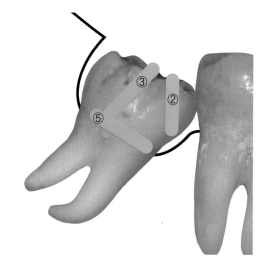

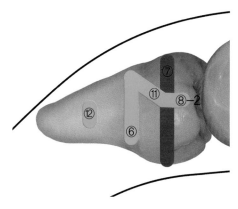

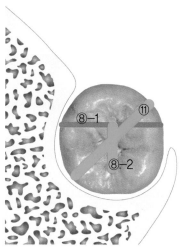

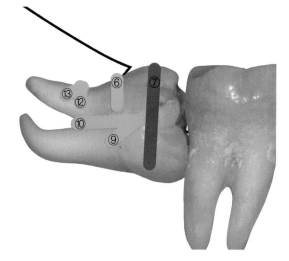

03
¿Por qué deberíamos cortar 1 mm más en bucal y 1 mm menos en el lado lingual? ★★★

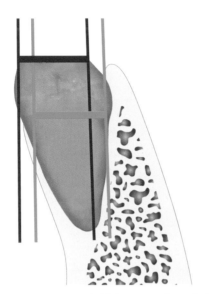 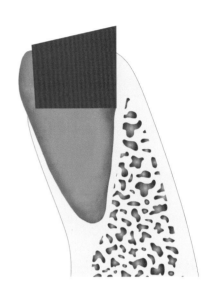

━━ La sección transversal del diente cortado por la fresa será como se ilustra arriba si corta el bucal 1 mm más y el lingual 1 mm menos

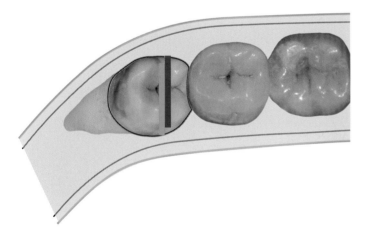

━━ La línea roja de arriba muestra la dimensión bucolingual visible y expuesta desde la superficie oclusal. La línea verde muestra dónde se debe hacer el corte para seccionar el diente.

La razón por la que digo que deberíamos cortar 1 mm más en el lado bucal y 1 mm menos en el lado lingual de lo que es visible, es para evitar dañar el tejido lingual y minimizar el riesgo de complicaciones como daño a los nervios y sangrado excesivo. Creo que es por eso que nunca he tenido una lesión nerviosa en mi carrera. En general, el lado lingual tiene un corte inferior mayor cuanto más apical va, por lo que cortar 1 mm menos es más seguro. A pesar de no cortar completamente la parte lingual del diente, no hay problemas para causar un fragmento limpio con una fractura intencional porque el esmalte es frágil.

Además, como a menudo uso la técnica de "corte oblicuo", es aún menos probable que me cause problemas.

Sin embargo, debemos cortar con seguridad 1 mm más en el vestibular porque, a diferencia del lado lingual, la anatomía vestibular del diente es muy convexa, lo que requiere cortar más en esa dirección de lo que se ve en la mesa oclusal. Aunque generalmente minimizamos el corte de dientes, es necesario cortar todo el vestibular para que el instrumento funcione bien y cause una fractura limpia e intencional, incluso cuando la porción lingual no está completamente cortada. En mis cursos de cirugía en vivo, los nuevos dentistas a menudo tienen mucho miedo de extender el corte lingualmente y también hacia el vestibular, lo que dificulta las extracciones. En el lado vestibular, necesita un corte limpio y definitivo para la visibilidad y la instrumentación. Memoricemos: 1 mm más en el vestibular y 1 mm menos en el lingual.

04
Estas imágenes radiográficas explican en detalle ★★★

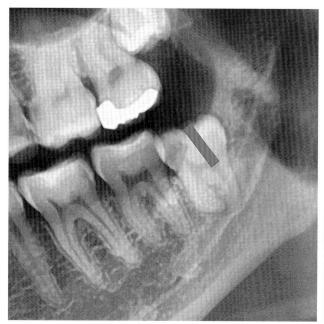
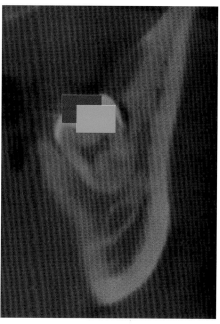

Si planeamos extraer el tercer molar aquí usando la técnica de 'corte de corona distal', el corte realizado después de la porción visible de la mesa oclusal sería el indicado por el área roja. Pero el corte transversal que necesitamos hacer está indicado por la zona verde. El área verde muestra un corte que se extiende 1 mm más hacia vestibular y 1 mm menos hacia lingual, que no se extiende hasta el hueso lingual, para estar seguro.

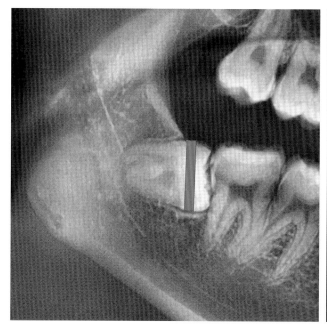
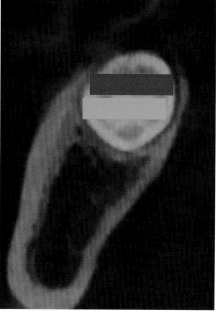

Cuando se trata de cortar la corona del diente incluido horizontalmente, también podemos usar la misma técnica que la anterior. Recuerda "cortar 1 mm más en el lado bucal y 1 mm menos en el lado lingual".

05
Seccionamiento Distal de la corona (Corte distal de la corona) — Caso 1 ★★★

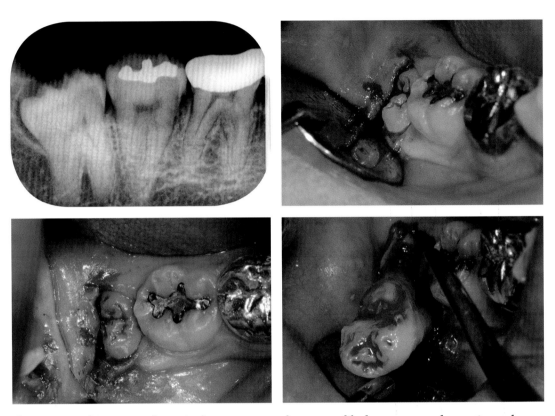

Incluso cuando están completamente cubiertos por la encía, los terceros molares mandibulares a menudo no tienen hueso alveolar en la parte superior de la superficie oclusal. Si bien es raro que la superficie oclusal distal se impacte en hueso hacia mesial expuesto como en el caso que se muestra arriba, documentado fotográficamente si es conveniente. La mayoría de estos casos se realizan con una pequeña incisión. Normalmente, inserto una cureta quirúrgica entre la mesa oclusal y la encía de cobertura para verificar la porción distal en busca de hueso y seccionar la distal sin levantar un colgajo como se muestra arriba. Es muy útil realizar extracciones de esta manera con "corte distal" y lo hago con frecuencia. Por esta razón, cuando enseño seminarios prácticos, les indico a mis aprendices que seccionen el distal en un diente incluido verticalmente para practicar, incluso cuando no es necesario para una extracción exitosa de ese diente en particular.

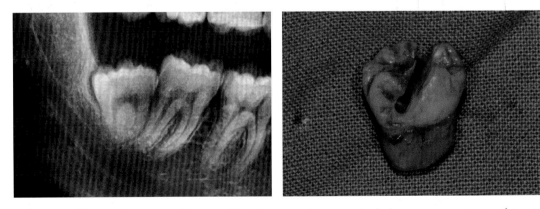

Parece en la imagen radiográfica que el hueso impacta en la parte distal, pero en la mayoría de los casos no están cubiertos de hueso. Cuanta más experiencia tengas, mejor serás para determinar estas cosas. La imagen es un caso de un curso práctico en el que uno de los mentores practicó "corte distal": el elevador se insertó y giró para crear una fractura en el diente, pero todo el diente terminó saliendo.

Seccionamiento Distal de la corona (Corte distal de la corona) — Caso 2 ★

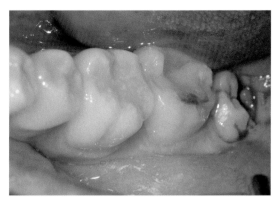
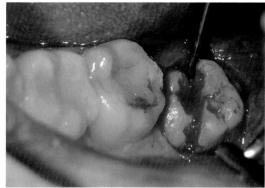

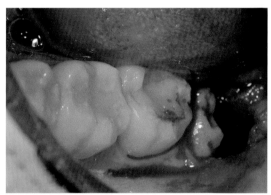

Este caso es similar al caso anterior. En la mayoría de los casos, se crearía una pequeña aleta, pero aquí se evitó intencionalmente para obtener mejores fotografías. Incluso si no comienza el corte en la parte distal, la fresa apuntará naturalmente hacia la parte distal a medida que corta más hacia el cuello uterino. Debido a esto, cuando causa una fractura intencional con un instrumento, el segmento distal tiende a fracturarse y hay suficiente espacio para eliminar el fragmento hacia el mesial debido al grosor de la fresa utilizada para realizar el corte.

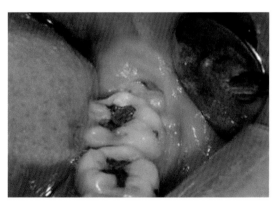
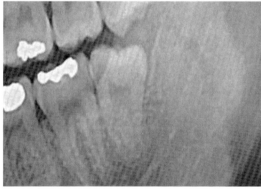

Arriba hay un caso típico indicado para aplicar corte de corona distal. Por supuesto, si eres un principiante, es necesario hacer una incisión y verificar con una cureta quirúrgica que la superficie oclusal distal esté libre de impactación ósea. Incluso cuando las apariencias radiográficas son las mismas, los hallazgos clínicos pueden ser diferentes en función de las diferencias en el posicionamiento buco-lingual. Si el tercer molar se coloca más hacia el vestibular, el hueso de la rama podría causar un impacto en la superficie oclusal distovestibular, y requerir la extracción del hueso distal. Cuando el diente está más angulado hacia lingual, realice un corte de corona distal de todos modos, incluso cuando la superficie oclusal distal no esté cubierto por hueso; la razón es porque cuando el diente está angulado hacia lingual, puede tener un estiramiento excesivo o desgarro del tejido gingival mientras se extrae el diente. Por eso, si comienza la extracción realizando el corte de la corona distal, todo el proceso de extracción se vuelve más fácil. En la mayoría de los casos de seccionamiento dental, comienzo el corte desde el vestibular y no me extiendo hasta lingual. Esto es especialmente cierto para los dientes angulados hacia lingual. El tiempo real dedicado a seccionar el diente es muy corto.

06
Examinación de dientes extraídos utilizando la técnica de corte de distal de la corona ★★

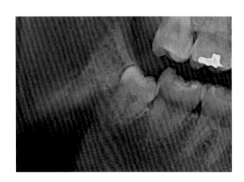

En estas fotos, los fragmentos de dientes extraídos utilizando la técnica de corte de corona distal se vuelven a unir con cera. Puede ver en las imágenes que la apariencia de la superficie oclusal puede implicar que el corte se realizó de bucolingual; la fresa en realidad no se cortó hasta la altura lingual del contorno. Todos mis dientes extraídos se ven de esta manera al examinarlos después de los procedimientos.

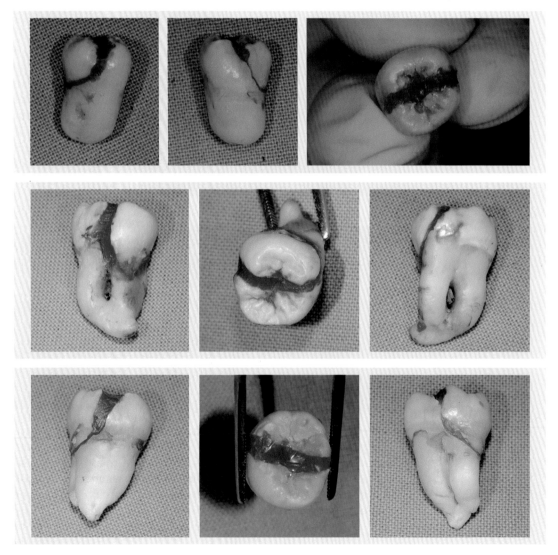

Las fotos de arriba son de dientes incluidos verticalmente extraídos por "corte de corona distal". Como puedes ver, el vestibular fue cortado completamente mientras que el lingual estaba fracturado. Lo mismo ocurre con los dientes incluidos horizontalmente: no es necesario cortar todo el esmalte. El esmalte tiene una resistencia a la tracción muy baja sin dentina, es frágil y fácil de fracturar.

07
Casos de "corte distal de la corona" dependiendo de la exposición de la corona

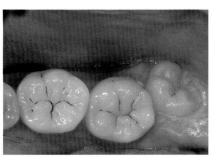 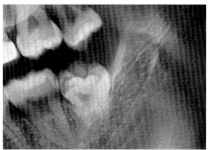 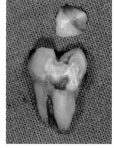

Cuando más de 2/3 de la corona está expuesta de esta manera, la porción de la corona distal se puede seccionar sin hacer una incisión. Por supuesto, en tales casos el seccionamiento de coronas puede ser innecesario y la mayoría se secciona para practicar. Discutiré nuevamente en el próximo capítulo de dientes incluidos horizontalmente. Pero si secciona la corona para crear más espacio incluso cuando no sea absolutamente necesario, el proceso de extracción se vuelve más fácil y seguro.

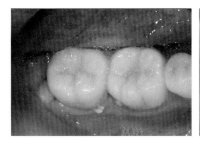 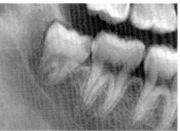 

Cuando la encía cubre la mayor parte de la corona, se puede realizar un corte distal de la corona después de una pequeña incisión. De hecho, la incisión ni siquiera alcanza el periostio, por lo que puede hacerse de manera simple.

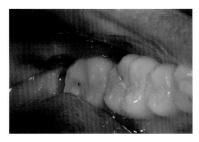 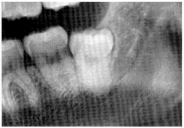 

Cuando el tercer molar está completamente cubierto por la encía, es necesaria una incisión definitiva, que a veces incluso se extiende mesialmente con un colgajo. Si bien la incisión y el diseño del colgajo varían mucho entre los profesionales, los dientes seccionados y extraídos deben tener un aspecto similar. Desearía haber tomado más fotos de estos casos, pero no documenté bien el proceso, tal vez porque estos casos de extracción son demasiado simples y fáciles.

Más casos dependiendo del punto ★★

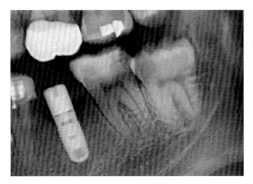  

El paciente visitó mi clínica después de la colocación de un implante en otra clínica. En situaciones como esta, hay un punto clave para recordar al realizar extracciones de terceros molares. A menudo les sucede a los practicantes que les aplican el elevador en mesial del tercer molar. Cuando el primer molar está ausente, el tercer molar generalmente gana frente al segundo molar cuando se aplica la fuerza. Además, la porción distal del tercer molar está sostenida por la rama dura. También en estos casos, la extracción se vuelve más fácil si se realiza un corte de corona distal para crear espacio para el movimiento.

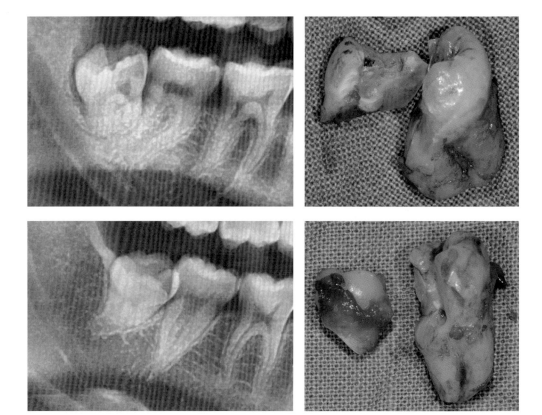

Cuando el diente está angulado distalmente, un corte de corona distal es especialmente útil. Pero, también es útil en casos donde el diente está inclinado mesialmente. Se puede considerar realizar un corte de corona distal o un corte de corona mesial, pero los resultados finales son similares. Aunque no hay una diferencia significativa, un corte mesial es más fácil de realizar, mientras que un corte distal tiende a permitir una extracción más fácil.

08
Más causas de seccionamiento de la corona distal (1) ★
(corte distal de la corona)

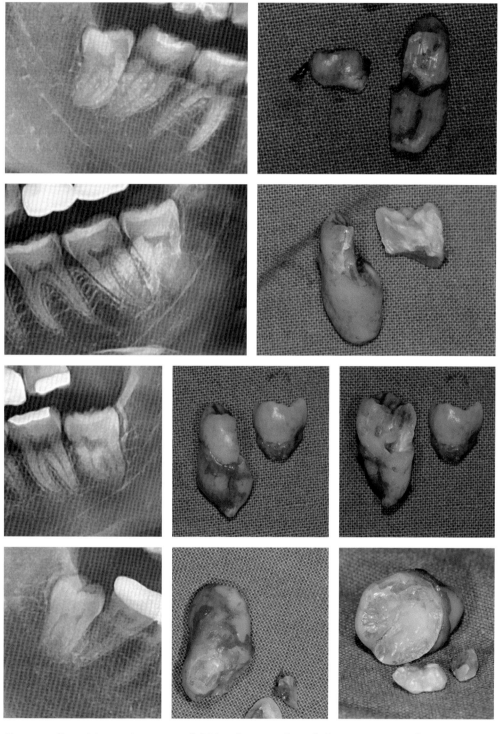

Como se discutió anteriormente, debido a la naturaleza de la práctica privada muy ocupada, no tengo muchas fotos preoperatorias, pero tengo muchas fotos postoperatorias, que no requieren complicados formularios de consentimiento del paciente. Si bien no documenté la mayoría de los casos de extracción que no requieren seccionamiento de corona, mi personal tomó fotos de innumerables casos en los que se seccionaron coronas.

Más casos de seccionamiento de la corona distal (2) ★
(corte distal de la corona)

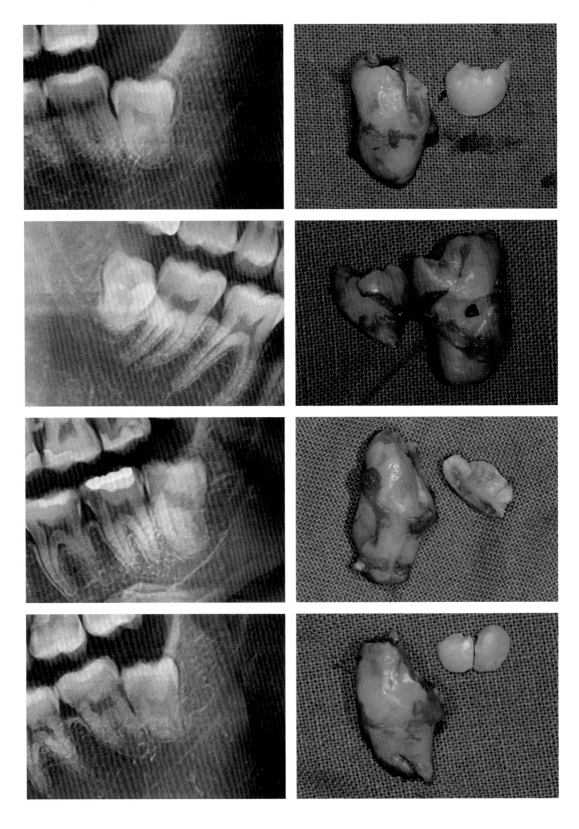

Más casos de seccionamiento de la corona distal (3) ★
(corte distal de la corona)

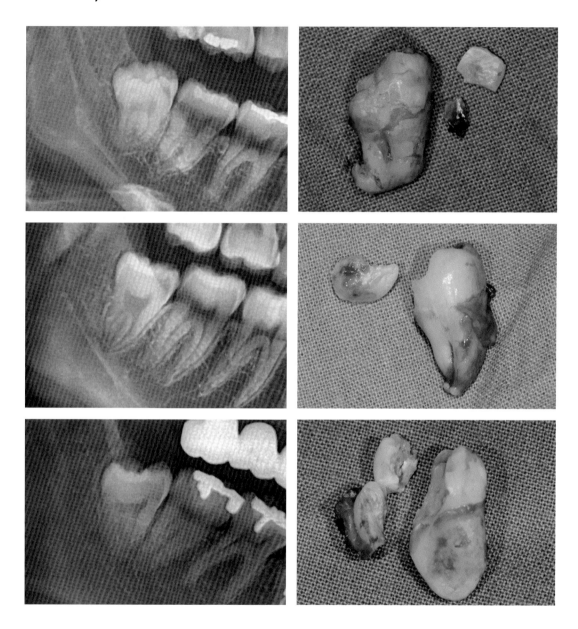

09
Videos de código QR

Extracción del tercer molar mandibular incluido verticalmente usando un elevador después de seccionar la corona distal

Extracción del tercer molar mandibular incluido verticalmente usando un elevador después de la extracción distal del hueso

Extracción del tercer molar mandibular incluido verticalmente con fórceps después de seccionar la corona distal

Extracción muy difícil de un tercer molar mandibular vertical ★★

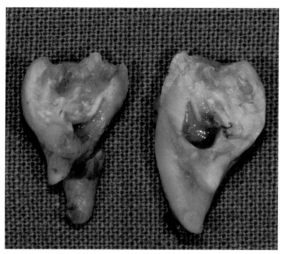
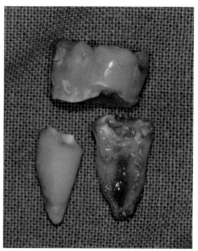

Mencioné anteriormente que la extracción de los terceros molares mandibulares completamente erupcionados pueden ser los casos más difíciles. En la mayoría de los casos completamente erupcionados aplico fórceps, pero es molesto cuando no se mueven con fórceps. Los ligamentos periodontales que rodean los dientes que no funcionan son débiles y estas raíces residuales se pueden eliminar fácilmente con solo un explorador. Sin embargo, los ligamentos periodontales alrededor de los dientes funcionales son la extracción más difícil. En estos casos, secciono el diente verticalmente en dos pedazos, quitando la raíz uno por uno. Discutamos la separación de las raíces en dos segmentos. Hay dos formas: En uno se secciona verticalmente todo el diente desde la corona hacia abajo y la otra secciona las raíces después de quitar primero la corona. Veamos ahora los pros y los cons de los dos métodos.

01
Extracción muy difícil de un tercer molar mandibular incluido ★
verticalmente (fijado muy fuerte)

Si tiene alguna experiencia con extracciones de terceros molares, ya sabe que los terceros molares en erupción y funcionamiento son los dientes más difíciles de extraer. También encuentro que los terceros molares más difíciles de eliminar son los terceros molares en erupción vertical y totalmente funcionales de hombres de mediana edad o mayor.

En el pasado, prefería dividir el diente verticalmente en hemisección, pero no es aplicable en dientes de raíz única y lleva demasiado tiempo. También es más difícil lograr una anestesia profunda en estos casos; lo que puede hacer que luches. En estos días, no pierdo mucho tiempo y primero remuevo la corona. Echemos un vistazo a ambos métodos.

Extracción con hemisección vertical

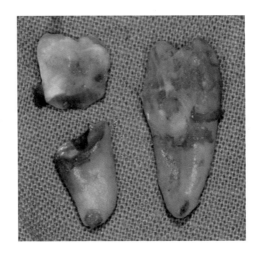

Extracción con método de corte cervical

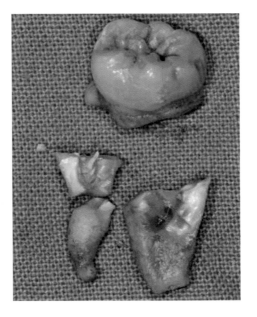

02
Referencia para una extracción ★

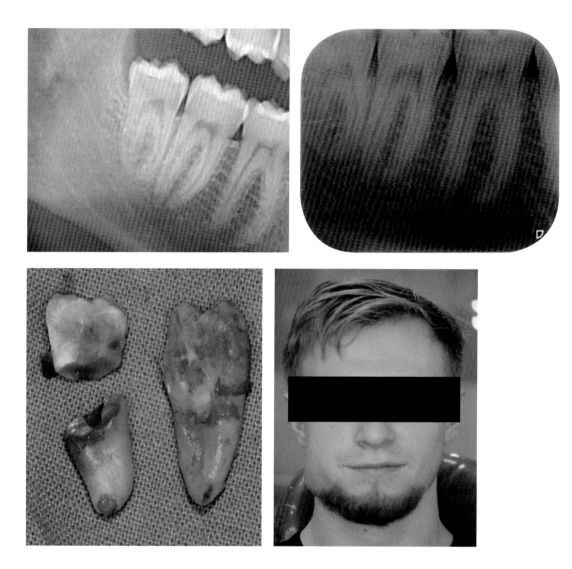

Este paciente fue referido a mi clínica para una extracción de tercer molar de emergencia por otra clínica que no extraen terceros molares. La inflamación parecía no estar relacionada con el tercer molar y, mirando hacia atrás, parece un caso de una infección bacteriana aguda en el área. De todos modos, el dentista remitente me pidió que extrajera el tercer molar y realicé la extracción. Mi clínica está ubicada en la estación de Gangnam, por lo que con frecuencia trato a pacientes extranjeros, especialmente profesores de escuelas de idiomas, y muchos árabes y turcos; el único restaurante turco auténtico en Seúl está cerca de mi clínica. El paciente en este caso es un varón caucásico con una mandíbula bien desarrollada, lo que dificultará aún más las extracciones. El tercer molar no se movió con el elevador o el fórceps. Luego realicé inmediatamente una hemisección vertical y extraje el diente. A pesar de la hemisección vertical, es común tener una separación de la corona y la raíz, especialmente la raíz distal y la corona. Es innecesario poner demasiado énfasis en tener un corte "bonito" exactamente en el medio.

03

Extracción de terceros molares mandibulares erupcionados verticalmente ★★ con división de la corona (corte vertical) <1>

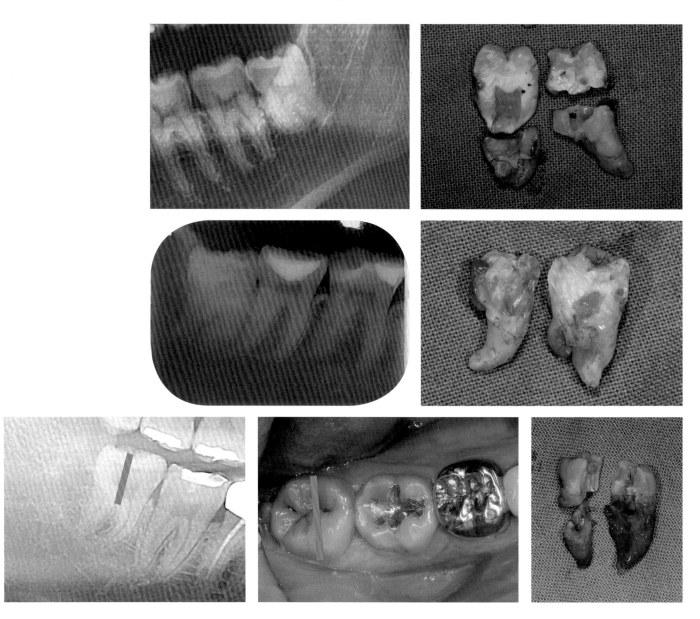

Solo uso este tipo de técnica cuando el diente no se mueve con el fórceps y la aplicación bucal del elevador no es factible, ya que la mayoría de estos casos tienen múltiples raíces. La mayoría de los dientes de raíz única responden bien al fórceps. Incluso cuando se realiza una hemisección vertical, es mejor iniciar el corte más mesialmente (relación 60/40). Y otro punto clave es que el corte debe hacerse mucho más profundo de lo que piensa. Debido a la profundidad del corte, el vástago de la fresa no. 4 se atascará, por lo que a veces secciono la corona distal y luego profundizo para cortar la porción de la raíz. La fresa de fisura quirúrgica también se puede usar aquí, si la tienes.

Extracción de terceros molares mandibulares erupcionados verticalmente ★ con división de la corona (seccionamiento vertical) <2>

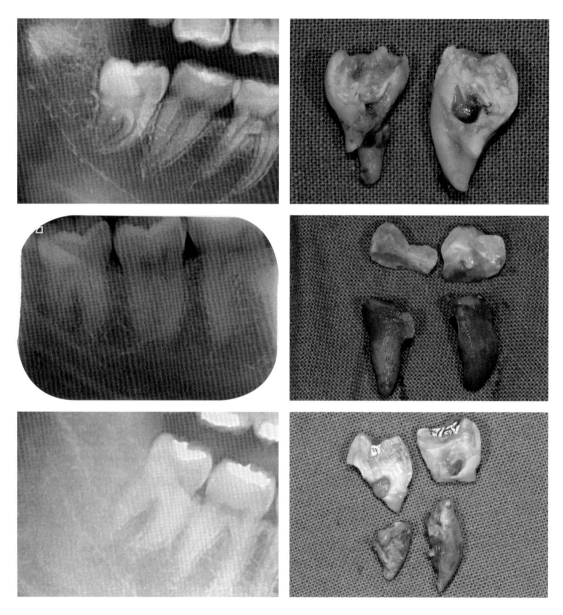

Un aspecto negativo de la hemisección vertical es que puede tener dificultades para lograr una anestesia profunda, tal como ocurre durante los tratamientos del segundo canal de la raíz molar. La mayoría de los ápices de la raíz mandibular impactada de los terceros molares están cercanos a la placa lingual debido al espacio inadecuado. La infiltración local de anestésicos en el lado lingual funciona muy bien. Sin embargo, las raíces de los terceros molares totalmente erupcionadas se colocan en medio del hueso cortical denso, similar a los segundos molares mandibulares, que pueden causar dificultad con anestesia profunda. En estas situaciones, en lugar de intentar cortar desde la parte oclusal, recomiendo cortar verticalmente desde el CEJ. Es fácil acercarse a la pulpa de la CEJ. Luego será más fácil la extracción con la anestesia. Este método también se puede utilizar de manera similar en la extracción de terceros molares mandibulares incluidos horizontalmente.

Extracción de terceros molares mandibulares erupcionados verticalmente ★★ por hemisección

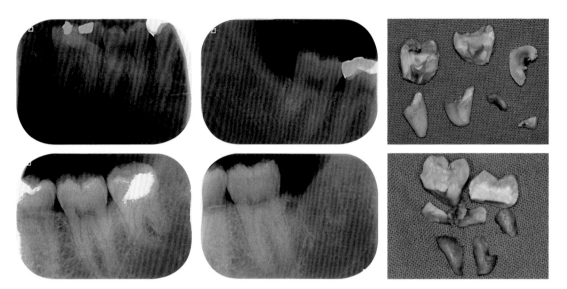

En teoría, puede parecer que sería más fácil seccionar el diente verticalmente y eliminar las raíces curvas, pero eso es solo en teoría y no creo que sea tan simple. En estos días tiendo a pensar que puede ser mejor dejar intencionalmente las puntas de las raíces curvas. Ahora me da más vergüenza mirar hacia atrás cuando solía tratar de eliminar todas las puntas de la raíz pensando que dejarlas es cosa vergonzosa. En estos días, creo que para empezar sería mejor usar fórceps para romper las raíces. Cuando uso fórceps para extraer, a menudo primero rompo las raíces a propósito porque es más fácil, simple, rápido y seguro de esta manera.

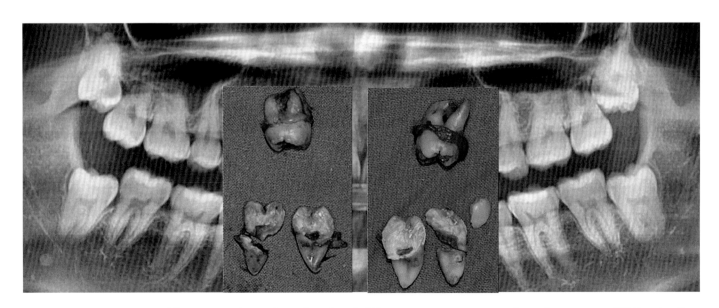

El caso anterior es de un hombre de 28 años, cuyos terceros molares fueron muy difíciles de eliminar debido a su fuerte impacto en el hueso alveolar. A menudo, cuando un lado es difícil, el otro lado también es difícil. Al contrario de lo que sugieren las imágenes, ninguna de ellas fue fácil de eliminar.

04
Intento de hemisecciones verticales para separar las raíces ★

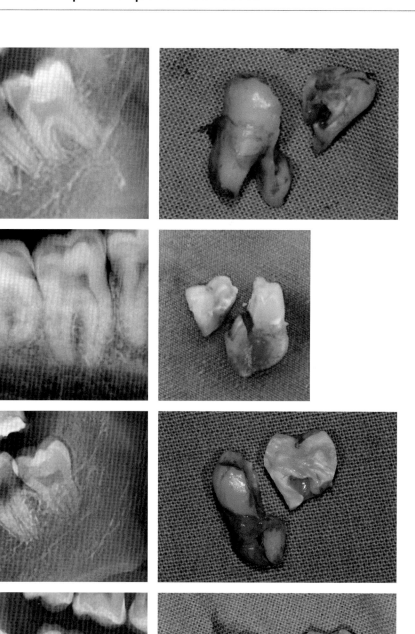

Cuando pensamos que estamos cortando la mitad del diente, a menudo solo se corta la porción distal. Incluso en los casos en que intentamos una hemisección de un diente de dos raíces, con mayor frecuencia el diente no se divide en mitades, sino que se termina seccionando la porción distal. Pero no importa si las extracciones se completaron bien.

05

★★★

Extracción de terceros molares mandibulares erupcionados verticalmente con "seccionamiento cervical" (seccionamiento horizontal) <1>

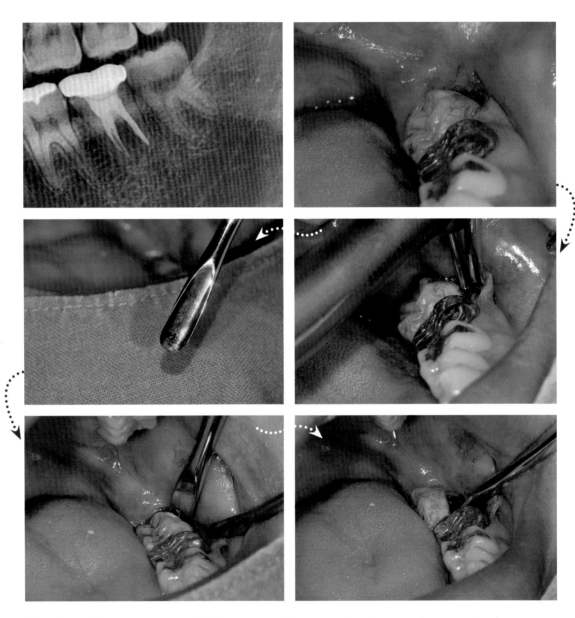

Cuando un diente no se extrae fácilmente con fórceps o elevadores, es bueno cortar la corona y eliminar las raíces residuales. También creo que una coronectomía es una buena opción. Si el objetivo desde el principio es realizar una coronectomía, se debe hacer un colgajo y el corte se debe realizar lo más cerca posible del hueso crestal. Sin embargo, si el objetivo es eliminar las raíces después de cortar la corona, las raíces pueden ser más difíciles de eliminar si la corona se seccionó demasiada cerca de las raíces.

Pero quizás lo más importante en este caso es persuadir a los pacientes -que piensan que los terceros molares deben ser extraídos incondicionalmente- que no es necesario en un tercer molar como este.

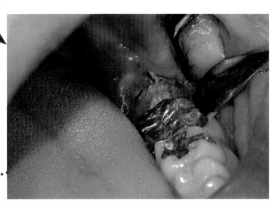
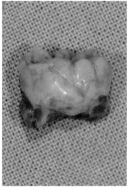
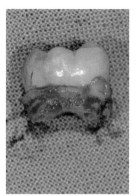

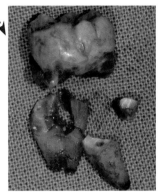
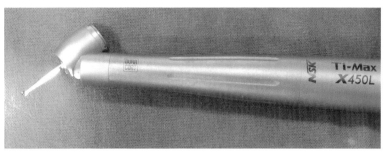

La pieza de mano que compré directamente de Japón a través de mi amigo japonés

Se retiraron todas las partes del diente después de seccionar cervicalmente y quitar la corona. Con una pieza de mano de contra-ángulo convencional de alta velocidad, solo los dientes completamente erupcionados son accesibles desde el bucal. A veces me encuentro con profesionales que se separan de la lengua, pero no creo que esto sea seguro. Por esta razón, he estado usando una pieza de mano de 45 grados para seccionar y quitar la corona. Este tipo de pieza de mano quirúrgica no estaba oficialmente disponible en Corea hasta hace unos dos años. Obtuve esta pieza de mano a través de un amigo japonés que me la envió después de realizar una compra directa en la sede de NSK en Japón. Conocí a este amigo en la escuela de odontología de UCLA hace 10 años. Ahora es miembro de la facultad en una escuela de odontología en Japón. Estoy muy satisfecho con la pieza de mano de 45 grados. Ahora se ha establecido NSK Corea y las piezas de mano están disponibles para su compra. Recordemos que un dentista no puede ser un buen dentista sin buenos instrumentos. Creo que solo necesitas uno de estos en tu oficina. Mi amigo estará en Corea de vacaciones con su familia mañana, y los recogeré en el aeropuerto de Incheon. Estoy emocionado y con ganas de verlo. Esta vez le pedí que trajera algunas fresas quirúrgicas de vástago largo a baja velocidad. Todavía no sé si las traerá con él.

Extracción de terceros molares mandibulares erupcionados verticalmente ★★ con "seccionamiento cervical" (seccionamiento horizontal) <2>

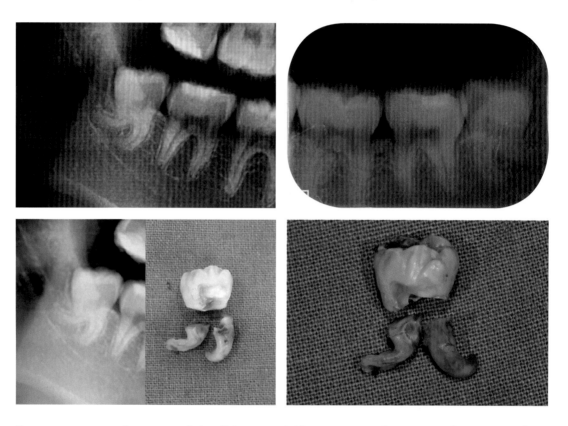

Este es un caso en el que me volví codicioso y quité la corona con el propósito de quitar también las puntas de la raíz. En general, cuando se usa fórceps o un elevador para extraer un tercer molar con raíces curvas como esta, las porciones apicales tienden a romperse. Cuando las raíces se superponen con el nervio y se ve una señal de advertencia como la banda oscura alrededor de las raíces, es mejor dejarlas en paz.

Sin embargo, en este caso, primero seccioné la corona y quité las raíces con un elevador cerca del CEJ con la intención de subir las fotos a las redes sociales. Tomé la foto de la izquierda en mi teléfono para cargarla en Facebook y la foto de la derecha fue tomada por mi personal. A lo largo de los años, tuve que tirar muchas fotografías para desorientar los fragmentos o perder piezas después de la operación. La hendidura del canal del nervio alveolar inferior se puede ver en la cara inferior de la raíz distal.

★★★
Extracción de terceros molares mandibulares erupcionados verticalmente con "seccionamiento cervical" (seccionamiento horizontal) <3>

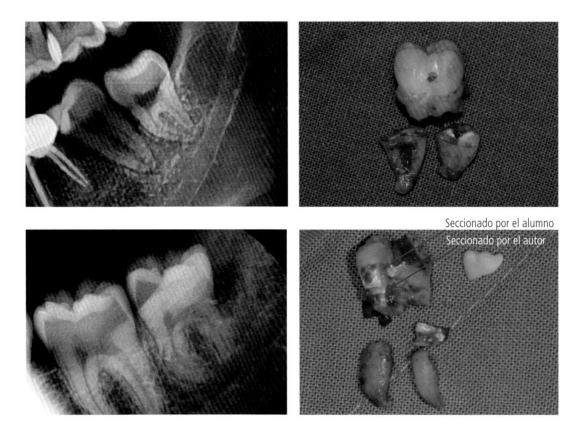

Seccionado por el alumno
Seccionado por el autor

Este diente fue extraído durante mi curso de cirugía en vivo. Iba a realizar la extracción de manera normal, pero me pidieron que les mostrara como usar la pieza de mano quirúrgica en ángulo de 45 grados. Un aprendiz de mi curso comenzó a seccionar el diente demasiado alto (la flecha superior en la imagen). Seccioné el área cervical nuevamente 3 mm más abajo y luego donde se cortó originalmente la corona (la flecha inferior en la imagen) y quité la corona. En la mayoría de los casos, cuando se corta un diente con la profundidad y el ancho suficientes para insertar un elevador, la corona se fracturará fácilmente y se extraerá. A veces, el elevador 5C, que tiene una punta más ancha, puede ser útil.

Código QR para el video del caso anterior

Extracción de terceros molares mandibulares erupcionados verticalmente ★ con "seccionamiento cervical" (seccionamiento horizontal)

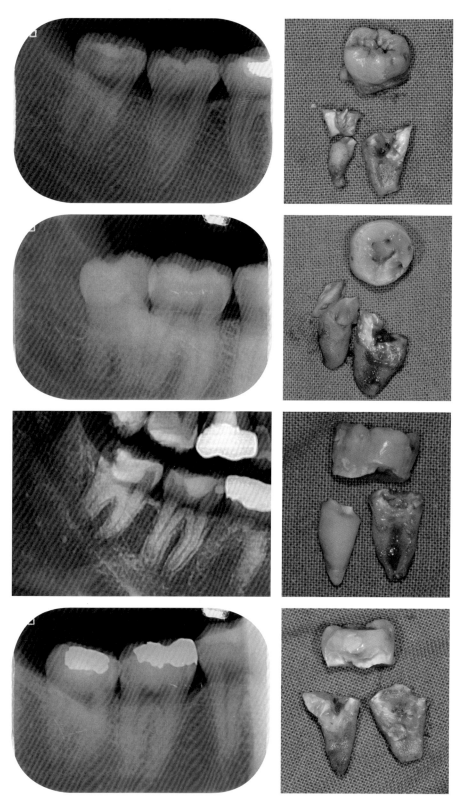

Esta técnica se aplica generalmente cuando un diente no responde bien a un elevador o fórceps.

¡Espera!

Cuantas más extracciones de terceros molares realices, mejor serás en otros procedimientos quirúrgicos.

Una cita de Kyung–Ju Choi, el golfista de la PGA

La razón por la que Tiger Woods es mejor en golf que yo es porque practica más duro que yo.

Si determinas golpear 1000 pelotas hoy, tienes que golpear 1000. En el momento que dices haré 999 hoy y 1001 mañana, debes olvidar en tu éxito.

No puedes mejorar tus habilidades de golf por jugar mucho. Para mejorar sus habilidades de golf en general, debe practicar los golpes de conductor, put y bunker por separado. La misma filosofía también se aplica a las extracciones de terceros molares; practique cómo levantar un colgajo, el corte de dientes y el uso adecuado de los instrumentos de forma individual; éstas se unirán y te harán un mejor cirujano.

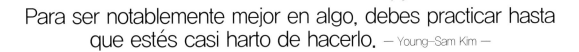

Para ser notablemente mejor en algo, debes practicar hasta que estés casi harto de hacerlo. — Young–Sam Kim —

Al igual que cualquier otra cosa en este mundo, simplemente observar cómo realizar una tarea o realizarla solo una o dos veces no hace que seas competente en esa tarea.

Tienes que observar y repetir la tarea una y otra vez para mejorar realmente tus habilidades. Por esta razón, te recomiendo que, en lugar de leer este libro a fondo una vez, lo leas al menos dos veces, incluso si lo hojeas. Espero que veas los videoclips varias veces también. Una habilidad solo se domina entrenando tu cuerpo para que se acostumbre al proceso.

Extracción de terceros molares Incluidos en Mesioangular

07
CAPÍTULO

Introducción y capítulo 07 traducido por.

Dr. Sung-Soon Chang

Cirujano Dentista Egresado de la Facultad de Odontología de la Universidad Autónoma de Nuevo León
Cirujano Oral y Maxilofacial Egresado de la Facultad de Odontología de la Universidad Autónoma de Nuevo León
Profesor Asistente de la Facultad de Odontología de la Universidad Autónoma de Nuevo León
- Departamento de Cirugía Bucal
- Departamento de Patología Oral
- Departamento de Urgencias Medicas Odontológicas
  Instructor de la Clínica del Posgrado de Cirugía Oral y Maxilofacial
- Facultad de Odontología de la Universidad Autónoma de Nuevo León
Miembro De Asociación Internacional De Cirugia Oral Y Maxilofacial
Miembro De Asociación Latinoamericana De Cirugía Y Traumatología Bucomaxilofacial
Miembro De Asociación Mexicana De Cirugía Bucal Y Maxilofacial
Certificado Por El Consejo Mexicano De Cirugia Bucal Y Maxilofacial
Miembro De International Team For Implantology

Sin duda alguna la cirugía de terceros molares es uno de los procedimientos quirúrgico-ambulatorio el cual genera mayor temor a los pacientes, dada la cercanía de las estructuras anatómicas además del dolor postoperatorio, inflamación, etcétera hace que cualquier paciente genere cierto temor a dicha intervención. Como cirujano maxilofacial la cirugía de terceros molares es el tratamiento que con mas frecuencia realizamos en nuestra consulta es por lo mismo debemos estar actualizados y aprender de diferentes profesores es algo de nuestra carrera y practica profesional es fundamental para mejorar la calidad de atención de nuestros pacientes.

Me siento muy agradecido por la invitación del Doctor Young-Sam Kim y la oportunidad de ser uno de los integrantes del equipo de traducción de este libro al Español, la difusión de este libro a nivel Iberoamericana puede ayudar a la formación de los odontólogos para brindar un mejor servicio como profesional de la salud y un tratamiento de calidad a sus pacientes.

01
Dificultad en la extracción del tercer molar

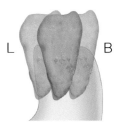 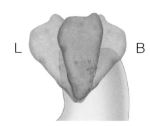 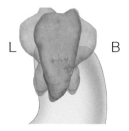

Estas son imágenes que dividen la posición del tercer molar verticalmente erupcionado basado en la posición lingual y bucal. En estas tres figuras, consideramos lo más difícil de extraer cuando las partes de la corona se localizan en el lado lingual.

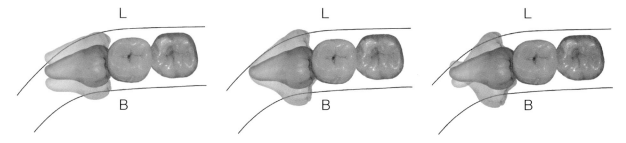

Estas son imágenes que dividen la posición del tercer molar horizontalmente erupcionado basado en la posición lingual y bucal. En estas tres figuras, consideramos lo más difícil de extraer cuando las partes de la corona se localizan en el lado lingual. En el paso medio, como en los casos con inclusión mesial entre las inclusiones verticales y las inclusiones horizontales, se considera que es más difícil de extraer cuando la porción de la corona se encuentra en el lado lingual.

Lo más importante respecto a la extracción de terceros molares es juzgar la dificultad. Si estás aprendiendo la extracción de terceros molares es importante no sentirse frustrado e intentar uno por uno, desde el más fácil. Lo importante es que siempre hay muchas variables en el nivel de dificultad. Y este puede ser una pequeña cosa que considerar para reducir las variables lo más posible.

Sobre todo, hay algo que deberías saber: La extracción de terceros molares es difícil si se localizan en el lado lingual. Si estás leyendo este libro, estás aprendiendo mi estilo de extracción. Solo recuerda estas cosas. Incluso en dientes incluidos verticalmente también hay dificultad en la extracción si se localizan en el lado lingual. Particularmente, la inclinación lingual puede ser causada por adelgazamiento del hueso cortical lingual o una fractura del hueso cortical lingual durante la extracción del tercer molar o uniéndose a la raíz de los dientes (mencionado más adelante en este libro). Particularmente, hay muchas variables como tocar la cavidad oral o dañar el nervio lingual. Es lo mismo con la extracción de terceros molares de inclusión mesioangular o inclusión horizontal.

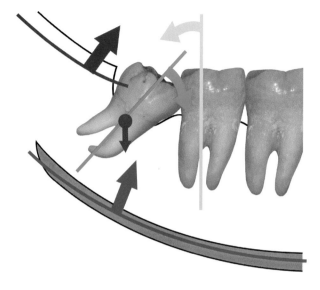

Echemos un vistazo a la imagen sobre el grado de dificultad de extracción de terceros molares antes de la evaluación radiológica sobre la dificultad de extracción de terceros molares. La dificultad aumenta en la dirección de la flecha.

Flecha violeta:
La dificultad aumenta si la ubicación de los terceros molares es inferior al segundo molar.

Flecha verde:
La dificultad aumenta si el tercer molar está más inclinada hacia mesial. Hay más porciones coronales para remover para eliminar la porción de la raíz, y la visibilidad no es tan buena.

Flecha amarilla:
La dificultad aumenta a medida que el segundo molar se inclina distalmente. Hay muchos socavados tanto como la inclinación mesial de los terceros molares, por lo que es difícil obtener visibilidad, y la cantidad de porción coronal que se eliminará también aumenta.

Flecha azul:
Este caso es cuando el nervio alveolar inferior se localiza más alto de lo normal. Sorprendentemente, el tercer molar en sí no se ve muy afectada, sino que el nervio alveolar inferior se encuentra en lo alto.

Flecha roja:
Es más difícil de extraer si el hueso alveolar cubre el tercer molar; lo más difícil luce como lo mostrado en la flecha. Esta parte es fácil de pasar por alto, pero la extracción real del hueso alveolar no se puede evitar porque la extracción del hueso es inevitable. No elimino mucho el hueso alveolar, pero en este caso, inevitablemente debo quitar el hueso alveolar al CEJ más cercano o al menos a la altura del contorno bucal.

¡Espera!

¿Cuáles son las otras variables de dificultad?

Por lo general, siempre que las condiciones sean las mismas, si el paciente es mayor o si es hombre, las extracciones son más difíciles. Sin embargo, según mi propia experiencia, es difícil sentir una gran diferencia. La conclusión basada en mi experiencia es que "La mayoría de las extracciones que consumen mucho tiempo son de personas mayores o hombres". Sin embargo, esto no significa que todas las extracciones de personas mayores y hombres sean difíciles.

★★

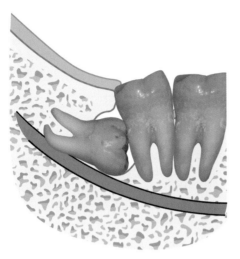

Este tercer molar incluido horizontalmente es marcado en dirección de la flecha, y que creo es el más difícil. Tales extracciones de terceros molares complicadas tienen muchos puntos a considerar de diversas maneras. Sin embargo, un dentista experto no usaría ningún otro método específicamente por este tercer molar. Cualquier extracción del tercer molar seguirá su forma habitual. Sin embargo, es una buena idea no intentarlo cuando eres un principiante, ya que es más importante establecer el hábito de tener éxito al principio.

Una de las características representativas de las personas que extraen bien los terceros molares es que pueden extraer fácilmente los terceros molares que parecen difíciles. También suelo extraer terceros molares de manera fácil. Aunque he realizado tantas extracciones, no puedo saber el tiempo que se consumirá. El 95% de los casos que esperaba que fueran difíciles y tardados, pueden resultar fáciles, y el 5% de los casos que esperaba que fueran fáciles, pueden resultar difíciles. Esto es simplemente un ejemplo para decir que hay muchos casos impredecibles.

Sin embargo, estas habilidades de predicción también se incrementarán con mucho estudio y experiencia. Si eres principiante, tendrás que desarrollar tu experiencia examinando los factores que afectan la dificultad básica.

02
Una distancia importante en la extracción de terceros molares si las ★★★ condiciones son las mismas

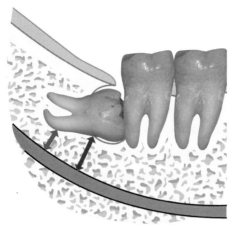

Se muestra distancia entre el IAN y la raíz (azul) y el CEJ (roja). La última (roja) es importante considerarla.

La mayoría de los dentistas principiantes observan el panorama radiográfico del tercer molar y se enfocan en la distancia y relación (la fecha azul) del canal y la raíz mandibular. Sin embargo, no hay razón para preocuparse por eso, porque las raíces pueden estar en el hueso de todas formas, y en el peor de los casos, solo la corona puede removerse limpiamente y la raíz quedarse intacta.

Lo importante en la extracción de terceros molares es la distancia desde la CEJ al canal mandibular (flecha roja) en la inclusión horizontal. Lo que realmente importa es la flecha roja, no la flecha azul. La clave para una extracción es la remoción perfecta de la corona.

Hoy en día, la tomografía está ampliamente disponible y es posible distinguir la relación posicional tridimensional entre la raíz y el IAN por tomografía. Pero no creo que sea una gran diferencia en dificultad. Después de todo, en la extracción de terceros molares incluidos horizontalmente (especialmente implantes horizontales), la remoción perfecta de la corona es más importante.

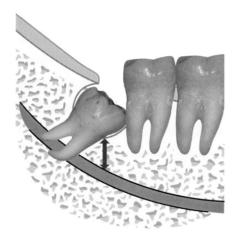

La raíz está superpuesta en el nervio alveolar inferior (IAN), pero la distancia entre el IAN y el área mesial cervical es suficiente. En este caso, no es un gran problema en la extracción que la raíz se traslape con el IAN. Es suficiente cuidar un poco más mientras se elimina la porción de la raíz, para extraerla con el método de extracción habitual.

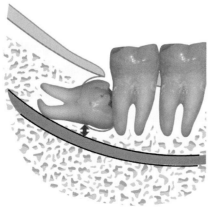

La raíz no está superpuesta en el IAN, pero la distancia entre la porción mesial cervical y el IAN es muy cercana. En este caso, se debe tener cuidado cuando se remueve la porción coronal del diente. Este es un caso cuando los principiantes necesitan pensar sobre la dificultad de la extracción.

03
Extracción del tercer molar incluido mesialmente (caso complicado) ★★

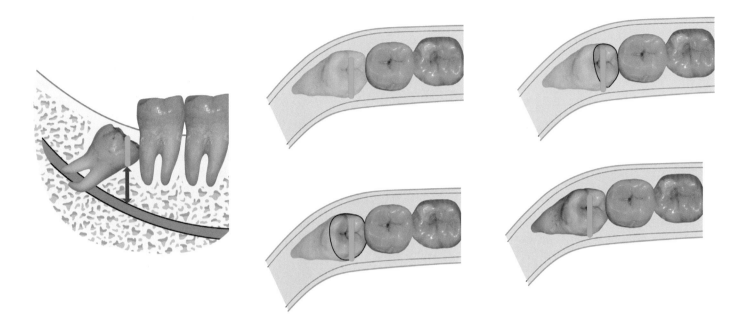

En inclusión mesial, creo que lo más importante es remover la porción coronal colgando en la porción distal del segundo molar. Así que, si quitas solamente el corte inferior, no es muy diferente a la inclusión vertical. Aunque la altura e inclinación es diferente, principalmente, la mayoría de ellos son similares. La única cosa más importante es remover la porción mesial coronal. Yo tiendo a eliminar o minimizar la incisión y eliminar hueso con poca o ninguna extracción ósea. Corté la porción coronal como la línea azul. No lo corté profundamente, sino que lo dividí. Por lo general uso fresas redondas #4 para cortarlo y hoy uso también la fresa no. 6, quizás me esté volviendo mayor. Después de remover la porción mesial de la corona, la extracción es casi similar a un tercer molar incluida verticalmente. Es casi lo mismo incluso si está cubierto de goma.

04
Ejemplos típicos de extracción al estilo de un cirujano oral ★★

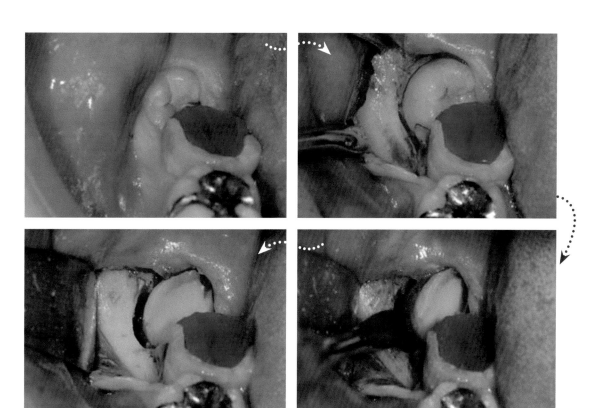

▬ Este es un caso del Dr. Min-Kyo Seo, que se introdujo en el capítulo anterior

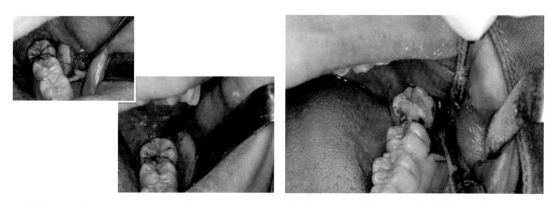

▬ No tira del colgajo, simplemente se coloca sobre el hueso cortical. Dr. Seo es miembro de la facultad que realizó el seminario sobre terceros molares con el autor.

Es un estilo típico de extracción de cirujanos orales. Si yo fuera el cirujano, no abriría el colgajo para nada en el caso anterior, pero habría cortado ligeramente la porción mesial del diente. Pero es muy importante para los principiantes abrir el colgajo. Dr. Seo, un cirujano oral, es el segundo instructor después del Dr. Kim, el autor. Para los principiantes, lo más importante es asegurar la vista.

Es un estilo típico de un cirujano oral. Fue un poco más de lo habitual para tomar fotografías sobre el colgajo mucoperióstico para mostrar el estilo en este de libro de texto. Sin embargo, este grado de desprendimiento y extracción de hueso puede provocar sangrado postoperatorio y edema. Por supuesto, si piensas y planeas bien, hay muchas veces menos sangrado y molestia, pero si no haces esto, las posibilidades son bajas. Obviamente, cuantos más números de extracciones realices, hay más probabilidades de que algo suceda.

Por lo tanto, mis objetivos para la cirugía son: incisión mínima, colgajo mínimo y remoción ósea mínima.

La incisión y el colgajo causan dolor y edema después de la operación, y la sutura conlleva mucho tiempo. Por supuesto, si eres un dentista principiante, debes hacer mucho por tu área de visión y mejorar tus habilidades clínicas.

Es deseable realizar muchas operaciones y extracciones con el colgajo abierto. Más bien, debes asegurarte de tener buena visibilidad. El tiempo también se puede reducir. Como mencioné anteriormente, esta es la razón por la que me gusta hacer una educación de extracción del tercer molar para aquellos que no están familiarizados con las extracciones.

También minimizo la remoción de hueso porque tengo que usar mi elevador EL3C favorito. La eliminación excesiva del hueso vestibular causa no solo sangrado postoperatorio, dolor, edema, sino que también causa daño del hueso cortical vestibular fuerte. Y el elevador EL3C no se aplica fácilmente.

¿Qué pasa si vas al pasado con una máquina del tiempo?

En las películas, a menudo hay historias en las que el personaje principal toma la máquina del tiempo y va a experimentar las aventuras del pasado.

Supongamos que vas 500 años atrás y no puedes regresar con una máquina del tiempo al presente. Al igual que en las películas, habrá una historia que contar, describir tu identidad, salvar al héroe de la crisis, y así sucesivamente. Por cierto, siempre trato de ser realista cuando pienso en el pasado. Así que cuando el rey me pregunta qué hago en el futuro tengo que decir que soy dentista. Entonces, ¿qué hago cuando el rey dice que haga todo lo que quieras? En primer lugar, iría al herrero a hacer escarladores. Y si es posible, incluso con el tiempo invertido, espejos y un simple sistema de aire o succión. Los escarladores son fáciles de hacer, así que invertiré más y haré curetas Gracey una por una. Han pasado menos de cien años desde que el Dr. Gracey inventó las curetas, por lo que el nombre de estos instrumentos no era Gracey. Es posible convertirlo en una serie de números después del nombre del inventor. La razón porqué mencioné esto es para decir a los lectores que los dentistas sin herramientas adecuadas, no son nadie. Significa que, si no ha comprado las herramientas de extracción al comienzo de este libro, piense de nuevo. Primero tenga las herramientas preparadas y siga mi camino de extracciones de terceros molares. No puedes aprender golf con libros de texto sin un palo de golf. Es realmente útil comprar los instrumentos correctos mientras practicas leyendo este libro. Ahora no vivimos en el pasado. Puedes obtener los instrumentos con una llamada telefónica.

05
Comparaciones de casos de cirugía en vivo en seminario de extracción de ★ terceros molares

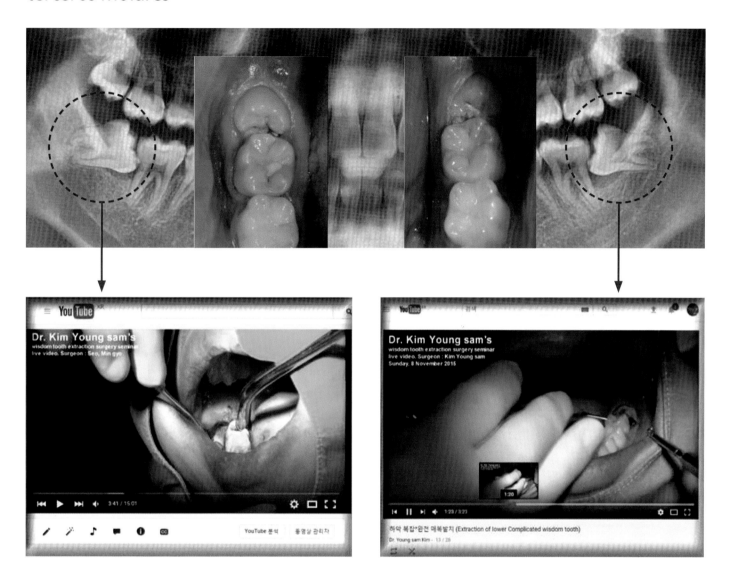

Seminarios
Sep 20,2015
Nov 8, 2015

Video del Caso del Cirujano Dr. Seo
Video del Caso del autor (Dr. Kim)

Estas dos cirugías se realizaron para dos terceros molares que están en una posición casi similar. El tercer molar al lado derecho de la mandíbula, #48 (#32 en sistema universal), se extrajo perfectamente. Desde el mismo día, el paciente sufrió edema y dolor. Entonces, en la próxima cirugía en vivo, la paciente dijo que no quería sacar el otro lado (# 38 (# 17 en el sistema universal)). Tuve que prometerle al paciente que realizaré la próxima extracción y que no causaré hinchazón o dolor. Con mi estilo de extracción, sin colgajo abierto, y cortando solo la porción mesial de la corona, la extracción se completó. Por supuesto, no hubo edema ni postoperatorio. Existen ventajas y desventajas para cada tipo de método de extracción, pero el edema y el dolor postoperatorio son definitivamente menor en los estilos del autor.

06
La forma de cortar los terceros molares incluidos en mesioangular ★

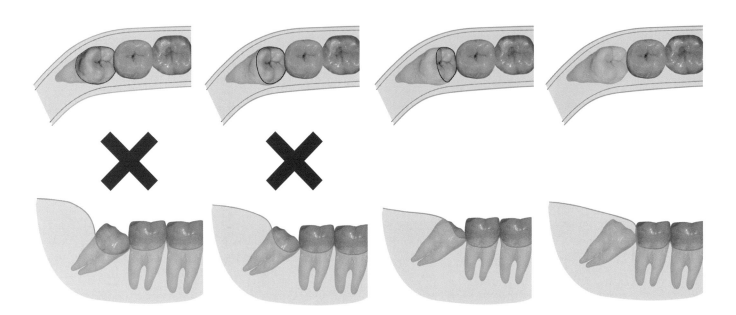

En aras de la simplicidad, los casos se clasifican en cuatro. Los primeros dos casos son iguales con el caso de inclusión vertical. Por supuesto, no hay colgajo ni extracción de hueso. La frecuencia de la incisión es ligeramente mayor que la de la inclusión vertical, sin embargo, la cantidad de incisión es a menudo menor.

La incidencia de la incisión es mayor porque la extracción de dientes es necesaria y el cirujano necesita ver el lado vestibular del tercer molar. Sin embargo, el tercer molar mesioangular está inclinada hacia el lado distal de la superficie oclusal de la corona, ya que la porción mesial de la corona estaba retirada y la dirección de salida también era lateral mesial. Por lo tanto, no es necesario aumentar la incisión.

Si el diente está cubierto por 1/3 de la porción coronal, se hace una pequeña incisión hacia el lado vestibular para evitar el desgarro de las encías en el curso de la extracción del tercer molar. Es suficiente para evitar el desgarro. Como se elimina la parte mesial de la corona de todos modos, es de gran ayuda para garantizar la visibilidad.

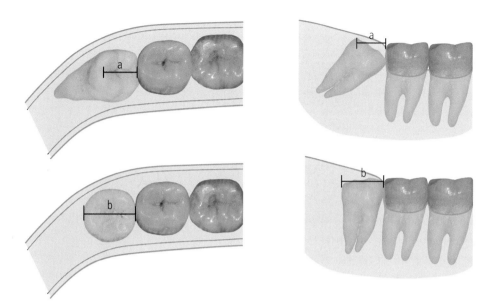

Como se muestra en la figura, si está completamente cubierto por la encía, se incide en forma de media luna. La porción distal de la corona del tercer molar está más cerca del segundo molar en lugar de la caja incluida vertical, por lo que la cantidad de incisión es ligeramente menor.

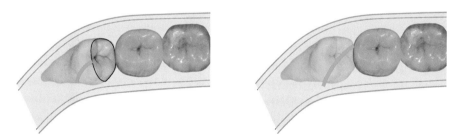

Sin embargo, es seguro que el final de la incisión debe estar en el lado lingual de los puntos de contacto #7 y #8, como se muestra por la flecha verde; es para asegurar la visibilidad, y también porque corta la porción mesial de la corona, el área de las encías de la superficie de la corona oclusal lingual se daña por la fresa. Por lo tanto, hasta que pase la fresa, es bueno hacer una incisión en las encías.

También es bueno cortar el ligamento periodontal con un explorador en una inclusión vertical. Como se mencionó en el capítulo anterior, cuanto más erupcionó correctamente, más fuerte se unió el ligamento periodontal a la superficie distal de la corona.

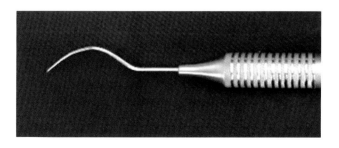

Corte de la corona ★★

En mi caso, es suficiente usar el corte de corona mesial en su mayor parte para extraer los terceros molares mesiales incluidos. Elimínalo cortando solo la parte que cuelga debajo de la superficie distal del segundo molar. Después de eso, es lo mismo con la inclusión horizontal. Cuando se confirma que se ha extraído la parte mesial de la corona, se coloca un elevador en el lado disto bucal y lo empuja hacia adelante para desplegar el ligamento periodontal. Según el grado de inclusión o la forma de la raíz, la parte restante del diente se extrae utilizando varios métodos utilizados en la inclusión vertical.

Esta es la parte más importante de la extracción de terceros molares incluidas mesioangulares.

Echemos un vistazo al caso en el que el corte de corona mesial podría usarse para la inclusión mesioangular.

01
Inclusión mesioangular ★★★

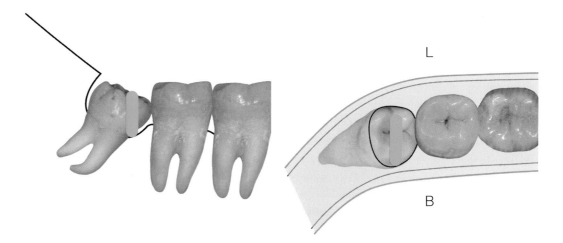

En el corte de corona mesial, la cara de corte más ideal se muestra desde el lado oclusal y bucal. La línea está ligeramente en negrita en la imagen, la razón es porque estoy usando muchas fresas gruesas no. 6 en estos días. En el pasado, incluso usaba fresas finas de fisura o fresa fina de aguja en coronas o incrustaciones de preparación. Sin embargo, recientemente estoy usando solo fresas redondas no. 6 o no. 4, ya que es difícil quitar las piezas restantes después de cortar con fresas delgadas.

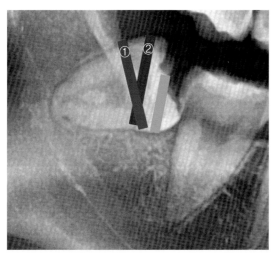

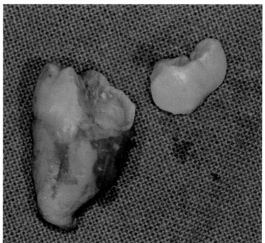

La mayoría de los dentistas intentan cortar como la línea roja ①, pero se debe realizar como la línea roja ②, ya que es muy difícil hacer un buen ángulo con una pieza de mano. Prefiero que se corte como la línea azul tan cerca como el segundo lado molar. Si lo corta ligeramente en la corona, será casi tan ancho como el espacio de los tejidos blandos con el lado lingual-bucal o superior-inferior.

Por lo tanto, la corona se puede quitar fácilmente. Además, la mayoría de las piezas que se fracturan fácilmente en el esmalte y son fáciles de quitar.

02
Casos de inclusión mesioangular ★★★

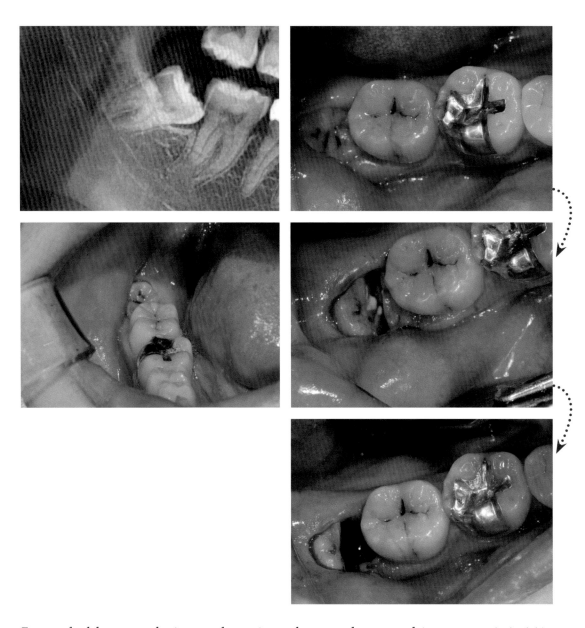

Este grado del tercer molar impactado mesioangular generalmente podría extraerse sin incisión gingival. Como puede ver en la imagen, esto se puede cortar fácilmente en unos segundos. A menudo, al dar conferencias, debo tener cuidado de no lastimar la parte distal de los dientes anteriores en la remoción de la corona de los molares mandibulares, como cortar fragmentos o incrustaciones de molares mandibulares durante la extracción.

Haz lo que haces en la mayoría de los casos, incluso si hay un corte inferior, la parte de la corona mesial podría eliminarse debido al ancho de la fresa.

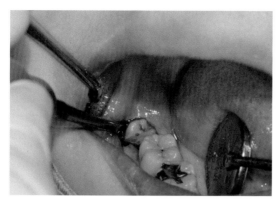
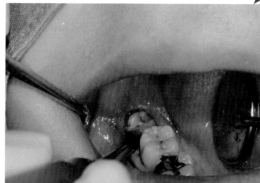
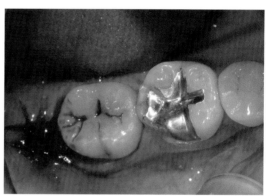

Una vez que se ha quitado la parte de la corona mesial, el elevador se aplica al lado distovestibular como en caso de inclusión vertical. No hace nada adicional, como en el caso de inclusión vertical puede usarse el elevador en mesial para no dañar el lado distal del segundo molar.

En esta etapa, si el elevador no funciona desde el lado distovestibular como el caso de inclusión vertical, se pueden usar varios métodos de extracción. En las radiografías, si la osteotomía parece estar solo en la parte inferior del CEJ, se pueden usar fórceps. Lo veremos más adelante.

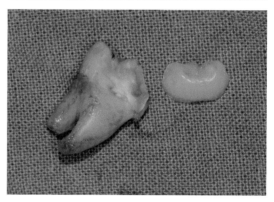

03
Es fácil quitar la parte mesial de una corona incluso si la parte visible ★★ es pequeña

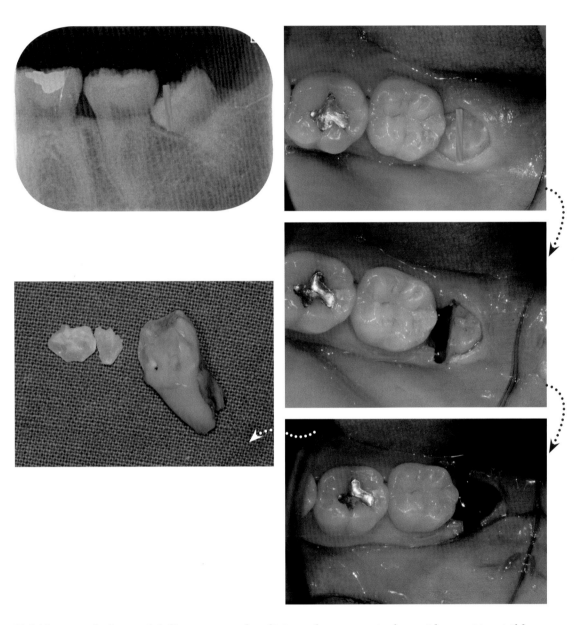

Debido a que la forma del diente se puede adivinar claramente incluso si la porción visible es pequeña, el diente se cortó y se extrajo. El punto aquí es que definitivamente debes quitar la parte vestibular de la corona. Debido a que la parte lingual de la corona tiende a no poder cortarse con seguridad, es bueno cortar el lado vestibular con seguridad para la división.

Los principiantes tienden a no cortar el lado vestibular la primera o segunda vez. Sin embargo, incluso si practicas solo una o dos veces, puedes ver que esta parte es fácil de resolver.

04
Caso similar ★

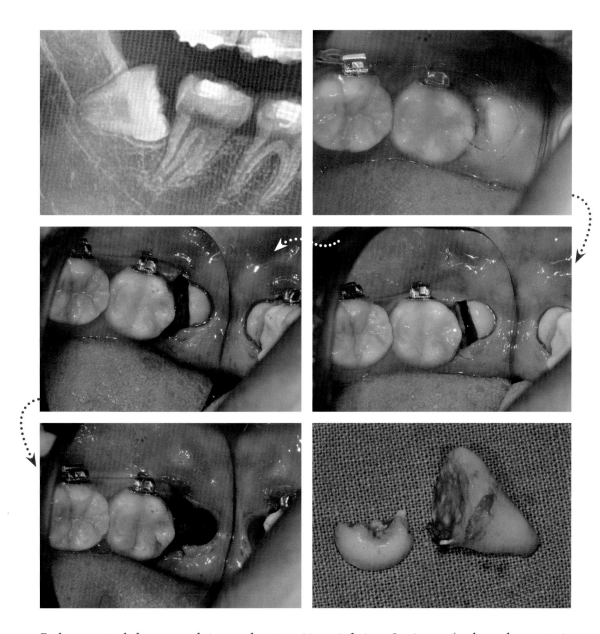

En la mayoría de los casos, el tiempo de extracción es inferior a 3 minutos (excluyendo anestesia y sutura) y el sangrado postoperatorio, el edema y el dolor son pequeños. Si eres un dentista que está familiarizado con mi método de capacitación, la mayoría de los principiantes lo completarán en 10 minutos.

05
Incluso si no ves los terceros molares en absoluto ★★

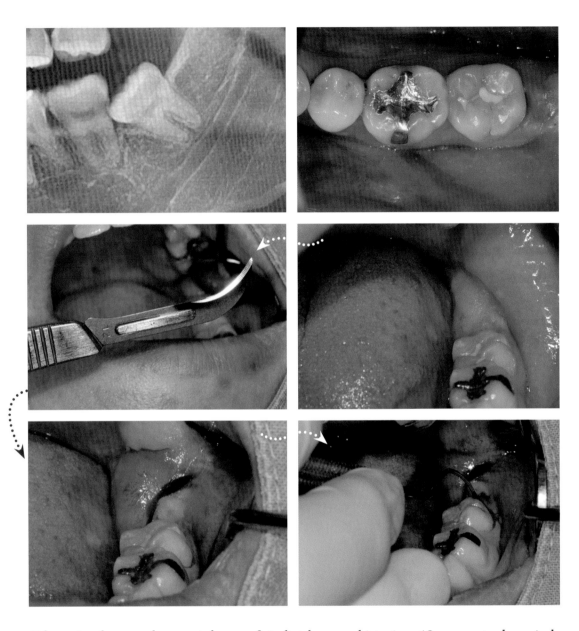

Si la encía cubre completamente la superficie distal, use un bisturí no. 12 para cortar la encía de la superficie distal del segundo molar. A menos que la altura del contorno del tercer molar se vea profundamente incluida en el hueso, lo más probable es que no se extienda el colgajo a la parte mesial. Con un explorador modificado, es bueno cortar la parte distal y vestibular del segundo molar. Y si la cara distal del tercer molar es accesible, corte el ligamento periodontal. El ligamento periodontal distal, que no funciona, a menudo no es robusto.

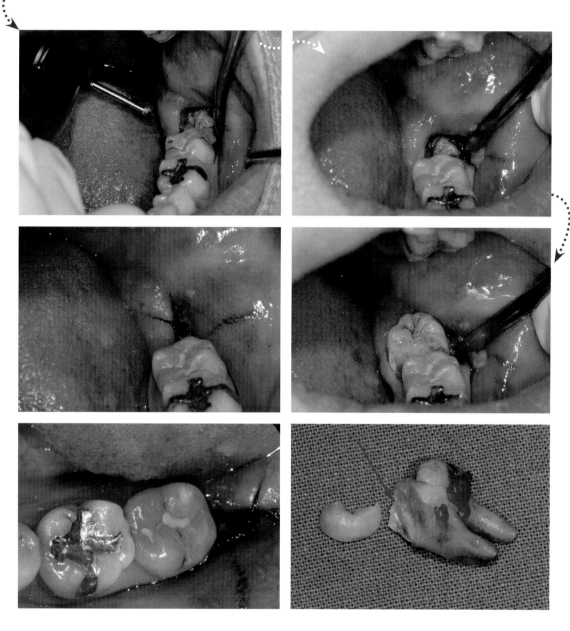

La forma de extracción para el caso del tercer molar totalmente impactado mesial es similar con un caso de inclusión vertical. Si corta la encía y elimina sólo la porción mesial de la corona, no es muy diferente de una inclusión vertical. El elevador proporciona energía al empujar el tercer molar hacia adelante desde el lado distovestibular. Veamos el tercer molar, los cortes de las porciones mesiales de la corona señalados por las flechas rojas.

Se puede ver que la superficie del corte en el lado lingual no se realiza completamente; es porque no es tan necesario.

06
Es común que el lado lingual se corte menos ★★

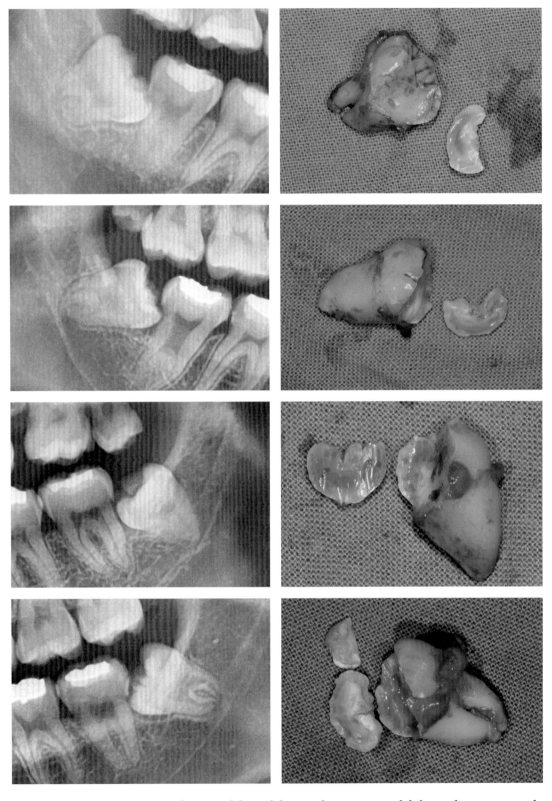

Como solo es necesario quitar la parte debajo del corte, la estructura del diente ligeramente a la izquierda no es un gran problema.

07
Caso incluido mesialmente – corte de corona mesial <1> ★★

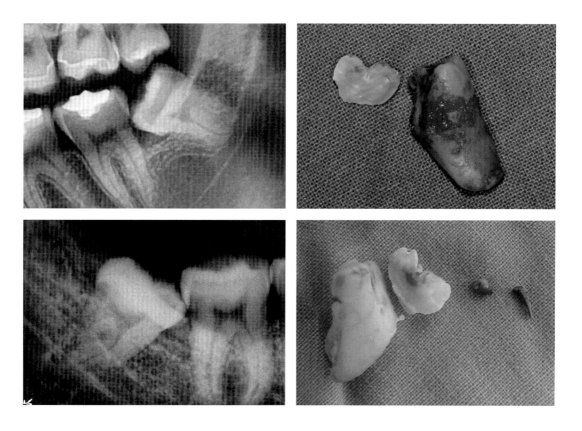

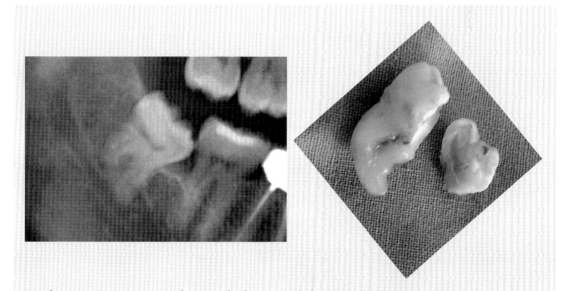

En el caso anterior, si consideramos la dirección de la raíz, me parece que el elevador debe empujarse hacia adelante. Sin embargo, debe tenerse en cuenta que incluso si este no sea el caso, es importante empujar la superficie distal hacia adelante.

Caso incluido mesialmente – corte de corona mesial <2> ★

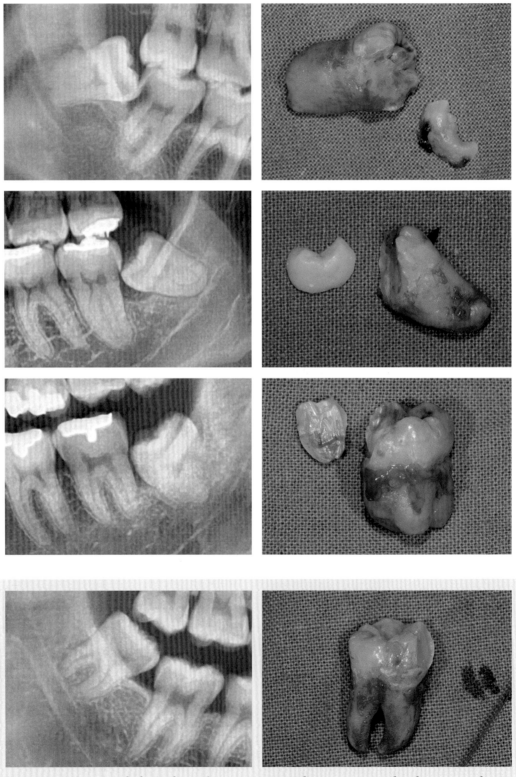

En este caso, a menudo las radiografías no muestran las partes mesiales de coronas de terceros molares. La mayoría de ellos se cortan en trozos delgados y se succionan.

División vertical de la porción de la corona mesial ★★★

Aunque se realiza la división de la porción mesial de la corona, la extracción de esta puede no ser fácil si el corte de la porción distal del segundo molar es muy grande. Este suele ser el caso cuando utiliza una fresa de tamaño pequeño, como la fresa quirúrgica redonda no. 4. Por supuesto, si la superficie de corte mesial de la corona estuviera limpia y bien cortada, habría sido más fácil quitarla. Hay un caso en el que la porción mesial de la corona del tercer molar queda atrapada en la porción distal del segundo molar o los tejidos circundantes. En este caso, en lugar de empujar la pieza con fuerza, es mejor dar una línea de corte vertical hacia mesialmente en el centro de la porción de corona mesial que está dividida. Utilizando la cureta quirúrgica en ella, se retira a su vez o se rompe deliberadamente en dos pedazos. Llamé el método de corte vertical de la porción de corona dividida medialmente <División vertical de la porción de corte de corona mesial>.

No es un método común en inclusión mesial, pero es un método útil para usar siempre en la inclusión horizontal. Aquí, sólo lo mencionaré brevemente, y echaremos luego un vistazo más de cerca al caso de inclusión horizontal.

01

\<División vertical de la porción de corte de corona mesial> si el ★★★ segundo molar tiene un corte inferior

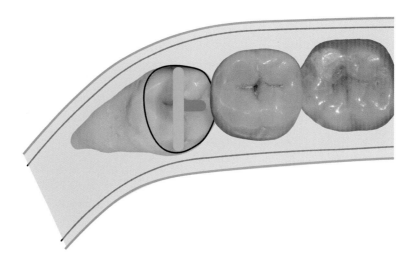

Como se muestra en la imagen de arriba, después de cortar la porción mesial de la corona, la sección se divide verticalmente a lo largo del surco central sin dañar la porción distal del segundo molar. Puse la cureta quirúrgica en el lugar cortado verticalmente, la partí y la quité. En el caso de inclusión mesial suave, incluso si no inserta una cureta quirúrgica, podría romperse por sí sola. Aunque no es una parte muy importante en el caso de inclusión mesial, es muy importante en un caso de impacto horizontal de 90 grados. Entonces, lo mencionaré aquí brevemente.

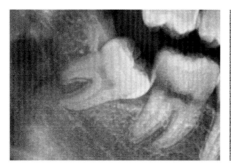  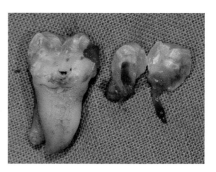

El tercer molar está incluida profundamente, y los cortes en el segundo lado distal del molar son tan severos que las piezas extraídas no se eliminaron. Es un caso en que la porción mesial interior se cortó verticalmente, se dividió en dos piezas y se retiró.

02
División vertical de la porción de corte de la corona mesial ★★

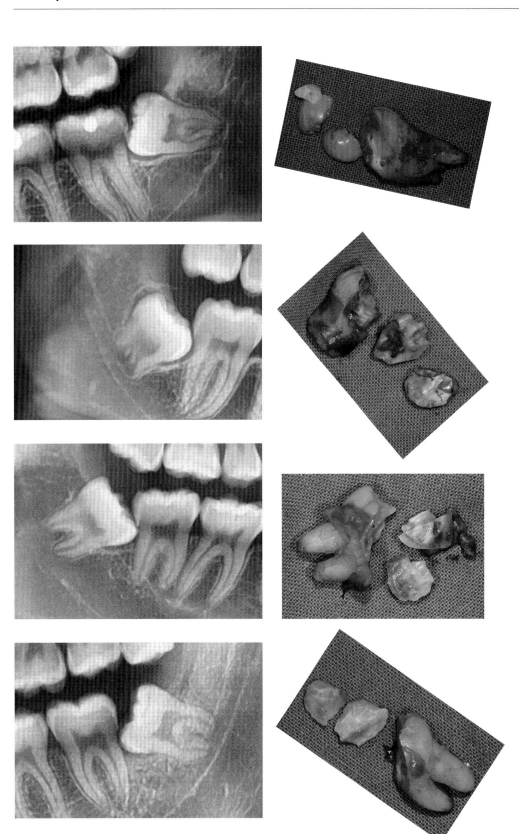

03
Intencionalmente dividido o dividido por sí mismo… ★

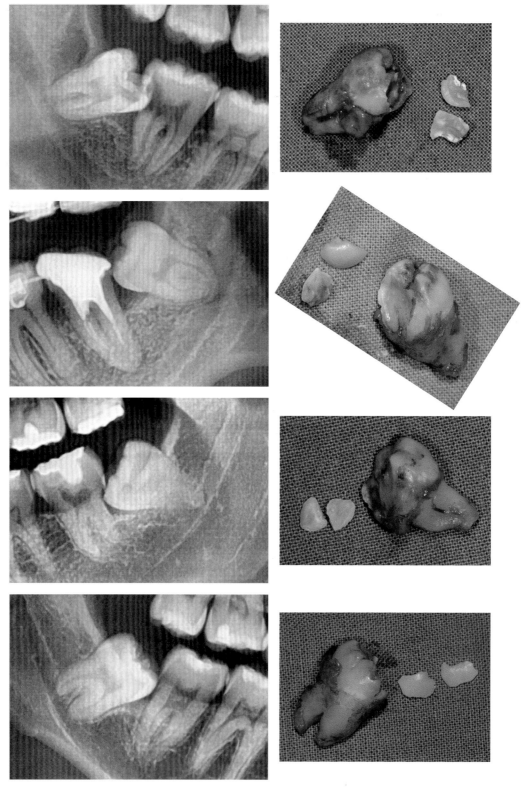

Es muy común romper el diente espontáneamente al cortar la porción mesial de la corona, ya que el esmalte tiene una resistencia a la tracción muy baja. Los molares impactados horizontalmente se pueden extraer fácilmente aplicando estos métodos.

04
Ejercicios de extracción más fáciles para principiantes ★

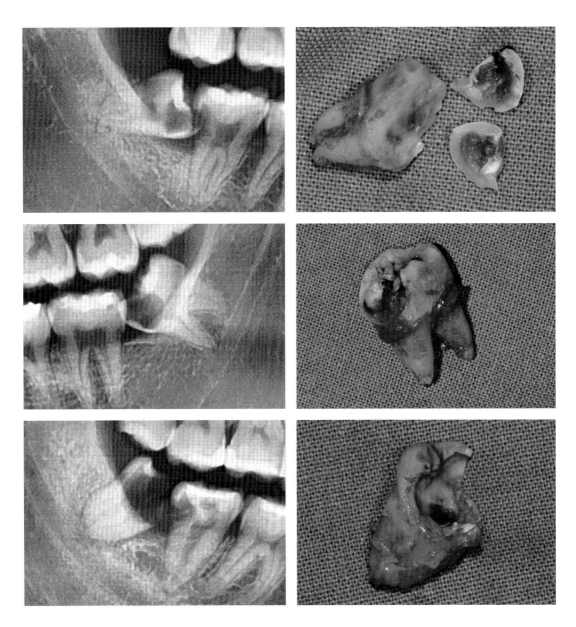

Es un caso un poco extremo, pero a menudo hago que practiquen la extracción de una porción mesial de la corona si es un graduado reciente de odontología. Porque la extracción de la porción mesial de la corona ocupa la mitad de la extracción del tercer molar, se necesita practicar para tener un hábito de éxito. El último caso es muy extremo, pero un buen caso para entrenar como eliminar limpiamente la porción mesial de la corona, aunque la porción mesial de la corona sea solamente como una cáscara de huevo.

Extracción con fórceps del tercer molar con impacto mesial

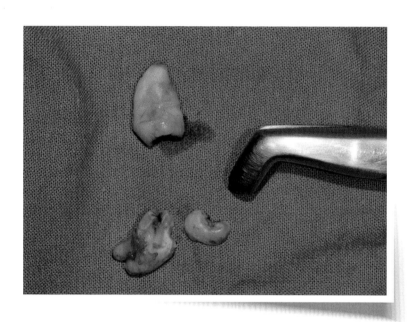

Permítanme elegir el título de este capítulo como extracción con fórceps del tercer molar con impacto mesial. La mayoría de los dentistas que tienen piezas de mano de alta velocidad lo harán cortando la porción mesial de los terceros molares que quedan atrapados en la porción distal del segundo molar. Sin embargo, es más difícil eliminar de esta manera la corona y la raíz residuales cuando la corona casi no está cubierta por el hueso alveolar. Hay muchos dentistas que no saben que usar fórceps es muy útil. Cuanto esté más erupcionado, más ventajoso es eliminarlo con fórceps.

Después de extraer la porción mesial del tercer molar incluido mesialmente, es fácil extraerlo con fórceps más que los terceros molares de erupción vertical normal. Cuando sostiene un diente de inclusión vertical normal con fórceps y lo fija antes de la extracción, debe tener cuidado con el daño de la superficie distal del segundo molar. Sin embargo, tenga cuidado de no dañar el segundo molar porque la corona es pequeña y el pico se puede deslizar.

01
Extracción con fórceps del tercer molar con impacto mesial <1> ★★

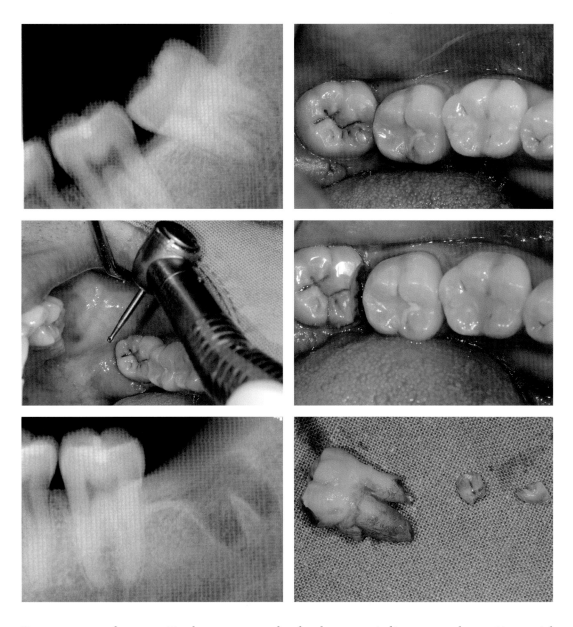

Este es un caso de extracción de un tercer molar donde se extrajo ligeramente la porción mesial y se tiró con fórceps. Se podría remover como está, pero si se remueve la superficie anterior del diente será mucho más fácil de arreglar y será más divergente, por lo que es mejor eliminar la superficie anterior y quitarla. En tal caso, a menudo ocurre que la superficie distal se agrieta en la cara distal del segundo molar en el proceso de flexión del fórceps. En Corea, también es bueno tener un paso más para cambiar de inclusión simple a la inclusión compleja.

Extracción con fórceps del tercer molar con impacto mesial <2>

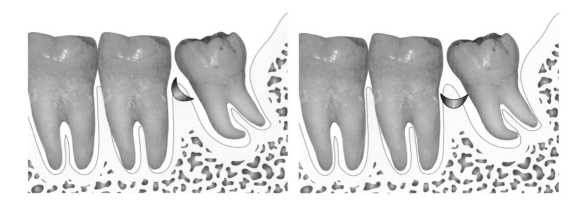

Aunque este diente podría extraerse...

Aunque este diente podría extraerse con un elevador, generalmente, en tal caso, un dentista presiona la superficie oclusal del segundo molar con un dedo y levanta el tercer molar con un elevador. Esto se debe a que las extracciones del segundo molar se realizan después de un intento incorrecto. De todos modos, no prefiero operar con un elevador la extracción del tercer molar. Si haces eso a menudo, estoy convencido de que el segundo molar será dañado.

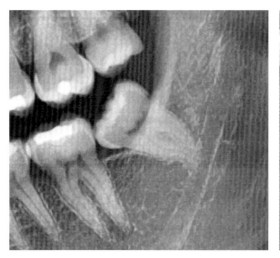
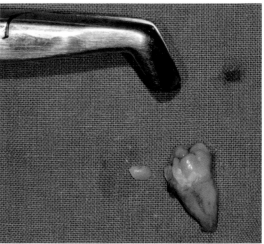

En el caso de retirar la superficie mesial y extraerla, a menudo se extrae con fórceps como en el caso de la inclusión vertical. Por supuesto, es más fácil que usar fórceps en un caso impactado verticalmente. Es fácil mover los dientes porque hay espacio libre entre el segundo molar y la superficie mesial del tercer molar. A veces, tengo la costumbre de tomar fotografías para recordar las herramientas que utilicé para la extracción.

02
Hábito de tomar fotos con herramientas usadas ★

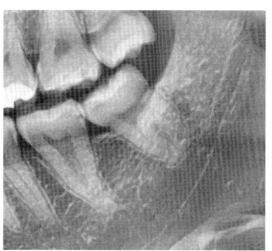 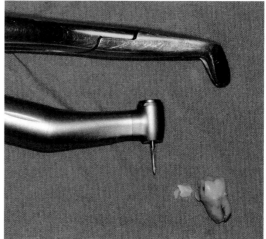

En los casos de un tercer molar que se inclina mesialmente y es funcional, a menudo es difícil extraerla. En tal caso, si agarras el fórceps con la mano y mueves el diente, hay una posibilidad muy alta de daño del segundo molar. Esto ocurre inesperadamente porque no se puede extraer al jalarse una o dos veces con fórceps, por lo que se sacude varias veces en dirección izquierda y derecha.

03
El página es más viejo de lo que pensaba ★

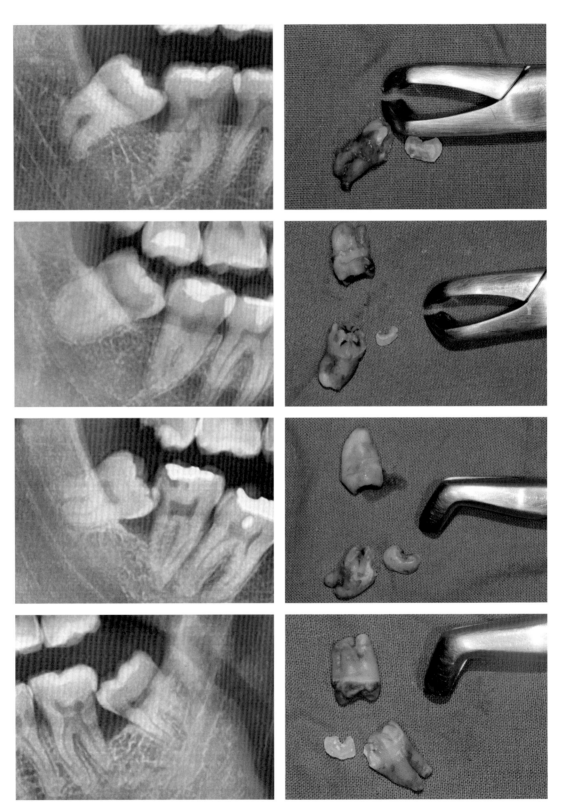

Sería correcto decir que yo tengo coraje de escribir este libro porque tengo el hábito de tomar fotos después de extracción, más que tomar fotos para escribir este libro. Busqué y encontré muchas fotos como estas.

04
Extracción de terceros molares con fórceps después de remover ligeramente ★ la superficie mesial

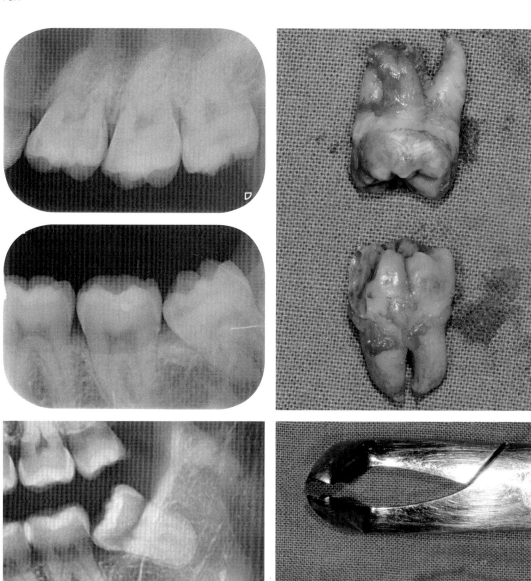

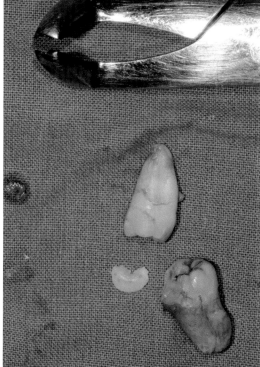

A menudo, utilizo un fórceps mandibular para extraer terceros molares del maxilar. A menudo lo intento de esta manera cuando un asistente ha dirigido mal el fórceps mandibular hacia la extracción del maxilar o cuando la extracción del maxilar es muy simple después de la extracción con fórceps mandibular. No es tan difícil cuando se hace la acción de luxar con los fórceps para extraer los terceros molares en lugar de tirar, ya que no es fácil obtener una gran fuerza, sería mejor no intentar tal cosa.

Americanos y británicos, ¿No es amor y guerra, sino la guerra de terceros molares?

Desde finales de la década del 1990, Gran Bretaña ha anunciado que no necesita realmente extraer los terceros molares en ‹La guía sobre la extracción de terceros molares›. En resumen, el tercer molar debe ser extraído lo menos posible. Ni siquiera hay una persona de cada 10, y si no tiene caries o enfermedad de las encías y terceros molares asintomáticos incluidos, cuando son extraídos de manera profiláctica, hay numerosos efectos secundarios como el daño a los nervios y más, por lo que no hay necesidad de extraerlas. Ahora es el momento de que Estados Unidos anuncie por qué debería extraer los terceros molares. Hay muchos pacientes que ya sufren de caries o enfermedad periodontal sin dolor. Cuanto más viejo es el tercer molar, mayor es el daño causado y más largos son los efectos secundarios. Con más investigación, no fueron una persona de cada 10, sino mucho más personas que sufrieron de problemas causadas por terceros molares y las extrajeron. ¿Y ahora qué? Estados Unidos afirma que es un poco más contundente que la afirmación británica. Pero no tenemos que confiar solo en estos artículos. La medicina también es una industria y significa que estas afirmaciones y resultados de investigación no son tan puros como pensábamos. Como todos saben, Gran Bretaña es como un país socialista médico. Cualquiera puede obtener beneficios médicos gratuitos. Por supuesto, las extracciones de terceros molares son gratuitas. Si usted es dentista en el Reino Unido, ¿le gustaría extraer los terceros molares? Por lo tanto, hay muchas excusas para no estar a favor. ¿Qué hay de América? Las extracciones de terceros molares son las más caras del mundo. Si quieres gastar un par de millones, las extracciones estadounidenses es el tratamiento a elegir. Entonces, ¿pueden los dentistas estadounidenses que hacen lo mismo y ganan mucho dinero perder a los dentistas británicos que hablan sobre sus hábitos? No he vuelto a ver la referencia hace unos años, pero no puedo encontrar la referencia exacta, así que solo la uso como cotilleo ... Por supuesto, la extracción de terceros molares en los Estados Unidos, que gana mucho dinero, es de alta prevalencia. Pero ¿qué pasa con Corea, que paga solo una pequeña cantidad de dinero suficiente para no morir realmente? Según el periódico, no recuerdo un porcentaje, pero Corea estaba a medio camino entre Gran Bretaña y los Estados Unidos. Es una anécdota del proverbio filipino de "veo una manera de hacer en lo que quiero hacer y solo pienso en excusas para las cosas que no quiero hacer".

De todos modos, estoy agradecido por la popularidad de la opinión de que la votación todavía tendrá lugar en la guerra de los terceros molares entre los dos países. "Porque soy un esnob, después de todo, el escritor que extrae terceros molares para ganarse la vida."

Varios tipos de extracción de terceros molares en inclusión mesial

Después de que la porción mesial de la corona es seccionada y removida, se vuelve igual a una inclusión vertical. Así que utiliza el método para inclusión vertical. Después de remover la parte mesial del corte inferior, el elevador se usa primero, como en la inclusión vertical. Sin embargo, si el elevador no se usa suavemente, inmediatamente se usa el fórceps, o un método para seccionar la parte de la corona, o un método de extracción radicular después de re-seccionar la corona. Aquí trataremos con estos casos.

01

¿Qué pasa si un elevador o un fórceps no puede remover el diente después de eliminar la porción mesial de la corona? ★★★

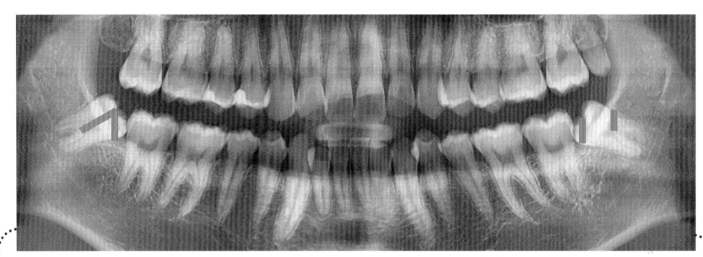

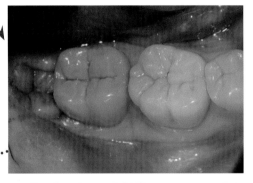

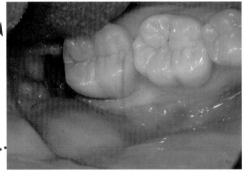

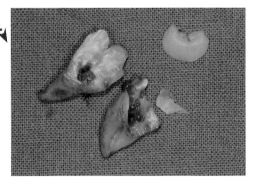

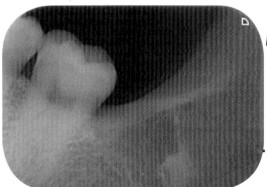

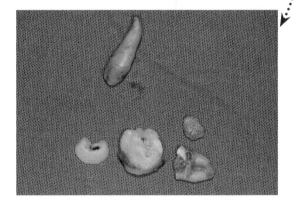

Esto es lo mismo que un tercer molar con inclusión vertical. Puedes seccionar la raíz en mitades para hacer la extracción o remover la porción coronal cortando la porción cervical. En el #38 la extracción no fue suave, así que podemos ver que se quedó un poco del ápice distal de la raíz.

02
Dos segmentos (hemisección) extracción de dientes inclinados mesialmente ★★

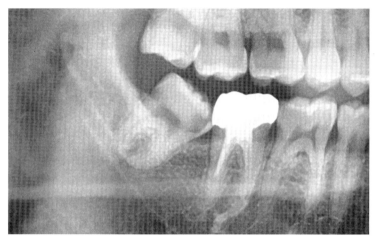  

Este tipo de estudio del tercer molar de un hombre joven a menudo es más difícil que el tercer molar con impacto horizontal normal. Las extracciones maxilares y mandibulares fueron muy difíciles. En particular, no quiero recomendar a principiantes la remoción de las raíces cortas y funcionales de terceros molares en maxilares.

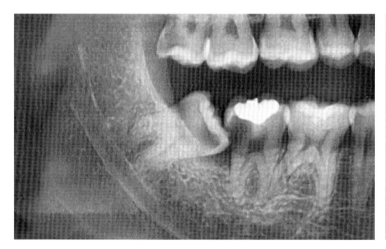 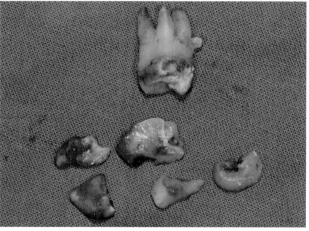

También es uno de los casos más difíciles. Adicionalmente, el signo de Youngsam es visible en el ápice caudal de la raíz distal. Especialmente en el caso de terceros molares con tan grandes cavidades, cuando se usa el fórceps con mucha fuerza, solo se rompe la corona. En este caso, tu tal vez quieras considerar el siguiente corte distal-cervical o extracción en L. Al comenzar, siempre se comienza con la idea de que saldrá fácilmente, sin embargo, la extracción será más difícil y tomará más tiempo para extraerse. Es bueno tratar paso a paso incluso si se ve fácil.

03
Caso de extracción de raíz después de remover la corona incluida ★★
mesialmente

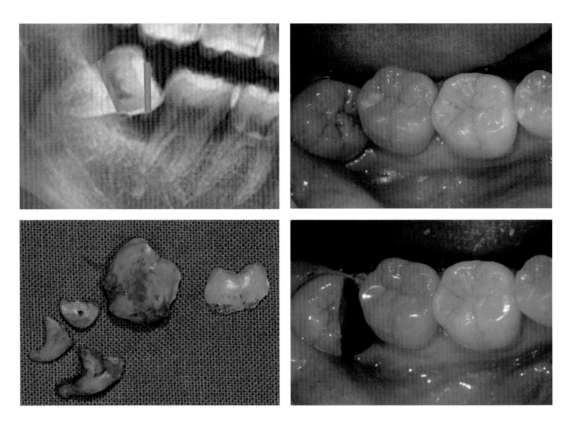

El procedimiento fue el mismo que al de una extracción habitual, pero la extracción de la raíz fue difícil por la curvatura excesiva de la raíz. Así que se usó el método de corte coronal.

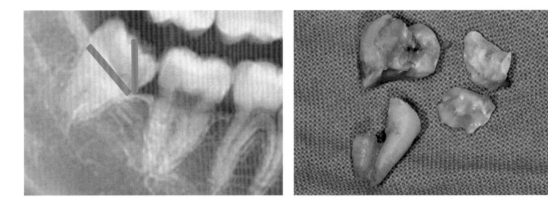

En la fotografía, parece ser un caso simple, pero después de realizar una resección coronal con un caso no satisfactorio, podemos ver el trazo hacia el centro de la raíz para remover la raíz restante. De esta manera, las raíces parecen dos, pero estando conectado es difícil de extraer (es llamado como colgajo cuando la raíz esté conectada a una cara tan delgada). Entre ellos, es más difícil si la forma general de la raíz es redonda y redondeada.

04
Si la superficie oclusal del tercer molar es más alta que la séptima ★★
superficie oclusal

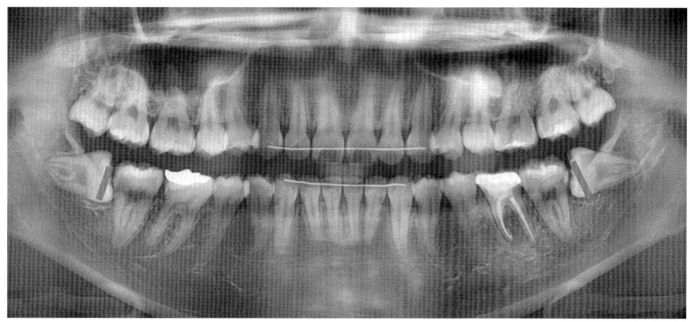

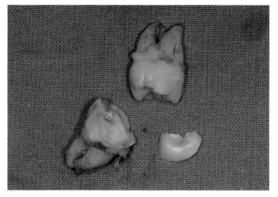 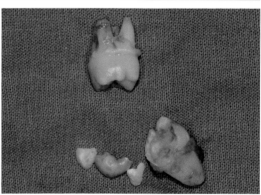

Hay muchos dentistas que dividen toda la porción de la corona en semisecciones y luego la extraen. En mi caso, creo que la corona restante es un asa, por lo que no elimino corona innecesaria. Justo cuando sale el tercer molar, se elimina solo la porción de la séptima porción distal que está atrapada. El caso anterior se puede ver en ambos estilos. En este caso no es necesario ajustar el ángulo, pero la pieza de mano debe moverse de modo que sólo la séptima superficie distal no pueda dañarse. En la mayoría de los casos, sin embargo, no hay daño en los dientes adyacentes ya que el diente real es tridimensional. En este caso, es más probable que haya más espacio entre la 7ma y 8va. Por supuesto, en este caso utilizar fresas fisuradas no es buena idea.

Levantar y cortar ★

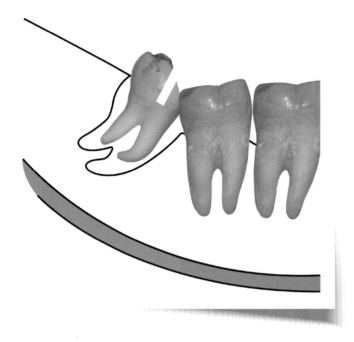

Si elevas el tercer molar mesialmente incluido, te puedes ver atrapado ligeramente en la cara del #7 mientras que el tercer molar sale porque solo el esmalte de parte del corte inferior es removido. En la mayor parte, la dirección es ligeramente diferente hacia el lado lingual o bucal o la elasticidad del diente o hueso alveolar es utilizada para levantar ligeramente con un elevador. Sin embargo, no dudes en cortar la parte del tercer molar que quedó atrapada al salir, así que trate de llamarle "Elevar y Cortar". En general, cuando se remueve una parte del diente y se secciona rompiéndolo, en la mayoría de los casos es un principio usar fresa no. 4. Por supuesto, no uso el tamaño grande en este momento, pero animo a los principiantes y a los dentistas principiantes a usar la fresa no. 4.

01
Levantar y cortar ★★★

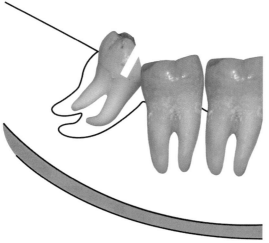

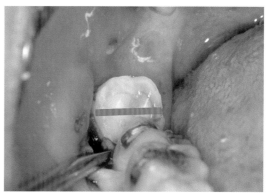

Cuando la longitud de la distancia mesio-distal del tercer molar es más larga que la longitud de la superficie distal del segundo molar al hueso alveolar en el momento de la extracción del tercer molar, el tercer molar inevitablemente se ve obligada a quedar atrapada en el lado distal del segundo molar como se indicó anteriormente. En este caso, el lado distal del hueso debe removerse; sin embargo, si remueves la parte del diente cortándolo buco lingualmente, la extracción se vuelve sencilla.

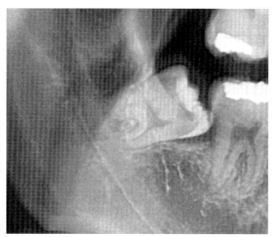

Es un típico ejemplo de levantar y cortar. Traté de remover sólo la porción mesial y sacarla, pero el tamaño del diente mismo era demasiado grande para pasar a través del espacio.

Así que traté de levantar y cortar. Generalmente, en este caso, habrá mucha variedad de métodos, tales como remover el hueso en el lado distal, biseccionando la raíz con una pieza de mano de baja velocidad, o dividiendo el diente con una pieza de mano a 45 grados. Sin embargo, ya que mi principio es minimizar las herramientas que utilizo, removí solo las partes que quedaron atrapadas usando la pieza de mano.

02
Proceso de levantar y cortar ★★

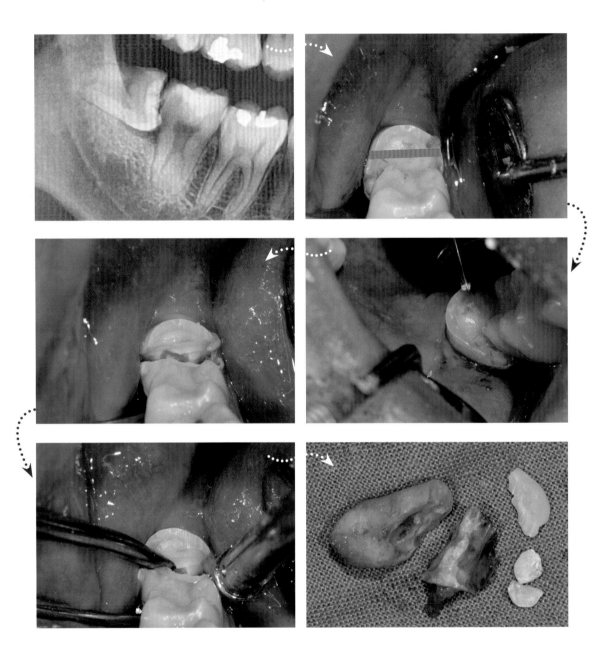

03
Levantar y cortar es necesario en este caso ★★

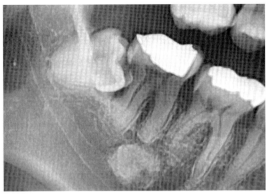

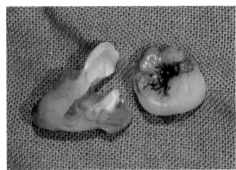

En la mayoría de los casos que necesitan levantar y cortar, la distancia desde la superficie distal del segundo molar hasta el hueso alveolar posterior es más estrecha que el ancho del tercer molar. En este caso, la mayoría se queda atrapada en la parte distal del segundo molar. En las fotografías anteriores, la distancia desde la superficie distal del segundo molar hasta el hueso alveolar es más pequeña que la anchura del tercer molar. Es un caso que empujé el elevador para romper la parte cortada, pero esas partes se extrajeron inevitablemente. Parece haberse desalineado o atrapado dentro de los límites elásticos del hueso alveolar. Este es a menudo el caso. Incluso se puede encontrar en el proceso de levantar y cortar. Quizás es porque el diente se movió en dirección de menos resistencia en el proceso de cortar con la pieza de mano. De todas formas, por esa razón, se vuelve un buen caso para ver la dirección de levantar y cortar.

¡Referencia!

El área, donde el diente fue cortado en el lado distal del tercer molar, no se eliminó el hueso alveolar, sino que se cortó el surco en la región cervical distal. Como mencioné anteriormente en la radiografía panorámica, cuando la inflamación es severa, la raíz está unida al hueso alveolar posterior por la presión, debido a la inflamación de la corona. Así que el elevador no podrá insertarse ya que la raíz estaba adherida al hueso alveolar. Como resultado, la porción cervical distal del tercer molar fue cortada para extraer las partes restantes (corte distocervical). Esto se trata más adelante en este capítulo, por lo que ya no lo mencionaré aquí.

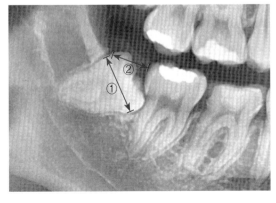

En este caso, la distancia desde la superficie distal del segundo molar hasta el hueso alveolar es más pequeña que la anchura de la corona. Como es natural, el autor, que cree que la extracción de hueso alveolar es lo mínimo, realizó "Corte de extracción".

04
Video sobre levantar y cortar

Erupción de 45 grados, durante la extracción se quedó atrapada y se realizó el método de "Corte de extracción"

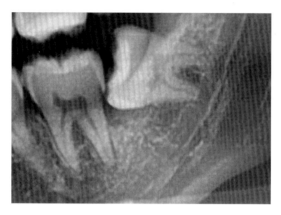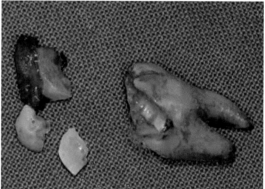

Es un video comparativo con el Dr. Min-Kyo Seo. Aquí, también, puede ver la escena donde el diente sale, se queda atrapado y es removido.

Aunque se utilizó el método de corte oblicuo, el diente puede quedar atrapado (Se usó explorador, después de un corte oblicuo, trato de sacarse, pero se quedó atrapado, finalmente se seccionaron las raíces).

05
Vista de varios ángulos después de levantar y cortar ★

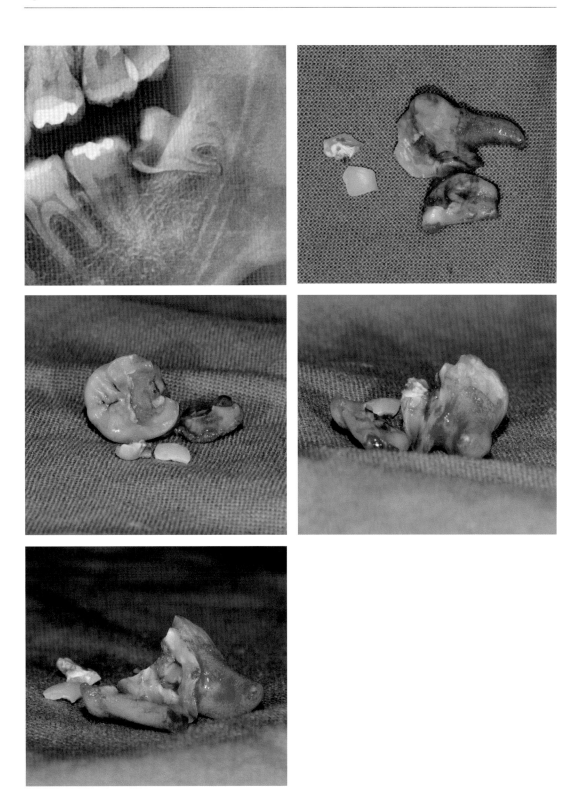

06
Levantar y cortar – Caso < 1 > ★

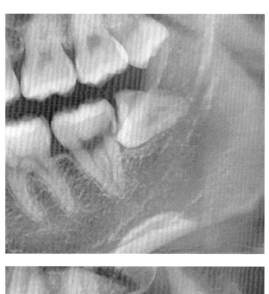

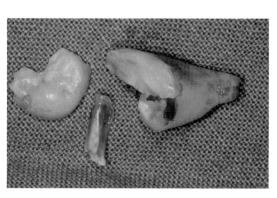

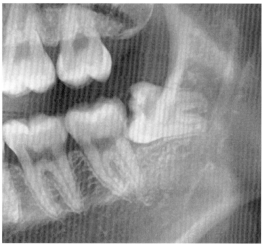

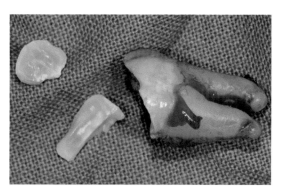

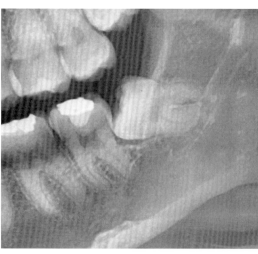

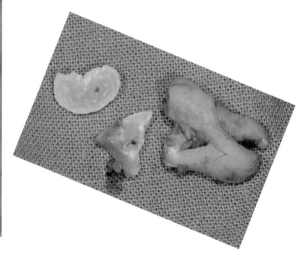

Levantar y cortar – Caso < 2 > ★★

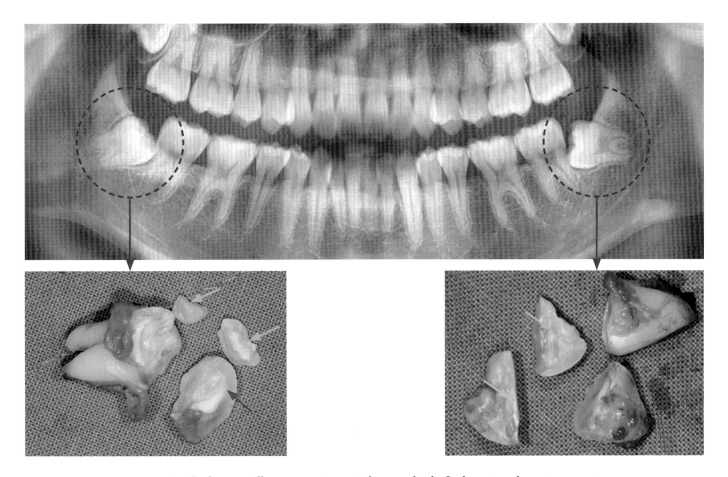

La flecha amarilla es un corte mesial coronal, y la flecha roja es levantar y cortar.

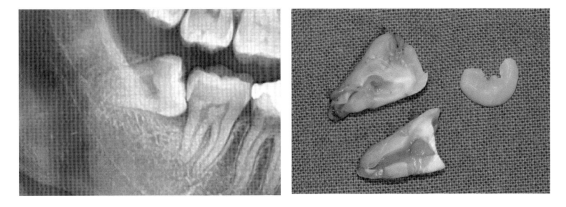

Durante levantar y cortar, la raíz del diente está casi cortada a la mitad, y puede ser común en diente multirradiculares. A pesar de que no intenté dividir la raíz, fue seccionado, ya que es probablemente la parte más débil entre la raíz. Si la bifurcación de la raíz está cerca de la corona, es la parte más débil del diente.

Levantamiento y corte de raíz ★★

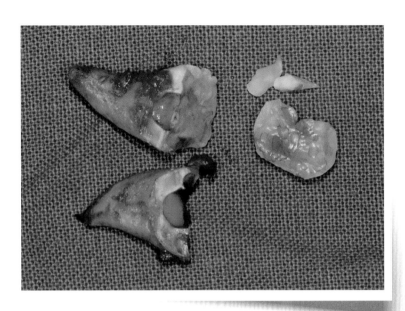

En el proceso de la extracción del tercer molar, cuando la entrada de la extracción es pequeña, en este caso, usualmente se usa el método de "levantar y cortar". Cuando la raíz es multirradicular y la rama de la raíz es alta, la mayoría de la raíz está seccionada, y la extracción se vuelve muy sencilla en estos casos. La repetición de este proceso conducirá naturalmente a "levantar y cortar" a "seccionar raíces".

La diferencia con la "división de la corona" es que el tercer molar ya se está desprendiendo del hueso alveolar y se está moviendo hacia adentro. Por supuesto, si repito la extracción, procederé de manera similar a los dos, pero he clasificado el nombre por separado porque el principiante debe extraer el diente con un propósito claro.

01
Desde "levantar y cortar" hasta naturalmente "separación de raíces" ★

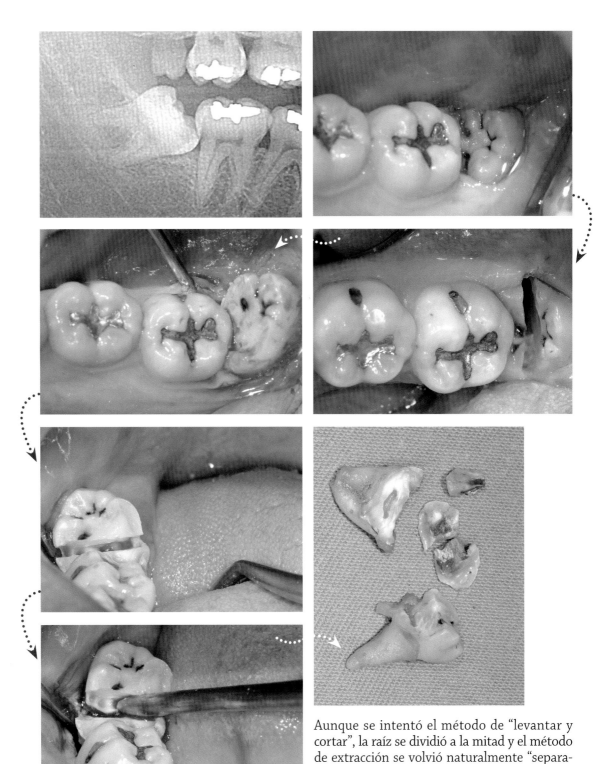

Aunque se intentó el método de "levantar y cortar", la raíz se dividió a la mitad y el método de extracción se volvió naturalmente "separación de raíces". No hice esto intencionalmente, pero si la rama de la raíz está cerca de la corona, la mayor parte de la raíz generalmente es seccionada naturalmente a la mitad.

02
Levantar y separar raíces caso < 1 > ★

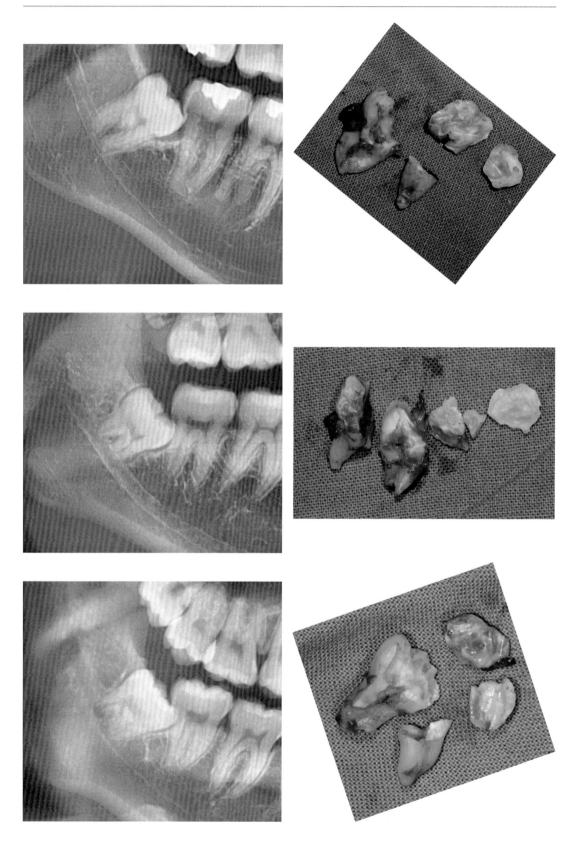

Levantar y separar raíces caso < 2 > ★

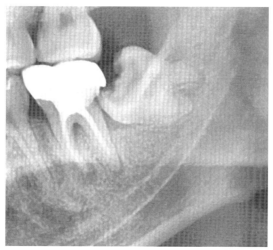
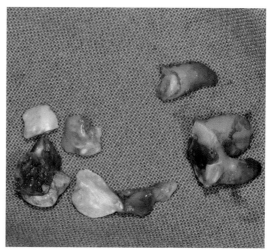

Parece que no es un caso de "levantar y separar raíces", pero se dividió una de ellas porque tenía tres raíces.

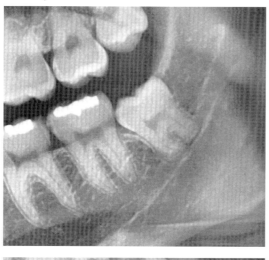
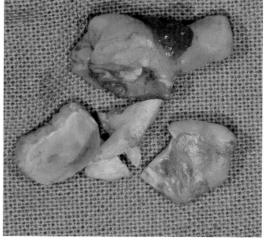

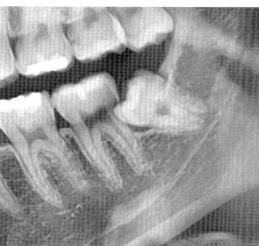

Levantar y separar raíces caso < 3 > ★

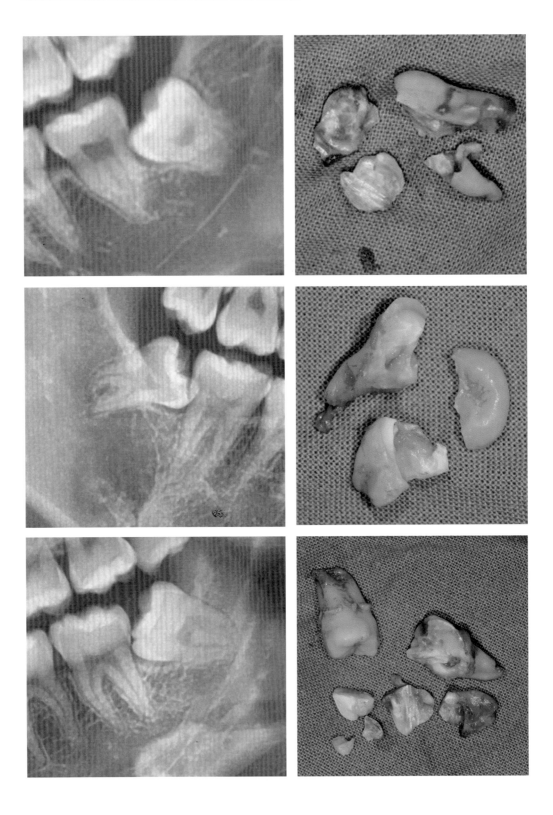

03
Si la división radicular es clara

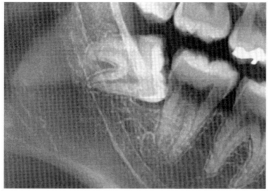

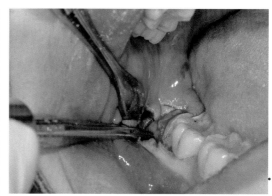

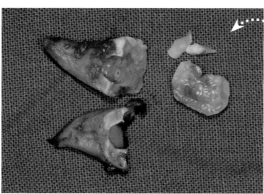

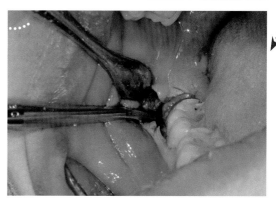

Si el tercer molar es atrapado por diente #7 y la rama de la raíz está en la parte superior del diente y la raíz está claramente dividida, el elevador se inserta entre las dos raíces y se fractura para eliminar las dos raíces. Este es el método que uso con más frecuencia. A menudo es más fácil extraer la raíz, incluso si la raíz se rompe por la mitad y se fractura.

Ya que solo uso pieza de mano de alta velocidad con agua destilada, generalmente trato de no usar alta velocidad tanto como sea posible después de que ya se haya dislocado. Esto es para evitar que el hueso alveolar y las piezas dentales se llene con agua destilada. Sin embargo, porque es mejor acortar el tiempo de la extracción, utilizo alta velocidad después de la dislocación. Sin embargo, si es posible es mejor no usarla.

Cuando los asistentes ven estos casos, ellos a menudo expresan que el diente saldrá por sí mismo cuando el Doctor separa varias veces el diente.

04
Separación de las raíces con elevador ★

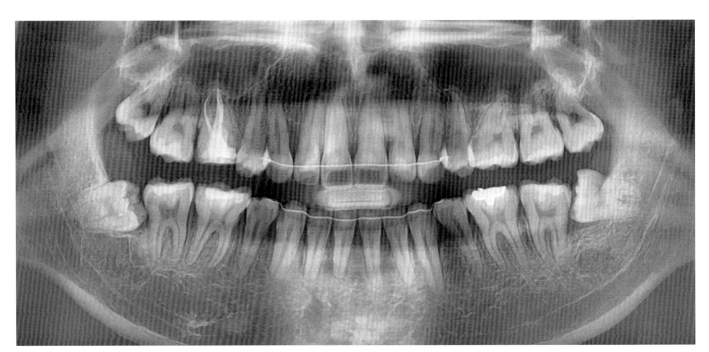

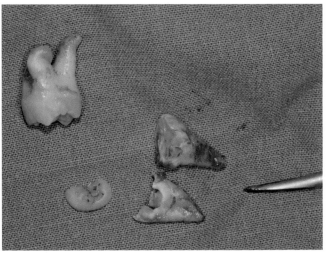

Ambos terceros molares fueron extraídos de la misma manera. Ya he mencionado que tengo la costumbre de fotografiar una herramienta alrededor del tercer molar que he extraído. Quizás por esta imagen se puede inferir que en el diente #48 no hay rastro de extracción entre las raíces. En casos como estos, yo inserto el elevador entre dos raíces, las fracturo y las retiro. Si lo puedo hacer, lo hago en el momento. Después de la extracción de la porción mesial de la corona, el tercer molar restante se disloca con el elevador EL3C. Durante el proceso, si se atrapa la porción restante, se inserta el elevador entre dos raíces y se fractura. Las fotografías clínicas raramente existen, porque se extraen mecánicamente en unos pocos segundos. Sin embargo, si el elevador no se ajusta bien entre las dos raíces, el método de "corte disto cervical" o "levantar y cortar" debe realizarse de inmediato.

Corte Oblicuo ★★★

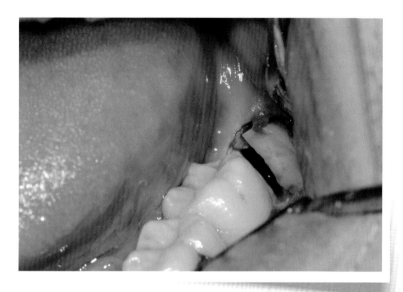

Después de remover la porción mesial de la corona, es una forma de remover un fragmento del diente cortando una vez más con una línea oblicua como mencionado anteriormente. En el pasado, escribí el término "incisión oblicua", pero ya que la palabra incisión se entiende que se usa un bisturí, se tuvo que cambiar a "Corte Oblicuo" en 2017.

Esta es la forma más sencilla para mí de mantener mis piernas a salvo y seguras. A menudo no utilizó este método por el flujo de la extracción, pero cuando se detiene, vuelvo a lo básico y lo uso para cada extracción.

Es fácil comunicarse con lo básico, ya que es fácil extraer el diente con el hueso mínimo removido. He visto a muchas personas utilizar este método ya que muchos recomiendan este método para aquellos que participaron en el seminario de extracción conmigo. Echemos un vistazo de qué porque esto está bien.

01
Corte Oblicuo ★★★

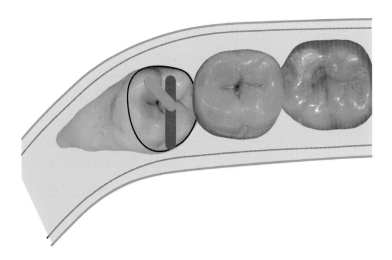

Esta es una forma de remover un fragmento del diente, después de remover la parte mesial de la corona cortando una vez más con una línea oblicua como mostrado anteriormente. Puedes pensar en ello como "corte lingual coronal" (se muestra más tarde) en el tercer molar verticalmente incluido. Sin embargo, se le llama "corte oblicuo" ya que es una vista desde el plano oclusal; no solo es oblicuo, pero también es un corte oblicuo incluso en una vista desde el plano coronal.

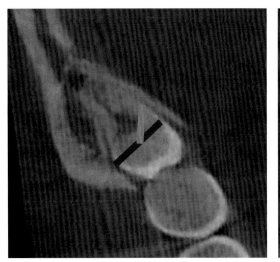
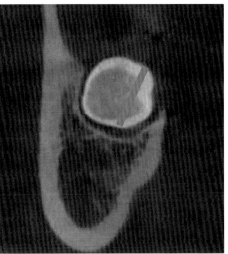

La imagen tomográfica muestra la sección cruzada y el plano coronal. En esta imagen, entenderás mejor por qué se le llama "corte oblicuo". Ya que es un método para seccionar con trazos oblicuos después de remover la porción mesial de la corona, el principiante por lo general usa la fresa redonda no. 4 (Yo uso la fresa quirúrgica redonda no. 6 si es problemático el cambio).

★★

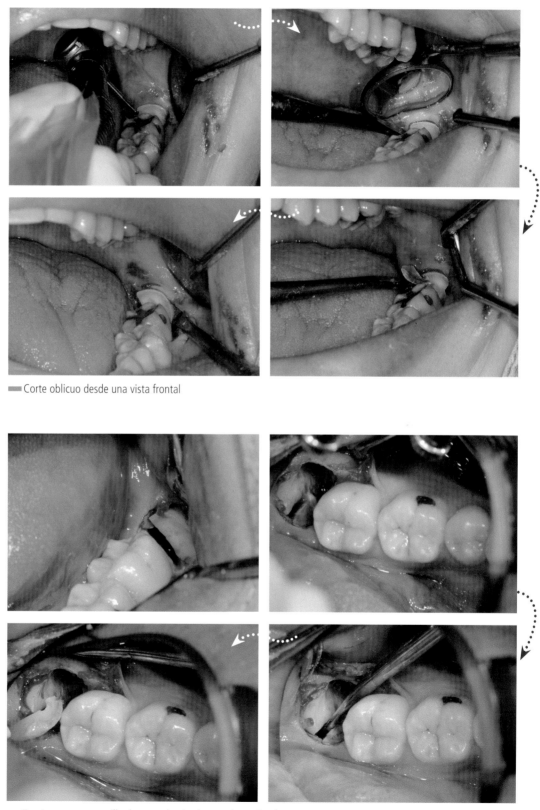

■ Corte oblicuo desde una vista frontal

■ En otro caso, es sencillo de entender desde una vista oclusal

02
Ventajas de un corte oblicuo ★★★

Hay muchas ventajas en un corte oblicuo

1) Las extracciones se vuelven sencillas.

2) Puedes reducir la fractura del cortical lingual.

3) Es fácil de remover la porción mesio lingual de la corona la cual siempre es problemática.

4) Hay un efecto de levantar y cortar para avanzar.

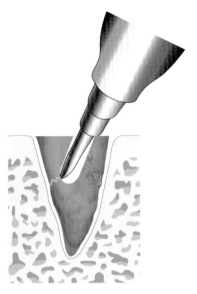

■ "Corte oblicuo" se realiza seccionando algunas de las partes restantes después de la remoción

Primera ventaja del "corte oblicuo"

1) Las extracciones se vuelven sencillas

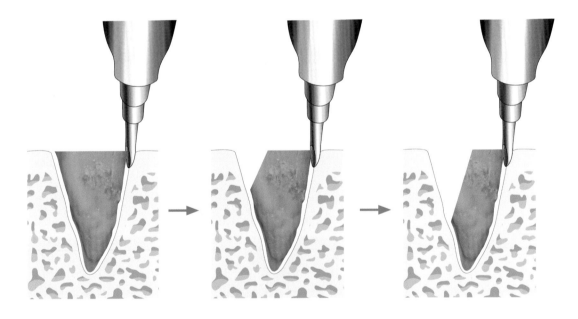

El primer paso de la extracción se vuelve sencillo. Vamos a observar la imagen anterior. Todos pensaran que ir hacia la derecha haría la extracción más sencilla. Generalmente, inicio colocando el elevador en el lado disto bucal. Sin embargo, remuevo primero la parte mesiolingual de la corona y aplicando el elevador en el lado opuesto del lado disto bucal hará la extracción más sencilla.

La segunda ventaja del "corte oblicuo"

2) Se puede reducir la fractura en el área cortical lingual

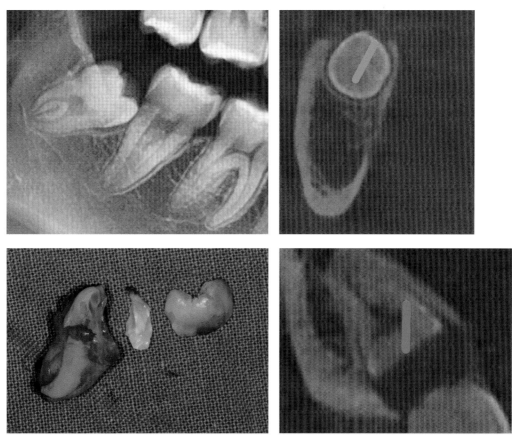

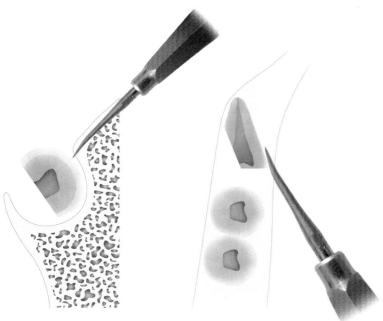

En el caso anterior, puedes ver que el tercer molar está incluido profundamente. En este caso, el plano coronal en la tomografía muestra que la corteza lingual es muy delgada. En este caso la prevalencia de un "corte Oblicuo" puede reducir la frecuencia de la fractura del hueso cortical lingual. Comparando el caso con y sin "corte oblicuo" ser percibe definitivamente con experiencia. Especialmente porque se extrae con poca fuerza desde el lado bucal, la debilidad del hueso del área cortical lingual es menos interrumpida.

Cortes oblicuos son muy ventajosos en ubicaciones profundas o un tercer molar lingualmente inclinado.

La tercera ventaja del "corte oblicuo"

3) División vertical y referencia visible en superficie seccionada

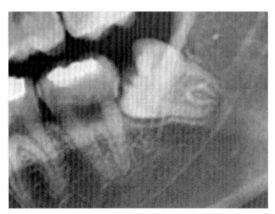 

Cuando cortas la parte mesial de la corona, la mayoría del diente del lado lingual no se remueve completamente. Entonces, a veces se queda atrapada en la parte distal del #7 en el lado lingual o se atrapa en el tejido blando de la encía. Es bueno poder eliminar de manera confiable esta porción problemática mesiolingual de la corona. El corte oblicuo (flecha) del siguiente caso muestra que la porción lingual mesial de la corona está unida.

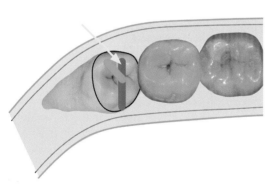 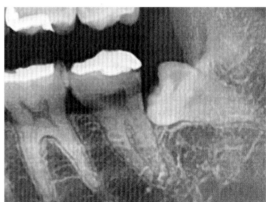

La fotografía anterior lo hará más fácil de entender. La mayoría de estos casos pueden ser eliminados incluso si la porción mesial de la corona es removida. Especialmente, en el caso de los terceros molares que están profundamente incluidos, hay muchos casos. Así que es bueno ver que el "corte oblicuo" es practicado en casi la mayoría de los casos cuando el tercer molar horizontalmente incluido está profundamente incluido. La flecha amarilla es la misma área.

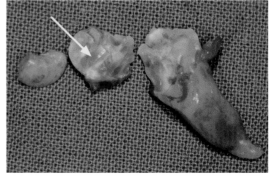

La cuarta ventaja del "corte oblicuo"

4) Hay un efecto del "pre -elevar y cortar"

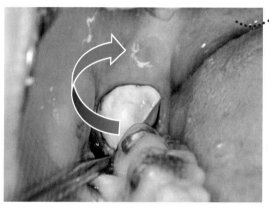 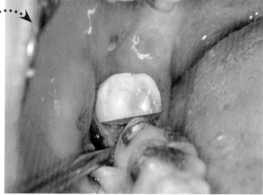

El tercer molar está dislocado y a menudo atrapada en la superficie distal de la #7. En tal caso, haz un "corte oblicuo" en avance y voltea el tercer molar a las manecillas del reloj

Si lo rotas a las manecillas del reloj (en sentido contrario a las manecillas del reloj si estas en el lado derecho de la mandíbula), será de la misma forma que si "levantas y cortas"

Mencioné que si hay un tercer molar saliendo de la cavidad y luego tomando parte en la porción distal del segundo molar, incluso la parte atrapada en la oclusión se realiza mediante un "corte oblicuo". Si está un poco rotada hacia la dirección de la flecha, no se quedaría atrapada en la superficie distal de la #7, así que la extracción saldría fácilmente. Solo unos pocos practicantes en la clínica pueden darse cuenta de que la extracción es muy fácil.

03
Video de corte oblicuo ★★

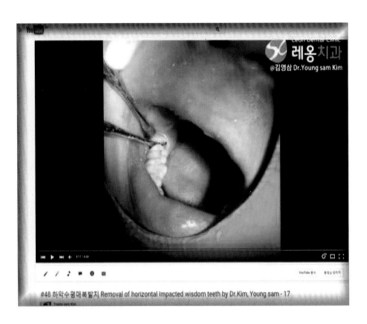

#48 하악수평매복발치| Removal of horizontal impacted wisdom teeth by Dr.Kim, Young sam - 17

 Corte oblicuo para inclusión horizontal de 45 grados

 Corte oblicuo para inclusión horizontal

 Diente con inclusión horizontal de 80 grados extraído con fórceps después de seccionamiento dental

04

Una comparación de la superficie bucal y lingual del tercer molar extraído ★★ con un corte oblicuo

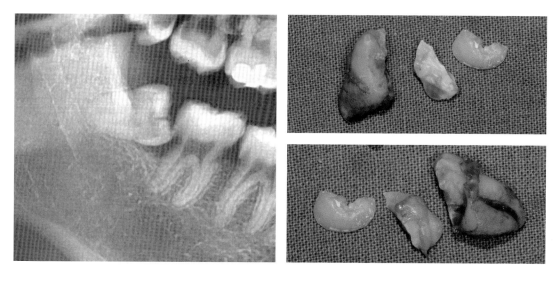

Es un tercer molar extraído por un "Corte Oblicuo". Si no lo entiende mirando la superficie bucal, puede ver el corte hacia abajo en el lado lingual cuando miras la fotografía tomada desde una superficie inferior. Los lados cortados son similares a "levantar y cortar", ya que son similares en la forma; solo los ángulos son diferentes.

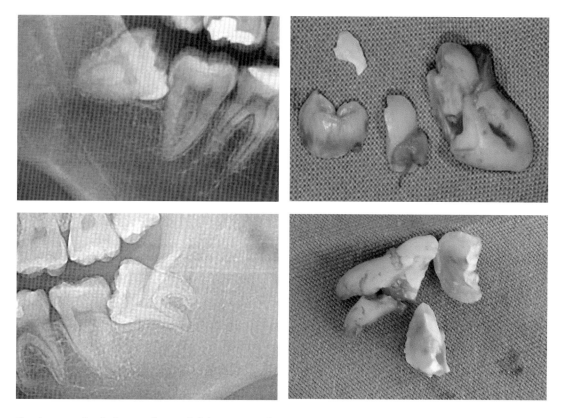

Se observa desde la cara lingual del tercer molar extraído por el "Corte oblicuo". Puedes ver pedazos y lados cortados.

05
"Corte oblicuo" vista transversal desde un ángulo diferente

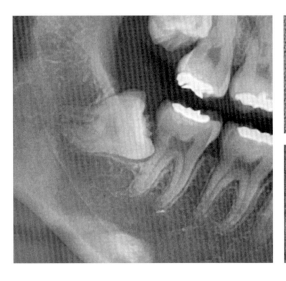

Si observas el tercer molar desde abajo, puedes ver los dos lados cortados.

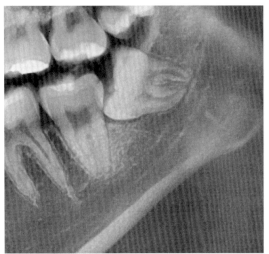

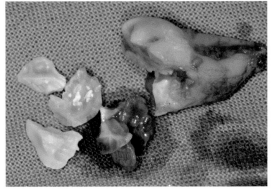

Si observas el tercer molar desde abajo, puedes ver los dos lados cortados.

06
Corte Oblicuo – Caso <1> ★

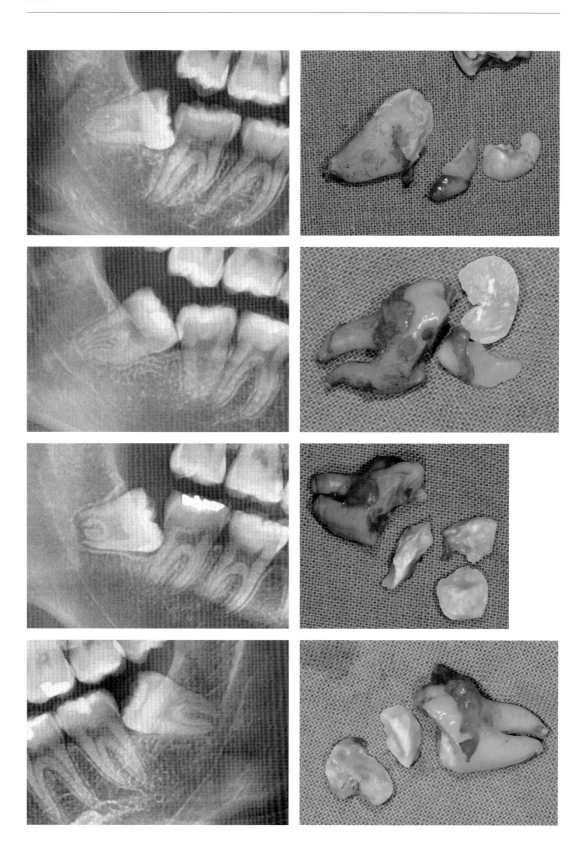

Corte Oblicuo – Caso <2> ★

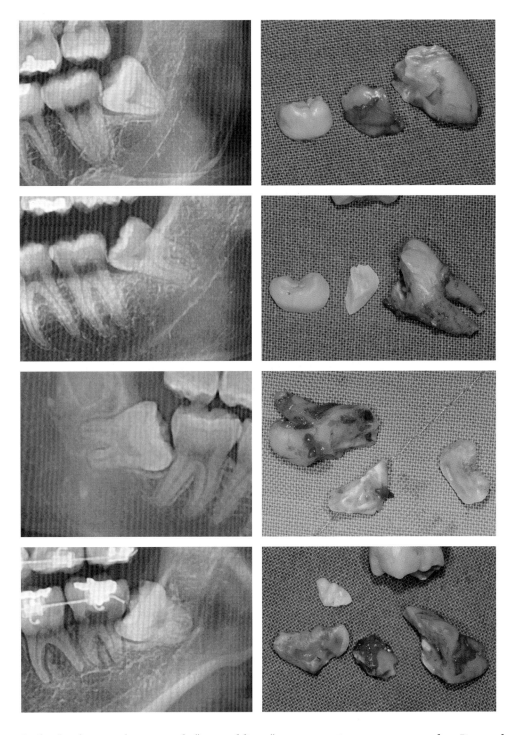

De hecho, hay muchos casos de "corte oblicuo" que ya no tienes que mostrarlos. Porque la mayoría de las otras muestras son "cortes oblicuos". En un caso futuro, serás capaz de observar la forma del diente recién cortado; ciertamente, ayuda a los principiantes a facilitar y asegurar la extracción. Cuando no puedo extraer bien los terceros molares, o he intentado cortar solo la porción mesial ya que estoy ocupado... decido volver a lo básico nuevamente y extraer terceros molares con "corte oblicuo".

07
Terceros molares incluidos verticalmente y mesialmente inclinados ★

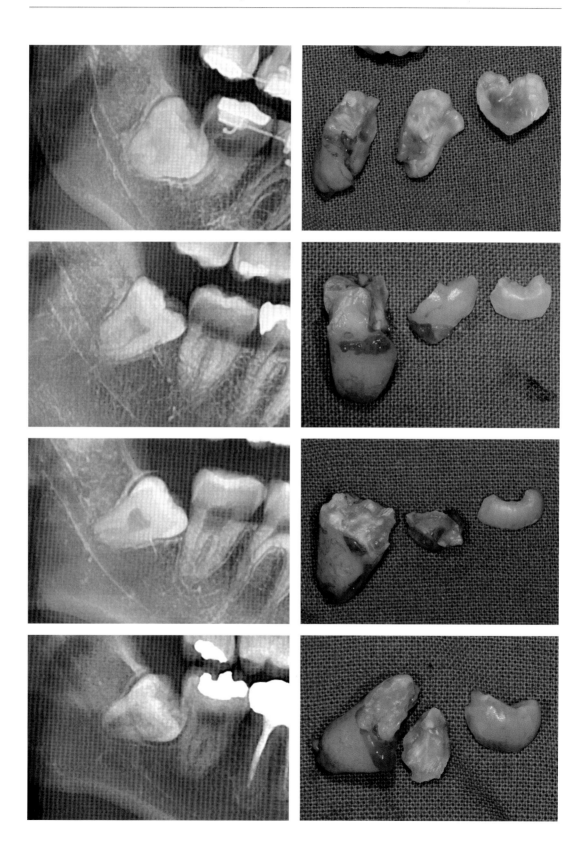

Corte lingual de la corona ★★

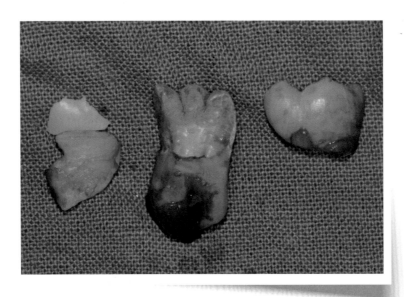

Corte lingual de la corona se utiliza principalmente cuando el tercer molar tiene menos inclusión mesial o son terceros molares verticalmente incluidos incrustados profundamente. Los terceros molares están incrustados profundamente en el hueso y el hueso alveolar está cubriendo la altura y el contorno.

En este caso, el hueso alveolar alrededor del tercer molar está removido exponiendo el tercer molar. Pero tengo el hábito de dividir la parte superior del tercer molar en pequeñas piezas. La clave es el "corte lingual de la corona". Se puede decir que es un "corte oblicuo" de un diente que tiene menos pendiente mesial o es un tercer molar incluido verticalmente. Sin embargo, en el caso de una inclusión profunda, utilicé este método con mucha frecuencia.

01
Método de corte de terceros molares incluidas verticalmente ★★★

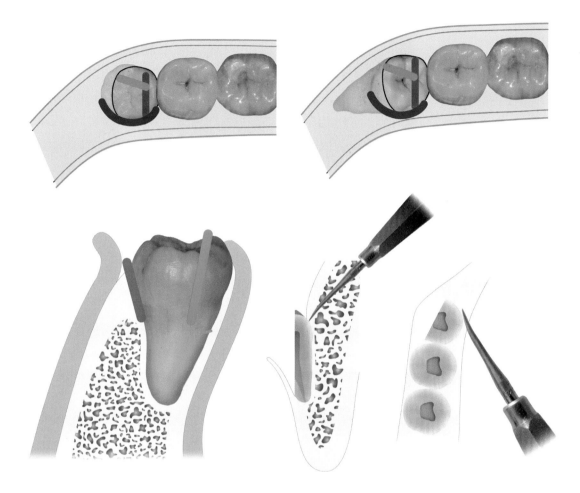

En el caso de terceros molares que están verticalmente incluidos, considero que son similares, al menos que estén completamente incluidos horizontalmente. Así que traté de poner este método de extracción de terceros molares al final del capítulo de inclusión vertical, pero decidí discutirlo como un caso de inclusión mesial. Como resultado, las trato de la misma forma que la anterior, ya sea inclusión vertical o mesial.

Ya que el hueso alveolar está ubicado encima de la altura y contorno en toda la superficie del tercer molar, es difícil removerlo de manera habitual. En este caso, muchos dentistas tratan de remover bucal y distal hueso alveolar y extraer el tercer molar como púrpura. Sin embargo, como minimizo la remoción del hueso, corto la porción mesial y lingual del diente como se describió anteriormente y empujarlo hacia adelante usando el elevador en el lado disto bucal. El "corte lingual coronal" es casi el mismo ángulo que el "corte oblicuo", dependiendo en el grado de inclusión del diente. Este método es más eficiente de lo que pensé, y está caracterizado por menos sangrado y edema. Adicionalmente, se puede minimizar el daño al área cortical lingual del hueso.

02
Extracción de terceros molares verticalmente incluidos ★★

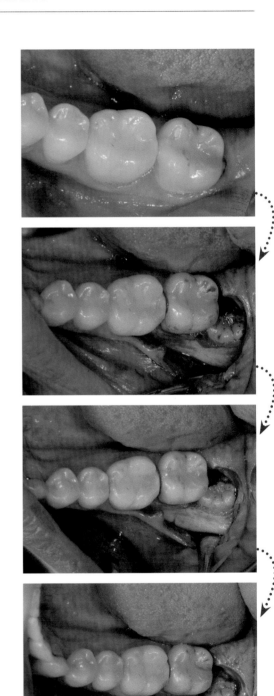

La altura del contorno del tercer molar está localizada en el hueso alveolar. La extracción fue llevada a cabo de acuerdo al método convencional como colgajo abierto. En mi caso, en lugar de extraer el hueso alveolar profundamente de acuerdo con el contorno bucal del tercer molar, extraje el diente interno a través del corte de la corona lingual (similar a un "corte oblicuo") y realicé la extracción. También es importante remover suficiente cantidad de hueso desde un "corte mesial coronal" hacia el lado bucal en los casos donde la inclusión vertical es severa.

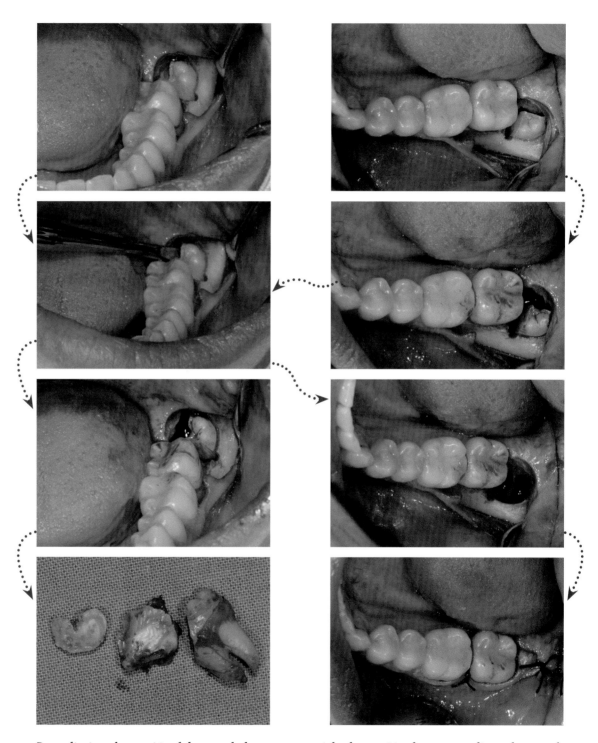

Para eliminar la porción del corte de la corona mesial y la porción de un corte lingual coronal, ante todo, seccionarla con el elevador y removerla con la cureta quirúrgica. No es solamente más fácil extraer un diente con el "corte lingual coronal" que remover el hueso alveolar, sino que también el efecto secundario se reduce definitivamente. Este caso tiene un colgajo abierto extensamente para tomar fotografías. De hecho, no tiene incisiones y colgajos tan anchos.

03

Caso de un corte lingual coronal ligeramente diferente del corte ★ oblicuo <1>

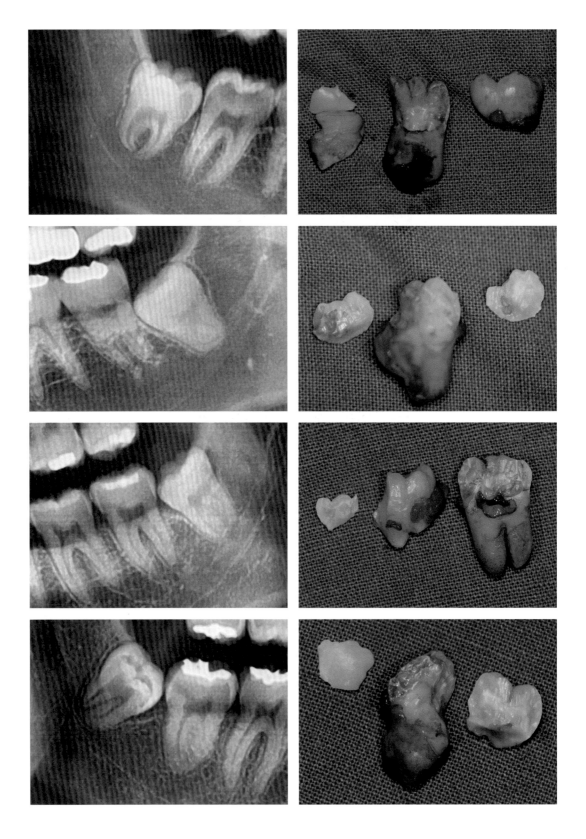

Caso de un corte lingual coronal ligeramente diferente del corte ★ oblicuo <2>

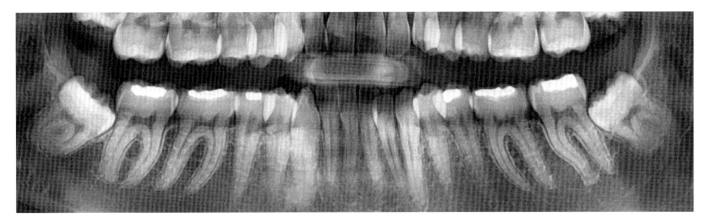

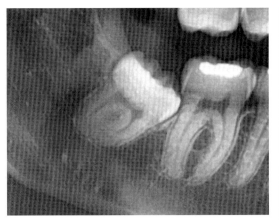

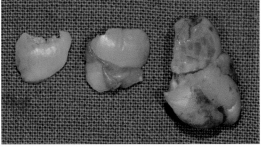

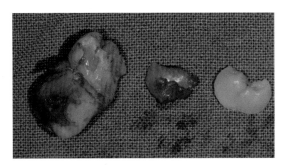

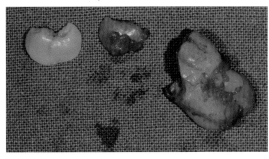

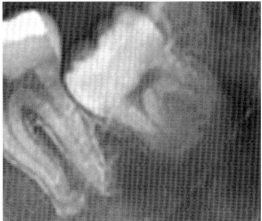

04
Como método de corte coronal ★

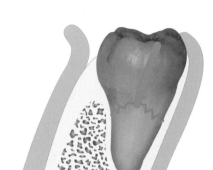

Porque la apertura de la boca del paciente se ve limitada en el proceso de remover piezas linguales si la pieza de mano se inclina mucho hacia el lado lingual, la porción bucal de la corona puede fracturarse. En este caso, la extracción puede continuarse, pero puede terminarse con coronectomía muy raramente, si es necesario. Adicionalmente, la coronectomía se planifica y progresa de esta forma.

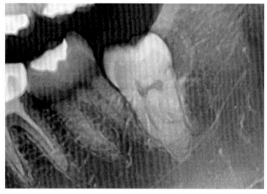
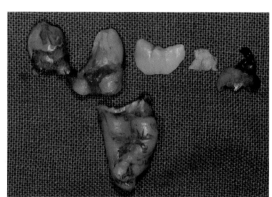
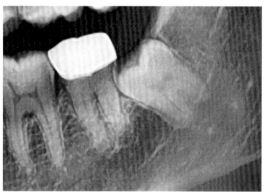

¡Espera!

Lee este libro dos veces

Cuando veas el libro otra vez, verás casos que fueron extraídos de la misma forma como anteriormente en la primera parte radiográfica y la parte de corte coronal. Por eso hay razones por las que quiero que leas este libro dos veces. Básicamente, debes atravesar el gran flujo y ver cada caso por separado. Y podrás entender más cuando hagas extracciones en tu práctica.

Corte Distocervical ★★★

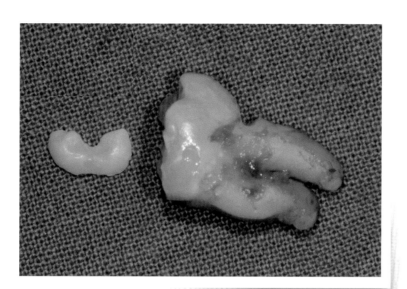

Es un método para utilizar cuando el método de extracción de terceros molares no es apropiado. Si el diente no se mueve incluso después de mover la parte mesial del tercer molar, sería bueno usar el "Corte Distocervical". Por supuesto, el "corte oblicuo" se puede hacer por adelantado, o se puede hacer si no sale después del "corte oblicuo". De todas formas, es más rápido que remover el hueso bucal por extracción. Y hay menos edema y dolor postoperatorio.

Por supuesto, no es necesario intentar si puedes levantarlo con un elevador o fórceps antes del "corte distocervical". De todas formas, en este caso recomiendo una fresa pequeña, especialmente como la pequeña fresa redonda no 4. A menudo utilizo la fresa redonda no. 6 para remover la porción mesial de la corona porque es difícil reemplazar la fresa. Yo recomiendo utilizar la fresa no. 4 redonda para principiantes.

01
Corte Distocervical ★★★

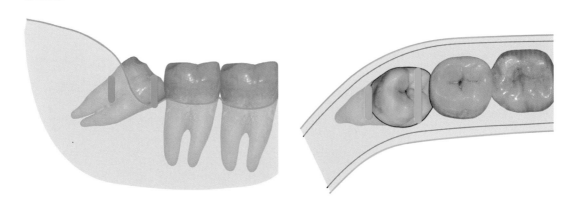

Es una fotografía que muestra la posición, dirección y el grado del "Corte Distocervical" el cual se realiza al mismo tiempo de la extracción de terceros molares incluidos mesialmente. Tal como la condición de la boca del paciente no es siempre la misma, el método puede aparecer en varias formas.

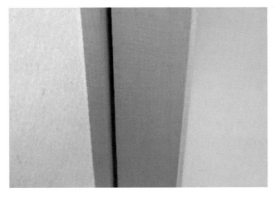

Tal vez no puede ser la vista correcta, pero puede pensar en este caso. Si hay una puerta como en la imagen de la izquierda superior, sería difícil de abrir. Es fácil abrir y cerrar la puerta si tiene una ranura. Originalmente le llamo creación de la muesca y unifiqué los términos con "Corte Distocervical" al escribir este libro.

02
Proceso de corte distocervical <1> ★★

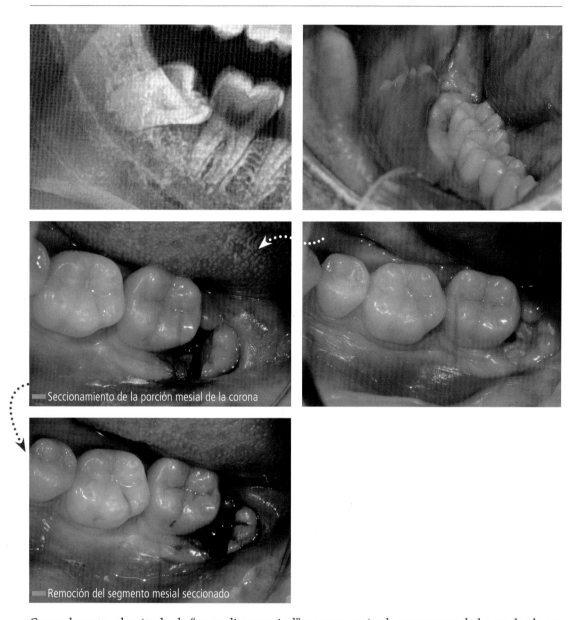

Seccionamiento de la porción mesial de la corona

Remoción del segmento mesial seccionado

Generalmente, el método de "corte distocervical" no es un método para tratar de hacer desde un principio. Se usa selectivamente cuando la extracción se realiza de acuerdo al método usual pero no sale. Por supuesto, puedo esperar cierto grado de dificultad.

Como mencione en la anterior parte radiográfica, este método es principalmente utilizado cuando el elevador no está funcionando; cuando la corona casi no está cubierta con el hueso alveolar; como cuando la corona se inflama y la raíz se empuja hacia atrás y parece estar adherida al hueso alveolar.

En este caso, recomiendo encarecidamente el uso de fórceps, pero es difícil usar fórceps si tienes un pequeño impacto profundo.

Recientemente he visto fórceps que se pueden usar para tal cosa, pero no me han interesado esos fórceps porque solo estoy interesado en usar un número mínimo de herramientas.

Es bueno hacer un "corte oblicuo" de antemano, pero si el elevador no se mueve porque actúa en el lado vestibular, tiendo a hacer el "corte distocervical". Este es un método muy común.

Proceso de corte distocervical <2> ★★

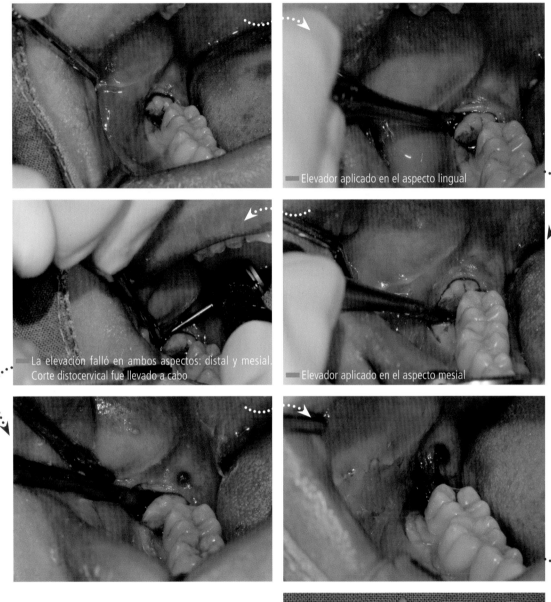

Elevador aplicado en el aspecto lingual

La elevación falló en ambos aspectos: distal y mesial. Corte distocervical fue llevado a cabo

Elevador aplicado en el aspecto mesial

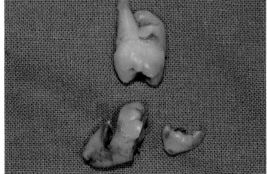

"Extracción distocervical" fue realizada, ya que no era posible extraer desde el lado distocervical o mesial con el elevador. Para ser honesto, tomé una muesca profunda para tomar una foto de los tres cortes, pero el diente no estaba roto sino extraído. En la práctica, es menos probable que forme una gran muesca, pero si no vas a tomar una foto así en la clínica, no intentes dividirla en tres partes. Incluso si se forma la muesca y la muesca no se corta y la parte central se rompe, se eliminará una muesca para eliminar la parte de la raíz. Esta sección se cubrirá en breve.

03
La fresa quirúrgica redonda no. 4 es la más útil en el "corte distocervical" ★★★

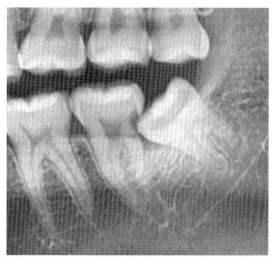 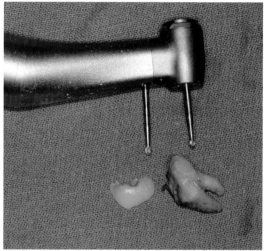

Entenderás lo que representan las imágenes al verlas. Sí, la pieza de mano NSK de baja velocidad 1:5, que se ha eliminado con la fresa no. 6, y el "corte distocervical" con una fresa no. 4. Por supuesto, la inclusión mesial podría cortarse con fresas redondas no. 4. Cuando busqué las fotos, solo encontré esta foto.

En mi caso, el "corte distocervical" generalmente se realiza con una fresa redonda quirúrgica no. 4 de 1.4 mm. Por lo general, realizó el primer "corte de corona" con fresa redonda no. 6 para evitar cambiar las fresas. En este caso, el diente puede ser seccionado o fracturado, y luego no es apropiado sacarlo con los elevadores. Si eres un principiante, yo recomendaría utilizar la fresa quirúrgica redonda no .4. Si tienes alguna fresa de fisura quirúrgica en tu clínica, también la recomendaría. Las fresas de fisura quirúrgica comúnmente utilizadas tenían un diámetro máximo de 1.6 mm y se recomendaban siempre que tuvieran un diámetro de 0.8-1.0 mm y la cuchilla no fuera más larga.

04
Casos de corte distocervical ★★

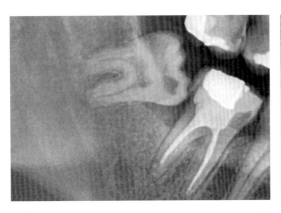

En este caso, el tercer molar estaba mesialmente incluido, pero era difícil de trabajar con los elevadores porque no había hueso alveolar alrededor de la corona. En este caso, si remueves la parte distocervical con una pieza de mano de alta velocidad, el elevador puede quedar atrapado y el tercer molar puede ser empujado hacia adelante.

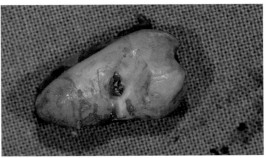

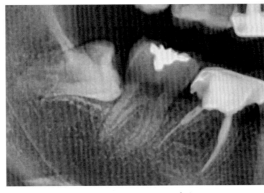

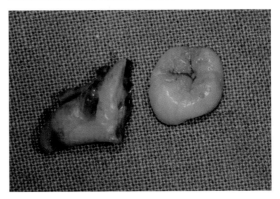

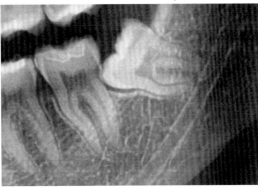

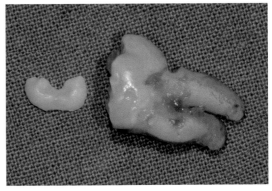

De hecho, no hay muchos casos de inclusión mesial. Esto es porque la mayoría de los casos ya se han extraído antes de que se puedan usar el fórceps o elevadores para un "Corte Distocervical". Sin embargo, si tiene una inclinación mayor de 45 grados, es más difícil trabajar con el fórceps, por lo que el "corte distocervical" se puede usar con más frecuencia. Sin embargo, el "corte distocervical" es la base que debe seguir el corte en L posterior o el corte en tres.

Corte distocervical y extracción en L ★★★

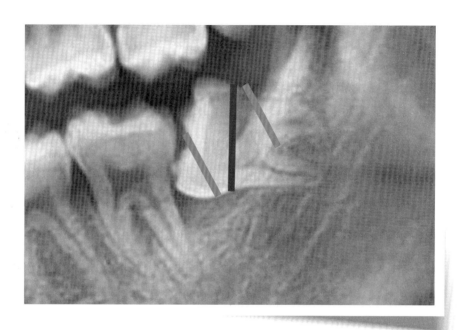

Si la extracción del tercer molar no sale fácilmente con el elevador después de retirar la porción mesial, es bueno cortar la raíz distal a través del corte distocervical. Cuando falta una de las raíces que sostienen el tercer molar, la fuerza a extraer se reducirá a la mitad. Además, el corte distocervical también crea una ranura (manija) donde el elevador puede actuar. Esto es particularmente ventajoso cuando la raíz superior se dobla hacia abajo en la dirección opuesta a la dirección de extracción. Lo llamo "Extracción en L" porque parece una letra L mayúscula. En este caso, hay muchos dentistas que quieren cortar los dientes de acuerdo con esa línea roja. Lo he dicho antes, pero creo que es una extracción de dientes realmente imprudente. En el futuro, es necesario nombrar la extracción del diente con un propósito claro como "corte de corona mesial" y "corte de corona distal". La suma de dos líneas azules es mucho menor que la longitud de la línea roja.

01
Extracción en L ★★★

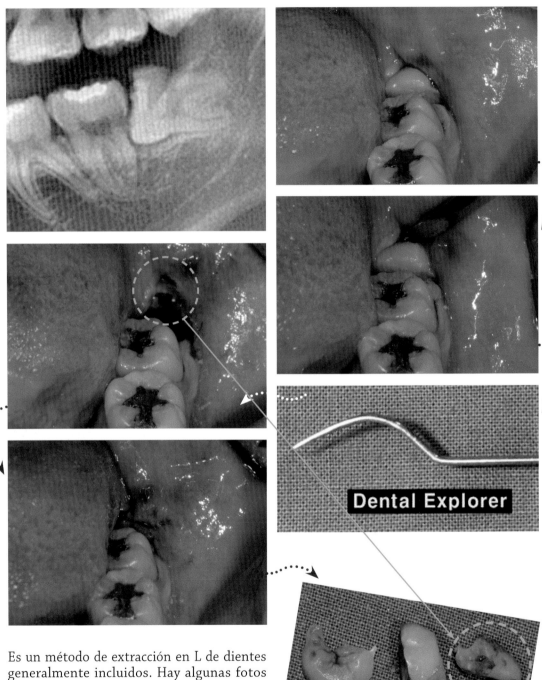

Dental Explorer

Es un método de extracción en L de dientes generalmente incluidos. Hay algunas fotos perdidas en el medio, pero es una forma simple de seccionarlo dos veces. La mayoría de las raíces distales restantes se remueven con un explorador. Por supuesto, la extracción a veces es difícil, pero eso está cubierto en la forma de remover la fractura de la raíz por separado de los próximos capítulos.

02
Ejemplos radiográficos del proceso de la extracción en L <1> ★★

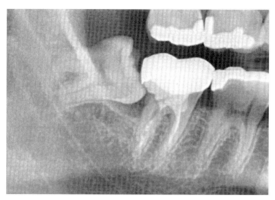

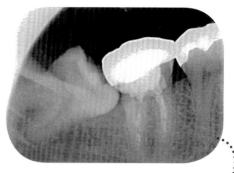

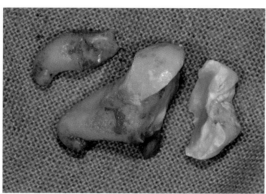

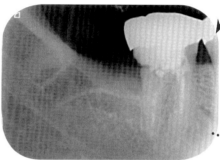

Esta es una sesión estándar del procedimiento de extracción en L. No pretendo tomar radiografías, pero si es un principiante, sería bueno practicar este hábito.

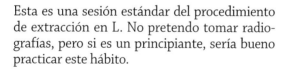

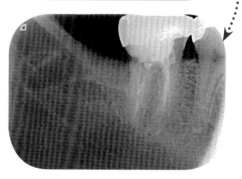

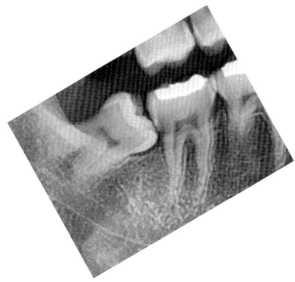

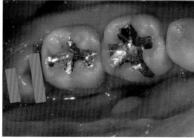

Los terceros molares incluidos, que generalmente se ven de esta manera, se pueden extraer de inmediato extrayendo los dientes dos veces sin incisión en las encías con extracción en L.

Ejemplos radiográficos del proceso de la extracción en L <2> ★

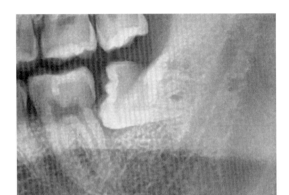

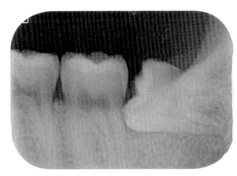

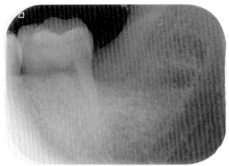

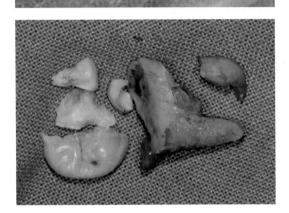

Esto se hace de la misma manera que en el caso anterior. En particular, incluso si las raíces distales están severamente curvadas hacia el lado mesial, a menudo uso el método de extracción en L, como se muestra en la imagen a continuación.

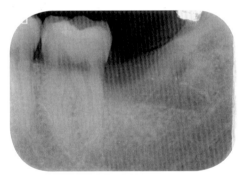

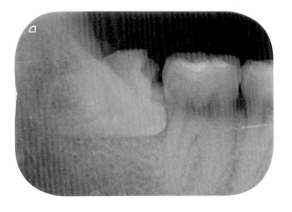

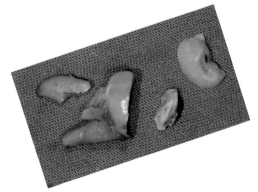

03
Caso de extracción en L: Ambos lados mismos caso

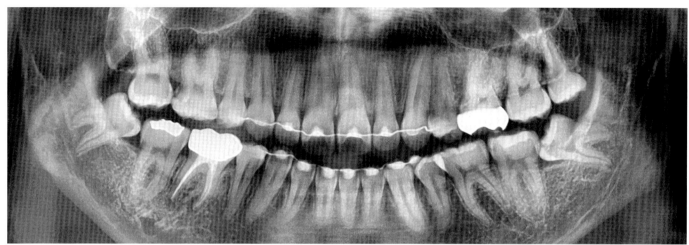

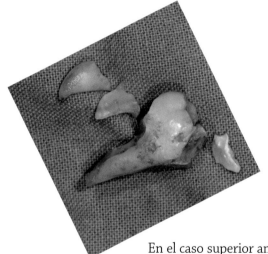

En el caso superior ambos lados se extrajeron de la misma manera. La extracción en L es beneficiosa ya que podría realizarse sin extirpar el hueso alveolar y con una mínima incisión. Intento hacerlo mucho. Es muy rápido y simple porque puedes cortarlo dos veces. Es mucho más fácil, rápido y seguro que extraer el hueso alveolar y cortar el centro de la corona.

Casos típicos de extracción en L

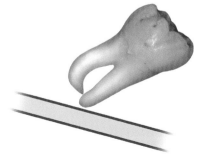

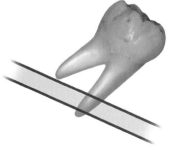

━━ La raíz mesial se superpone con el NDI o la raíz distal está curvada severamente

04
Caso de extracción en L <1> ★

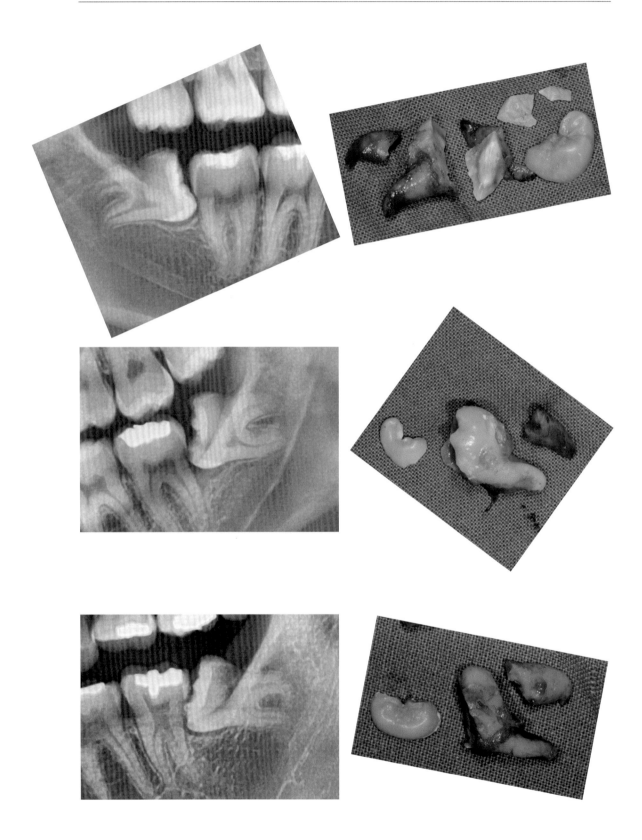

Caso de extracción en L <2> ★

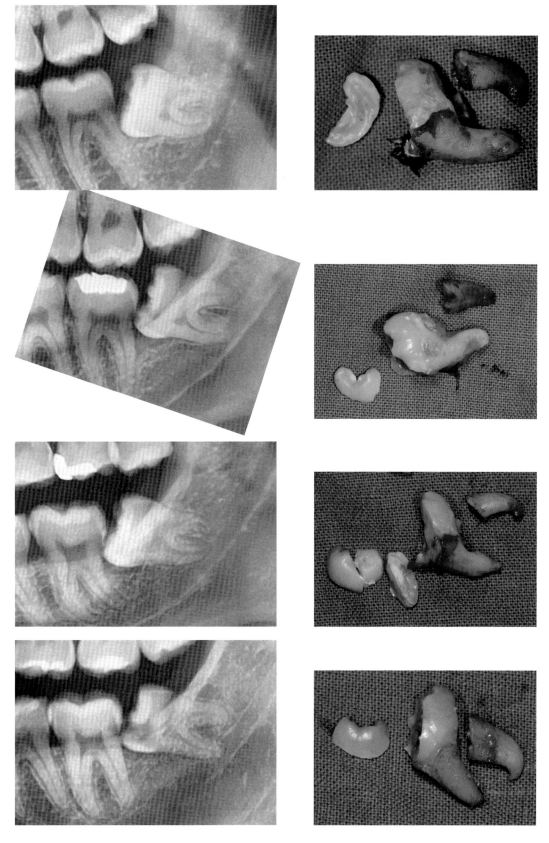

Caso de extracción con sangrado tardío ★★★

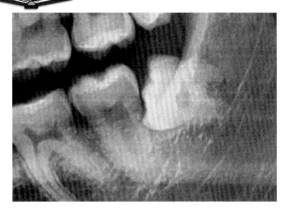 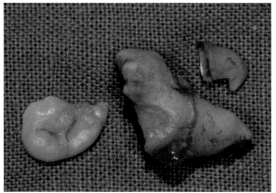

Este paciente es un joven de veintitantos años y su madre es dentista. Es el paciente a quien su madre me envió delibera-damente. Curiosamente, entró un grupo similar de pacientes. Cuando llegó el paciente, tres pacientes similares visitaban al dentista cada pocos días. Pude dar un pequeño salto con la buena sensación de que fui reconocido. El tiempo de extracción fue inferior a 3 minutos. La madre del paciente, que es dentista, me pidió que no le hiciera una tomografía (en este caso, no lo hice) y me pidió que no usara un hemostato u otro medicamento auxiliar. Recibí una llamada del dentista, la madre del paciente. El paciente se fue a su casa y sangraba repentinamente por la noche, por lo que la madre del paciente abrió su consultorio dental por la noche, dejó morder una gasa, pero continúo sangrando y fue a la sala de emergencias. No está rezumando, pero realmente estaba sangrando mucho. Él continuó en la sala de emergencias, y ella dijo que fue a su casa porque la sala de emergencias lo trató mejor. La madre del paciente se contactó conmigo al día siguiente para ver si había algo inusual en la operación mientras la hemostasia estaba completa, pero parecía haber un poco de resentimiento en el in-terior. Por lo general, extraigo de 300 a 400 terceros molares en un mes, algunas de ellas van a la sala de emergencias por la noche por sangrado. Por supuesto, hay un aviso, pero a veces. La mayoría de ellos están preocupados, pero hay pocos pacientes que hayan recibido un tratamiento especial en la sala de emergencias. Cuando la madre del paciente preguntó cuál era la causa, envié las imágenes de arriba a través del SNS y se lo expliqué.

En mi opinión, el signo de Youngsam aparece en el vértice de la raíz del tercer molar, aparentemente porque la raíz distal se encuentra dentro de la corteza lingual y la corteza lingual se rompe o perfora después de la extracción. La raíz se dobla demasiado en su dirección. Dado que el lado bucal no ha sido incidido o exfoliado, parece que hay poca causa de sangrado en absoluto. Los pacientes cuidadosos parecían tener menos probabilidades de estar de acuerdo. Entonces pregunté sobre la situación de anoche en la sala de emergencias donde fue el paciente a través de un conocido, y la respuesta fue muy interesante. No había nada que hacer en la sala de emergencias porque sólo un médico interno estaba allí para atender a los pacientes. El sangrado no fue severo sino que supuraba. Primero trató de aflojar la sutura, de poner Surgicel de alguna manera en el alvéolo, pero no entró y no pudo introducirla. Y también dijo que el sangrado originalmente no fue severo y dejó que el paciente mordiera la gasa. No sé mucho al respecto aquí, pero un dentista que sabe lo suficiente sobre el san-grado postoperatorio puede estar molesto en esta situación. Le expliqué sobre el sangrado, y si realmente lo necesita, vaya a la sala de emergencias. De hecho, la mayoría en las salas de emergencias están ocupados, y hay muchos casos en los que los dentistas no residen y no toman ninguna medida especial.

05
Caso seminario de estudiantes

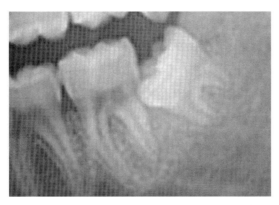 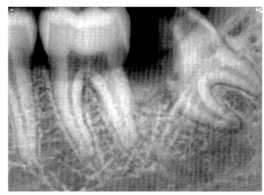

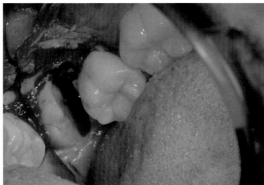

Es el caso del doctor que está aprendiendo la extracción del tercer molar mientras escucha mi seminario. Le preguntamos a nuestra sala de intercambio de información cómo sería prudente hacer esto. Por supuesto, habría cortado la porción mesial tan cerca como el segundo molar.

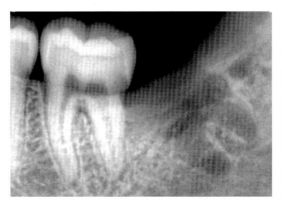 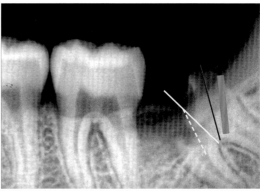

Habría surgido una variedad de opiniones. Puedo ver que ya ha realizado una remoción clara sin nombre, incluso si comparo la fotografía con la remoción de la parte anterior de la corona. Nunca haga este corte de diente sin nombre. En este caso, intentaría la extracción inmediatamente después de retirar la porción de la corona mesial, y si no se extrae, habría realizado el corte distocervical. Entonces, habría eliminado la raíz mesial y el cuerpo del diente con la extracción en L. Especialmente cuando la raíz está cerca de IAN, este método se usa mucho. La mayoría de los cirujanos orales me habrían dicho que separara las dos raíces con pieza de mano. Es un método común en los cirujanos orales, pero la mayoría de las veces, después de un poco más de habilidad, puede resultarte más fácil, rápido y seguro hacer lo que yo hago.

06
¿Qué pasa si se rompe durante la extracción? Extracción después ★★★ de seccionar con tres partes

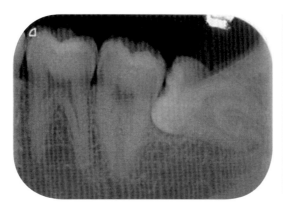 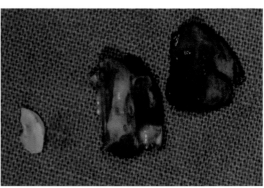

Es un principio remover las raíces residuales cuando se rompen, pero no es necesario tomarse el tiempo y el esfuerzo para remover las raíces restantes si sigue mis reglas de extracción. Esto se debe a que si se ha realizado una coronectomía, es más que suficiente. Sin embargo, generalmente remuevo las raíces residuales por completo. Pero el método para remover la raíz restante no está cubierto en este capítulo, pero tratemos con él en la parte de inclusión horizontal completo.

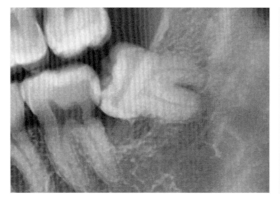 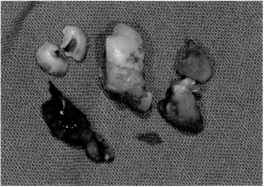

Como se mencionó en la anterior parte radiográfica, en el caso de una inflamación severa en el área de la corona, la raíz está casi adherida al hueso alveolar bajo la presión, por lo que incluso si se tira de la corona después de un golpe en la parte superior del cuello, no sale a la raíz y a menudo se rompe como se indicó anteriormente.

07
Extracción con seccionamiento en tres partes después del corte ★★
distal-cervical

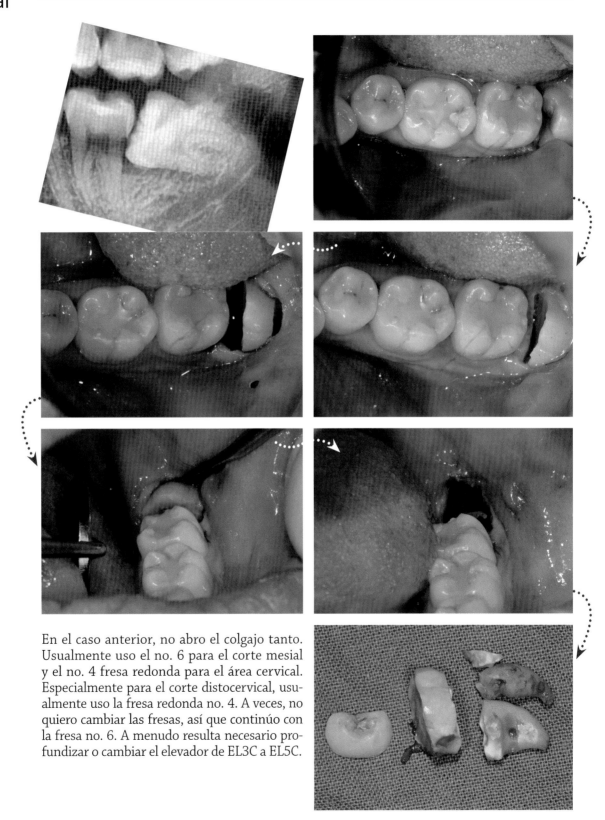

En el caso anterior, no abro el colgajo tanto. Usualmente uso el no. 6 para el corte mesial y el no. 4 fresa redonda para el área cervical. Especialmente para el corte distocervical, usualmente uso la fresa redonda no. 4. A veces, no quiero cambiar las fresas, así que continúo con la fresa no. 6. A menudo resulta necesario profundizar o cambiar el elevador de EL3C a EL5C.

08
Caso de corona dividida en tres partes ★

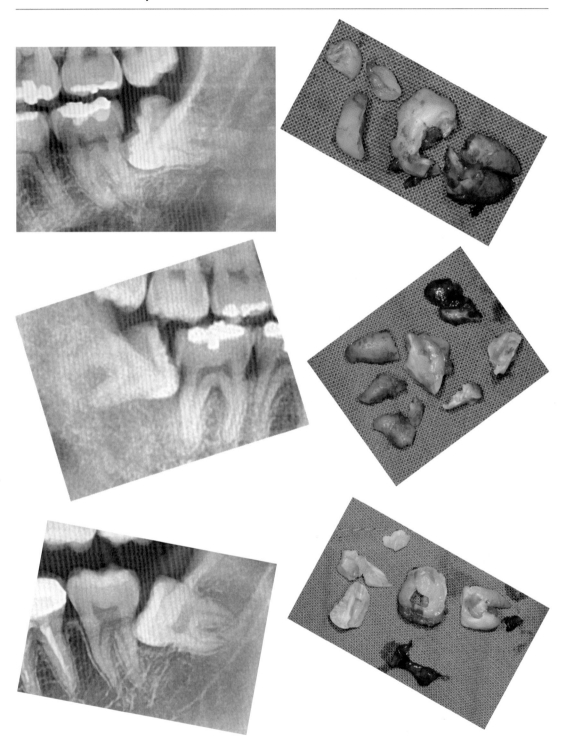

Aunque no es necesariamente un equilibrio, el término división de la corona en tres partes, se usa comúnmente. Hay muchas formas de remover la raíz restante, pero decidí tratarla en el capítulo de inclusión horizontal. Ahora vamos a la flor de la extracción del tercer molar, los casos incluidos horizontales.

Introducción y capítulo 08 traducido por.

Dr. Sung-Soon Chang

Cirujano Dentista Egresado de la Facultad de Odontología de la Universidad Autónoma de Nuevo León
Cirujano Oral y Maxilofacial Egresado de la Facultad de Odontología de la Universidad Autónoma de Nuevo León
Profesor Asistente de la Facultad de Odontología de la Universidad Autónoma de Nuevo León
- Departamento de Cirugía Bucal
- Departamento de Patología Oral
- Departamento de Urgencias Medicas Odontológicas
Instructor de la Clínica del Posgrado de Cirugía Oral y Maxilofacial
- Facultad de Odontología de la Universidad Autónoma de Nuevo León
Miembro De Asociación Internacional De Cirugia Oral Y Maxilofacial
Miembro De Asociación Latinoamericana De Cirugía Y Traumatología Bucomaxilofacial
Miembro De Asociación Mexicana De Cirugía Bucal Y Maxilofacial
Certificado Por El Consejo Mexicano De Cirugia Bucal Y Maxilofacial
Miembro De International Team For Implantology

Sin duda alguna la cirugía de terceros molares es uno de los procedimientos quirúrgico-ambulatorio el cual genera mayor temor a los pacientes, dada la cercanía de las estructuras anatómicas además del dolor postoperatorio, inflamación, etcétera hace que cualquier paciente genere cierto temor a dicha intervención. Como cirujano maxilofacial la cirugía de terceros molares es el tratamiento que con mas frecuencia realizamos en nuestra consulta es por lo mismo debemos estar actualizados y aprender de diferentes profesores es algo de nuestra carrera y practica profesional es fundamental para mejorar la calidad de atención de nuestros pacientes.

Me siento muy agradecido por la invitación del Doctor Young-Sam Kim y la oportunidad de ser uno de los integrantes del equipo de traducción de este libro al Español, la difusión de este libro a nivel Iberoamericana puede ayudar a la formación de los odontólogos para brindar un mejor servicio como profesional de la salud y un tratamiento de calidad a sus pacientes.

01
Tipos de incisión para molar incluido horizontalmente ★★

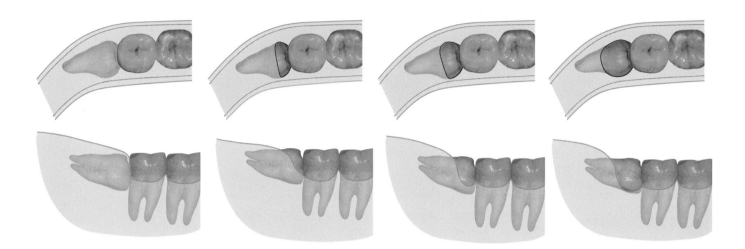

Existen cuatro etapas como se muestra arriba; el diente se extraerá sin incisión gingival cuando la mayor parte de la corona esté expuesta como la cuarta etapa. No se realiza elevación de colgajo u osteotomía durante la extracción. Las incisiones para las inclusiones horizontales son un poco más extensas que las realizadas para la extracción del diente con inclusión mesial. Se realiza una pequeña incisión vestibular en la segunda etapa del molar incluido horizontalmente para exposición y visibilidad del sitio de extracción.

Es bueno tener una longitud y forma adecuada de la línea de incisión desde la superficie oclusal hasta la parte distal del diente, independientemente de la visibilidad. La extensión de la incisión se determina según el caso. Por lo general, extiendo la línea de incisión distalmente si el diente está completamente incluido y está visible por completo o si hay una erupción parcial con una corona grande.

¡Referencia!

La incisión debe extenderse más, si estás usando una fresa de fisura en lugar de una fresa redonda quirúrgica. Debes separar por completo el colgajo mucoperióstico lingual y también crear un colgajo bucal mesial para evitar daños en el tejido de la encía por la fresa de fisura.

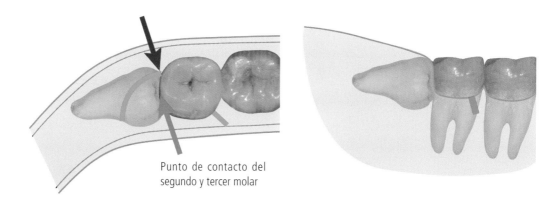

Punto de contacto del
segundo y tercer molar

Como mencioné anteriormente, la línea de incisión debe terminar en el lingual hasta el punto de contacto del segundo y tercer molar. Es necesario para la visibilidad, pero también para la encía cerca del lingual al punto de contacto de estos molares para evitar lesionar con la fresa durante el corte de la corona en mesial. Por lo tanto, se recomienda realizar la incisión más allá de donde pasará la fresa.

Por lo general, la liberación vertical y finalización del colgajo mucoperióstico en mesial del segundo molar crea el espacio necesario. También el colgajo puede extenderse más allá de la papila interdental del primero y segundo molar en circunstancias especiales o situaciones urgentes sin liberación vertical. En muy raras ocasiones, la liberación vertical se realiza en la parte distal del segundo molar; depende del cirujano.

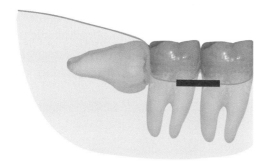

El colgajo se levanta desde el segundo molar y se realiza paralelamente debajo de la papila interdental entre el primer y segundo molar, pero personalmente no prefiero esta incisión.

Corte de la corona de tercer molar ★★

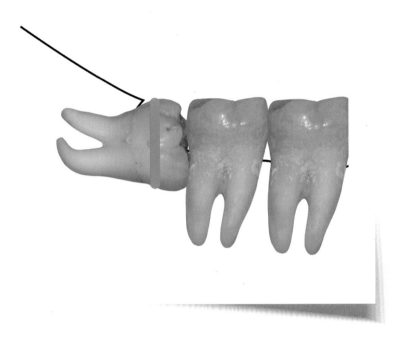

Normalmente, el corte de la corona en una muela incluida horizontalmente no es muy diferente de los terceros molares mesializados. Existen varios métodos de corte en mesial de la corona en un diente incluido horizontalmente. He usado muchos instrumentos y fresas diferentes, pero la mejor manera de cortar y retirar la corona es con una fresa quirúrgica redonda en una pieza de mano de alta velocidad.

01
Corte de la corona de tercer molar ★★

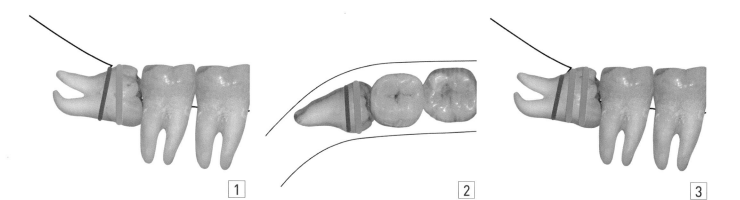

1

2

3

He llamado corte de la corona al corte de la porción de la corona del tercer molar. Como mencioné antes, muchos dentistas de todo el mundo me han contactado en relación con mi seminario de extracción de terceros molares. Por esta razón, trato de usar los términos más simples posibles para que muchos otros dentistas lo entiendan. También menciono los términos de diferentes maneras para tener diferentes enfoques y para pensar fuera de la caja.

La imagen 1 muestra el corte completo de la corona con un corte. Como mencioné en el capítulo sobre el diente incluido mesialmente, siempre corté lo más cerca posible del espacio distal entre el segundo y el tercer molar. Usualmente, la mayoría de los dentistas cortan el diente en la línea roja.

Este corte será fácil de realizar pero es difícil de retirar la corona fracturada, aunque hay excepciones, tiendo a quitarlo tanto como sea posible debajo del esmalte en la superficie oclusal lo más cercano al #7.

La extracción puede llevar tiempo y retrasarse, especialmente cuando debatimos en medio del procedimiento sin saber qué hacer. Cortar la corona una o dos veces es más predecible y no lleva mucho tiempo. Por lo tanto, corté la corona varias veces durante la extracción.

Corté la corona dos veces cuando la corona del tercer molar estaba muy por debajo en la parte distal del segundo molar como se muestra en la imagen 3.

Por lo general, sólo corto una vez para aquellos con una inclusión mínima en el segundo molar y poco hueso alveolar en el tercer molar incluido horizontalmente.

02
Vista de la sección del corte de la corona según el tamaño y la forma ★★ de la fresa

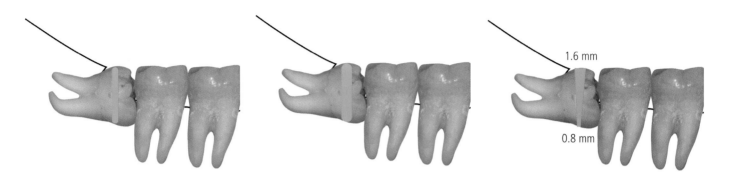

Estas imágenes representan el corte según el tamaño y la forma de la fresa en el diente con retención horizontal. La última imagen representa el corte con fresa de fisura, lo que explica por qué personalmente no me gusta usar fresa de fisura durante el corte de la corona. La fresa de fisura tiene un diámetro estrecho hacia la punta (cerca del vástago de 1.6 mm, en la punta de 0.8 mm), lo que crea dificultad al retirar el segmento mesial después del corte y también daña la encía. Los dentistas poco experimentados podrían dañar la superficie distal de la corona del segundo molar durante la odontosección. Pero la fresa redonda tiene una forma uniforme, cuyo punto de corte inicial y el punto de corte final remueven la misma cantidad de corona. A algunos dentistas les gusta usar la fresa redonda quirúrgica No. 8 (diámetro de 2.3 mm) que crea una mayor tensión en la pieza de mano, mientras que yo prefiero usar la fresa redonda quirúrgica No. 6 (diámetro 1.8 mm) que es un poco más grande en el tamaño del mango (diámetro 1.6 mm). Es fácil retirar el segmento mesial de la corona donde el corte es uniforme en el punto inicial y final durante la extracción del diente, que es de 1.8 mm.

03
Corte de la corona – cortar completamente una vez ★★

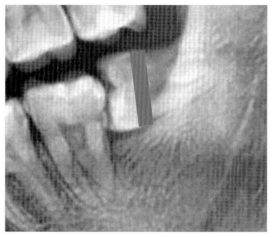

Es un diente incluido horizontalmente pero se realizó un sólo corte ya que la inclusión es mínima en distal del segundo molar y el hueso alveolar estaba por debajo del contorno del molar. El corte se hizo completamente hacia el hueso alveolar donde el nervio alveolar está lejos sin riesgo de lesión. Nunca se corta completamente en el lado lingual, pero detente cerca de la porción del esmalte para evitar daños a los tejidos gingivales y al nervio lingual. Una vez que se corta el diente cerca la unión del esmalte, se puede fracturar y extraer fácilmente. Se muestra que el diente no se cortó completamente en el lado lingual en la imagen de arriba.

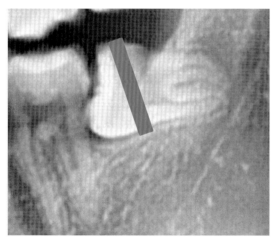

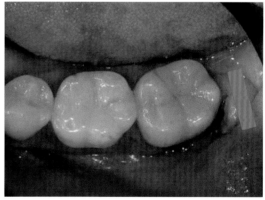

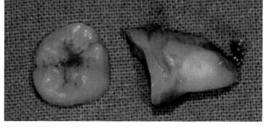

La imagen superior también se muestra cortes mínimos y la cresta ósea alveolar se encuentra debajo de la altura del contorno de la corona. Por lo general, corto la corona y luego elimino el resto del diente sin crear una incisión y disecar la encía en un molar incluido horizontal ubicado por arriba del hueso con alta visibilidad. El molar seccionado se desplaza hacia distal del segundo molar cuando se completa el corte. El diente se cortó con una fresa redonda quirúrgica No. 6, que tiene un diámetro de fresa de 1.8 mm, lo que resultó en una gran reducción del diente. Por lo tanto, el segmento se retira fácilmente incluso si hay retención en distal del segundo molar.

04
Corte de la corona – casos clínicos de un solo corte completo

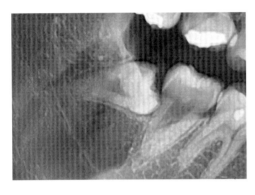

Caso de un solo corte por el tamaño pequeño de la corona.

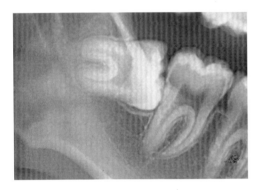

Caso de un solo corte por leve retención en el diente adyacente.

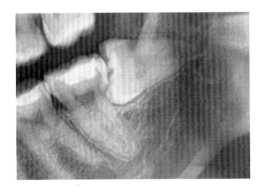

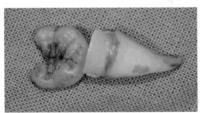

Algunas veces, el esmalte en la corona se fractura debido a la vibración de la pieza de mano, mientras se hace odontosección cercano al segundo molar.

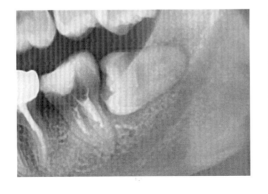

Reabsorción del hueso alveolar adyacente al tercer molar por inflamación crónica cercana a la unión esmalte-cemento, resultando en un espacio amplio como se mencionó en el capítulo de radiología. Es bueno cortar la corona inicialmente y retirarla. Casos similares son los pacientes con tratamiento de ortodoncia, de los que se hablará más adelante.

05
Instrumentos utilizados para fracturar la corona durante la extracción ★★

Comúnmente utilizo el elevador EL3C ligeramente doblado hacia atrás desde que intento minimizar la cantidad de instrumentos durante el procedimiento. Todo lo que necesitas es una fuerza ligera, ya que la resistencia a la tracción es muy baja para el diente. Debido a su punta doblada hacia atrás, también ayuda en bucal cuando no te puedes angular mucho para trabajar.

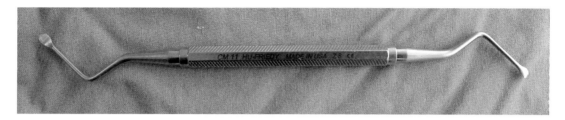

La cucharilla se usa para fracturar la corona que se corta verticalmente o para eliminar la corona fracturada al girar la corona separada.

A veces, recomiendo un elevador especial guiado para aquellos dentistas con poca experiencia. Por lo general, el elevador se usa durante la fractura de la corona desde bucal y luego se empuja hacia adelante a bucal extendiéndose al corte. El elevador angulado puede fracturar la corona empujando ligeramente la corona hacia distal del diente adyacente. Este instrumento es de MCT (Sr. Curette www.2875mart.co.kr) pero la mayoría de las compañías tienen instrumentos similares. No es una mala idea tener uno en cada consultorio como opción. También es útil durante el corte distocervical y la extracción con corte en L.

06
Extracción de tercer molar en paciente con tratamiento ortodóntico

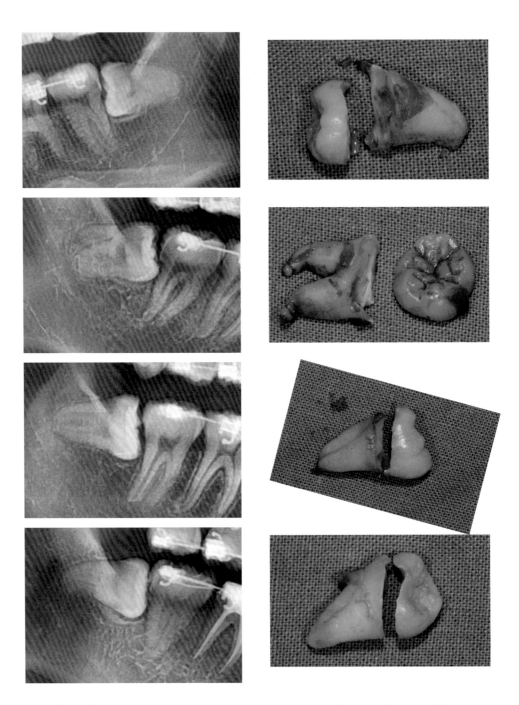

A muchos dentistas no les gusta extraer los terceros molares inferiores del paciente con tratamiento de ortodoncia debido al bracket en vestibular de la corona del segundo molar, pero yo
las prefiero más. Muchas veces existe más espacio cerca de la corona debido al movimiento del
segundo molar, lo que facilita el corte y la extracción de la corona fracturada del tercero. Por supuesto, cada caso es diferente dependiendo del momento de inicio de los tratamientos de ortodoncia, así como en el estadio del tratamiento, el tratamiento de ortodoncia sin extracciones, etc.
Todas las coronas seccionadas en las imagenes indican que el diente no se cortó completamente
en lingual.

07
Limitación de la angulación de la pieza de mano durante la extracción del tercer molar

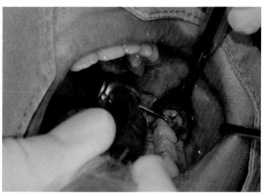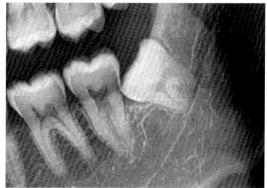

La imagen muestra el primer plano de la pieza de mano para cortar el diente incluido por mesial. En general, debes imaginarte el plano para estar perpendicular al diente, pero no se puede hacer debido a la interferencia con los dientes antagonistas. Hay algunos casos en los que la pieza de mano puede colocarse perpendicular con el diente incluido por la gran apertura bucal del paciente o porque el tercer molar está posicionado mesialmente, pero la mayoría de las veces la pieza de mano estará angulada y estoy más acostumbrado a este corte. Es muy difícil cortar la porción lingual profunda de la corona debido a la angulación de la pieza de mano. Esta es otra razón por la que personalmente no me gusta la fresa de fisura durante el corte. El factor más importante de la extracción del tercer molar es cómo abordar de manera efectiva y cortar la porción inferior lingual de la corona de manera segura y sin complicaciones.

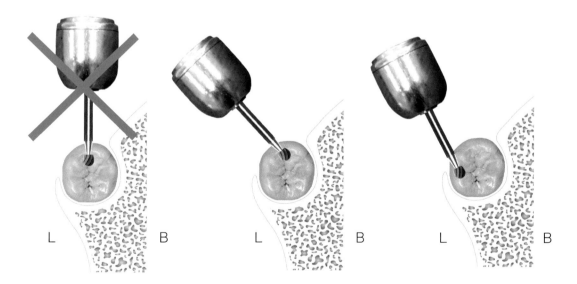

La mayoría de las veces, las personas suponen que la pieza de mano estará en angulada al cortar la corona como se muestra en la imagen de arriba.

En casos reales, la pieza de mano está angulada lingualmente debido a la interferencia con el diente / dientes antagonistas. A medida que corta la corona y se aproxima en profundidad, puede inclinar la pieza de mano más perpendicularmente, pero la regla general es que la pieza de mano estará angulada lingualmente, por lo tanto, la fresa de fisura es más peligrosa que la fresa redonda.

Corte de la corona-división horizontal ★★★

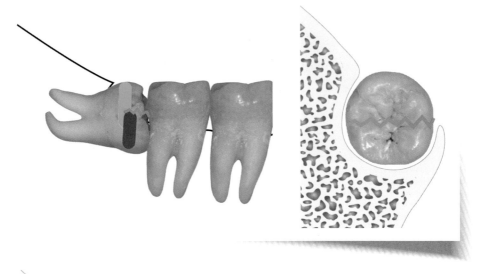

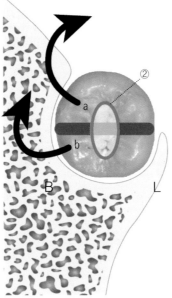

Este es un método para cortar primero la parte distal (porción más oculta) de la corona, fracturar y remover el segmento coronal, seguido del corte de la corona restante. Por lo general, realizo esto en los siguientes casos:

- Corona grande que limita el acceso de la fresa al extremo inferior de la corona.
- No se puede tener visibilidad de la corona después de varios cortes.
- El extremo inferior de la corona está muy cerca del nervio alveolar donde se requiere una reducción precisa de la corona.
- Caries severas que resultan limitantes en la extracción de la corona en un solo corte.
- Requiere realizar una división vertical en la parte inferior de la corona.

El círculo 2 en la imagen de arriba muestra el punto de contacto en la parte distal del segundo molar en una vista transversal. Por lo general, la superficie cóncava del tercer molar rodea a la parte distal del segundo molar. Por lo tanto, la mitad inferior remanente de la corona se puede quitar fácilmente sin interferencia de la retención cuando se gira o rota hacia vestibular o lingual.

01
Pasos para la división horizontal de la corona ★★★

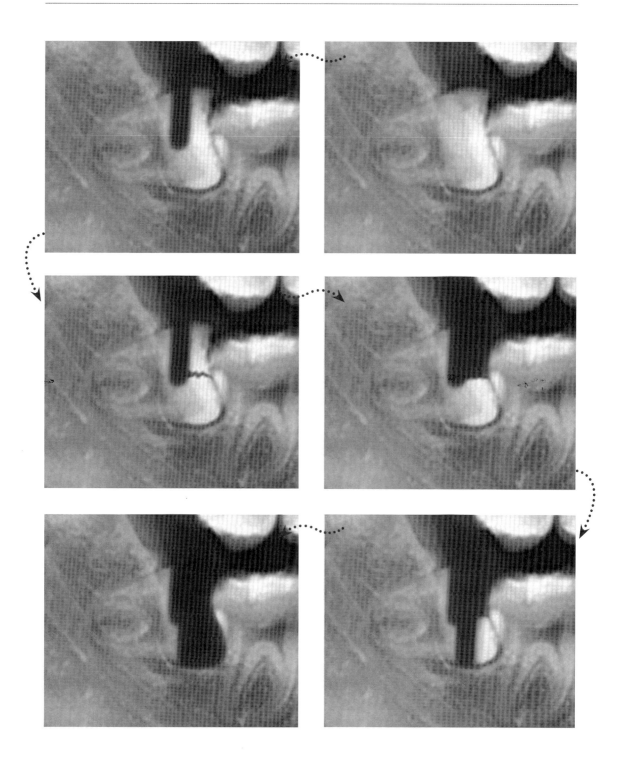

02
Casos clínicos de división horizontal del tercer molar ★★

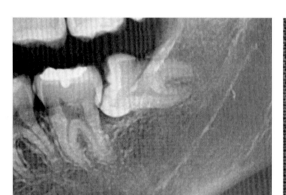 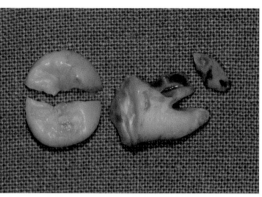

Fresa redonda No. 4 donde el diámetro (1.4 mm) es más estrecho que el tamaño del vástago (1.8 mm) a menudo se utiliza para cortar las coronas colocadas por encima del punto de contacto para eliminar la mitad superior y luego retirar la mitad inferior.

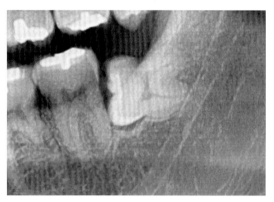 

La corona colocada más abajo que el punto de contacto del segundo molar se procederá a retirar la mitad superior de la corona para obtener accesibilidad a la porción más profunda del diente y para la visibilidad durante las cirugías.

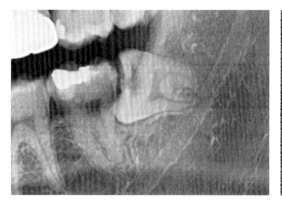 

La corona superior se eliminó primero debido a caries. Si la corona superior no se retira primero, entonces la corona puede fracturarse de forma no deseada. A veces, la corona se corta en varios segmentos a propósito.

03
La división horizontal de la corona proporciona mayor visibilidad ★★

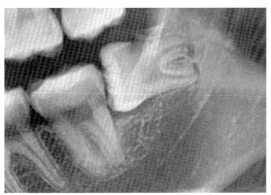 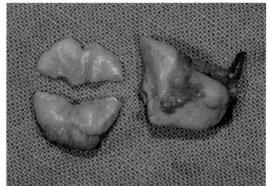

Tengo la costumbre de retirar la parte superior de la corona usando una fresa redonda quirúrgica No. 4 (el diámetro es 1.4 mm, que es 0.2 mm más pequeño que el vástago) cuando es difícil el cortar en profundidad. Estoy más acostumbrado a separar la corona en segmentos. Pero a medida que envejezco, tengo dificultades con un corte preciso usando una fresa de tamaño pequeño, por lo que estoy utilizando una fresa redonda quirúrgica No. 6 (el diámetro es de 1.8 mm, que es 0.2 mm más grande que el vástago) para cortar más profundo y seguro. La pieza de mano más actual tiene fibra óptica para proporcionar una mejor visibilidad en la superficie de corte, por lo que ya no tengo que cortar la corona para tener mejor visibilidad. Todavía recomiendo la división horizontal a dentistas con poca experiencia. Porque la visibilidad es muy crítica.

Hay varios puntos clave al cortar la corona. No cortes demasiado profundo. Se separará toda la corona, lo que resulta en dificultad en la extracción. No cortes demasiado profundo (menos de 2/3 de la corona), luego retire la parte superior de la corona para obtener visibilidad y facilitar la extracción. En muchos casos, la corona se rompe y es succionada por el eyector. Por lo general, retiro la parte superior de la corona con división horizontal y luego retiro la corona restante con división vertical para tener más espacio para la extracción.

La división horizontal limpia es un caso raro debido a fracturas del esmalte. La división horizontal generalmente continúa con división vertical y lo veremos con detalles más adelante.

04
División vertical ★★★

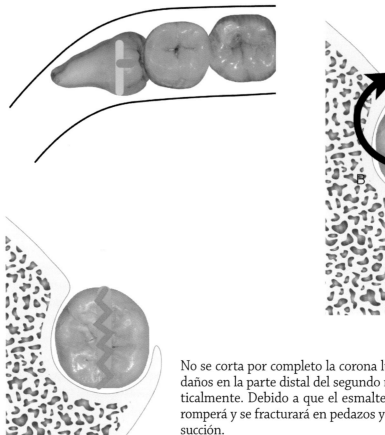

No se corta por completo la corona luego se fractura para evitar daños en la parte distal del segundo molar cuando se divide verticalmente. Debido a que el esmalte es frágil, muchas veces se romperá y se fracturará en pedazos y luego será absorbido por la succión.

La división vertical se usa a menudo cuando existe una gran retención en distal del segundo molar. Cuando la corona está completamente separada de la raíz y no se remueve, se realiza una división vertical para separar la corona en vertical y luego se retira girando los segmentos. Como puede ver en la imagen superior izquierda, el tercer molar está incluida en distal del a nivel del contorno del segundo molar. La mayoría de las veces, la corona está retenida en la parte inferior del diente. Esto es cuando la división vertical es útil. El corte vertical se crea a partir de la superficie fracturada hacia el segundo molar como se ve en la línea azul oscura y luego se fractura el diente verticalmente con una cucharilla. Si el corte vertical pasa completamente a través de la lesión de dentina, entonces el esmalte se fracturará fácilmente. Recomiendo usar fresa redonda No. 4 a aquellos dentistas con poca experiencia.

Quite la pieza 'a' primero y luego 'b'. La pieza 'b' generalmente se puede girar en sentido horario y deslizarse hacia donde se retiró la pieza 'a'.

05
División vertical y referencia visible en superficie seccionada ★★

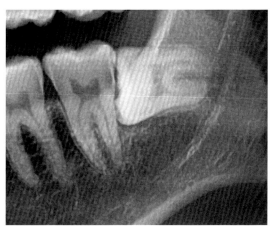

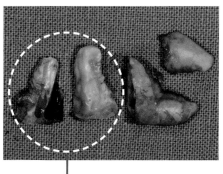

El caso que se muestra es una división vertical convencional y luego se eliminaron las raíces restantes con extracción en "L". Centrémonos en la corona separada aquí, ya que la extracción en "L" se discutirá más adelante.

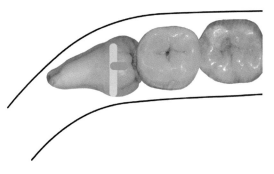

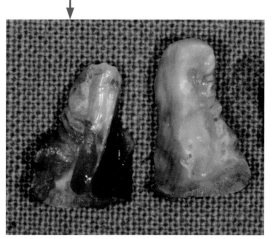

Típicamente, dos cortes están involucrados con la división vertical. El primer corte se realiza en la línea azul cielo como se muestra arriba, luego la corona se fractura. Posterior a separar la corona de las raíces, se realiza corte vertical y profundo siguiendo la línea azul como se muestra arriba. Finalmente se fractura la corona con la cucharilla y luego se retira. Lo importante es que las líneas azul cielo y azul no se cortaron completamente. Puede fracturar y retirar la corona sin cortarla por completo, especialmente hacia lingual de la corona.

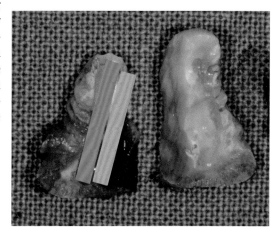

División vertical de la sección dental ★

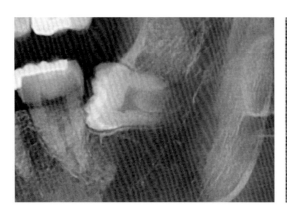

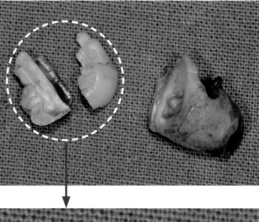

La extracción sería similar al caso presentado en la página anterior. La diferencia con el caso anterior es el número de raíces, lo cual se abordará más adelante en este capítulo. Cuando ves el corte de la corona, similar al caso presentado en la página anterior, puedes notar que la corona no se seccionó completamente hacia lingual. Por lo general, no corto hacia lingual porque el esmalte se puede fracturar fácilmente con una cucharilla, por lo que no es necesario cortar completamente la corona. Si hace una sola odontosección vertical, puedes rotar y remover fácilmente el segmento sin interferencia del contorno distal en la corona del segundo molar. La fractura del diente al nivel del esmalte se aplica a la combinación de división horizontal y vertical cuando se realizan juntas. La corona no requiere estar completamente cortada en la parte lingual o inferior de la corona. Siempre debes tener cuidado en el lado lingual. Además, no es necesario realizar un corte completo inferior aunque esté lejos del canal del nervio alveolar inferior. El diente se puede extraer con los procedimientos habituales sin complicaciones o daños al nervio, incluso cuando el canal nervioso está cerca de la raíz del tercer molar.

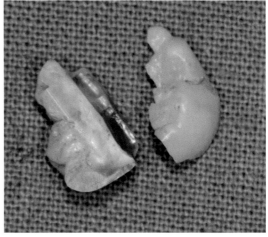

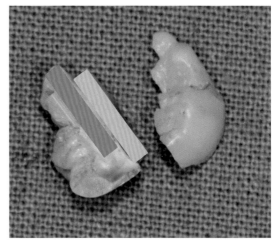

06
Casos clínicos de división vertical

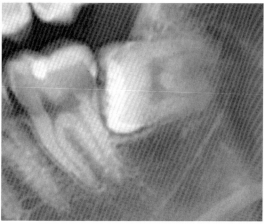

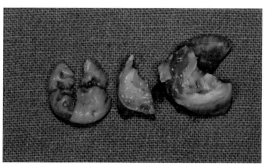

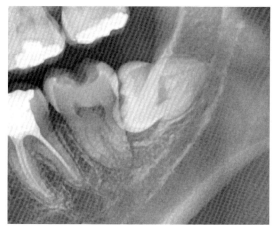

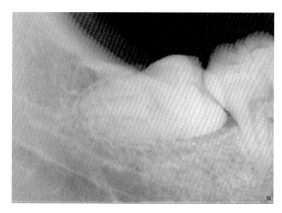

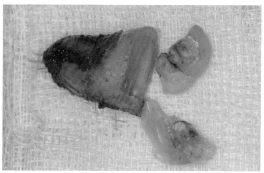

★

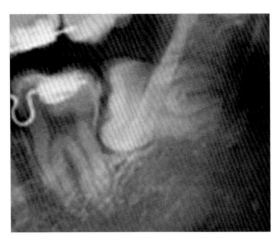
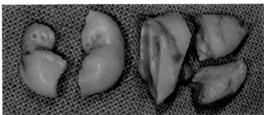

La división vertical es muy útil cuando la corona del tercer molar está intacta con una lesión de corte inferior por debajo de la corona en distal del segundo molar. Prevenir cualquier daño en la parte distal del segundo molar es crítico durante la división vertical. Debes darte cuenta de que no tienes que cortar tan cerca del segundo molar. La resistencia del esmalte es muy débil, por lo que debes cortar la dentina y puedes fracturar la parte restante del esmalte de la corona. En la mayoría de los casos, la cucharilla haría el trabajo muy bien.

La fresa redonda quirúrgica No. 4 es muy buena para estos cortes de división vertical. Últimamente, he estado trabajando con la fresa quirúrgica redonda no. 6 para la mayoría de los procedimientos. Pero insisto en que los dentistas con poca experiencia comiencen con la fresa redonda quirúrgica no. 6 para el corte de corona normal y habitual y la fresa redonda quirúrgica no. 4 para separar las coronas en pedazos. Es difícil cortar la corona en el centro para los dentistas con poca experiencia.

Por lo tanto, corta la corona perpendicularmente desde la parte superior y luego proceda con la división vertical. Una mayor extensión de los protocolos conduce a las secciones de la corona de 3 o 4 segmentos.

Corte de la Corona-División Vertical ★★★
Horizontal

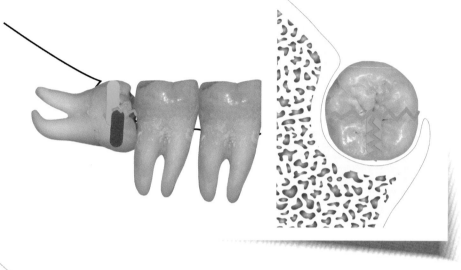

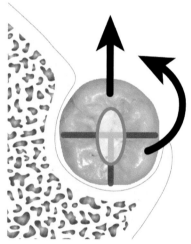

La combinación de División Horizontal y Vertical a menudo se realiza en conjunto. Hay casos que requieren cada procedimiento por separado como los que ya he presentado antes, pero generalmente es más difícil realizar cada división por separado. En la mayoría de los casos, cada corte se hace uno después del otro. El uso de estos tipos de sección y fractura de la corona, además de minimizar la osteotomía alveolar conducirá a extracciones más fáciles y seguras.

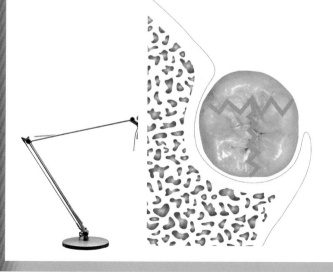

Trata de no fragmentar la porción superior de la corona en segmentos demasiados grandes o a la mitad de la corona. Si la corona se corta demasiado, se puede fracturar en direcciones incorrectas. Lo que buscas es que aproximadamente 1/3 o menos se fracture para obtener visibilidad para el diente extraído. 1/3 de la extracción de la corona le dará mucha visibilidad y también comenzará a cortar para la división vertical en la superficie de la dentina, donde hay menos resistencia en la fresa quirúrgica.

01
¿Por qué la rotación? ★★

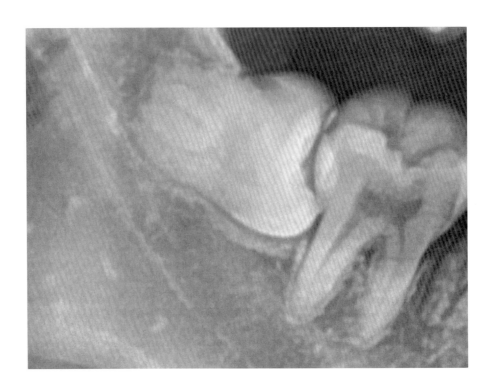

Una de las mayores preocupaciones para extraer un tercer molar incluido horizontalmente es que ésta se encuentra por debajo de la altura del contorno en la parte distal del segundo molar. La superficie distal del segundo molar suele ser convexa y el punto de contacto del tercer molar suele ser cóncava, lo que produce graves interferencias. Si la corona se corta completamente con una fresa quirúrgica tanto en lingual como en inferior, entonces el espacio creado por la remisión de la corona dará como resultado una fácil extracción de las raíces restantes. Pero esto no ocurre en la mayoría de los casos. Incluso si esto es posible, se hace para evitar daños estructurales, en lingual y por debajo de la corona.

Es por eso que se recomienda cortar y retirar la corona en varios segmentos por seguridad para evitar lesiones linguales y por debajo de la corona. Entonces, la mayor parte del tercer molar incluido horizontal termina con 3 o 4 fragmentos.

02
Vista de sección de división horizontal-vertical ★★★

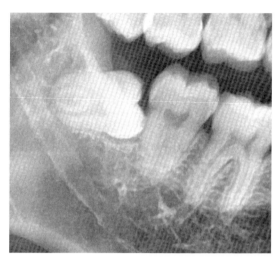

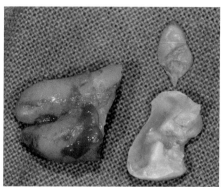

Este es un caso en el que se realiza la división horizontal para eliminar una pequeña porción de la corona y luego se realiza una división vertical para separar la corona restante verticalmente, sin embargo la corona restante se retiró sin odontosección vertical. La corona restante se luxó con la rotación hecha con una cucharilla para fracturar la corona donde el corte inferior era la cantidad mínima.

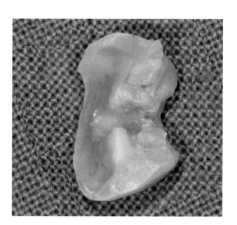

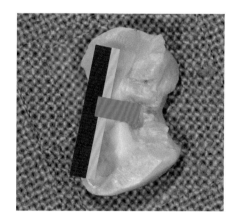

Puedes observar tres líneas de corte en la imagen seccionada del caso anterior. También puede ver que la parte inferior de la corona no está completa. Debes cortar por completo por bucal, especialmente cuando no eres un odontólogo experimentado. Hay una visibilidad limitada desde el punto de vista del cirujano en vestibular por el hueso alveolar vestibular. Como instructores de otros colegas dentistas, noté que es muy fácil pasar por alto algo tan simple como un corte incompleto en vestibular que otras situaciones complicadas. Nuevamente, debes cortar completamente el lado vestibular.

03
Casos clínicos de sección horizontal-vertical ★

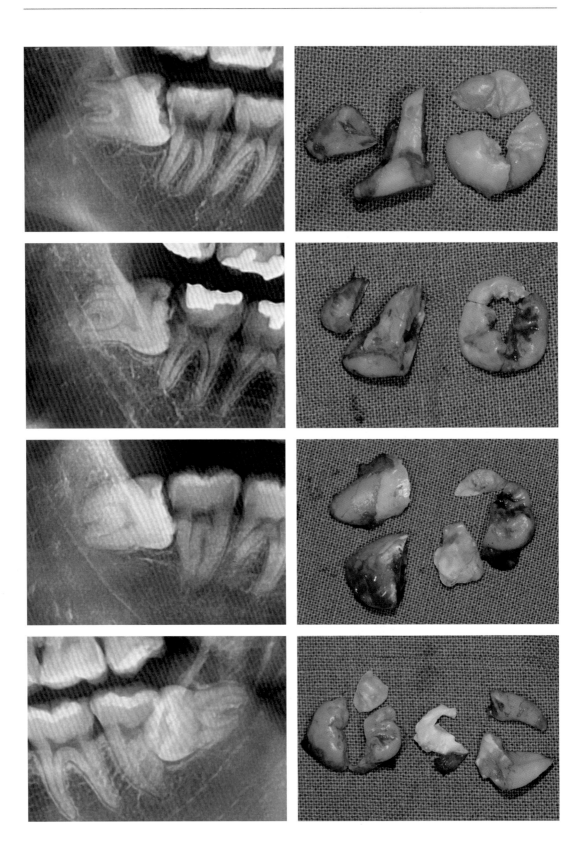

04
Separar la corona en fragmentos ★★

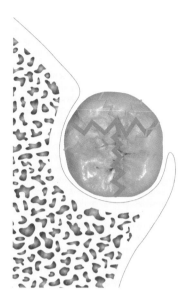

En la mayoría de las veces, la corona no se fractura de la manera que pretendías. Especialmente cuando el esmalte es muy frágil y delgado en la porción superior, por lo que muchos de ellos se fracturan y se succionan al vacío a alta velocidad.

Verás muchos casos clínicos como este. Siempre sigo los mismos pasos. Nuevamente, estarás confundido y perdido cuando no sepas a dónde vas y qué estás haciendo. Pero cuando tienes metas y destinos específicos, entonces cortar y fracturar la corona es fácil de hacer.

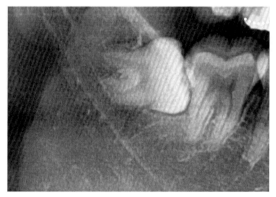
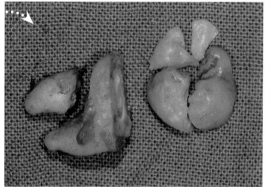

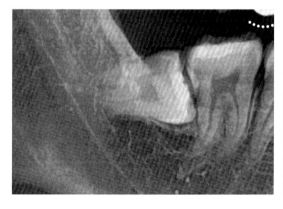
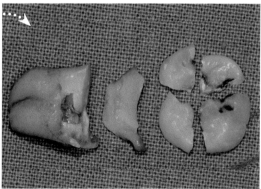

05
Separar la corona en fragmentos, casos clínicos <1> ★

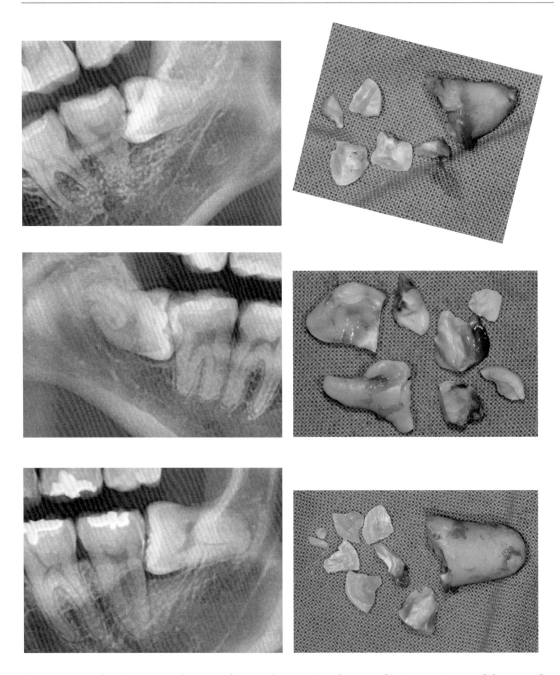

No tengo muchas imagenes de casos clínicos de este tipo de procedimiento. Esto se debe a que los fragmentos son succionados por el vacío de alta velocidad y mis asistentes están teniendo dificultad para encajar los fragmentos de la corona después de la cirugía. Entenderá si piensa en la situación del quirófano después de los procedimientos. Verá muchos casos de coronas en fragmentos similares a estos continuamente.

Casos clínicos de corona en multifragmentos <1> ★

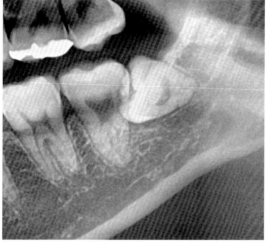 

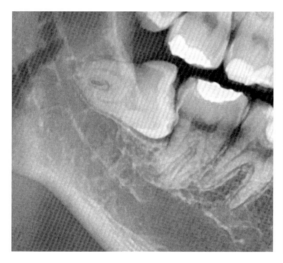 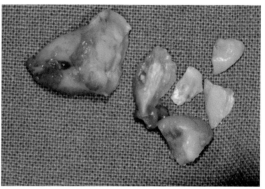

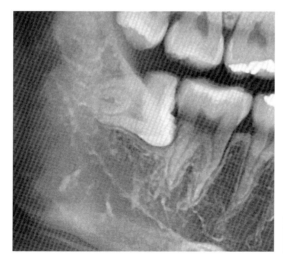 

Corte oblicuo ★★★

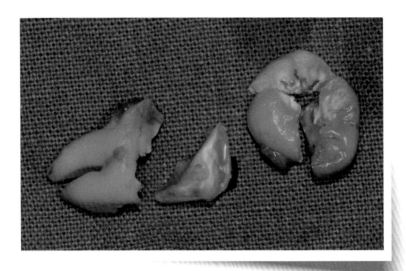

Discutimos sobre las ventajas del corte oblicuo en el capítulo de terceros molares incluidos mesialmente. Veamos esas ventajas nuevamente.

1. Facilita la extracción
2. Disminuye la posibilidad de fractura del hueso alveolar lingual.
3. Fácil remisión de la porción lingual mesial de la corona.
4. Un poco de efecto de elevación y corte.

El corte oblicuo es muy importante, por lo tanto, regrese y lea las ventajas del corte oblicuo. Es similar en los terceros molares incluidos horizontal, pero es ligeramente diferente en este capítulo.

01
Corte en zigzag de la corona ★★

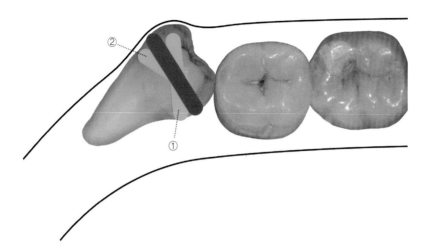

El corte de la corona es más común con la línea ① que es paralela al segundo molar en lugar de la línea roja cuando la corona se ubica más lingualmente de lo habitual. Corta la corona una vez más siguiendo la línea ② para retirar la corona porque es difícil remover la parte lingual solo con el corte en la línea ①. Si aplicamos estas dos líneas de corte a un diente que no está en posición lingual, como se muestra a continuación.

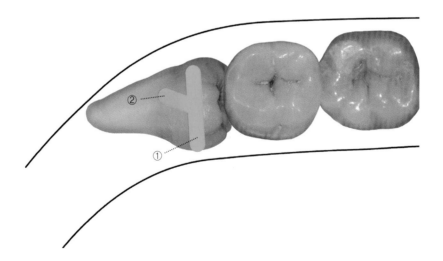

¿Viste esta imagen antes? Es la misma imagen de corte oblicua que se muestra en el tercer molar mesioangulado. El corte oblicuo permite la extracción fácil al facilitar el movimiento de elevación y evita posibles interferencias durante la extracción de la corona, pero también se usa cuando la porción lingual de la corona no se elimina durante el procedimiento.

02
Corte oblicuo para quitar la corona, incluido en el punto de contacto ★★ lingual

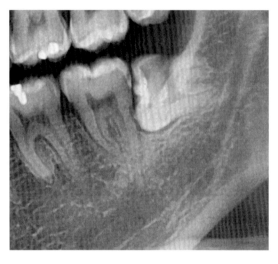 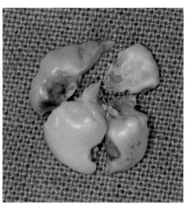

La corona se cortó en fragmentos y se retiró, luego se re-ensambló. Parece que la corona se cortó en fragmentos adecuados, pero esto era evidencia de que la corona no estaba seccionada de la forma deseada. Todavía cometo estos errores cuando creo que la corona se cortó correctamente y ejerzo una fuerza de elevación sobre el hueso vestibular. Puedes obtener una mejor visibilidad con el corte oblicuo, pero también ayuda a la extracción de la corona.

El corte oblicuo se completó para eliminar la porción inferior lingual de la corona, luego se removieron los fragmentos de la corona que se volvieron re-ensamblaron en la mesa. Ahora, puedes ver cómo el corte oblicuo es útil durante el procedimiento. Sugiero que regreses a la al capítulo de tercer molar mesioangulada muela y vuelve a leer sobre el corte oblicuo.

03
Casos clínicos de corte oblicuo <1> ★

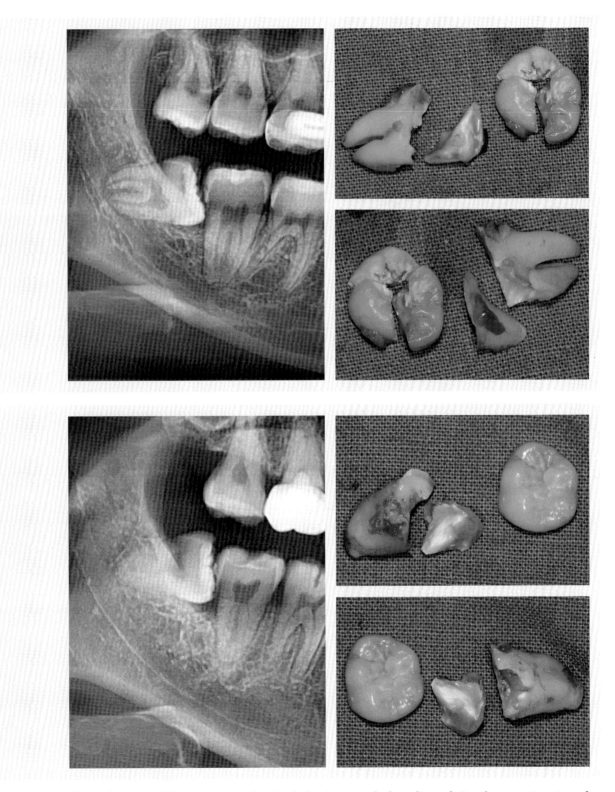

Casos de corte oblicuo, examinados desde la vista vestibular y lingual. Por favor revisa cómo fue extraída la corona en las páginas previas, estudia y observa el método del corte oblicuo.

Casos clínicos de corte oblicuo <2> ★

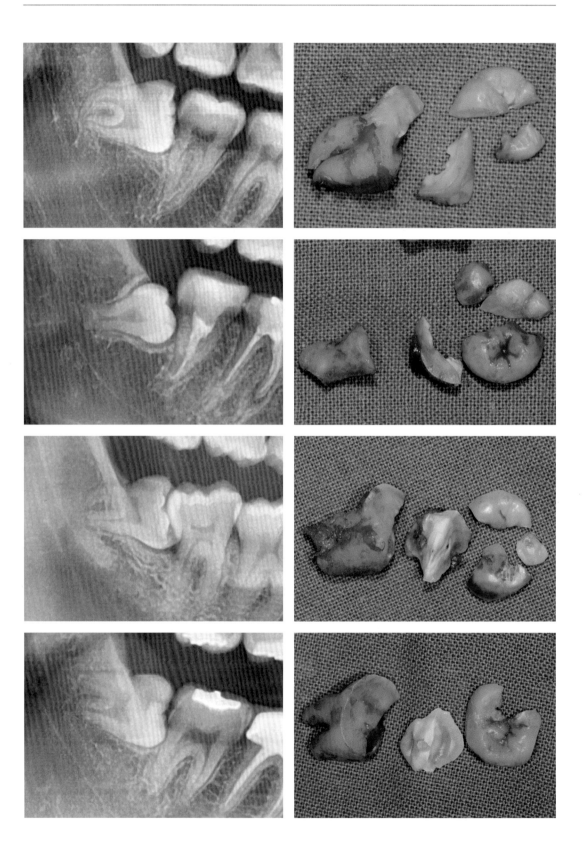

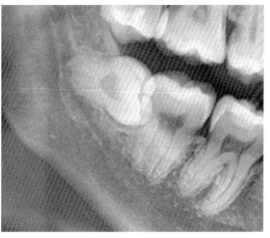
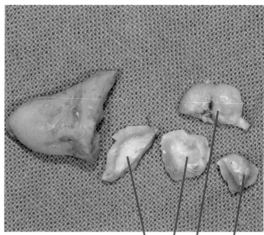

Este es un caso clínico donde se discuten todos los métodos de corte usados. Ahora, puedes decirme cómo fue cortado y retirado viendo los fragmentos del diente.

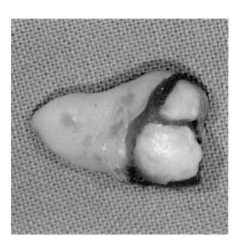
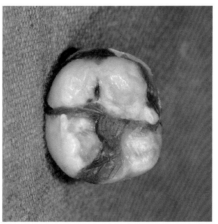

Use cera dental para volver armar los fragmentos del diente. Puedes ver mejor ahora cómo fue extraído.

Tienes que saber que la extracción del molar con cortes en la corona no es raro pero puede suceder en cualquier extracción.

Levantamiento y corte ★★

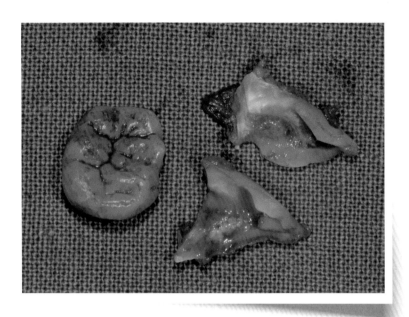

El procedimiento es muy similar al caso de los terceros molares mesioanguladas. Tendrá más posibilidades de realizar levantamientos y cortes con mayor frecuencia en un diente incluido horizontalmente que en un diente incluido mesioangulado. Esto me está sucediendo porque usualmente corto la corona tan cerca del segundo molar y limito mi osteotomía alveolar. Puedes hacer múltiples cortes en el diente ya que se va extraer de todos modos. En la mayoría de los casos, el corte oblicuo se realiza para extraer el diente fácilmente, pero habrá casos en los que el corte oblicuo seguirá teniendo alguna interferencia durante la extracción. Esto es cuando se levanta y corta junto con el corte oblicuo para extraer el diente.

El tercer molar que se extrae a través del corte distocervical incluido por el hueso alveolar y el segundo molar se corta una vez más. El corte distocervical se abordará más adelante. Recuerda, el tercer molar luxado de su alveolo es la muela floja que necesita un pequeño empujón. No cortes todas las raíces preocupado por la retención porque perderás el punto de apoyo y será difícil quitar el resto.

01
Método de levantamiento y corte ★★

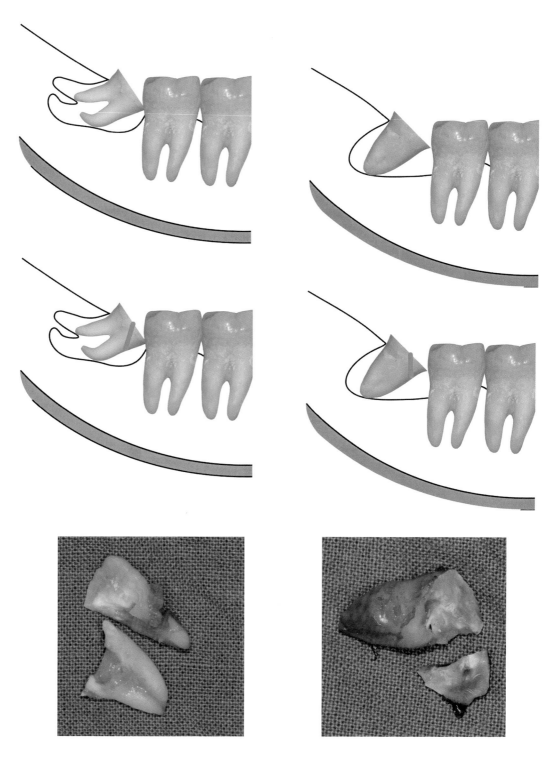

Este es el mismo método para cualquier molar con una o múltiples raíces. La forma en que los molares se dirigen y angulan resultará en los diferentes cortes. Es más fácil extraer un molar con múltiples raíces cuando están separadas. Entonces, considera la división de raíces.

02
Casos clínicos de terceros molares incluidos horizontalmente, ★★
levantamiento y corte <1>

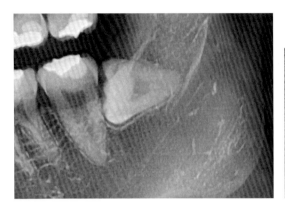 

He vuelto a ensamblar las raíces que se extrajeron a través de Levantamiento y Corte. Puedes ver la angulación del corte en lingual. Recomiendo la fresa redonda quirúrgica n.° 4 para el corte, pero a veces uso la fresa redonda quirúrgica n.° 6 porque era flojo para cambiar la fresa. Pero cuando utilizas la fresa redonda quirúrgica n.° 6, debes cortar más profundamente.

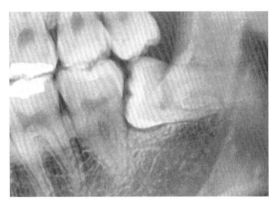 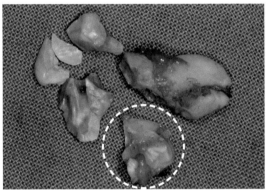

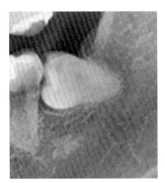  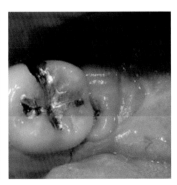

Este es el caso en el que se extrajo el diente retirando la corona mediante el método cortando y levantando. Se realizó el levantamiento y corte sin incisión ni levantamiento del colgajo y se realizó la división de la corona para obtener visibilidad y evitar lesiones en tejido gingival.

Casos clínicos de tercer molar incluido horizontalmente, ★ levantamiento y corte <2>

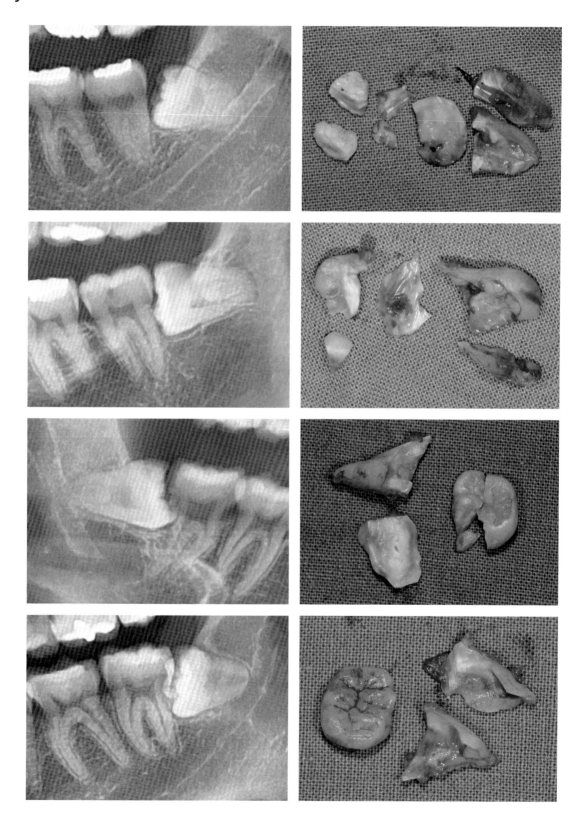

Casos clínicos de tercer molar incluido horizontalmente, ★ levantamiento y corte \<3>

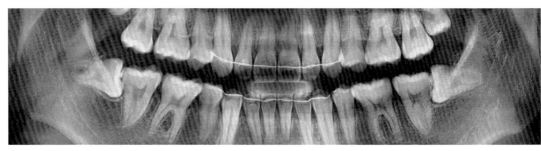

La elevación y el corte se realizaron en el # 48, mientras que el corte oblicuo se realizó en el # 38 para fracturar y retirar la porción inferior lingual de la corona que luego se extrajo. Puedes ver las diferencias entre los dos procedimientos las imagenes grafías de los fragmentos fracturados de la corona.

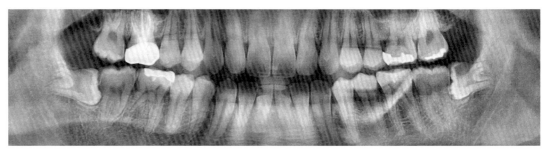

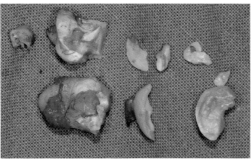 

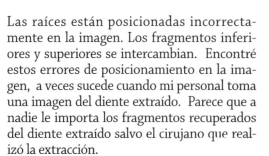

Las raíces están posicionadas incorrectamente en la imagen. Los fragmentos inferiores y superiores se intercambian. Encontré estos errores de posicionamiento en la imagen, a veces sucede cuando mi personal toma una imagen del diente extraído. Parece que a nadie le importa los fragmentos recuperados del diente extraído salvo el cirujano que realizó la extracción.

Levantar y cortar el diente # 48 y el corte oblicuo en el # 38 para eliminar la porción inferior lingual de la corona y luego extraerla como en el caso anterior.

Separación de las Raíces ★★★

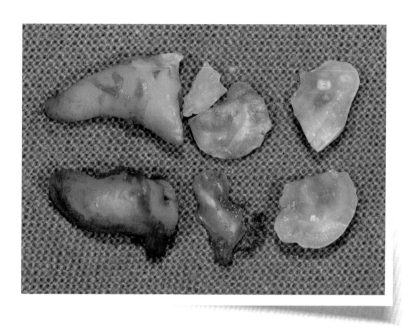

La separación de las raíces ocurre frecuentemente cuando realiza el método Levantamiento y Corte en un diente con múltiples raíces. O bien, procede a la división de las raíces cuando extraes por odontosección la corona pero tiene problemas para retirar las raíces remanentes. Por lo general, mi tiempo de cirugía es muy corto y tengo muchos casos de extracción en los que no describo qué métodos usé en cada caso. Por lo que es difícil distinguir los métodos observando los fragmentos fracturados de los molares. Pero como no utilizo la pieza de mano quirúrgica de baja velocidad y el tercer molar incluido horizontalmente tiene acceso limitado con la pieza de mano de alta velocidad desde el vestibular o lateral, la mayoría las hago con el métodoco de Levantar y cortar. Entonces puedes verlo como Levantamiento y corte de molares de raíces múltiples o división de raíces múltiples.

01
División de raíces ★★

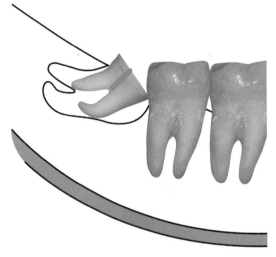

No corto específicamente entre las raíces. Se procede a Levantar y cortar, y naturalmente dividir las raíces para luego retirar una por una. Si el diente no se luxa del alveolo, entonces es difícil separar las raíces con una pieza de mano de alta velocidad. Se realiza el corte distocervical, el cual se abordará en un capítulo posterior. Si el diente todavía no sale, entonces hay un método para separar las raíces y luxarlas, que también se discutirá en el otro capítulo.

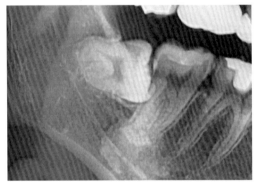
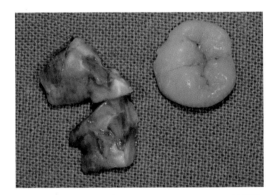
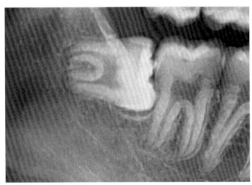
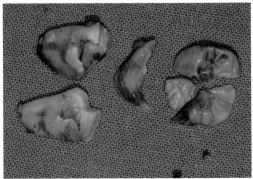
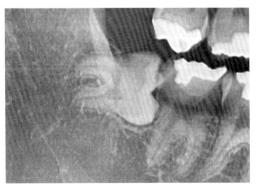
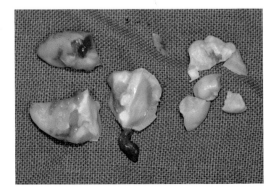

02
Casos clínicos de división de raíces <1> ★

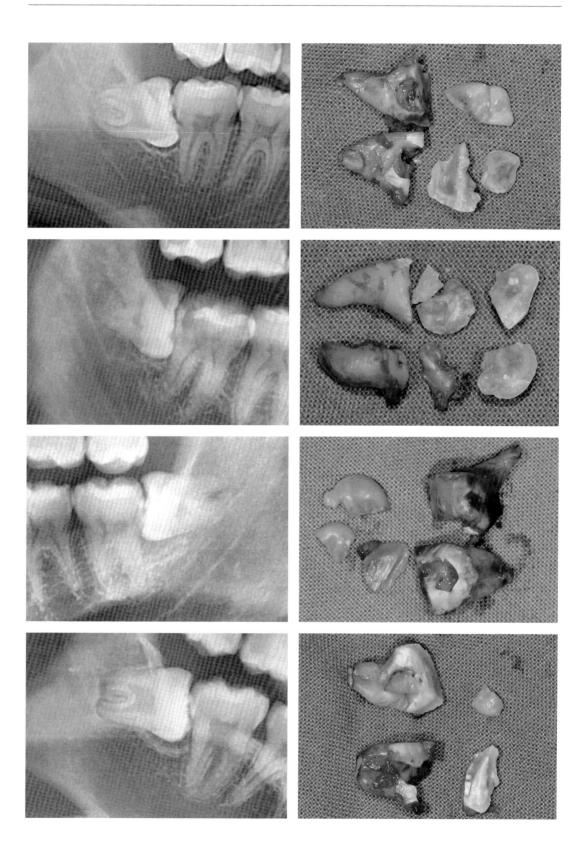

Casos clínicos de división de raíces <2> ★

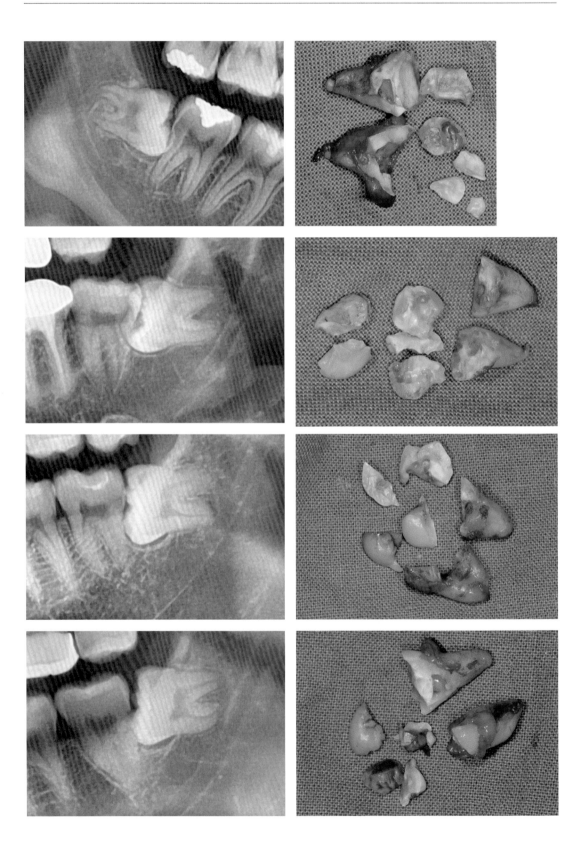

Casos clínicos de división de raíces <3> ★

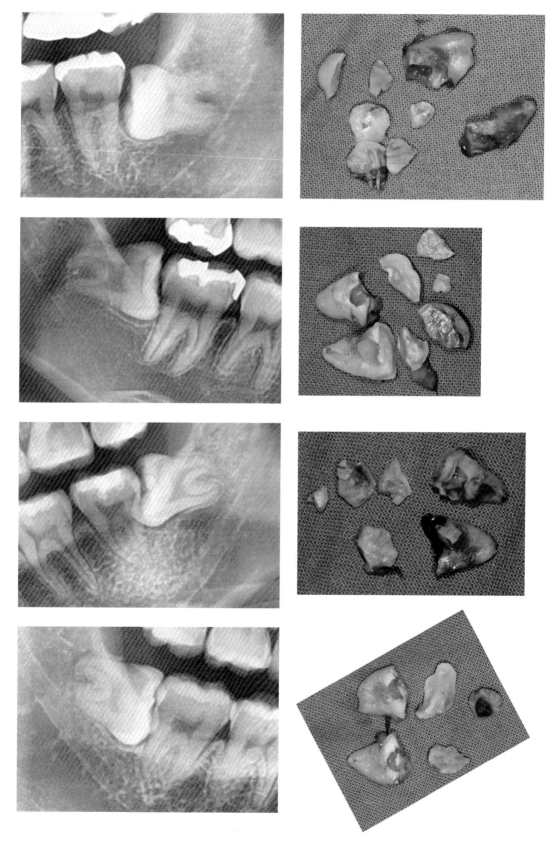

03
Luxación del diente con elevador y división de raíces ★★

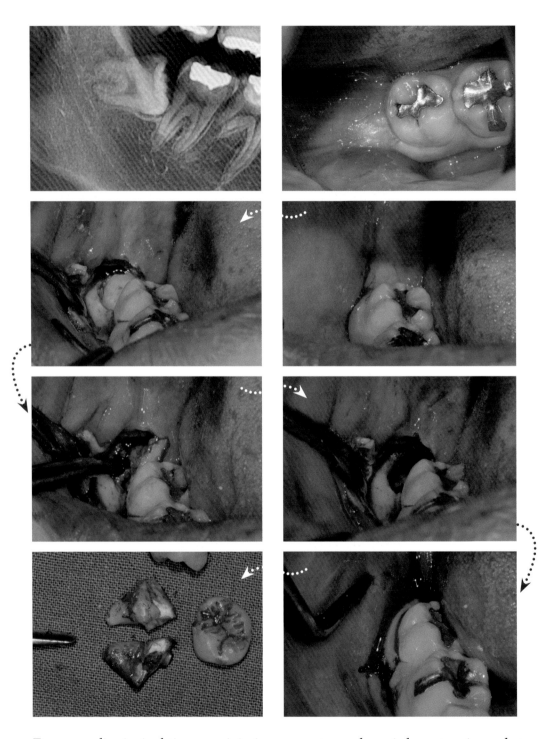

Tengo que disminuir el tiempo quirúrgico porque tengo demasiadas extracciones de terceros molares programadas. Para este tipo de terceros molares con raíces múltiples, remuevo la corona del diente y luego luxo el molar de su alveolo. El elevador se coloca entre las raíces para fracturar y separar las raíces, luego se retira cada raíz. El aire, el agua y otros desechos pueden ingresar al alveolo cuando utilizas una pieza de mano de alta velocidad en un diente luxado. Por lo que utilizan el método del elevador para realizar extracciones rápidas, fáciles y seguras.

Casos clínicos de división de raíces <4> ★

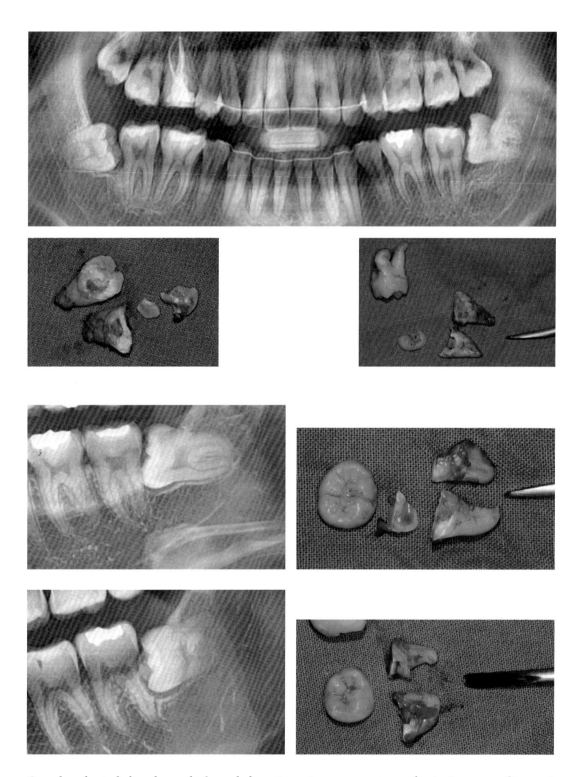

Cuando colocó el elevador en la fue a de las raíces cómo se muestra en las imágenes grafías, está indicado que se puede usar un elevador para fracturar y separar las raíces. Algunas veces, en la radiografía se observan múltiples raíces pero no es así. En estos casos puedes usar la técnica normal de Levantamiento y Corte.

4 **extracciónes consecutivas en 1 hora** ★ (excluyendo terceros molares superiores)

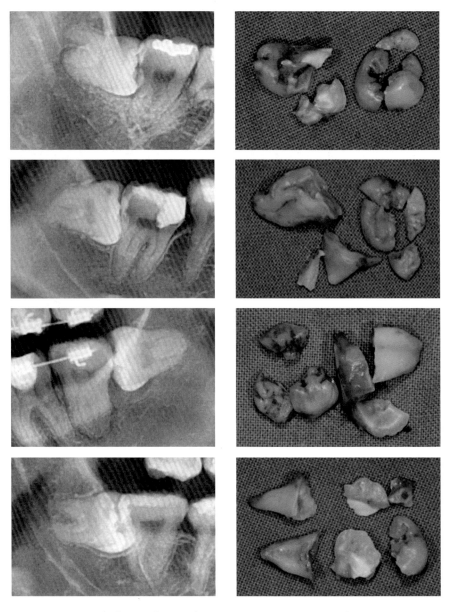

No presento estos casos para presumir de lo rápido que los extraje. Estoy presentando estos casos porque de alguna manera estos cuatro dientes se parecen y muestran lo mismo y se extrajeron con el mismo método. Las extracciones de terceros molares generalmente son programadas por mi personal en intervalos de 15 minutos, y no sé qué veré antes de los tratamientos. A veces, los tratamientos programados son terceros molares incluidos verticalmente donde puedo extraerlos rápido y relajarme, otro día son todos molares incluidos en maxilar, etc. Raramente, este día programaron sólo terceros molares incluidos horizontalmente. Y estos cuatro pacientes programados en una hora eran todos molares incluidos horizontalmente y salieron en fragmentos similares, así que estoy presentando estos casos. Fue un sábado por la tarde en 2015, un día antes del seminario de extracción de terceros molares. También presenté estos cuatro casos en el seminario, así que los recuerdo específicamente. También quería que los lectores supieran que todo lo que presento y discuto en este libro no son solo casos específicos, sino también mis procedimientos de rutina diarios.

Corte Disto-Cervical ★★

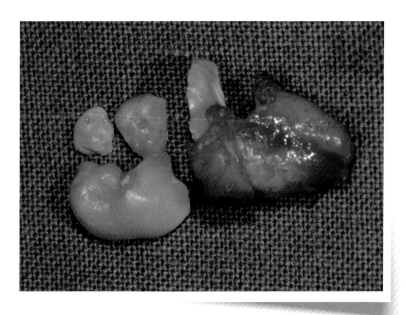

El elevador se usa para extraer los remanentes del tercer molar incluido horizontalmente después de que la Corona se retiró. Si el diente se luxa pero no sale, podrían intentar levantar y cortar. Pero si el diente no se luxa del alveolo con el elevador, entonces procedo al corte distocervical sin dudarlo. El espacio del ligamento periodontal es estrecho donde el elevador aplica al punto de apoyo previa osteotomía. Realicé el corte distocervical que se muestra en la imagen y luego coloque el elevador en el punto de apoyo creado para tirar y extraer.

01
Corte Disto-Cervical ★★★

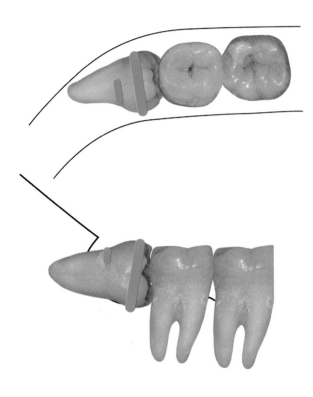

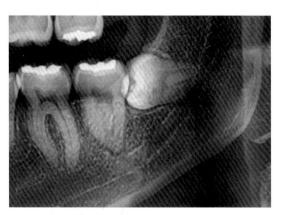

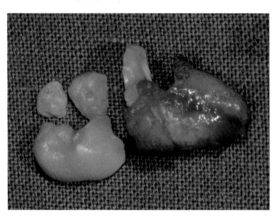

Por lo general, el primer corte de corona se realiza con la fresa redonda quirúrgica n. ° 6 y era flojo para cambiar la fresa, así que completé el corte distocervical con la fresa redonda quirúrgica n. ° 6 (diámetro 1.8 mm). Pero cuando usas la fresa redonda quirúrgica n. ° 6, debes cortar más profundo, puedes fracturar fragmentos del diente, el elevador no se atora en el punto de apoyo y resulta en una extracción más difícil. Para un dentista con poca experiencia, recomiendo utilizar la fresa quirúrgica redonda n. ° 4 para el corte distocervical. Este método es muy útil para aquellos dientes que tienen inflamación cerca de la corona, lo que resulta en un diente empujado hacia atrás con un espacio limitado en el ligamento periodontal donde el diente y el hueso alveolar casi se adhieren entre sí.

02
Casos presentados en el capítulo de Radiología ★★

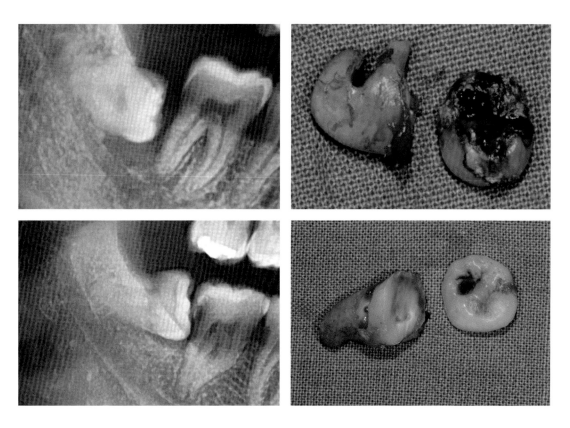

Debido a la inflamación en la encía y el tejido blando alrededor de la corona, el diente se ha desplazado hacia atrás, lo que da como resultado una compresión del espacio en el ligamento periodontal. El diente está casi adherido al hueso. No hay espacio en el espacio del ligamento periodontal donde se pueda colocar el elevador. Entonces, el corte distocervical se completó para continuar.

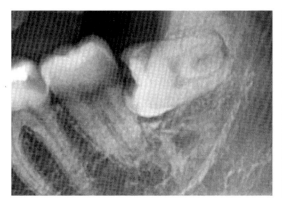
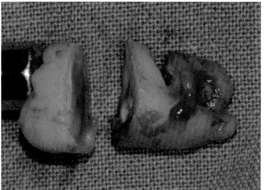

Inflamación severa cerca de la lesión en medial de la corona. Puedes ver el fragmento pequeño de esmalte que queda en la imagen con el corte de la corona. Si hay una inflamación severa alrededor de la corona, entonces el diente se extrae fácilmente debido al espacio creado entre la corona del segundo molar y el tercero, incluso el esmalte no se corta por completo. Pero a veces la raíz está tan impactada en el hueso alveolar que se resiste a la extracción. El caso anterior se terminó con un corte distocervical para eliminar las raíces restantes.

03
Casos clínicos de corte Disto-Cervical ★

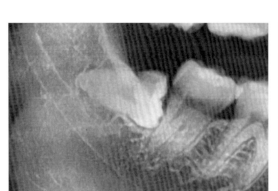

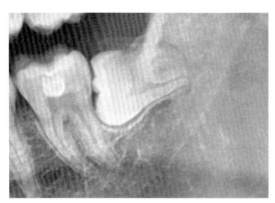
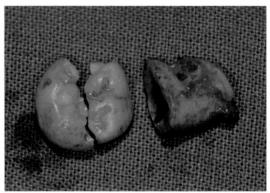

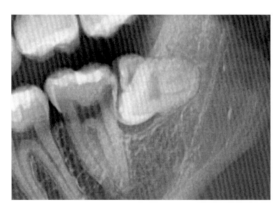

▬ Vista Oclusa

Se presenta un caso de corte Disto-Cervical. El molar extraído se roto para mostrar el lado lingual. En la imagen se observa una vista derecha desde lingual. Cuando lo ves desde oclusal puedes apreciar dónde se realizó el corte Disto-Cervical pero raramente lo puedes ver de lingual. La mayoría de los cortes Disto-Cervical se realizan desde oclusal o vestibular. Apenas se toca la cara lingual.

▬ Vista Lingual

04
Tres casos consecutivos de extracción del #48 con corte Disto-Cervical ★

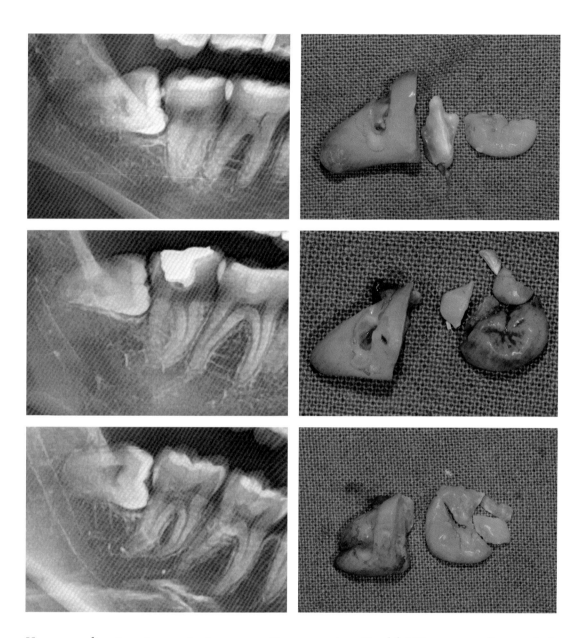

Hace unos días, tuve tres pacientes consecutivos con extracción del #48 con corte distocervical. Como mencioné antes, sigo mi propio protocolo para cada extracción. Corte de corona realizado para retirar la corona y luego utilizo el elevador colocado en vestibular para concluir la extracción. Pero cuando el diente no se extrae con los elevadores, procedo al corte Disto-Cervical en lugar de hacer osteotomía. Los métodos y procedimientos discutidos en este aquí no son sólo para el libro, sino mi rutina diaria.

Corte Disto-Cervical y Extracción en L ★★★

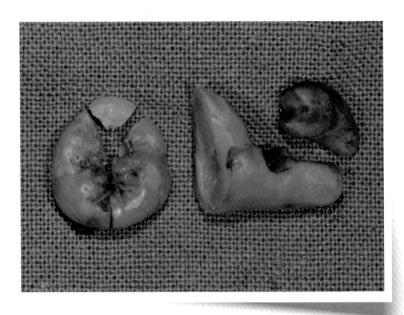

El corte de la corona realizado para eliminar la porción coronal, luego el uso del elevador en vestibular para completar la extracción. Si el diente remanente se luxa del alvéolo, la extracción está casi completa. Si se produce retención durante la extracción, proceda a Levantar y cortar. Muchos dentistas generalmente hacen osteotomía alveolar vestibular cuando hay interferencia o resistencia durante el movimiento con el elevador en vestibular para un mejor punto de apoyo. Normalmente realizó corte distocervical para continuar con la extracción, en lugar de la osteotomía.

Si el diente remanente se extrae solo con un corte distocervical, entonces la extracción se completa con un corte distocervical. Si la raíz se separa y se extrae durante el corte distocervical en un molar con múltiples raíces, se realiza una extracción en L. Hay casos en el que tengo la intención de proceder directamente a la extracción en L. Por lo general, la fresa redonda quirúrgica n.° 6 se usa para el corte de corona en un molar incluido horizontalmente y luego se usa la fresa redonda quirúrgica n.° 4 en el corte distocervical. Pero últimamente me volví perezoso para cambiar la fresa entre los procedimientos, terminé usando la fresa quirúrgica redonda No. 6 en el corte distocervical, lo que resultó en un corte más profundo. Puedes ver el área de corte de la fresa en el segmento raíz extraída en L en la imagen de arriba.

01
Corte Disto-Cervical y Extracción en L ★★

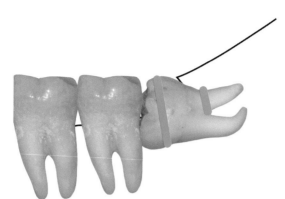

Como se mencionó en la página anterior, es lo mismo que en la extracción en L en un tercer molar mesioangulado. Pero se utiliza más en la extracción de dientes con raíces múltiples debido a que el procedimiento es más difícil. En la imagen se muestra cómo se hizo el corte distocervical. En la mayoría de los casos, el corte distocervical se convierte naturalmente en extracción en L.

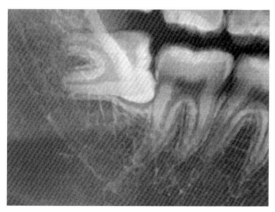
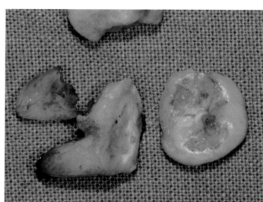

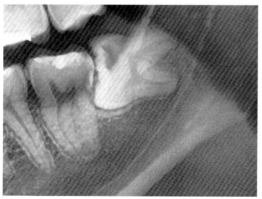

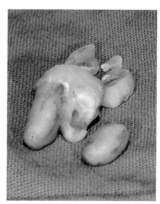

Este fue un caso difícil donde la porción mesial de la corona es muy grande y existen raíces dilaceradas. La extracción se puede simplificar separando las raíces y luego retirándolas individualmente.

02
Extracción en L por corte Disto-Cervical ★★

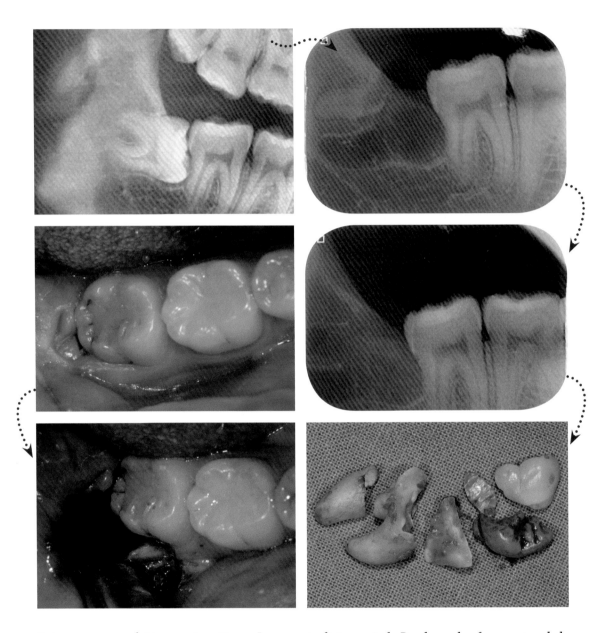

Este caso se completó por extracción en L por corte distocervical. Puede ver los fragmentos de la corona fracturados, el corte de la corona se realizó con la división horizontal. El corte oblicuo se completó pero la corona no se extrajo, por lo que el corte distocervical condujo a la extracción en L para completarla. La corona fracturada no muestra exactamente la forma de L y puede verse 3 fragmentos diferentes. Pero en realidad no importa cómo se vea la corona fracturada, el resultado es la extracción completa. Siempre elimino primero la raíz más apical. He hecho y completado numerosas extracciones, pero con contadas las veces que dejé la raíz distal en el alveolo. Y la mayor parte de la extracción de raíces remanentes las hice con el explorador. A veces, es posible que necesites realizar un corte distocervical y una extracción en L en esas pequeñas raíces para una extracción completa. Pero como puedes ver en la imagen, no parece ser un gran problema dejar la raíz distal en el sitio de extracción.

03
Casos clínicos de Extracción en L por corte Disto-Cervical ★★

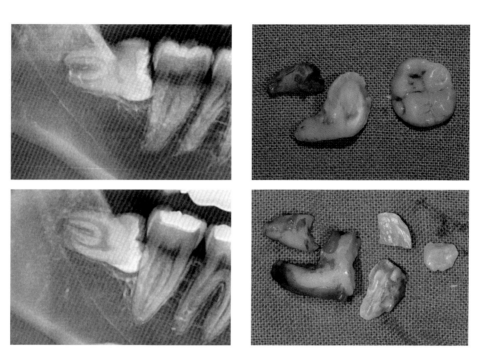

Este es el caso clínico típico de extracción en L por corte distocervical. A vece parece un diente de raíces múltiples en la radiografía, pero termina siendo un diente de raíz única. Cuando es el caso, debes esperar que el molar se extraiga con una trisección o extracción en 3 fragmentos.

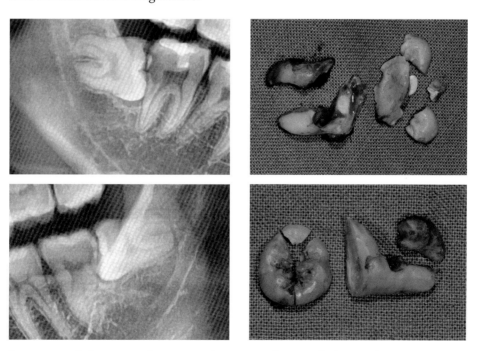

La mayoría de los cortes distocervicales se completa con la fresa redonda quirúrgica n.° 4, pero debido a mi pereza, corté con la fresa redonda quirúrgica n.° 6 que tiene un diámetro mayor. Cuando esto sucede, tengo que cortar más profundo para crear un punto de apoyo para trabajar con un elevador estrecho. Debido a este corte más profundo, la extracción en L se realiza de forma natural.

04
Casos clínicos de corte Disto-Cervical con corte oblicuo ★★

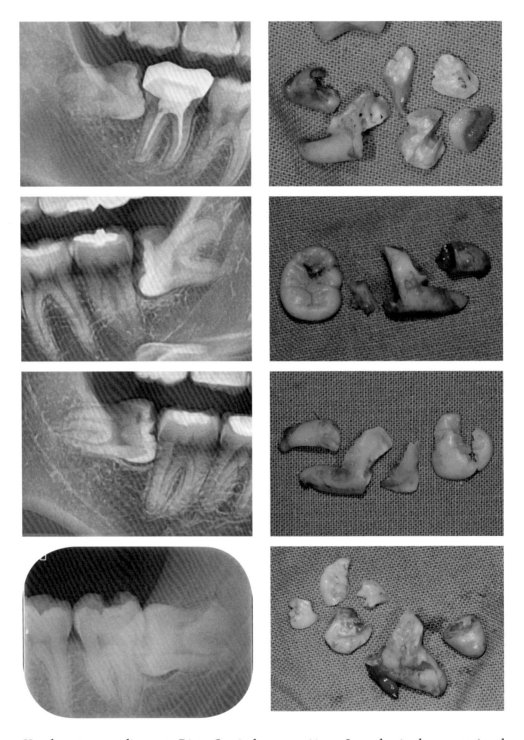

Usualmente, se realiza corte Disto-Cervical o extracción en L, es el método convencional para las extracciones difíciles. Generalmente el corte oblicuo se hace antes de colocar el elevador en vestibular para extraer el molar. Esta es la razón del porqué de observa en la imagen el molar en fragmentos.

05
Extracción en L completa en ambos terceros molares, incluidos ★ horizontalmente

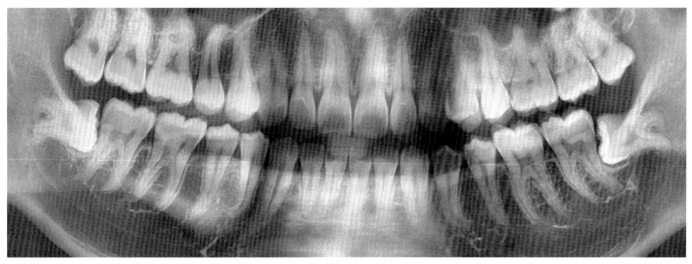

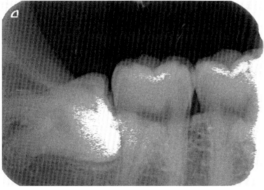

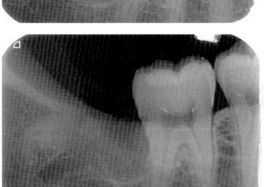

Este fue un caso en el que ambos terceros molares con retención horizontal se extrajeron mediante extracción en L. La angulación de la raíz se dirigió apicalmente, que es la angulación opuesta a la dirección de extracción. Realmente prefiero extracción en L en este tipo de casos. Porque una vez que se extrae la raíz mesial, se extrae la raíz distal curvada donde estaba la raíz mesial sin dejar ninguna raíz. Además, la mayoría de las veces la raíz mesial es relativamente recta, por lo que la raíz mesial se elimina sin complicaciones. A veces, la raíz mesial puede estar curvada como la raíz distal y posicionarse cerca del canal del nervio dentario. Por lo general, la raíz se fractura durante la extracción, si sucede, intento no ser demasiado agresivo con la extracción de la raíz remanente.

06
Aplicación de la extracción en L en casos con raíz distal dilacerada y curvada ★ apicalmente <1>

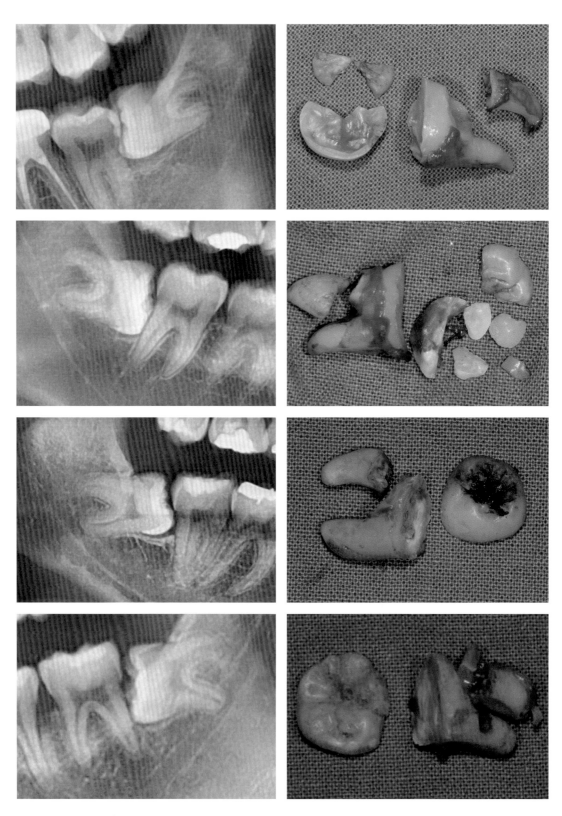

Aplicación de la extracción en L en casos con raíz distal dilacerada y curvada apicalmente <2> ★

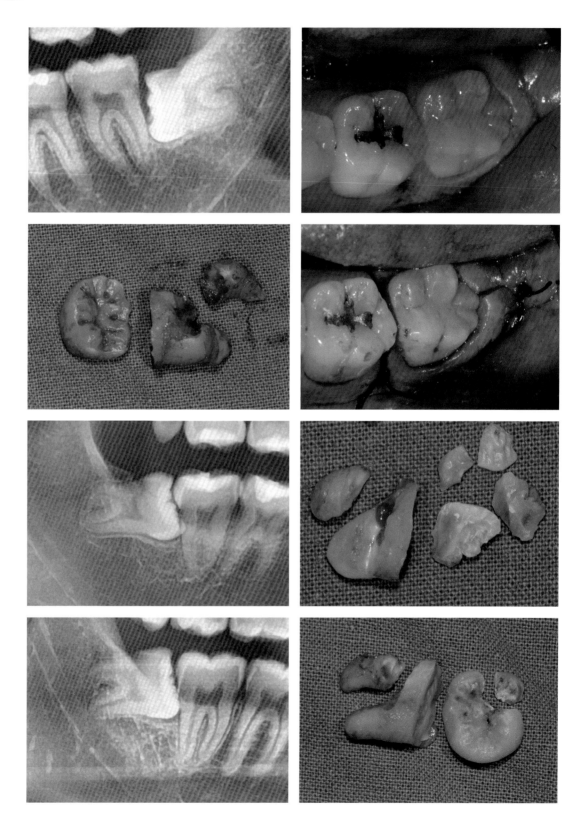

Aplicación de la extracción en L en casos con raíz distal dilacerada y curvada ★ apicalmente <3>

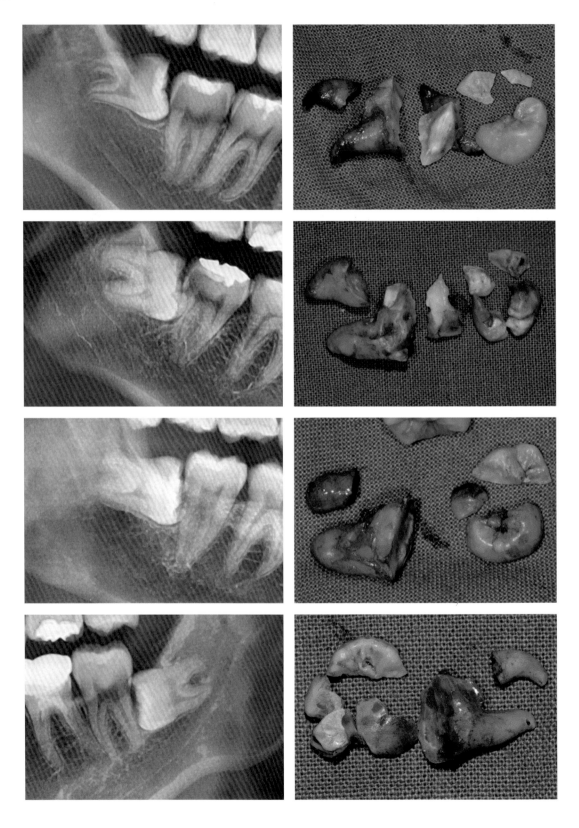

07

Casos fallidos de corte Disto-Cervical y Extracción en L de ambos terceros ★ molares incluidos horizontalmente

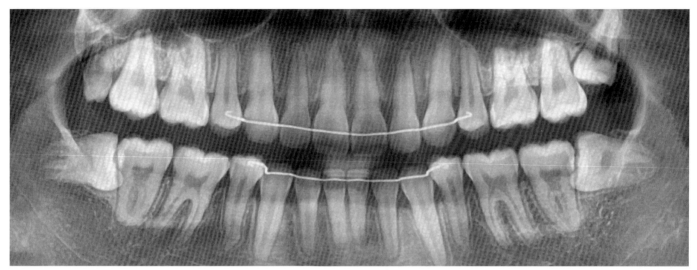

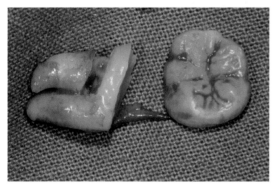 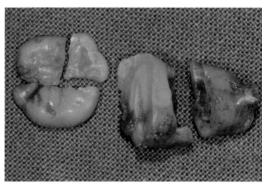

Las extracciones en L fallidas se realizaron en ambos terceros molares mandibulares. El # 48 se extrajo fácilmente sin fracturar la raíz. La extracción fue exitosa pero la extracción en L no. Se realizó un corte distocervical para eliminar la raíz restante del # 38, pero se fracturó toda la raíz. La raíz fracturada restante se retiró con el método de extracción habitual. Llamo a este tipo de casos como extracción en 3 fragmentos o extracción por trisección. Si deja la raíz restante, si detiene la extracción, se puede llamar coronectomía intencional exitosa. Analicemos un poco más sobre la eliminación en 3 fragmentos en la página siguiente.

Extracción en 3 fragmentos ★★

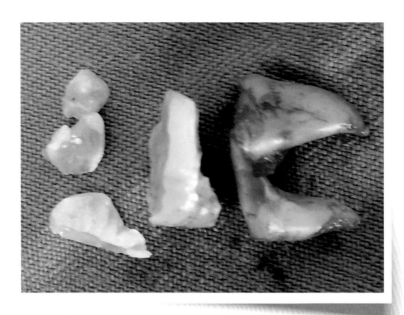

Un poco fuera de la imagen, es un viejo caso mío con el que estaba apegado, así que lo presento aquí

He mencionado el corte distocervical y la extracción en 3 fragmento. Puedes realizar la extracción intencionalmente en 3 fragmentos. Pero la mayoría de las veces, ocurrió al realizar un corte distocervical o una extracción en L y luego se produjo una fractura cerca del área de furcación. Las raíces remanentes se eliminaron con el método normal de extracción. Puedes dejar las raíces remanentes y considerar que es exitosa como coronectomía intencional ya que la fractura de la raíz ocurre relativamente en el hueso. No tienes que describir este tipo de extracciones, pero ocurren a menudo y no se considera necesariamente como extracciones fallidas. Por lo que denominé este tipo de extracciones como eliminación en 3 fragmentos.

01
Extracción en 3 fragmentos ★★

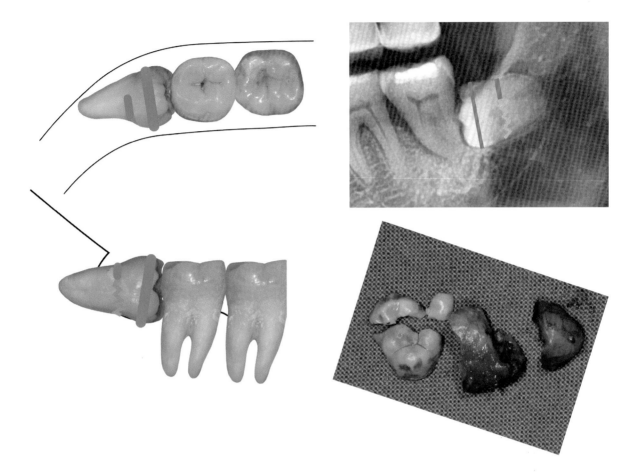

Se recomienda cortar completamente para eliminar la porción mesial 1/3 de la corona como se describe en corte de la corona. Pero para eliminar 1/3 de la corona, el corte es solo de 1/3 a la mitad de la corona creando un punto de apoyo como se describe en Corte distocervical. Así puede distinguir la sección y la porción fracturada cuando se examina la corona fracturada. El método sobre la raíz remanente se discutirá más adelante.

02
Casos clínicos de extracción en 3 fragmentos <1> ★★

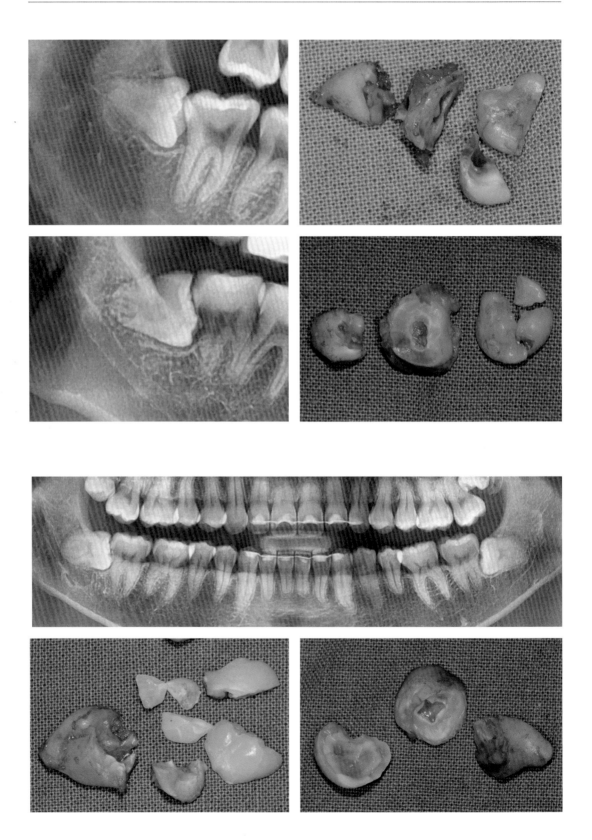

Casos clínicos de extracción en 3 fragmentos <2> ★

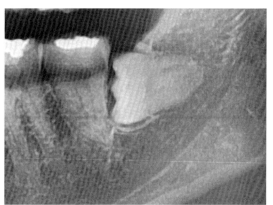

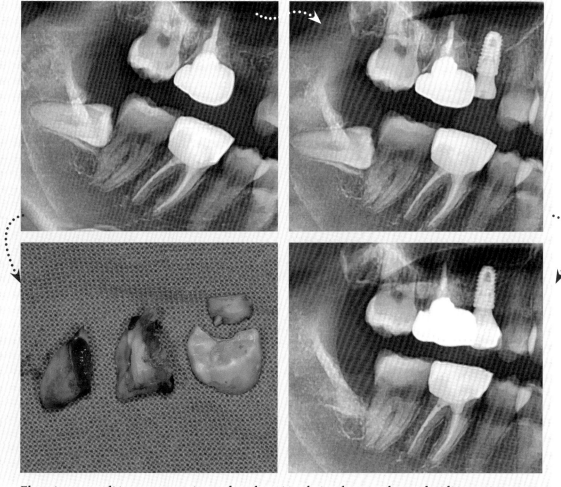

El paciente acudió para tratamiento de colocación de implantes y luego decidió continuar con la extracción de los terceros molares. Se tomaron radiografías panorámicas y se hicieron las extracciones. Presento este caso para mostrarle que esto sucede cuando haces toneladas de extracciones de extracciones de terceros molares. La radiografía muestra que la colocación del implante es levemente distal, pero se coloca en el centro del área edéntula.

03
Dientes unirradiculares que asemejan dientes multirradiculares

Como se menciona en el título, estos son los dientes de raíz única que se asemejan a dientes de raíces múltiples. Extraídos en 3 fragmentos en muchos de estos casos.

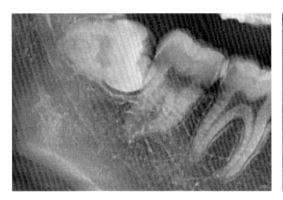
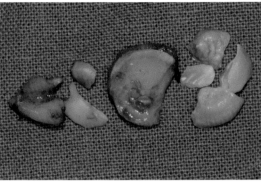

La extracción más difícil sería cuando la raíz se asemeja a la aleta. Cuando notas la aleta entre las dos raíces, este sería el caso más difícil de extracción de terceros molares. Siempre pienso que la extracción de terceros molares es fácil, pero cuando la extracción demora mucho tiempo, los dientes extraídos son similares al caso anterior.

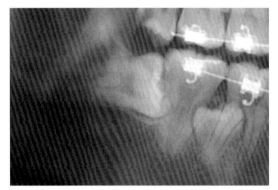
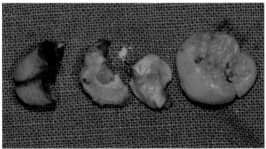

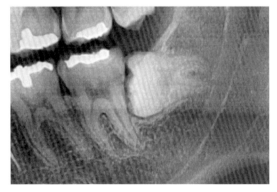

Esto también es tan difícil como el caso de la aleta en la extracción. Sin embargo, los casos que se muestran arriba no son casos complicados. Ambas raíces se asemejan a unos glúteos grandes. Esta forma de raíz hace que la extracción sea tan difícil como la aleta. Quedan 1/3 de la raíz que no se extrae en estos casos.

04
Inflamación severa cerca del tercio cervical coronal resulta en una raíz adherida

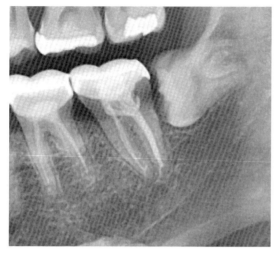
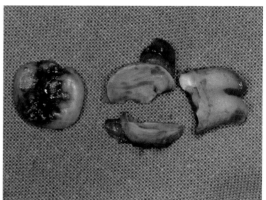
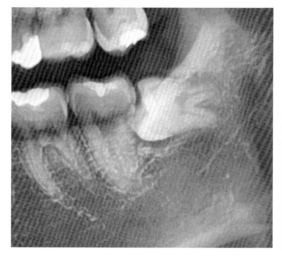
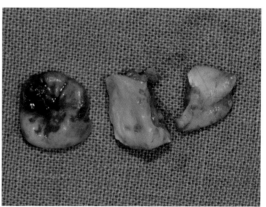

La forma del tercer molar anterior muestra que la extracción no sería complicada. Se puede ver que la lesión en cervical de la corona en el diente extraído presenta acumulación de cálculo que desarrolla inflamación en los tejidos gingivales adyacentes. Cuando existe una inflamación severa, el molar se puede desplazar y presionar hacia atrás, lo que hace que la raíz y el ligamento periodontal casi se adhieran entre sí, lo que dificulta la extracción. Cuando esto sucede, el corte distocervical se realiza por el estrecho espacio del ligamento periodontal. Si se fractura el diente durante el corte distocervical, se extraerá mediante extracción en 3 fragmentos.

05
Separación en 3 fragmentos de diente multirradicular ★

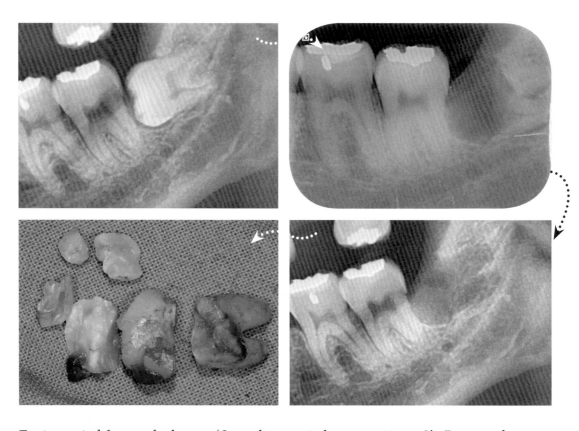

Tercio cervical fracturado durante 'Corte distocervical y extracción en L'. Esto sucede muy a menudo ya que la furcación está más cerca del ápice de la raíz. Mientras se eliminen las raíces remanentes, esto no es un gran problema.

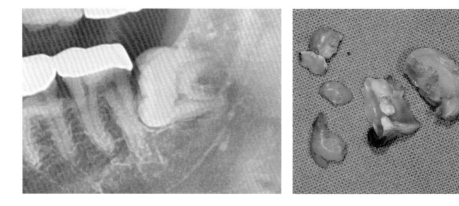

A medida que retiro el tercio mesial de la corona lo más cerca posible de la corona del segundo molar, se muestra arriba, el tercio medio se coloca más mesial de lo habitual, lo que resulta en una fractura de la corona. También la furcación está más cerca del ápice de la raíz. Si el tercio restante de la raíz se elimina fácilmente, es lo mismo que la extracción normal. Pero cuando el tercio remanente es un diente de raíces múltiples, a veces puede ser complicado quitar las raíces restantes.

Corte Disto-Cervical luego Separación de ★★★ la raíz en las raíces

Separación de la raíz en 3 fragmentos

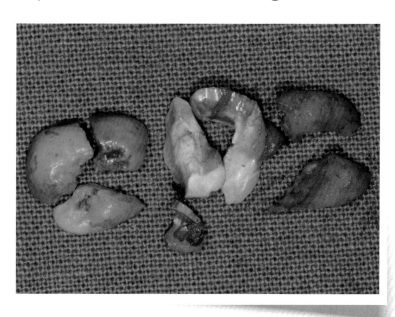

La mayoría de los dentistas separará la raíz durante la extracción del tercer molar con retención en horizontal, ¿Por qué mencionaría esto hacia el final del libro? Es porque rara vez uso una pieza de mano quirúrgica de baja velocidad durante la extracción. La mayoría de las personas supondría que un caso como este se manejaría con una pieza de mano recta de baja velocidad para separar las raíces múltiples, pero todavía no uso baja velocidad en esta etapa. Me las arreglo para acercarme al ángulo apropiado y uso alta velocidad para cortar entre las raíces y uso el elevador para fracturar en el área de corte. Como mencioné antes, no he usado la pieza de mano de baja velocidad desde 2014. Hubo casos difíciles de usar la pieza de mano de alta velocidad para cortar debido a la angulación de la cabeza de la pieza y también el hueso alveolar oclusal puede dañarse más debido al acceso. Así, recientemente comencé a usar la pieza de mano de baja velocidad de vez en cuando. Pero como tengo que extraer el diente rápidamente, uso una pieza de mano de alta velocidad mientras espero configurar el equipo diferente.

01
Separación en 3 fragmentos de diente multirradiculares ★★

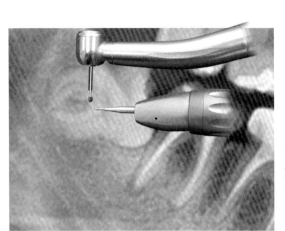

Normalmente, utilizo pieza de mano quirúr-gica de baja velocidad para separar las raíces, pero uso la pieza de mano de alta velocidad en la mayoría de las veces.

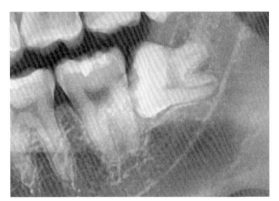
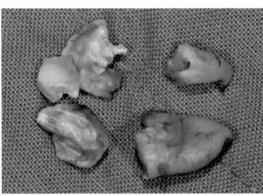

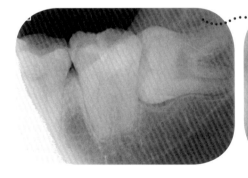
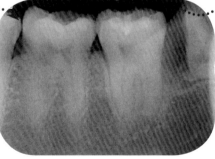
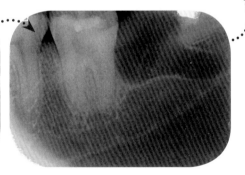

Se produce más reducción de la raíz ubicada más hacia oclusal que en otras debido a que se accede en oclusal con la pieza de mano de alta velocidad. Trate de minimizar la reducción de la raíz en la raíz más baja para mantener suficiente estructura para agarrarla porque generalmente la raíz ubicada más apical es más difícil de eliminar.

02
Remoción de la raíz localizada más apical primero ★

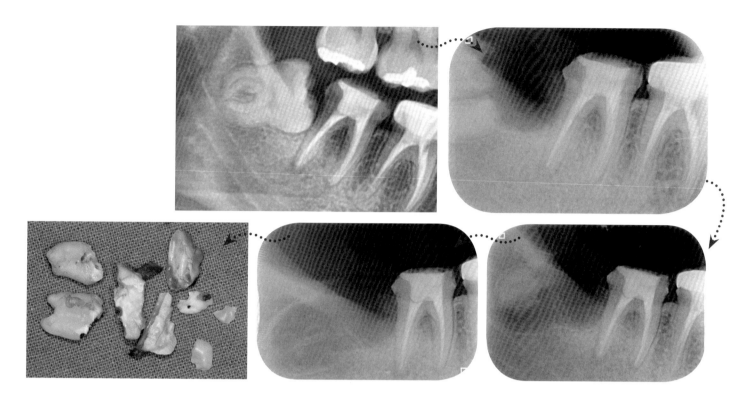

Este caso fue complicado por la curvatura y divergencia de las raíces. Hice la extracción en L y completé la extracción con muchos fragmentos.

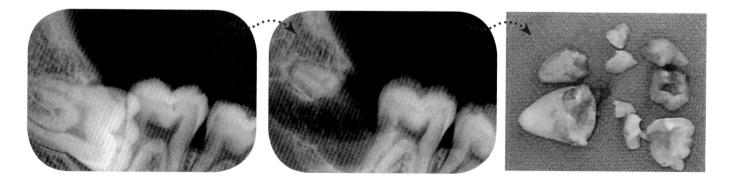

Esta imagen está un poco borrosa, pero este es uno de mis viejos casos, así que la presento aquí. La raíz remante es muy corta debido al acceso de la pieza de mano de alta velocidad desde oclusal, lo que resulta en una gran reducción en las raíces.

03
Remoción de raíz localizada socialmente es la regla prioritaria ★★
(sólo mi estilo de extracción)

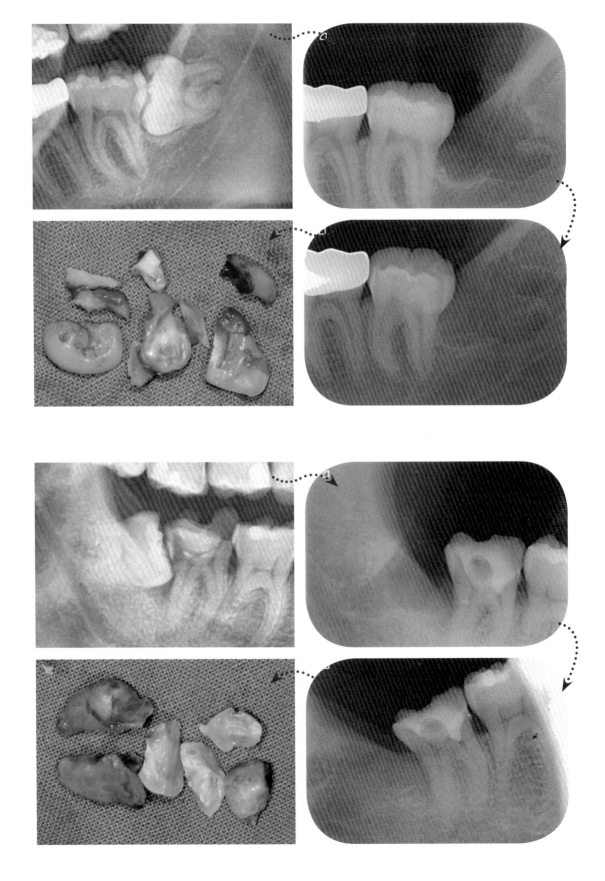

04
Casos clínicos de separación de raíces <1> ★

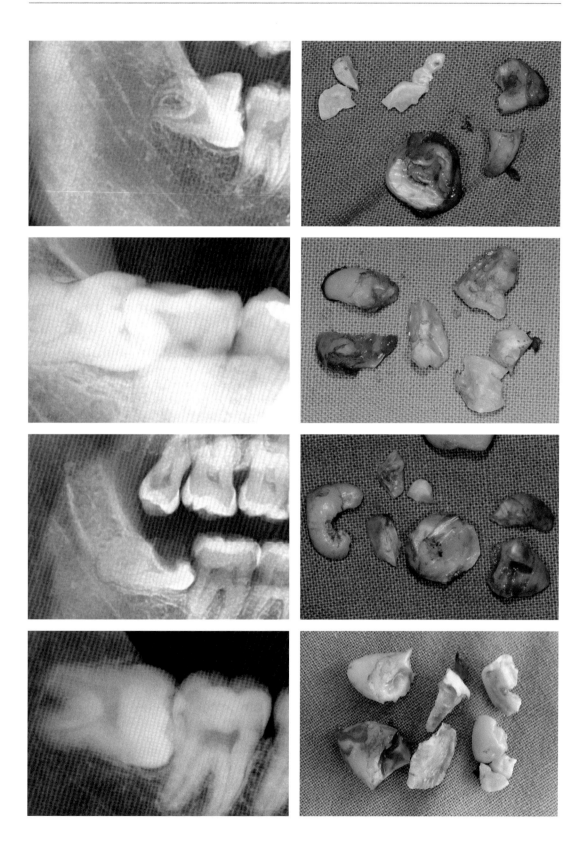

Casos clínicos de separación de raíces <2> ★

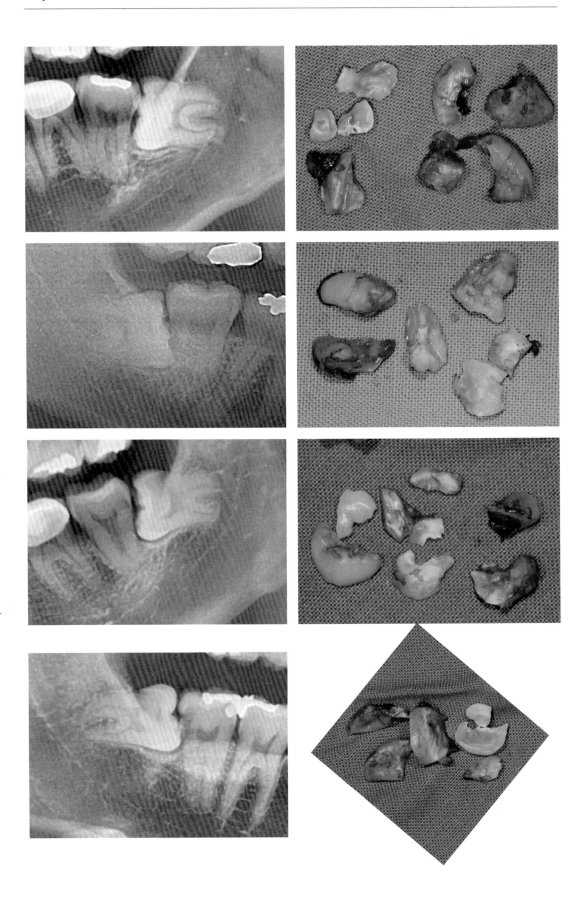

Casos clínicos de separación de raíces <3> ★

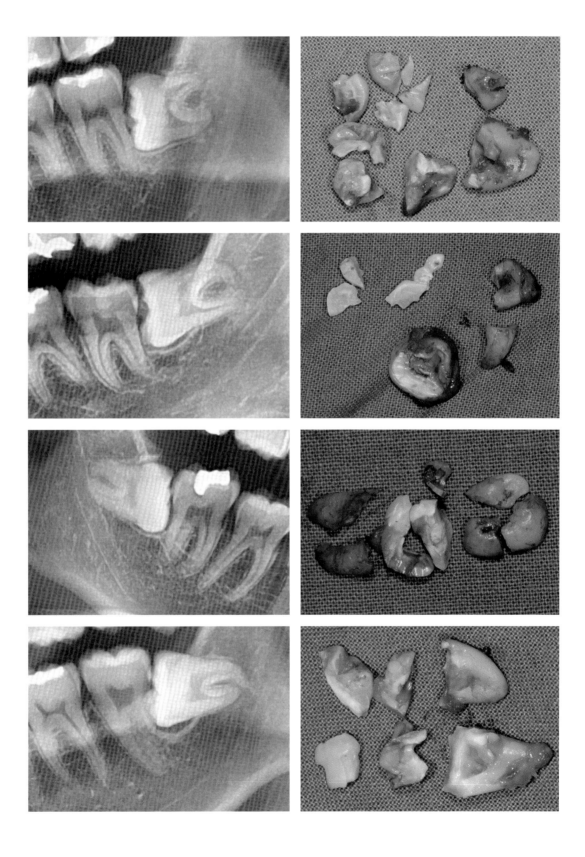

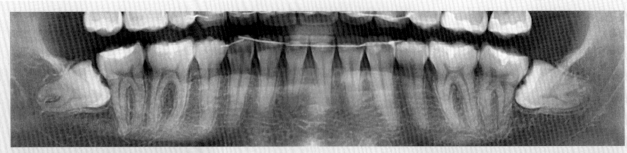

Caso de separación de raíces muy tradicional y típica.

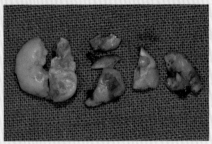

Tercio radicular remanente extraído con complicaciones y fractura del punto de apoyo por lo que fue una extracción en 4 fragmentos.

Casos clínicos de separación de raíces <4> Cuando las raíces remanentes son difíciles de extraer (forma de aleta o glúteos)

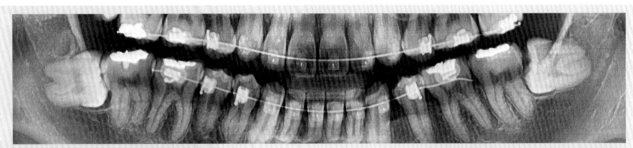

Esta es un caso típico de separación de la raíz y extracción. Supongo que mi personal estaba muy ocupado ese día porque los fragmentos dentales no están alineados correctamente, sino que se extienden por todas partes. De todos modos, el punto de apoyo en la raíz inferior fue creado con una pieza de mano de alta velocidad. El corte distocervical se realizó para eliminar la raíz remanente al igual que las otras para la extracción completa de la raíz remanente donde el punto de apoyo se crea con la pieza de mano de alta velocidad desde oclusal. La raíz mesial ubicada apical a la otra es la que presenta forma de la aleta.

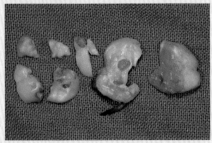

No recuerdo si no lo hice o no pude separar la raíz cerca de los ápices. Pero puedes ver que la raíz removida se asemeja a una forma de corte distocervical debido a que la extracción no fue fácil.

Casos clínicos de separación de raíces <5> – molar con tres raíces ★★

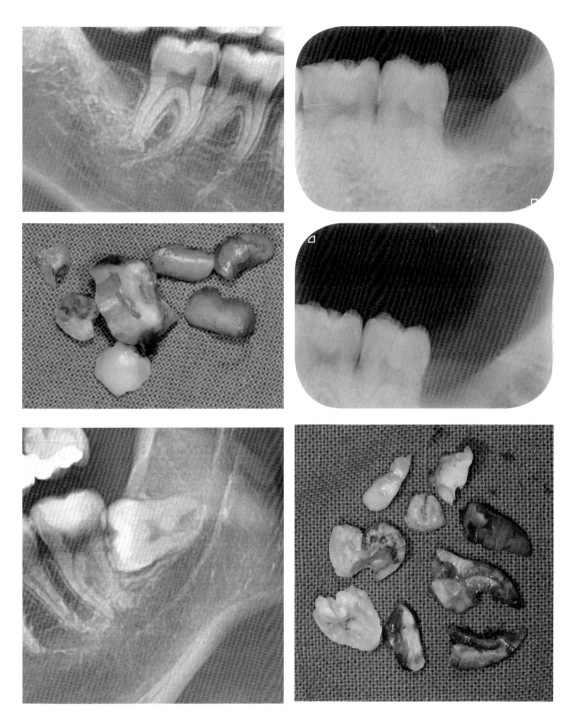

El tercer molar mandibular con tres raíces no es un caso de extracción fácil. La mayoría de las veces, existe una tercera raíz mesio-lingual muy delgada donde el dentista no puede notar su existencia hasta la extracción de la muela o la fractura y se queda en el alveolo durante la extracción. Pero cuando ves las tres raíces en un tamaño similar al que se muestra en la imagen, la extracción se vuelve muy difícil. La raíz mesial a veces se parece a la forma de un cacahuate o de aleta, lo que resulta en una extracción muy compleja.

Corte Disto-Cervical en la raíz ★★

Crear un punto de apoyo en la raíz desde oclusal

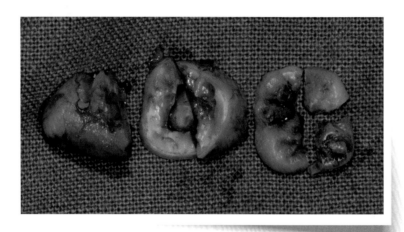

El procedimiento es similar al corte distocervical regular en un tercer molar incluido horizontalmente. Solo tienes que usar una fresa quirúrgica más pequeña porque el grosor del cemento es más delgado a medida que se acerca al ápice de la raíz. La angulación y el enfoque de la pieza de mano de alta velocidad son más difíciles cuando la posición de la muela se encuentra más apical. Este método es muy eficiente solo cuando la raíz se encuentra cerca del borde oclusal.

01
Corte Disto-Cervical en la raíz ★★

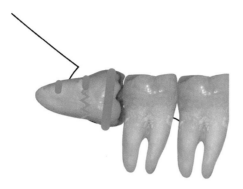

Habitualmente, pensarás que se procederá a hacer tres cortes perpendiculares, pero solo el primer corte será completamente a través de la corona y los otros se realizarán parcialmente, para luego terminar la fracturar.

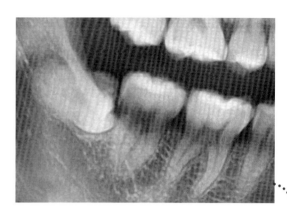

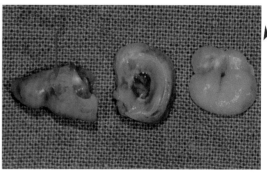

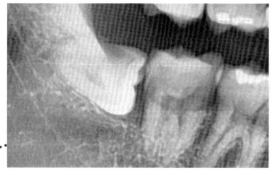

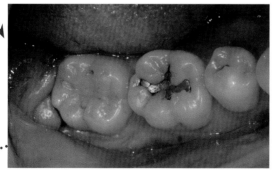

Siempre pienso dónde cortar en estos casos de extracción. Pensé en cortar cerca de la línea cervical y luego cambié mi plan para cortar un poco menos de lo habitual. Como mencioné antes, este es el caso en el que el diente ha sido desplazado hacia atrás, lo que da como resultado un espacio más estrecho en el ligamento periodontal que no permite colocar el elevador en donde se hizo el punto de apoyo para extraer el diente remanente. Se realizó un corte distocervical para tener un punto de apoyo para extraer el diente remanente. Pero la raíz se fracturó y el ápice remanente se quedó en el alveolo. Se hizo un corte distocervical más en un diente ya triseccionado, para eliminar la raíz restante.

Puedes cambiar de a una pieza de mano de baja velocidad para continuar, pero yo era demasiado perezoso para cambiar de equipo y también el diente estaba más oclusal, por lo que pude completar la extracción.

02
Corte Disto-Cervical en un tercer molar multirradicular ★★

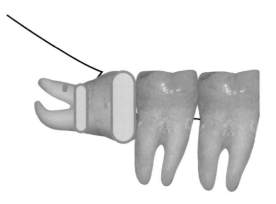

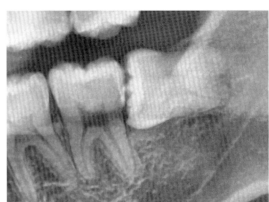

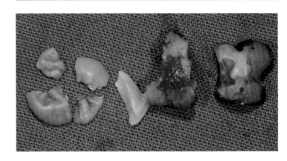

El corte distocervical en un diente con raíces múltiples no es muy diferente del diente de raíz única. Para ser exactos, ya está más allá de la línea cervical, por lo tanto, la técnica debería ser como crear un punto de apoyo en la raíz más superior. Pero el método real del procedimiento es el mismo que el Corte distocervical, por eso lo llamo Corte distocervical en la raíz. Esto solo es posible cuando el nivel mesial de la corona está cerca del borde oclusal del hueso alveolar.

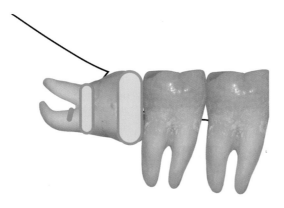

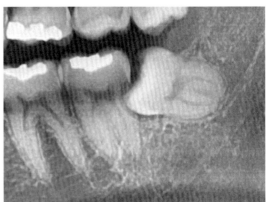

Así se elimina la raíz mesial incluida ubicada apicalmente en un diente con múltiples raíces. No es ideal tocar o interferir con la raíz cercana al canal del nervio dentario inferior desde lingual y / o apical. Por lo tanto, hacer un punto de apoyo para movilizar desde oclusal de la raíz mesial. La separación de las raíces se usa casi siempre en los casos similares al presentado. Usualmente uso el abordaje oclusal con una pieza de mano de alta velocidad donde se elimina más hueso disto bucal para separar las raíces cortando la furcación y la raíz mesial. También hago el punto de apoyo en la raíz mesial al mismo tiempo.

03
Casos clínicos de corte Disto-Cervical de la raíz <1> ★

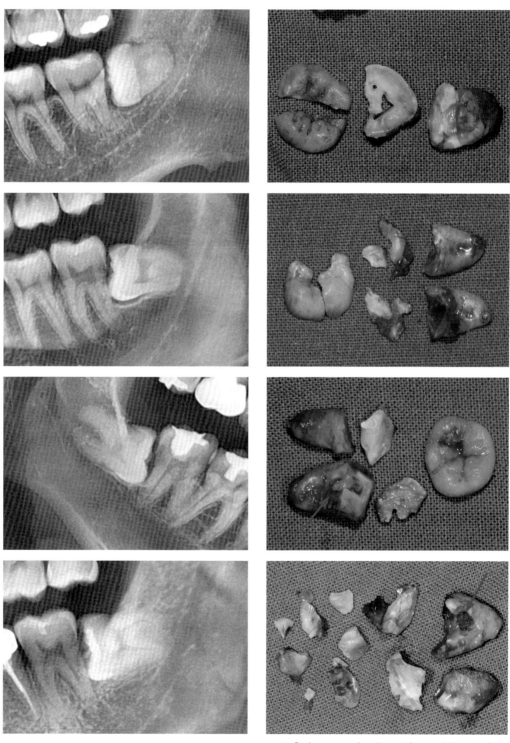

━━ La flecha muestra la raíz mesial en posición apical

El tamaño y la profundidad del punto de apoyo es diferente en cada caso, pero generalmente lo hago desde oclusal, por lo que las raíces remanentes se traccionen hacia adelante para completar la extracción con el punto de apoyo creado.

Casos clínicos de corte Disto-Cervical de la raíz <2> ★

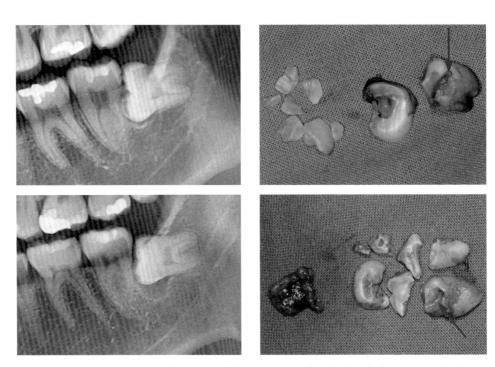

Tengo que crear un punto de apoyo oblicuo o vertical debido a la limitación de la angulación de la pieza de mano para crear un punto de apoyo horizontal. El diente estará elevado de en su porción mesio-bucal. Entonces, mientras el diente no se deslice durante la elevación, la raíz se moverá hacia adelante y se extraerá.

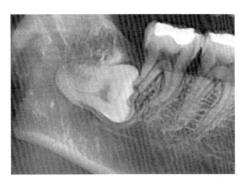

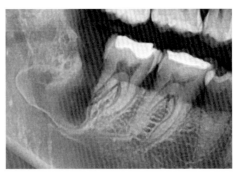

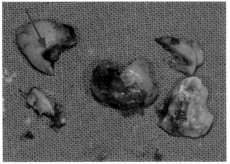

La raíz del tercer molar estaba al lado del nervio en lingual. Puedes ver la banda radiolúcida alrededor de la raíz que indica que el canal nervioso estaba muy cerca del diente. El molar se abordó con el punto de apoyo en vestibular, pero no por lingual y / o apical del diente.

He separado casos complicados para presentar en este libro, ya que este libro tiene como objetivo que cada dentista pueda tener éxito en la extracción. Pero he incluido este caso para mostrar que el paciente acudió debido a la inflamación que rodea la corona en lugar de tener el propósito del tratamiento cosmético o de ortodoncia.

Casos clínicos de corte Disto-Cervical de la raíz <3>

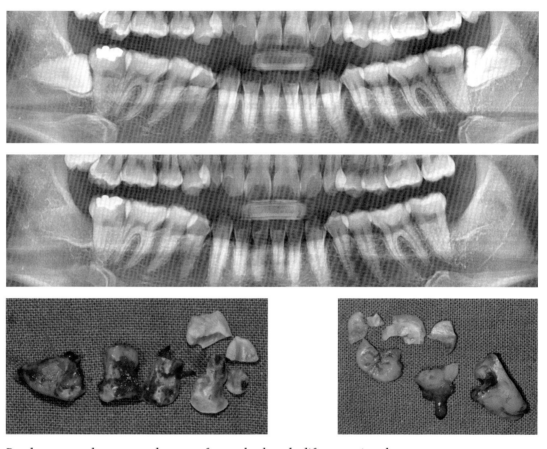

Puedes ver que los puntos de apoyo fueron hechos de diferentes ángulos.

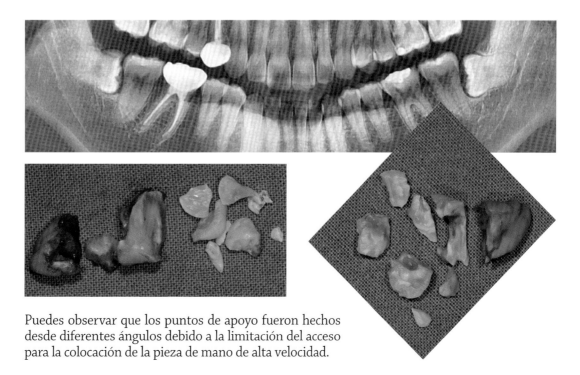

Puedes observar que los puntos de apoyo fueron hechos desde diferentes ángulos debido a la limitación del acceso para la colocación de la pieza de mano de alta velocidad.

Casos clínicos de corte Disto-Cervical de la raíz <4> ★

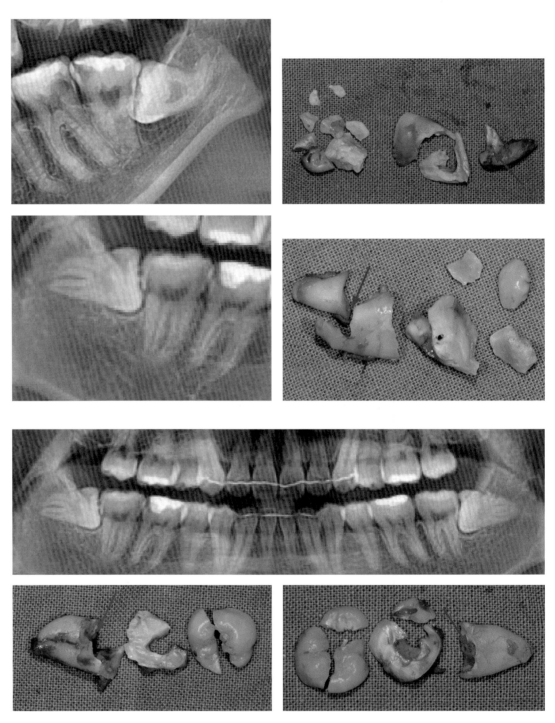

Es posible que no puedas completar la extracción incluso si realizaste el corte distocervical. El diente continúa fracturándose y eventualmente se debe crear un punto de apoyo en el centro del diente en lugar del área externa en el esmalte. Encontrará limitaciones al usar la pieza de mano de alta velocidad debido a la angulación. Utilizo la pieza de mano quirúrgica recta de baja velocidad en 1 de 500 casos donde se extrajo el diente creando un punto en el centro de la raíz en lugar de la superficie externa.

Creating a groove between the roots ★★★
(flat head screw driver extraction)

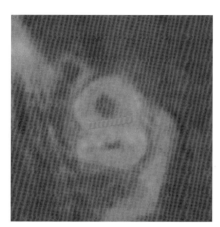

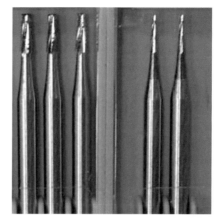

Creación de una ranura entre las raíces (extracción con elevador de punta plana) *** Comparación de tamaño en la típica fresa quirúrgica de fisura 016 utilizada con la pieza de mano de baja velocidad y la fresa quirúrgica de fisura 010 utilizada para osteotomía y crear surco en las raíces remanentes.

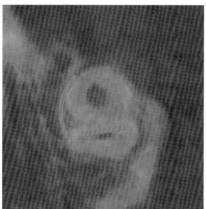

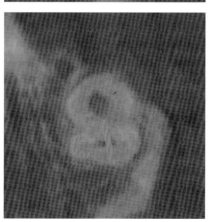

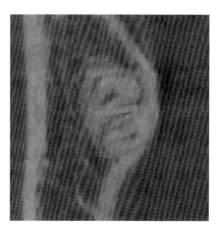

Las imágenes muestran que la osteotomía vestibular o la creación de surcos en las raíces depende de la forma y la angulación de las raíces remanentes.

Se usa fresa quirúrgica de fisura 010 o fresa quirúrgica redonda n.° 4, las fresas quirúrgicas son caras, por lo que utilizo fresa quirúrgica de fisura durante este corte, que es usa más eficiente en costo. Usualmente las uso donde no se necesita mucho corte. Además, es difícil obtener la fresa quirúrgica de tallo largo para pieza de mano de baja velocidad en Corea, ya que no se importan en el país. Por lo tanto, cuando es difícil acercarse con la fresa de tallo normal, saco la fresa ligeramente y tengo un ligero agarre en la pieza de mano para seguir con el procedimiento.

04
Creando un surco entre las raíces (extracción con un elevador de ★★ punta plana)

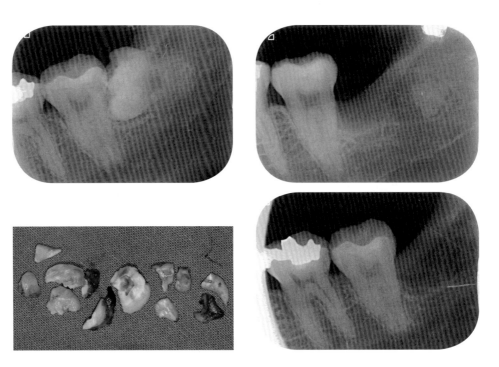

Debido a que las raíces remanentes estaban demasiado profundas donde la pieza de mano de alta velocidad tenía un acceso limitado, se utilizó una pieza de mano de baja velocidad para crear un surco entre la raíz para luego extraerla. La pieza de mano de alta velocidad se usó en la mayor parte de la extracción, excepto en la última parte donde se usó la pieza de mano de baja velocidad para crear un surco entre la raíz.

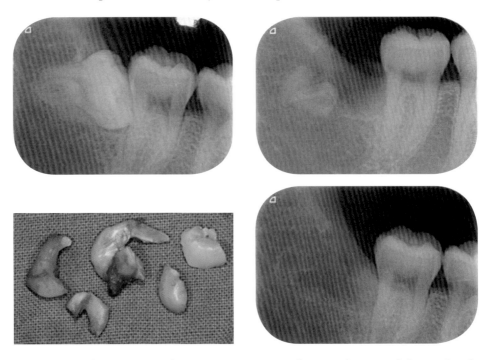

No tengo muchas imágenes de casos, ya que no uso la pieza de mano de baja velocidad tan a menudo como la de alta velocidad. Son imágenes ligeramente desorganizada del caso clínico del diente extraído.

Casos clínicos

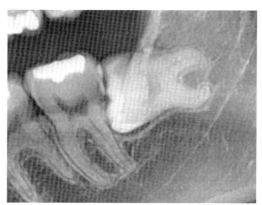
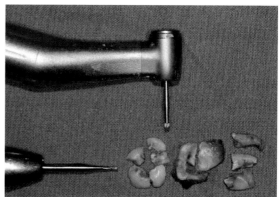

A finales de los años 20, una paciente japonesa acudió para una extracción de un tercer molar de rutina y comenzaron las cirugías. Pero debido a la severa curvatura de la raíz mesial se fracturó la raíz sin luxación del alveolo incluso después de que se completó el corte distocervical. Se observaron dos raíces, pero debido a la forma de la raíz mesial, forma de cacahuate, las raíces se separaron inicialmente con la pieza de mano de baja velocidad. La punta plana del elevador se coloca en la raíz mesial y se extrae por separado la raíz mesial buco-lingualmente.

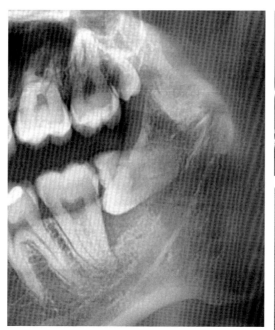

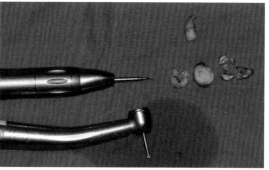

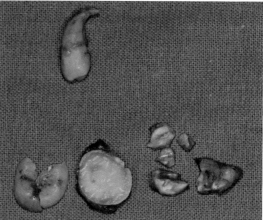

Se sospecha un tercer molar incluido horizontalmente en un paciente masculino que se presenta para cirugía. Pero como discutimos en el capítulo de radiología, la lesión inflamación en cervical de la corona puede provocar una ligera adhesión del diente al hueso alveolar por intrusión. También puedo sospechar un signo de Youngsam en la raíz en la radiografía. Se realizó un corte distocervical y el diente todavía no se luxaba del alvéolo. Luego, la punta plana del elevador se coloca varias veces, pero el diente se fractura constantemente y no se extrae. La raíz finalmente se extrae después de varios intentos. Este es un caso de corte y extracción hecha alternando entre una pieza de mano de alta velocidad y otra de baja velocidad.

realmente no tienen que extraer esto, aunque tengas tiempo libre... ★

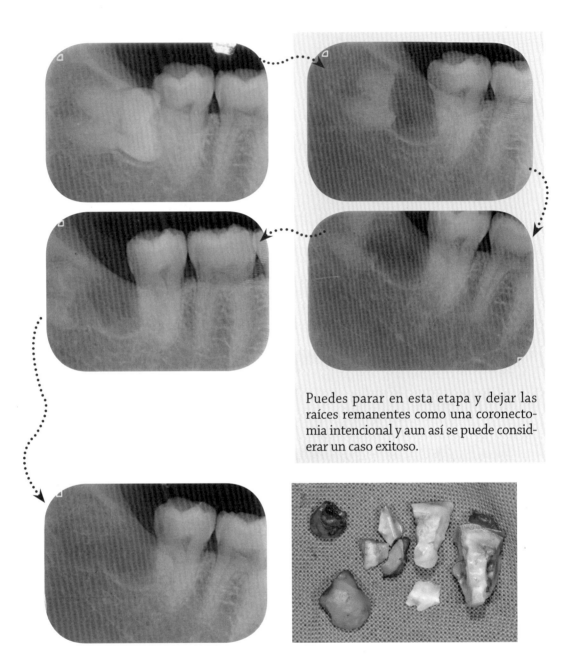

Puedes parar en esta etapa y dejar las raíces remanentes como una coronectomia intencional y aun así se puede considerar un caso exitoso.

05
Cortes mezclado y combinado ★

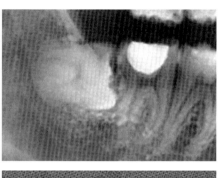

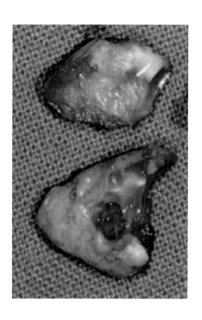

Solo lo denominé corte mezclado y combinado. Como puede sospechar, la extracción no sería fácil debido a la forma de las raíces. La separación de las raíces se complet ó y luego se utilizó la pieza de mano de alta velocidad para crear puntos de apoyo para eliminar las raíces individualmente.

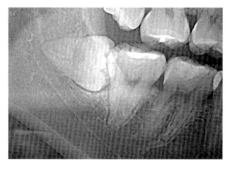

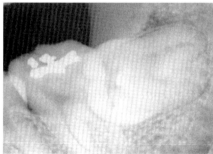

Este no es un caso reciente. Supongo que mejoré en mi habilidad de extracción ya que actualmente no realizo odontosección para la extracción. Por supuesto, también puedes decir que hay un aumento en la tasa de coronectomía intencional o que dejas algunas raíces en el hueso. No me obsesiono en que se debe eliminar toda la estructura dental como creía cuando era más joven y entusiasta.

06
Extracción de terceros molares rotados ★★

Extracción de tercer molar vertical con la cara vestibular rotada hacia distal

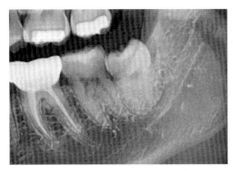 

Este es un tercer molar incluido verticalmente, pero rota 90 grados donde la superficie vestibular está orientada distalmente. El corte distal de la corona se realizó en el área distal del diente y luego se extrajo el diente, independientemente de la posición actual del diente. El punto interesante es que incluso con la corona distal fracturada, la extracción del diente restante no fue fácil. Debido a que el elevador está diseñado para colocarse en la raíz mesio-bucal, por lo que el diente rotado dificulta la colocación del elevador. Es inusual y poco familiar enfrentarse al diente rotado como un boxeador que mira hacia el pie.

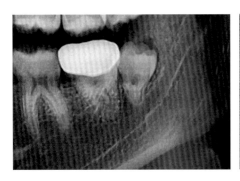 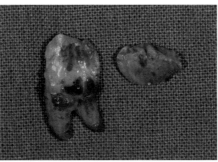

Comencé con la cirugía suponiendo que el diente es un diente impactado verticalmente típico con una sola raíz. Pero el diente se rotó para que la superficie vestibular se colocará distalmente, resultando en una extracción difícil. Comencé con el corte distal de la corona suponiendo un diente impactado verticalmente típico, como en el caso anterior. La extracción no fue fácil.

Extracción de tercer molar vertical con la cara vestibular rotada hacia mesial

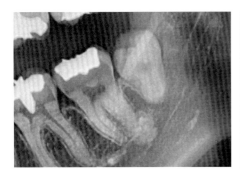  

Inclinado lingualmente con la cara vestibular con giro 90 grados hacia mesial. Esto tampoco es común, la posición del diente y la extracción no fue fácil. Se utilizó una pieza de mano de 45 grados para el corte cervical para eliminar la corona del diente debido a la ligera inclinación lingual del diente, luego se eliminó la raíz remanente.

07
Extracción de tercer molar incluida horizontalmente y girada <1> ★★

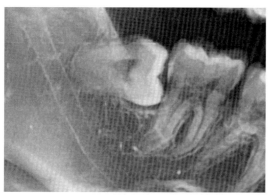

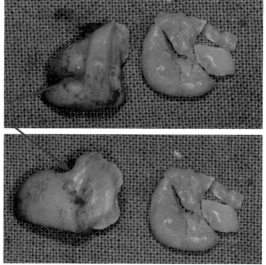

Extracción del tercer molar incluido horizontalmente girada con la cara vestibular rotado 90 grados hacia la cara oclusal. Realice la cirugía como si fuera un diente similar pero definitivamente no es una cirugía común. El corte de la corona fue diferente y el resto de la corona tampoco fue fácil. Tuve que realizar un corte distocervical para crear un punto de apoyo y luego extraje el diente traccionando hacia adelante. El corte se puede observar tanto en la superficie vestibular como mesial. A veces hay que pensar "fuera de la caja" en otra técnica que no sea usar el elevador sobre el diente. A menudo accedo desde oclusal con una incisión en la encía, luego separo la raíz mesial y distal y luego las retiro individualmente.

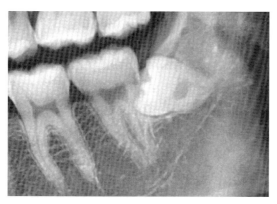

El tercer molar incluido horizontalmente parece tener una sola raíz en la radiografía. Pero cuando se quitó la corona, me di cuenta de que el diente estaba rotado en un ángulo de 90 grados. Debido a la falta de experiencia en estos casos, fue más difícil quitar la corona del diente que en otra extracción. La estructura dental extraída presentaba dos raíces claramente, pero mi imagen está ligeramente oscura. He estado entrenando a mi personal para tomar una imagen lo más cerca posible de la radiografía y esto es el resultado. Sería bueno presentar el caso mostrando las dos raíces separadas una al lado de la otra. Según mi experiencia, el tercer molar rotado es más difícil remover la corona que las raíces en comparación con una muela no rotada. Es posible que una extracción sea fácil, pero en la mayoría de los casos, será difícil. Solo tenga en cuenta que proceder a la extracción de la muela rotada puede ser difícil.

Extracción de tercer molar incluida horizontalmente y girada <2> ★★

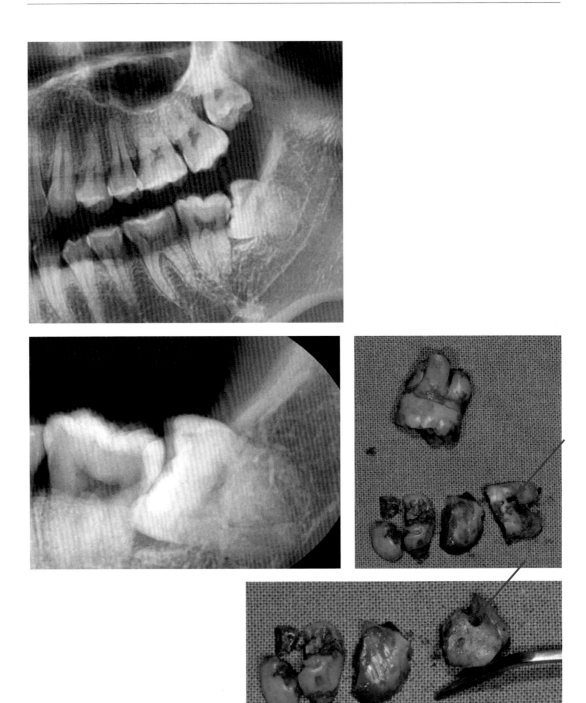

Paciente masculino de 30 años que se presenta para extracción de terceros molares. A diferencia de su #48, el #38 se rotó 90 grados. Las radiografías muestran que la superficie bucal del diente está casi con oclusión. El diente no se extrajo incluso después de separar la corona. Se realizó un corte distocervical y se fracturó la sección media del diente, lo que resultó en un corte de la raíz distal. Puedes ver que por donde se hizo el surco notamos que las dos raíces eran visibles desde la vista oclusal.

08
Extracción de tercer molar inclinada lingualmente ★★

Por favor consulte la última página del Capítulo 5-2, el caso de extracción presentado con el uso de la pieza de mano de baja velocidad 5x con un ángulo de 45 grados antes de la extracción del tercer molar inclinado lingualmente.

La extracción de tercer molar inclinada hacia bucal no es muy diferente de cualquier otra extracción, excepto una pequeña cantidad de osteotomía. Se debe tener cuidado con la limitación del acceso de la pieza de mano o los instrumentos por la inclinación lingual de la muela. A menudo uso una pieza de mano recta de baja velocidad para el procedimiento, pero últimamente uso una pieza de mano de alta velocidad de 45 grados para completar el corte cervical y eliminar la raíz restante.

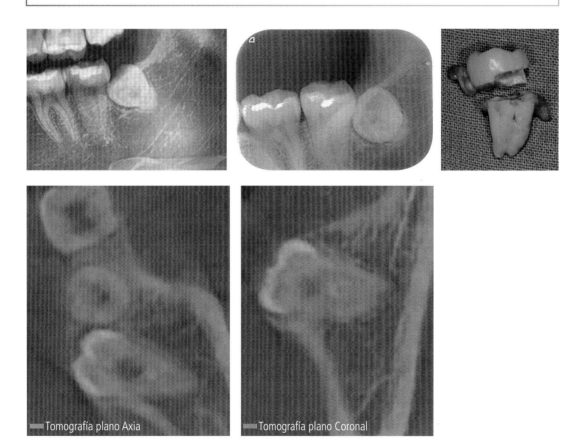

Tomografía plano Axia

Tomografía plano Coronal

La inclinación lingual y la cara vestibular se giran ligeramente hacia distal cuando se examina la radiografía panorámica y el CBCT. Si procede a la extracción, la muela se extraerá hacia lingual donde la estructura lingual se verá comprometida. El en lado lingual debe ser siempre cuidadoso. Por lo general, utilizo una pieza de mano de 45 grados para completar el corte cervical del desde vestíbulo-mesial y luego elimino la raíz restante.

La inclinación lingual y el tercer molar rotado pueden considerarse cuatro veces más difíciles que la muela incluida horizontal normal. Puede ver que se ve similar en la radiografía entre la inclinación bucal y la inclinación lingual, pero el tercer molar inclinada hacía bucal se puede extraer de manera fácil y segura mediante una pequeña osteotomía del hueso alveolar bucal.

09
Inclinación lingual severa del tercer molar ★★

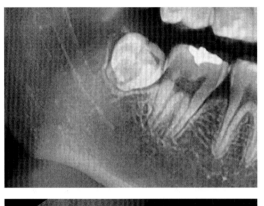
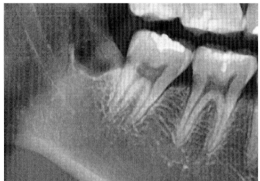

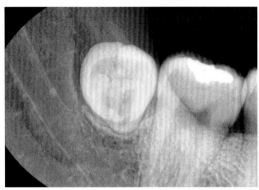
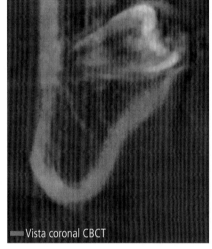
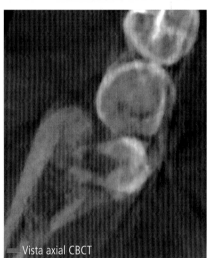

Tercer molar mandibular con inclinación lingual extrema pero debido a que se encuentra localizada cerca de plano oclusal, se pudo hacer la extracción sin osteotomía.

Vista coronal CBCT

Vista axial CBCT

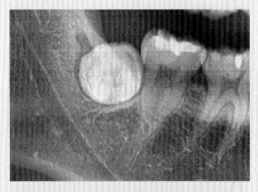
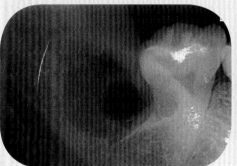
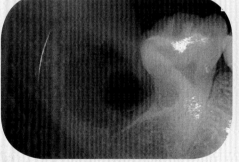

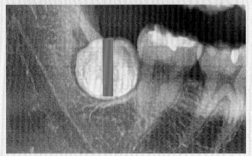

El paciente referido de otra clínica dental por un tercer molar severamente inclinado hacia lingual. Pensé en cómo abordar la muela, luego decidí dividir el diente verticalmente y luego retirar los fragmentos de diente uno a la vez. Siempre pienso en cómo abordar en el caso y debes proceder de acuerdo con la condición ósea alveolar circundante. Debes considerar la falta de experiencia en cuanto a la posición del diente, que te llevará más tiempo en la extracción.

10
Extracción de tercer molar con desarrollo incompleto ★★

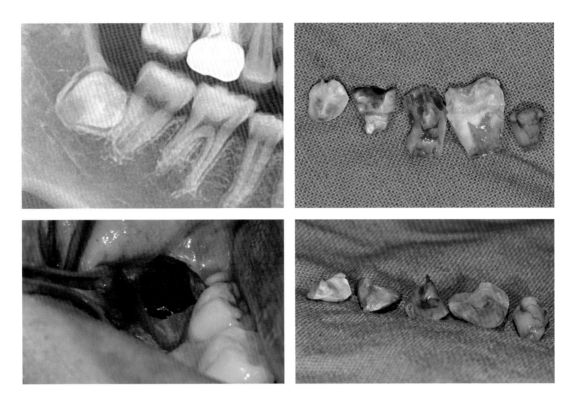

Paciente femenino a finales de los años 20 que se presentó para extraer los terceros molares antes de comenzar el tratamiento de ortodoncia. El desarrollo en las raíces de las muelas parece de otra persona. Puedes observar un desarrollo radicular incompleto detectado en algunos pacientes de mediados de los años 20 y también puedes ver un desarrollo radicular casi completo en adolescentes tardíos. Lo que encontramos en las extracciones de estas muelas que minimiza y limita de la osteotomía del hueso alveolar y la tiene que extraer el diente en fragmentos mediante varios cortes de la corona. Mi método típico de corte de corona, corte lingual, elevación y corte se realizaron en este caso.

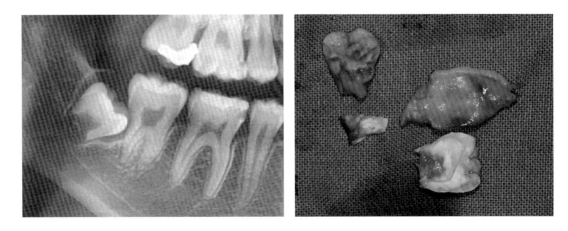

Paciente femenino de 17 años, extracción usando una pieza de mano recta de baja velocidad. Para usar la pieza de mano recta, se hizo leve osteotomía de hueso alveolar vestibular, pero el hueso alveolar distal presentaba lesión.

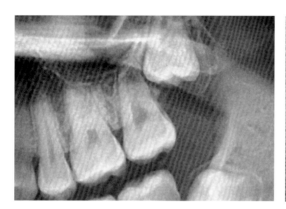 

Para los terceros molares maxilares desarrollados de manera incompleta, rara vez se extraen, a menos que se prepare para el tratamiento de ortodoncia. El paciente solicitó la extracción de los terceros molares antes del tratamiento de ortodoncia, caso presentado anteriormente. La extracción se realiza de manera similar a los pasos de la técnica típica. Cuando se hace osteotomía del hueso alveolar que cubre la corona, la extracción del diente es relativamente fácil debido al desarrollo incompleto de la raíz. No hay mucho que diferenciar de otras extracciones, pero debido a que generalmente son fáciles de quitar, no tiene que evitarse la extracción. Con una incisión y un colgajo adecuados, un ligero movimiento de elevación se luxará y extraerá el tercer molar.

Introducción y capítulo 09 traducido por.

Dra. Jessica I. Ancona Alcocer

Graduada de la Facultad de Odontología en la
Universidad Autónoma de Yucatán, México.
Egresada como especialista en Cirugía Oral y
Maxilofacial del Hospital Metropolitano "Dr. Bernardo
Sepúlveda" en Monterrey, Nuevo León.

Me siento muy agradecida de formar parte de este
equipo, ya que el libro contiene diversos capítulos
interesantes acerca de cirugía de terceros molares y
pienso que es una gran oportunidad para aprender.
Espero que sea de utilidad para estudiantes y colegas
cirujanos, debido a que todo el equipo mostró gran
dedicación por desarrollar este proyecto.

Extracción Con Fórceps ★★

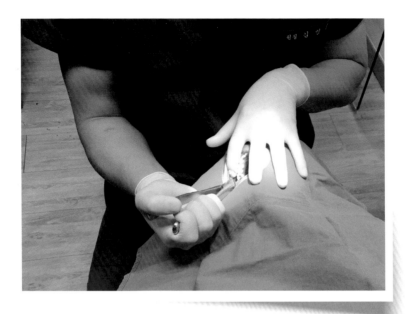

Los fórceps son los primeros instrumentos que se consideran en la extracción del tercer molar superior. Algunos dentistas piensan que la extracción con fórceps es para principiantes y parece ser más complicado cuando tomas el diente con un elevador. Eso es una mentalidad de novato. Si aprendes y sabes cómo usar bien el fórceps, la extracción puede ser más rápida y segura. Trato de mantener la bandeja de extracción lo más simple posible, pero siempre preparo el fórceps junto con un elevador. Algunas veces toma más tiempo escoger instrumentación cuando hay extras. Sin embargo, los fórceps permiten realizar una extracción más segura y rápida. El elevador se utiliza cuando durante el procedimiento no es posible extraer el diente con fórceps. Si utilizas un elevador principalmente en tercer molar superior, espero que trates de usar el fórceps con más regularidad.

01
Cómo agarrar el Fórceps Hu Friedy 10S ★★★

Utilizo el fórceps Hu Friedy 10S para la mayoría de los terceros molares. Es más seguro utilizar instrumentos que usas regularmente. Si participas en una carrera de resistencia mortal ¿manejarías un auto nuevo? Utilizaría un buen auto universal, practicaría con los todos los días y lo usaría en la carrera de resistencia. Da lo mejor de ti en cada procedimiento, incluso cuando sea una rutina para ti, podría ser el destino para el paciente. Concéntrate en no hacer una iatrogenia que te hará sentir triste y molesto. Yo extraje muchos terceros molares con esos fórceps y entendí su uso en diferentes tamaños y localizaciones en los dientes.

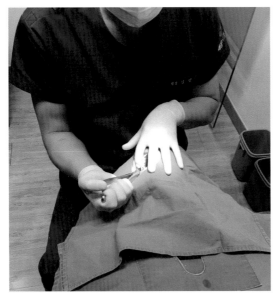
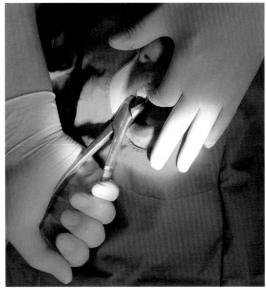

▬ Posición para los terceros molares superiores. Debido al problema de mi espina, la mayoría de los procedimientos los realizo en la posición de las 9 horas. Si es un diente obstinado, me muevo a la posición de las 12 horas para tener fuerza y estabilidad. Confirmo el agarre y ubicación del fórceps en la posición de las 9 horas primero y luego me muevo a la posición de las 12 horas.

Debido a mi problema espinal, la mayoría de los procedimientos los realizo en la posición 9 del reloj. Si es una muela complicada, algunas veces me muevo a la posición 12 del reloj. Confirmo la forma de agarrar y localización del fórceps primero en la posición 9 y luego me muevo a las 12. Cuando agarro el fórceps, la palma de mi mano está arriba y el dedo se encuentra por dentro, al final del fórceps.

Comentario del Dr. Jae-Wook Lee

Si piensas de otra forma, la postura y técnica sugerida en este libro puede causar menos presión a la espina dorsal.

★★★

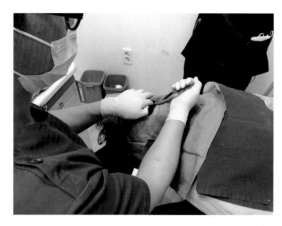
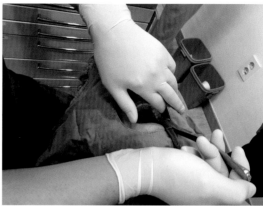

Extracción del # 28 en posición 9 del reloj. La extracción es realizada como si empujaras tu muñeca al lado bucal. Algunas veces coloco mi dedo índice izquierdo en el segundo molar para sentir el movimiento. Frecuentemente coloco el dedo en la región bucal para retraer la mejilla.

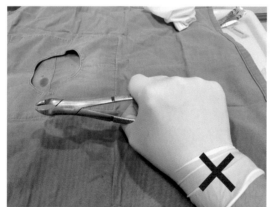

Video para observar el movimiento de los fórceps

Un clip que muestra como abrir y cerrar los fórceps de manera correcta. La mayoría de dentistas lo hacen de esta manera, pero también he visto otras posiciones.

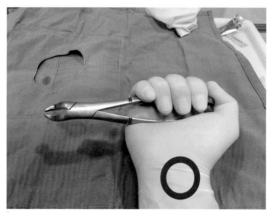
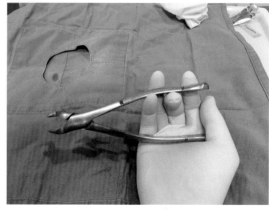

Agarra el fórceps de manera que la palma de la mano quede hacia arriba. Es lo mismo para terceras molares superiores o inferiores. Usa el dedo en posición al fórceps.

02

Fórceps necesitan ser agarrados con firmeza. Cerca del 60% de la fuerza ★★
durante la extracción se utiliza para agarrar los fórceps

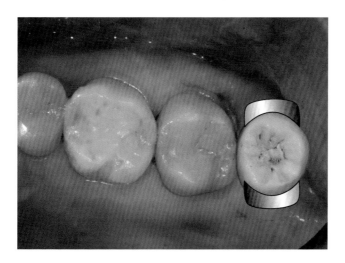

Necesitas agarrar el fórceps con firmeza. Si usas el 100% de la fuerza para la extracción, solo el 60% debe ser usado para agarrar el fórceps con firmeza. Es importante evitar cualquier desplazamiento del fórceps durante la extracción. Después de agarrar el diente fuertemente, trata de realizar el primer movimiento para confirmar la correcta localización del fórceps en el diente y ver si existe deslizamiento. El diente adyacente puede ser dañado por el deslizamiento del fórceps y golpear al diente. Recuerda confirmar la posición del fórceps. La mayoría de los dentistas que no quieren extraer el tercer molar no es por el daño al nervio. Han tenido muchas quejas de pacientes sobre la sensibilidad de los dientes adyacentes posterior a la extracción. Recuerda que la primera regla es concentrarse en no causar daños a los dientes adyacentes u opuestos.

03
Precaución del daño al diente adyacente ★★

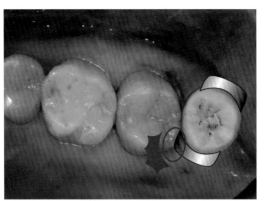

Fórceps pueden empujar y dañar la corona del diente adyacente mientras se realiza la extracción del tercer molar incluso sin deslizamiento del fórceps. Cuando un tercer molar es pequeño o esta rotado, pequeños movimientos del fórceps pueden causar daño a los demás dientes. Recuerda, la primera regla es no concentrarse en los 99 casos que harás bien, si no concentrarse en el caso que te hará sentir triste.

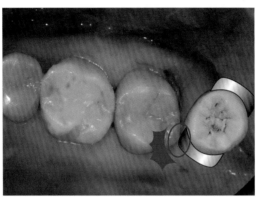

Incluso sin daño directo del fórceps, la presión del tercer molar al diente adyacente puede causar fractura. Es importante evitar movimientos imprudentes del fórceps en direcciones no esperadas. Para prevenir la presión del diente adyacente, la mayoría de la fuerza debe ser directa hacia la dirección distal. Un concepto importante de la extracción con fórceps es la dirección de los movimientos.

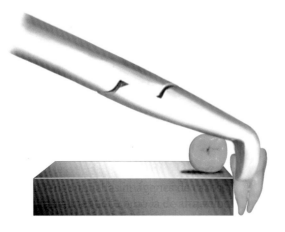

Veamos la imagen. ¿Qué crees que pasara si presionamos el diente mientras agarramos el otro? Probablemente se fracture el diente. Las pinzas del fórceps están localizadas cerca del diente adyacente. Puede causar fácilmente daño a este diente.

04
Dirección del movimiento del fórceps ★★

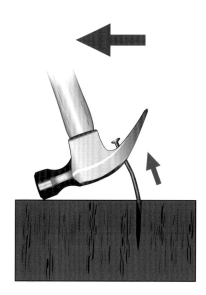

Esta es una analogía sobre la extracción del tercer molar mostrada con un instrumento de carpintería. Actualmente tus tuerces el fórceps mientras tiras de él. Algunas veces el difícil lograr que los estudiantes realicen el movimiento de vaivén. A muchos otros les toma bastante tiempo abandonar el hábito de tirar del diente.

Hablando precisamente, la extracción del tercer molar está más cerca de tirar de un imán de una pared de tela. Cuando tratas de remover un imán de la pared de tela como un refrigerador, levantas un lado del imán y jalas. Mientras que remover un clavo de madera, toma tracción continua, necesitas una fuerza instantánea para mover el fórceps. Esto es más importante que una fuerza continua en la extracción con fórceps.

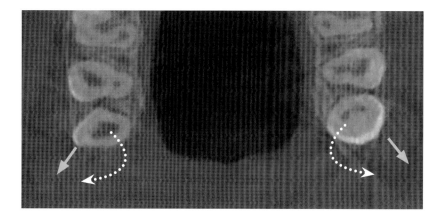

Para la mayoría de los terceros molares superiores, rotas la superficie palatina del tercer molar afuera y giras el diente hacia la flecha amarilla. Es preciso decir que rotas al mismo tiempo. Puedes tratar de luxar el diente con fórceps, pero no es necesario para la mayoría de los terceros molares superiores.

05
Dirección de la acción del fórceps ★★★

Mueve el fórceps hacia afuera y rótalo. La dirección del movimiento del fórceps es mostrada en los videoclips. Tendrá sentido cuando los observes. Velos y practica muchas veces como si fuera una lección de golf en línea y practica usando el movimiento.

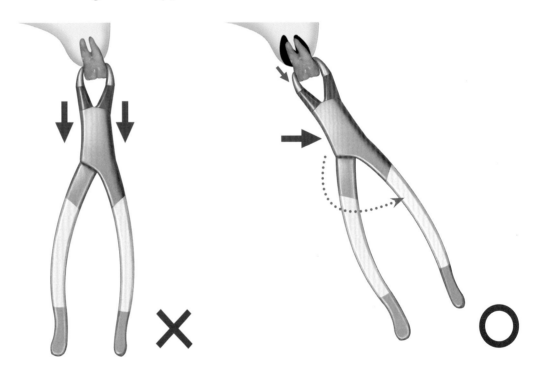

Observa la fotografía, no debes jalar el fórceps, si jalas puedes causar daño al diente opuesto y no se realizará la exodoncia de manera correcta. Necesitas rotar el diente a la derecha. Nunca causaras daño al nervio alveolar si lo realizas de esta forma. No necesitaras preocuparte.

06
Precaución distal del segundo molar cuando el tercer molar superior ★★ está erupcionado en bucal o palatino

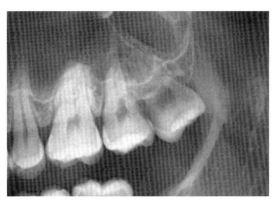

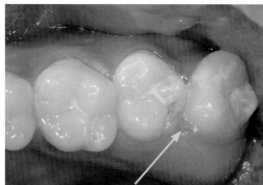

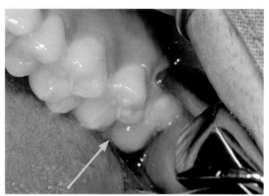

Cuando el tercer molar está localizado de esta forma, ten cuidado con el lado disto palatino del segundo molar, ya que puede ser dañado incluso si la fuerza se aplica al diente. Cuando el tercer molar está atrapado bucalmente, puedes colocar un elevador mesial al #8 pero primero debes intentar la extracción con fórceps del 8 erupcionado como una regla.

Algunas veces necesitas usar fórceps y elevador juntos. No hay una respuesta correcta, pero ve si puedes agarrar el diente con el fórceps primero.

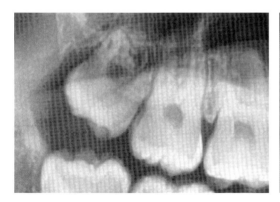

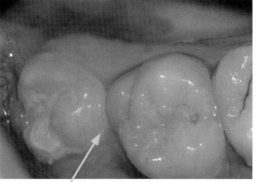

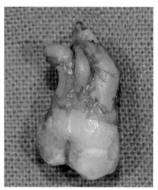

Como se muestra arriba, la misma regla aplica al diente erupcionado en palatino. En este caso, se cuidadoso de no causar daño a la corona disto bucal del 7. No tienes un buen lugar para elevar. Se cuidadoso cuando agarres el diente con el fórceps.

07
Precaución cuando los terceros molares sean rotados

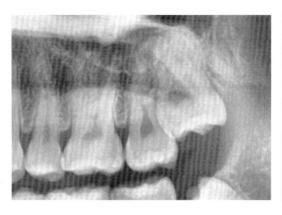

Cuando los terceros molares son rotados, necesitas primero considerar el aspecto anatómico del diente y la dirección del fórceps en orden para evitar el daño del diente adyacente o de la superficie del tejido, antes de agarrar el diente con el fórceps.

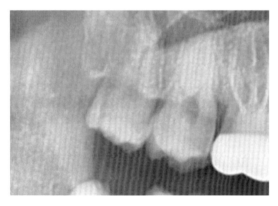

Incluso cuando el tercer molar no se localice bucalmente, la mayoría del tiempo necesitas ser cuidadoso con la superficie disto palatina del #7. Cuando agarras el diente con el fórceps, hay menos espacio entre el pico y el diente adyacente en el lado palatino. Cuando agarras el diente con fórceps, checa si algún pico toca dicho diente. Se vuelve un instinto cuando has hecho muchas extracciones, pero los principiantes pueden causar daño al diente adyacente aun con la fuerza aplicada al tercer molar.

08
Vista Axial del área cervical donde los fórceps agarran el diente

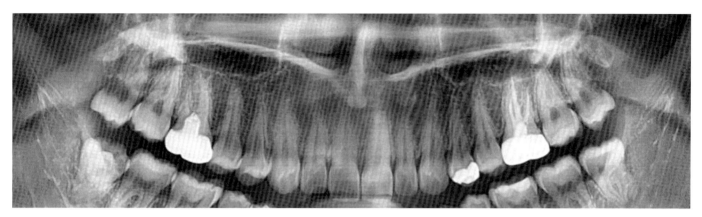

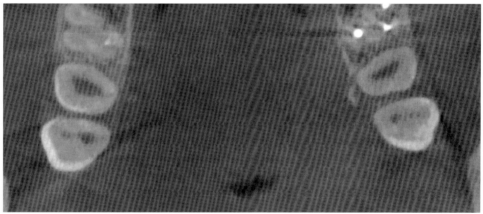

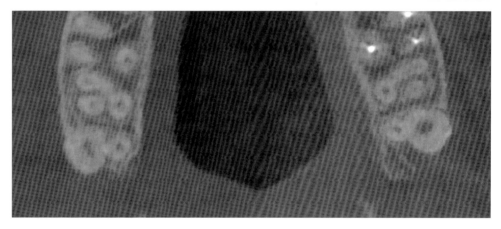

Veamos la vista axial del área cervical donde los fórceps agarran el diente con firmeza. Es más estrecha la parte palatina porque solo hay una raíz. Eso explica las puntas no agarran el mismo lado del diente cuando las pinzas se deslizan o mueven. Causan daño al área cervical y disto palatino de la corona del #7. Mantén esto en tu cabeza y recuerda porque es necesario extraer rotando el diente disto bucalmente.

09
Casos muy útiles de extracción con fórceps ★★★

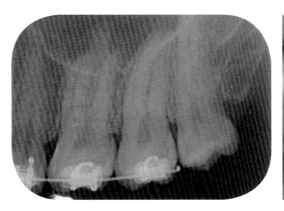 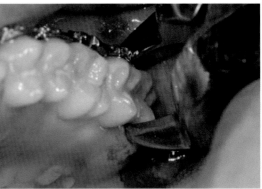

Cuando el paciente tiene tratamiento de ortodoncia, el #7 casi siempre es luxado. Colocando un elevador distal al 37 no es buena idea. Cuando el #7 tiene arco de ortodoncia, usualmente se evita la fuerza con fórceps en él.

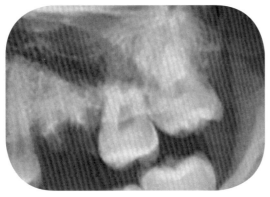 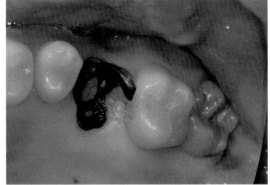

Asumamos que hay dentistas quienes realizan extracciones de terceras molares con elevador entre #7 y #8. ¿Saldrá el #8? Pareciera que el 8 es más largo y más complicado que el #7. Incluso si el #7 es mucho más grande, es lo mismo. Si empujas y abres el espacio, no se moverá el diente. En este caso, la extracción con fórceps es mucho más rápida y segura. Hay muchos dentistas descuidados que no tienen esta intención. Algunos colocan un elevador distal al #7 en casos similares donde se pierde la corona del #6 por caries y distal el #8 es bloqueado de la rama mandibular.

10
Nuevos fórceps para evitar el daño al diente adyacente ★

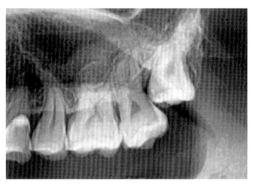  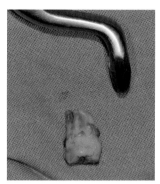

Hay nuevos fórceps con nuevo diseño de pinzas de la marca Hu Friedy como se muestran al principio del capítulo. En algunos casos son útiles para terceros molares superiores e inferiores. Dude de usarlos en cirugías de rutina porque parecen débiles, pero cuando el tercer molar está localizado profundamente, puede ser muy útil. Puedes usar elevador, pero no es fácil colocar el elevador, estos fórceps pueden servir de complemento. Los picos de fórceps S10 son muy grandes para entrar y agarrar el diente en espacios estrechos. Recomiendo este tipo de fórceps en algunos casos de terceros molares superiores e inferiores. Enfatizaré más adelante que un dentista no es diferente a las personas en general si no tiene sus propios instrumentos.

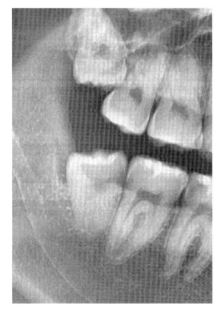 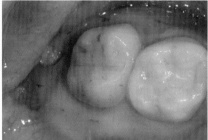 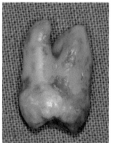

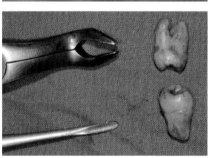

Los fórceps son usados en casos como se muestra arriba. No tienes que preocuparte por el daño al diente adyacente con el fórceps, considerando los movimientos en direcciones adecuadas. Para ambos casos, es difícil colocar un elevador en buena posición durante la extracción de terceros molares.

11
Uso en extracción de dientes pequeños ★

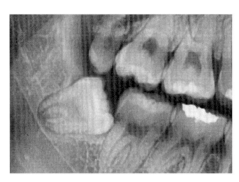 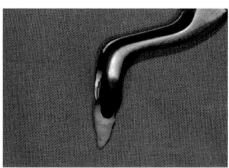

En esta extracción de dientes pequeños, no es fácil colocar el elevador en la parte mesiobucal del hueso, y los dentistas usan un elevador entre el #7 y #8, empujando al #8. Usualmente se vuelve fácil si el diente pequeño tiene una sola raíz. Sin embargo, no es buen hábito colocar el elevador distal al #7. Puedes ver el uso de fórceps pequeños y todos tienen valvas pequeñas. Necesitas ser cuidadoso dista al #7. Puedes usar otros fórceps pequeños para dientes inferiores si no tienes fórceps. Se cuidadoso de evitar daño al diente opuesto. Siempre rotando el fórceps hacia el sitio de extracción del diente.

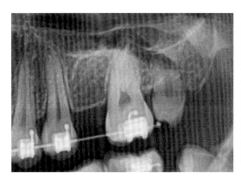 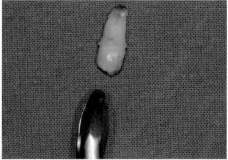

En este caso, es un diente pequeño pero el 6 se perdió. El paciente inicio tratamiento ortodóncico y el #7 fue luxado. Nunca debes colocar el elevador entre el #7 y el #8 en estos casos. El fórceps con pequeñas valvas puede ser una buena idea. Siempre es mejor no tocar el #7 en absoluto.

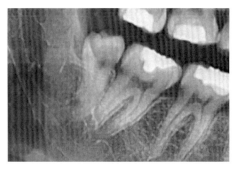 

Existen varios fórceps nuevos con valvas para dientes mandibulares. Esos fórceps son usados para dientes pequeños mandibulares. Utilizo los picos pequeños para los dientes mostrados en las fotografías.

12
Videoclips para extracción con fórceps de terceros molares maxilares ★★★

 Precauciones durante la extracción con fórceps

 Precauciones para diente erupcionados bucalmente

 Extracciones de terceros molares superiores

 Rota el fórceps para extraer - 1

 Rota el fórceps para extraer - 2

 Uso de explorador para remover ápices rotos durante la extracción con fórceps

 Extracción con fórceps después de luxar con elevador

 Extracción con fórceps y extracción con elevador

Extracción con Elevador ★★

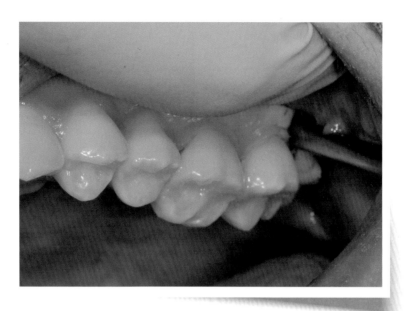

Extraigo el tercer molar superior con fórceps si lo puedo agarrar con el fórceps. Uso elevador cuando no puedo agarrar el diente porque se encuentra incluido. Cuando está incluido, significa que el hueso alveolar se encuentra alrededor de la corona y el actúa en forma de fulcro, como palanca, para el elevador. En los casos de dientes totalmente erupcionados pueden ser extraídos con fórceps, ya que no existe hueso alveolar alrededor de la corona. Ahí es donde podrías tener tentación de colocar un elevador entre el diente #7 y #8 pero no debes hacerlo. Si aprendes a cómo usar el elevador, puedes realizar fácilmente la extracción completa de un diente incluido en el hueso. Debes practicar primero con tejido blando incluido y dientes parcialmente incluidos en hueso o dientes pequeños.

01
Mi elevador de batalla, Hu Friedy EL3C ★★

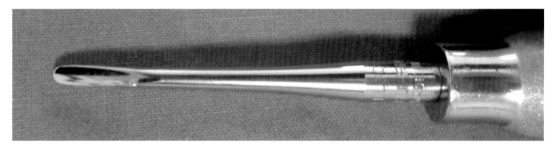

Este elevador Hu Friedy EL3C es delgado y ligeramente curvo. Estas características permiten colocarse bien entre el diente y la superficie bucal del hueso alveolar. No necesita más explicaciones. Si no tienes este elevador, eres aun novato en las extracciones. He enseñado muchas lecturas de extracciones y cursos prácticos. Todos en el curso estuvieron satisfechos y agradecidos por aprender sobre este elevador.

El elevador es muy puntiagudo, necesitas tener cuidado al usarlo. Si lo estas usando para crear un canal profundo en el hueso bucal y utilizar el 4S para extraerlo, será incómodo. Si eres nuevo usando el elevador o principiante en extracciones de terceros molares, recomiendo usar el EL5C. Tiene 5 mm más ancha la punta. Aun si has realizado muchas extracciones de terceros molares con anterioridad, te recomiendo ampliamente usar el EL3C. Puedes colocarlo en la superficie bucal en dientes superiores o inferiores por la curvatura que tiene el elevador.

Para mejorar la precisión, regularmente uso un espejo para posicionar el elevador en disto bucal. Si esta acostumbrado a usar espejo puede intentar este método. Uso el espejo incluso durante colocación de implantes.

Comentario del Dr. Jae-Wook Lee

Quiero preguntar a quienes piensan que los segundos molares superiores no son traumatizados durante la extracción de los terceros molares superiores. En cuales casos piensas que sería más fácil extraer el tercer molar: ¿Cuándo el segundo molar está presente o ausente?

02
Cómo usar un elevador ★★★

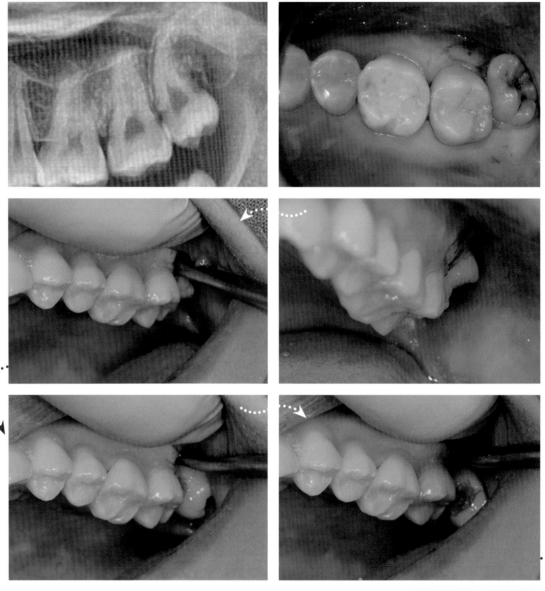

Básicamente cuando usar el elevador para extraer una tercer molar superior, necesitas espacio para colocar el elevador entre el hueso alveolar
y la superficie mesio bucal del diente como se muestra en las fotografías de arriba. Necesitas ser precavido para evitar daño a la superficie disto bucal de la raíz del 7. Si extrajiste una segunda molar superior,
probablemente observaste cuan delgada y débil la raíz disto bucal del
diente. Cuando el tercer molar está totalmente erupcionado, puedes
agarrarlos con fórceps, usualmente no utilizo el elevador. El hueso alveolar y el ligamento periodontal está bien localizado alrededor del diente
erupcionado, si usas elevador, puedes dañar el tejido alrededor. Los elevadores juegan un papel importante en los terceros molares incluidos
profundamente. Los fórceps para la extracción son mi primera opción,
pero el elevador puede complementarlo.

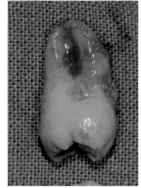

03
¿Colocar un elevador entre el #7 y #8? ★★★

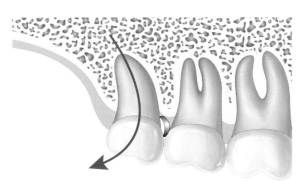 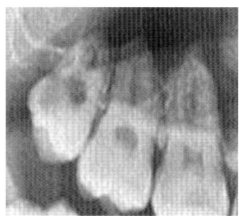

He dibujado una imagen que fue enseñada en algún libro de texto. Es muy peligroso usar un elevador como este. Por supuesto, es menos peligroso colocarlo entre el #7 y el #8 en un diente superior que en uno inferior. Solía usa esta técnica cuando era principiante porque los dientes salían fácilmente y empujaba el 8 después de colocar el elevador entre en #7 y #8. Sin embargo, esto no es así en todos los casos. Pienso que menos del 50% de los que hice no causaron algún problema con la técnica. La imagen muestra hueso alveolar entre el #7 y el #8 pero en la mayoría de los casos, el #7 y el #8 están muy cercanos como se muestra en la radiografía. Es porque ahí usualmente no hay espacio para la erupción del #8. Necesitas ser más cuidadoso para causar daño en el diente del #7 cuando usas el elevador.

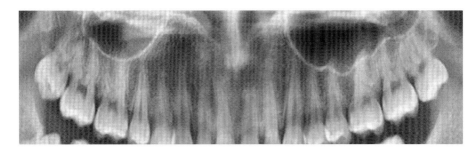

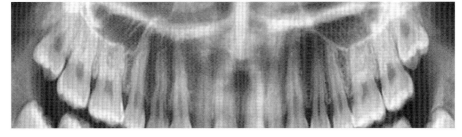

Veamos estos 2 casos. No las escogí a propósito, fueron elegidas al azar. En la mayoría de los casos, hay hueso alveolar delgado entre el #7 y #8. Además, cuando el elevador es colocado entre estos 2 dientes, usualmente empujamos profundamente las raíces y puede existir el riesgo de daño a la raíz disto bucal del #7.

04
Cuando colocar un elevador entre el #7 y #8 ★★

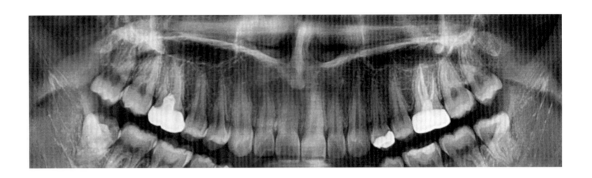

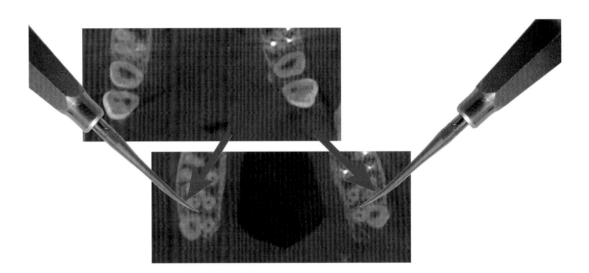

Esta es una tomografía que veremos rápidamente. Es un caso muy común de tercer molar superior. Se encuentra ligeramente hipererupcionado y las coronas están localizadas abajo. Cuando vemos la tomografía, la corona de la mayoría de los terceros molares está localizados muy cerca de la raíz distobucal del #7. Las últimas dos fotografías muestran la colocación del elevador entre los dos dientes. Las raíces distobucales se convierten en un fulcro de la palanca. En la mayoría de los casos, están más cercanos.

05
¿Extracción con elevador en estos terceros molares? ★★

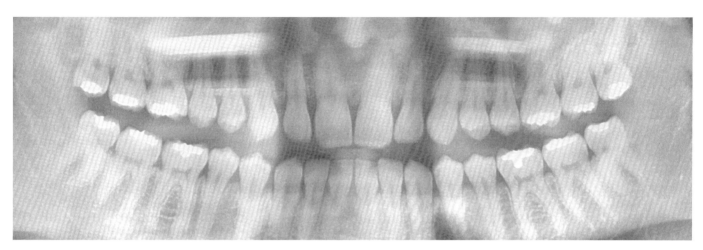

Si tratas de extraer estos terceros molares con un elevador, ¿Podrías hacerlo? Antes de extraer el tercer molar, el #7 o el #8 se romperán o fracturarán. El elevador podría ser usado cuando solo necesitas una ligera fuerza para extraer, así no causarás daño al tejido. En este caso, no será fácil utilizar fórceps tampoco.

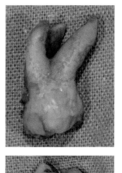
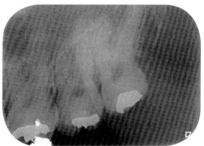

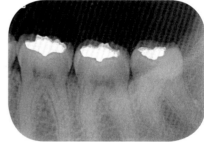

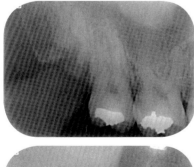
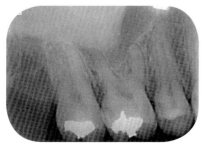

Veamos el diente #18. En este caso, no podría extraer con fórceps, así que corte la corona y seccione las raíces para la extracción. Si tratas de extraer este diente con elevador, necesitaras estar preparado para extraer el #7 también. Recuerda esto. Algunos dentistas después de extraer un tercer molar, proporcionan sensibilidad postoperatoria a los dientes adyacentes.

06
Extracciones simples que pueden hacerse con un elevador ★

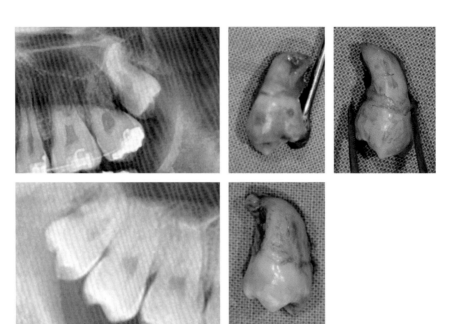

Cuando no secciono el diente, usualmente tomo una fotografía. Trato de no mostrar las fotografías porque no hay mucho significado con otras fotografías comparándolas con las radiografías. Cuando el diente está localizado por debajo de la oclusión, es difícil agarrar el diente con fórceps. En este caso, trato de extraer con un elevador, pero usualmente uso elevadores y fórceps juntos.

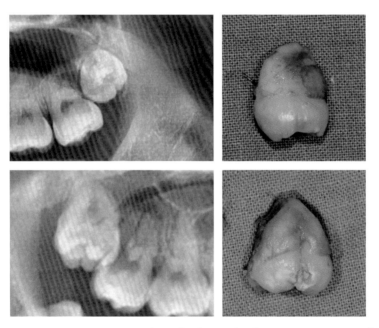

Aquí se aprecia una muela incluida profundamente, pero cuando un diente esta erupcionado hacia bucal, en general la extracción es fácil. En la mayoría de los casos, realizo una incisión distal al #7 con un bisturí núm. 12. Cuando el diente está erupcionado bucalmente es posible rasgar la encía mientras sale. Algunas veces tengo que hacer una incisión vertical y un colgajo mucoperiostico, raramente se elimina la cresta alveolar y secciono el diente.

Extracción del Tercer Molar Incluido ★★
Totalmente en el Hueso

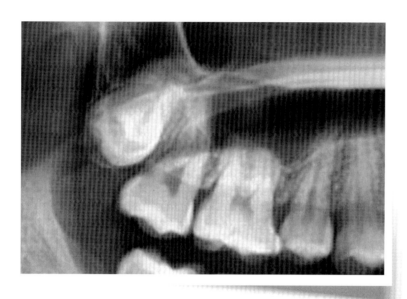

Cuando un diente está incluido por tejido blando, usualmente extraigo sin ninguna incisión o con una pequeña incisión en la dirección del diente para que pueda salir. Cuando el diente no se observa en cavidad bucal, necesito una incisión para la extracción. Para el maxilar, el tercer molar esta usualmente erupcionada bucalmente por la densidad del hueso palatino. Por la misma razón el diente incluido es generalmente localizado en el lado bucal. Además, la incisión se realiza en el lado bucal y el elevador es colocado en el espacio mesio bucal para la extracción del diente. Desde que el tercer molar impactada es empujada hacia afuera disto bucalmente, necesitas considerar la dirección de la fuerza y el lugar de la incisión. Si no te sientes seguro al realizar extracción de terceras molares, no recomiendo que trates de hacer la extracción de un tercer molar localizada en el lado palatino. Sin embargo, si fallas durante el procedimiento de la extracción de un tercer molar superior impactada, es difícil rendirse estando ahí. Incluso para mi quien ha hecho muchas extracciones, aún tengo un poco de curiosidad y miedo cuando extraigo un tercer molar incluida. Debe ser porque no tienes visión directa, y necesito extraer con mis sentidos por mi problema espinal. Sin embargo, sigo haciendo muchas extracciones de terceras molares porque no puedo olvidar el placer cuando mi elevador entra en el lugar correcto y el diente sale del alveolo.

01
Diseño de colgajo para extracción de terceros molares maxilares incluidos ★★★

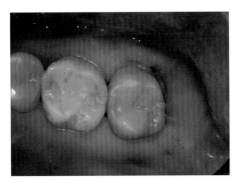 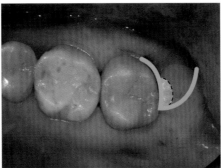

Cuando el diente está incluido en el tejido blando, la incisión necesita hacerse. Si parte del tercer molar está cubierta por encía, podemos lógicamente adivinar su localización, es un parámetro importante al decidir la dificultad de las extracciones de los terceros molares. Cuando estoy ocupado, algunas veces no hago incisión, pero el tejido blando alrededor del diente maxilar es débil y fácilmente se desgarra, así que es mejor realizar incisión en la dirección que quieras.

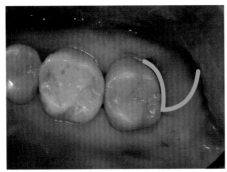 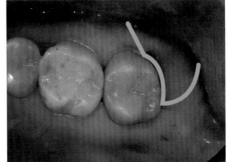

Estas imágenes muestran el diseño general de un colgajo para terceras molares incluidos. Mi primera regla es hacer una incisión pequeña, así que la hago en la superficie distal. Cuando el diente está localizado bucalmente o cuando la corona es grande, realizo una incisión vertical en el lado bucal. De igual forma la gingival en esta área puede desgarrarse frecuentemente,

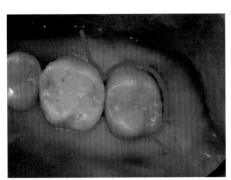 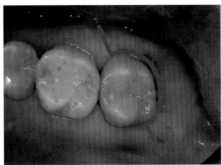

Cuando el diente está localizado palatinamente o la corona es muy grande, la incisión necesita hacerse en el lado palatino. Adicionalmente cuando el paciente tiene una encía gruesa, necesitaras hacer una incisión más grande. Algunas veces necesitas hacer incisión en el lado palatino como se muestra en la imagen. Cuando no hago incisiones en el lado palatino, he visto tejido blando desgarrado justo como se muestra en la imagen. Recuerda que es mejor hacer una incisión a que el tejido se desgarre intencionalmente.

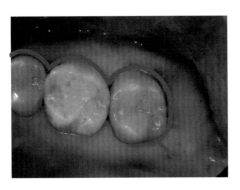

No prefiero este diseño pero he visto que muchos dentistas extienden la incisión medialmente a la incisión vertical. Muchos se han familiarizado con la incisión vertical. Cuando una incisión no es realizada en el lado palatino, puedes separar la encía del hueso de este lado, esto ayuda para la extracción. Cuando estoy ocupado, algunas veces utilizo la parte delgada y puntiaguda del elevador EL3C para separar la encía del diente o del hueso. Sin embargo, las curetas quirúrgicas o elevadores de periostio son generalmente usadas para el colgajo utilizando un movimiento de palanca clase II.

02
Extracción del tercer molar incluido completamente de hueso <1> ★★

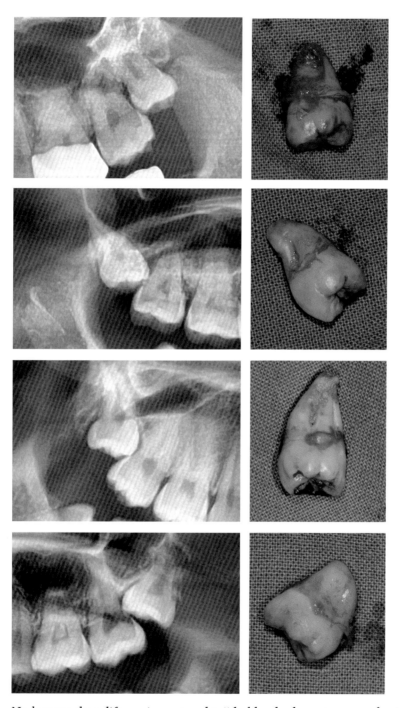

No hay muchas diferencias entre el tejido blando de un tercer molar incluida y esto. Parece correcto decir que cuando el diente sale se rompe el hueso alveolar del lado disto bucal. En la mayoría de los casos, no hay mucha resistencia y pueden ser extraídos con poca fuerza. Algunas veces hay más resistencia, es importante no usar fuerza excesiva. No debes usar fuerza excesiva para colocar el elevador dentro del espacio entre el diente y el hueso. Si hay más resistencia, primero considera hacer más larga la incisión y el colgajo.

Extracción del tercer molar incluido completamente de hueso <2> ★

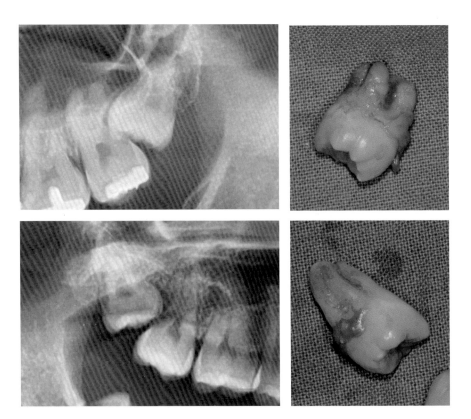

De hecho, hay muchos casos como estos. No hay muchas imágenes de estos casos porque el diente no fue seccionado. Hay un par de casos que he hecho recientemente.

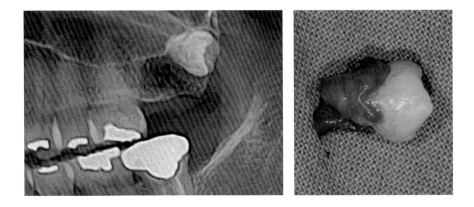

Este caso fue referido para la extracción del #28. El diente se localizaba bucalmente. Se hizo colgajo y se usó elevador para eliminar el hueso alrededor y extraerlo.

Extracción del tercer molar incluido completamente de hueso <3> ★★

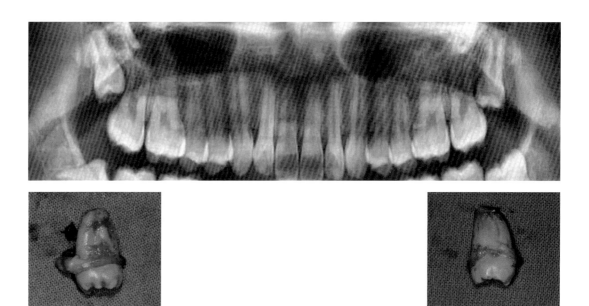

Extracción del tercer molar superior fue referido para tratamiento ortodóncico no quirúrgico. Te daré un consejo, esta es de mis extracciones favoritas. El diente es inmaduro, las raíces aún no se han terminado de formar, entonces puedes extraer de manera simple con un elevador y una pequeña incisión. Los elevadores necesitan ser colocados en la porción mesio bucal del diente. En todos los casos, el elevador no debe ser colocado entre el 7. Puedes comprobar la movilidad del 7 después de extraer el tercer molar. Raramente pasa.

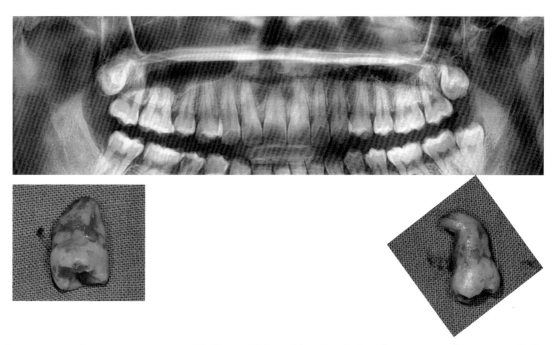

No necesitas remover hueso en este caso. El diente #28 está localizado bucalmente, puedes extraer fácilmente después de hacer incisión distal al 7 y una pequeña incisión vertical. El hueso alveolar en la cara oclusal y distal del diente es delgado y débil, así que se fractura fácilmente y el diente se extrae de manera sencilla. Por supuesto, un colgajo mucoperiostico es necesario en el lado bucal.

Tres extracciones de terceros molares incluidos completamente en hueso ★ en un día

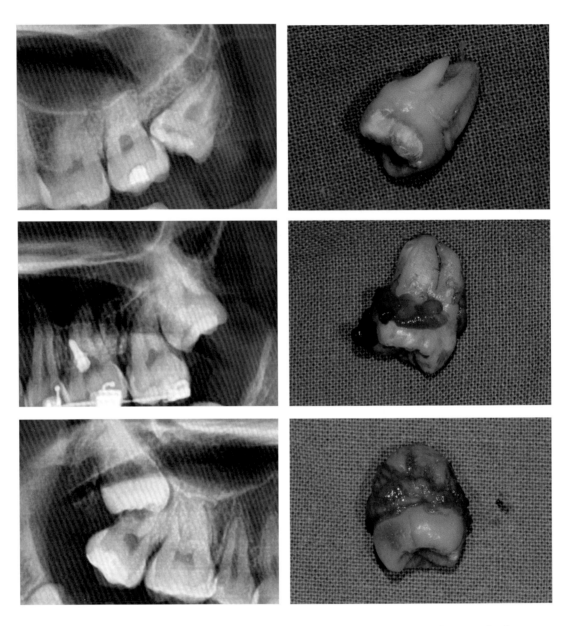

Unos pocos días atrás, tuvimos una fila de tres extracciones de terceros molares incluidos completamente en hueso. Terceros molares así no son frecuentes, pero llegaros y el mismo día a la clínica. Todos los casos fueron sencillos. Parece que algunos dentistas prefieren no hacer terceros molares superiores porque no están familiarizados, pero una vez que las realizas, es muy sencillo y fácil. De hecho, necesitas seccionar los terceros molares mandibulares en algunos casos para extraerlos, pero en los superiores puedes extraerlos con elevadores de manera sencilla en la mayoría de los casos. Son pocos los casos difíciles. Cuando están localizados en el lado bucal, acceder al diente es bueno para eliminar el hueso alveolar.

Diferentes elevadores que ocasionalmente uso ★★

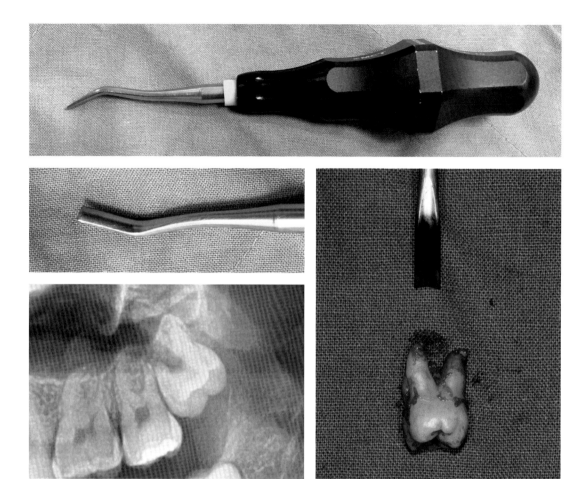

Este es un elevador que ocasionalmente uso. Utilizo este cuando es difícil agarrar el diente con el fórceps y el Angulo no es bueno para usar el elevador EL3C. Usualmente los elevadores son baratos. Simplemente no lo uso a menudo, por lo que la durabilidad no es un problema. Prefiero obtener diferentes tipos de estos elevadores y usarlos en diferentes áreas. Puedo tirar estos elevadores económicos cuando son doblados o rotos. Deberías entender porque incluyo el elevador al lado del diente en la imagen.

Compré este en internet en la cuenta www.2875mart.co.kr. Tienen una amplia variedad de elevadores. Compro instrumentos que no necesitan mucha fuerza ni alto rendimiento (como bisturí, elevador perióstico, elevadores y fórceps inusuales que no uso mucho).

03
Uso en extracciones de dientes cariados ★★

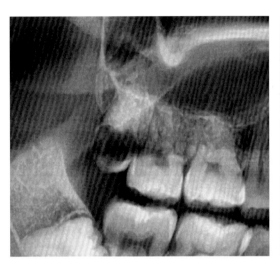 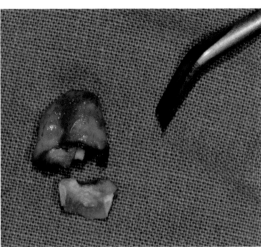

Masculino de 31 años: No pude usar fórceps debido a una lesión cariosa extensa en la corona. El elevador EL3C no lo coloqué bien en el sitio mesio bucal del diente. Use un elevador curvo para extraer el diente.

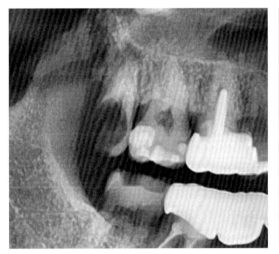 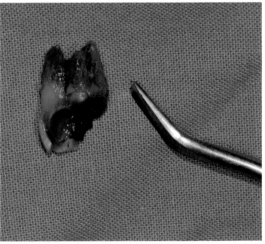

Masculino de 35 años: No use fórceps debido a lesión cariosa. Pensé que el EL3C podía fracturar la corona así que usé un elevador curvo para colocarlo profundamente en la raíz y empujar el diente hacia el lado bucal. Puedes ver que no cause daño al esmalte de la corona porque el elevador no se colocó en la corona.

Comentario del Dr. Jae-Wook Lee

Recomiendo utilizar un explorador grueso cuando el elevador no se puede utilizar como en este caso.

04
Eliminación del hueso alveolar durante la extracción del tercer molar ★★
superior

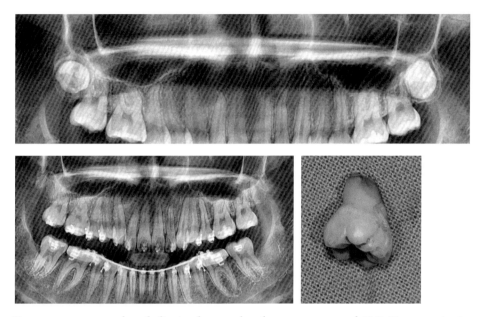

Este es un caso en el cual elimine hueso alveolar para extraer el #18. No tengo imágenes del diente #28. La mayoría del personal solo toma una fotografía del diente que secciono. Probablemente olvidaron tomar de esta.

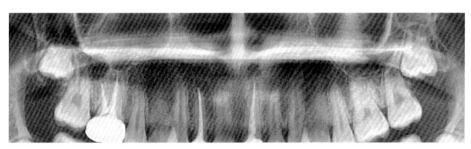

Usualmente uso una gubia para remover el hueso alveolar del maxilar. Solía tener una mala mentalidad, como un principiante que utiliza pieza de baja velocidad, así que usaba pieza de alta velocidad para eliminar quirúrgicamente el hueso alveolar superior. Incluso si levantaba un mínimo colgajo, me preocupaba un enfisema. Ahora uso pieza de alta velocidad con menos frecuencia. Trato de usar amplia variedad de instrumentos. Estoy empezando a pensar en utilizar cinceles.

Seccionar el Tercer Molar Superior ★

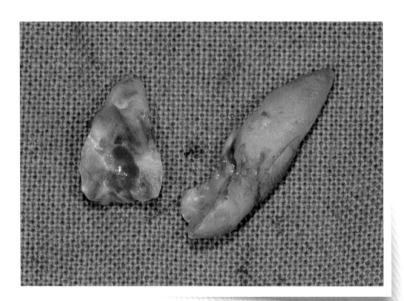

Es muy raro seccionar el tercer molar superior, para extracción. La mayoría del tiempo, puedes extraer el diente, eliminando de igual forma hueso alveolar bucal o distalmente. Cuando solía pensar que parecía más habilidoso cortar el diente para la extracción, extraía el tercer molar superior seccionándolo. Desde que mis dolores de espalda empeoraron por el problema espinal, trato de no tardar demasiado haciendo el procedimiento. Especialmente en terceros molares, es difícil mantener a veces la postura por largo tiempo, así que extraigo con eliminación de hueso alveolar. Empecé usando un cincel para eliminar el hueso alveolar más de una pieza. Especialmente la técnica para extracción del tercer molar superior depende de la cirugía. Sin embargo, cuando extraes el tercer molar y sientes que el 7 se está moviendo, no es mala idea cortar la corona del diente. Estos casos son antiguos, y solía seccionar la corona. Solo para referencia, espero no uses pieza de alta velocidad para seccionar la corona.

01
Pieza de baja velocidad para extracción del tercer molar superior ★★

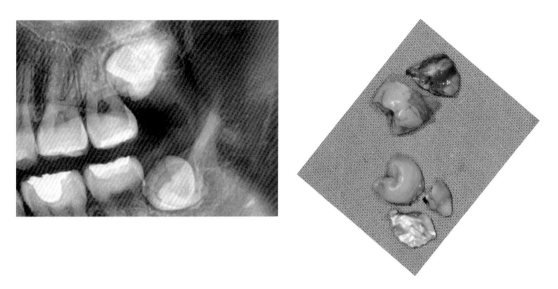

Cuando un tercer molar inferior está angulado distalmente, algunas veces uso pieza de baja velocidad para cortar la corona del lado mesio bucal. En este caso, trato de usar de igual manera pieza de baja velocidad para extraer el tercer molar superior.

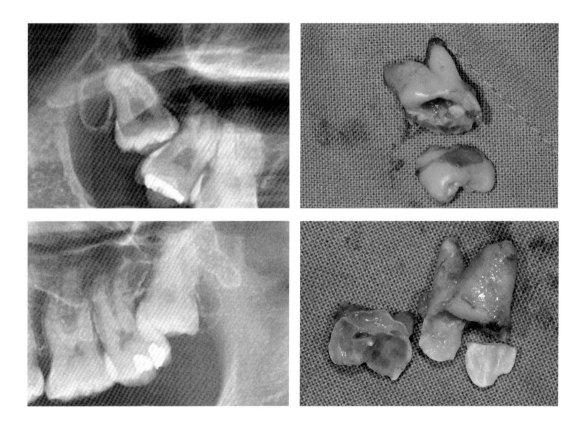

Cuando usas baja velocidad, corta la corona de lado, a diferencia de cortar verticalmente con una de alta velocidad. Verás la sección del diente como la fotografía de arriba.

02
Caso de Extracción eliminando hueso alveolar cerca del plano oclusal

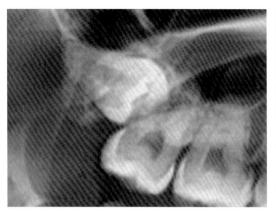
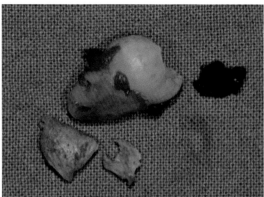
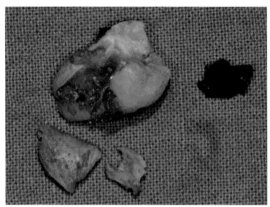

Le dije al paciente que no es necesario extraer esta molar, pero el realmente quería hacerlo porque viajaría a Estados Unidos. Si este diente se localiza en el sitio bucal, sería más fácil pero la corona del diente estaba localizada en el lado palatino. Es difícil especialmente para una persona como yo, quien tiene problemas en la espalda. Toma 35 minutos. Probablemente hacer extracciones me tomo más tiempo en las últimas 500 exodoncias. Decidí eliminar el hueso de la zona bucal o seccionar el diente a la mitad, pero no se convirtió en uno ni en otro. La pieza de velocidad no era accesible. El hueso sobre el seno es delgado, tenía temor de empujar el diente hacia el seno maxilar. Hice que hubiese sangrado en el diente con la pieza de mano y empujé el diente usando el elevador. La extracción del tercer molar superior es usualmente más fácil que el diente mandibular, pero necesitas hacerlo despacio y gentilmente.

03
Pieza de alta velocidad en la extracción del tercer molar maxilar

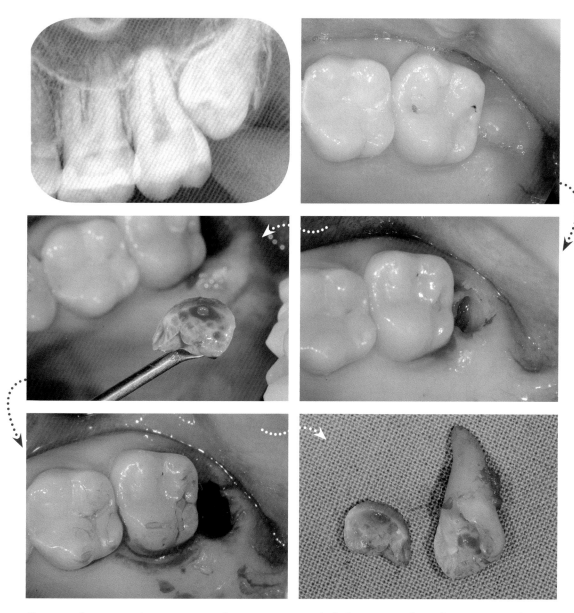

Caso en el que extraje un tercer molar superior angulada hacia mesial con la técnica similar a la que uso para el diente mandibular. De hecho, el hueso alveolar alrededor del tercer molar es más suave que el inferior, puede ser empujado hacia distal. Sin embargo, desde que soy bueno usando pieza de alta velocidad, solo la uso para extraer, sin hacer colgajo ni suturar. Extraje el tercer molar superior, así que corté la corona mesial para extraerla con la pieza de alta velocidad. La utilizo menos para los dientes superiores que para los inferiores. Si necesitas usar este método puedes tratar con un contra ángulo 1:5 de baja velocidad. Como mencione anteriormente, el diseño del colgajo está dado por el tipo de cirugía, no es necesario hacer colgajo todo el tiempo, en especial en alguien que no conoce ni sabe cómo hacerlo.

04
Misma pieza de alta velocidad después de la extracción de un tercer molar ★ mandibular impactada

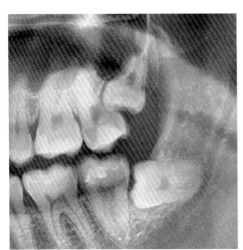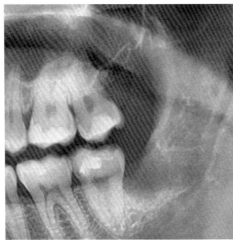

Corté la corona mesial del tercer molar superior para extraerlo con una pieza de alta velocidad, usé la misma para extraer un tercer molar inferior incluido de manera horizontal. Cuando solo voy a extraer el molar superior no suelo usar pieza de alta velocidad. Como mencione anteriormente, estoy muy ocupado para perder el tiempo así.

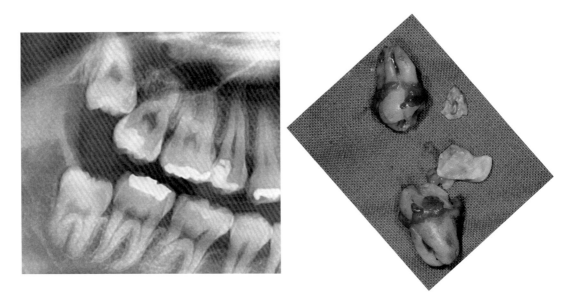

Después de seccionar la corona distal del tercer molar inferior, use la misma pieza de alta velocidad para cortar la corona mesial para extraer el diente superior. La dirección del diente inferior en la imagen no es la correcta. Si nuestro personal tomara mejores fotografías, tendríamos mejores casos. Si no eres el dentista que extrae dientes, es difícil ver como los dientes fueron extraídos en la fotografía.

05
Técnica similar que utilizo para la extracción del tercer molar inferior ★

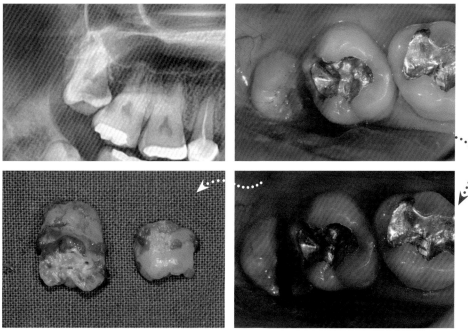

Podría sacar esto, pero lo uso para creer que la pieza de alta velocidad es la única manera de extraer correctamente el diente. Los fórceps en la imagen, significan que eliminé la corona mesial con una pieza de alta velocidad y extraje el resto del diente con fórceps.

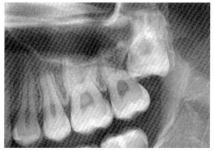

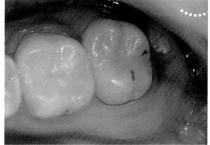

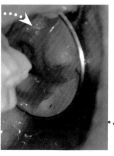

Cuando secciono la corona mesial checo la superficie a medida que procedo. De hecho, podría haber extraído este diente solo con un elevador.

06
Pieza de alta velocidad para extracción del tercer molar con angulación ★ hacia mesial

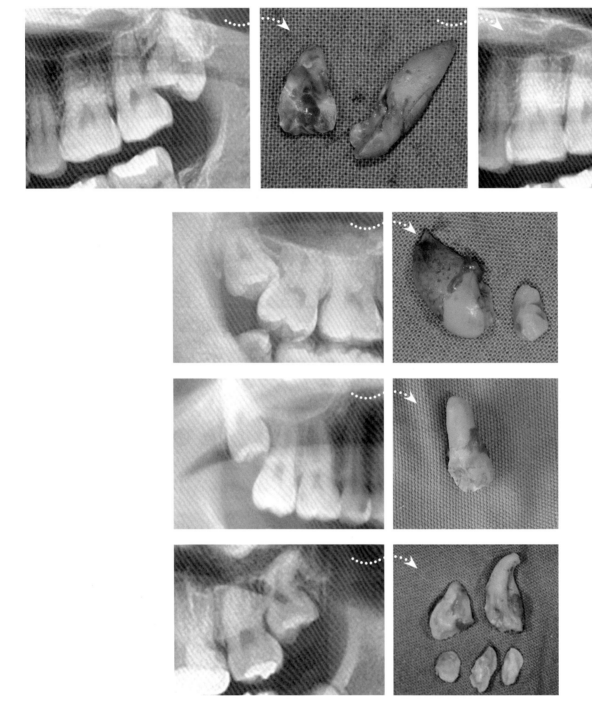

No utilizo esta técnica muy seguido, pero el uso del contra ángulo de baja velocidad es frecuente para realizar extracciones en Japón. Esta técnica puede ser útil.

07
Cuando está claramente atrapada por distal del #7 ★

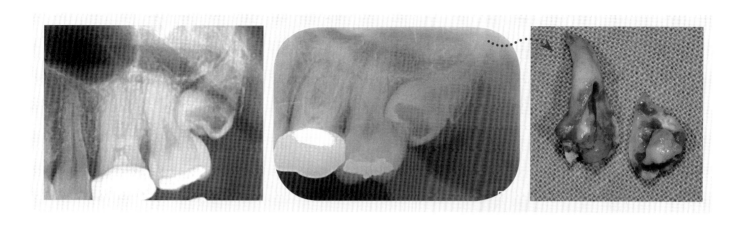

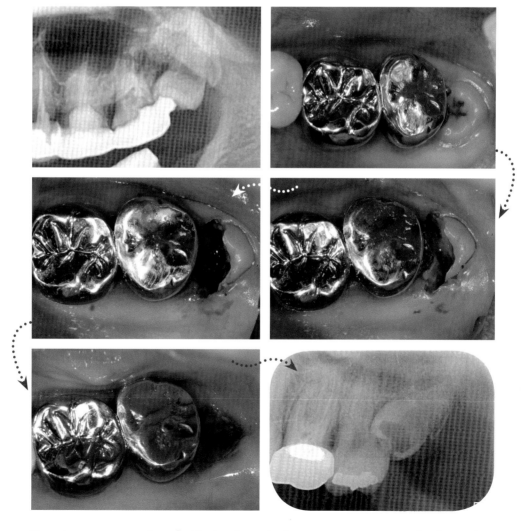

En este caso se menciona la técnica de cortar la corona como se mencionó anteriormente. Existe posible daño al diente, se puede esperar si se extrae el diente solo con
un elevador, debido a la gran restauración del 7. Extraje el diente después de eliminar
la corona mesial del tercer molar.

08
Extracción de viaje ★

Di una conferencia hace unos pocos días. Fue acerca de un dentista que estaba interesado en la conferencia y se detuvo en mi clínica en distintas ocasiones. Él se sentía cómodo con implantes, prótesis y extracciones quirúrgicas. Sin embargo, tenía cierta desconfianza en extracciones de terceros molares incluidos. Decidí parar en su clínica, ayudarlo con extracciones y dar clase juntos mientras daba la conferencia en esa área.

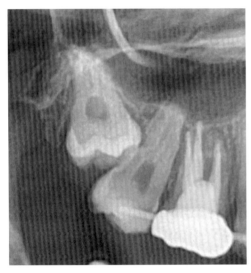

Este paciente era uno de los empleados de la oficina. Ellos decidieron extrae el diente antes de realizar otros tratamientos. Extraje el diente al lado del dueño del. Incluso cuando no era una muela impactada, tenía un gran corte del hueso alveolar por distal al diente. Si estuviese localizado por bucal, hubiese sido un procedimiento más sencillo, pero se encontraba en posición palatina. Pienso que fue la razón principal de haberme preguntado. Porque en el lado palatino, toma unos minutos, pero elevo cuidadosamente y gentilmente desde el lado mesio bucal. Necesitas ir despacio y gentilmente en estos casos.

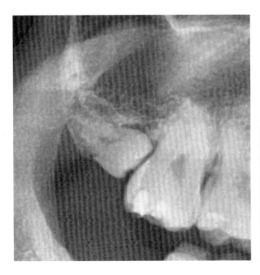

Este caso fue de un paciente regular. He visto algo de placa extendiéndose sobre el diente y probablemente sea causa de inflamación. No hay socavado de hueso distal en el diente, pero se localiza en la porción palatina. Parece como si hubiera hueso alveolar grueso debajo del seno maxilar en la radiografía panorámica, pero el piso del seno es delgado como un 1 mm en la tomografía. Desde que no causo problema en esta clínica, trato de no empujar el diente en el seno romper el piso del seno. De nuevo, eleve el diente hacia afuera cuidadosamente desde el lado mesio bucal.

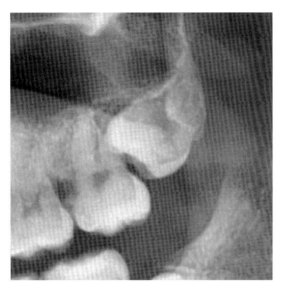 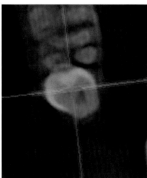

El último caso, mostró dos casos hechos por él. Cuando ves la tomografía puedes ver que la corona está localizada en el lado palatino. Estaba en su oficina como soporte. El me vio regresar y me dijo que estaba hecho. Me dijo que uso pieza de alta velocidad para cortar la corona en un tercer molar mandibular. Le dije que fuese sumamente cuidadoso usando la pieza de alta velocidad en terceros molares superiores y que recomendaba usar el contra ángulo 1:5 de baja velocidad si no se sentía confiado. El trato de invitarme a cenar cerrando la oficina y nos fuimos juntos a la conferencia. Suelo viajar a otras oficinas para extracciones e implantes cuando recién empecé mi práctica, pero dejé de hacerlo porque los procedimientos de implantes son muy baratos. Me recordó ese sentimiento de nuevo.

Extracciones de Dientes Supernumerarios en Maxilar

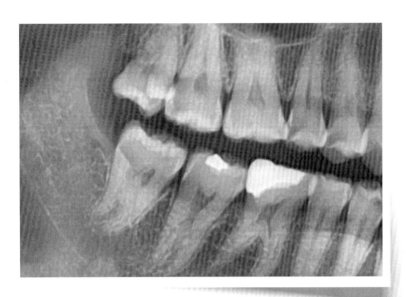

Puede haber dientes supernumerarios en cualquier área incluyendo el área cercana a los terceros molares. Si extraes muchos terceros molares, conocerás que existen muchas variaciones anatómicas en forma y tamaño, incluso si hay dientes supernumerarios alrededor de él. Especialmente veras el tamaño de la cúspide del supernumerario alrededor del diente maxilar frecuentemente. No estoy seguro si designando una nomenclatura para el diente supernumerario es necesario, pero puedes llamarle cuarto molar. Usualmente necesitas una exploración adicional cuando realizas una facturación. No es difícil extraer esto, ya que no fue explicado en otro lugar, aquí lo hablaré brevemente.

01
¿Cuarto Molar? ★

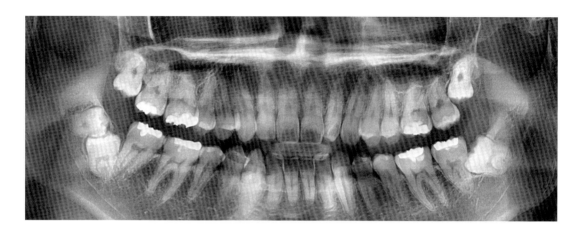

Puede haber un diente supernumerario en cualquier área incluida el área cercana al tercer molar. No estoy seguro si designar una nomenclatura para el diente supernumerario sea necesario, pero puede llamarse cuarto molar o diente #9. He visto más en maxilar que en mandíbula, pero puede aparecer en región mandibular como se muestra en la radiografía panorámica de arriba. Puede ser porque he hecho muchas extracciones de terceros molares, pero las veo renunciar a menudo.

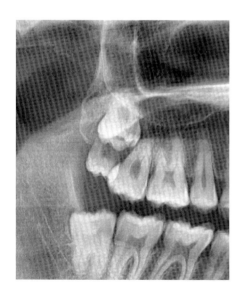

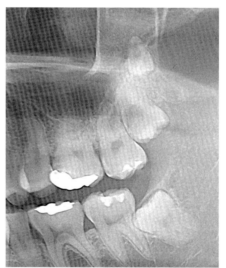

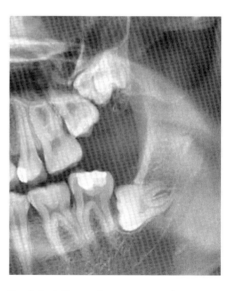

Desde mi experiencia, he visto más dientes en maxilar que en mandíbula. Puede ocurrir por las diversas variaciones anatómicas en la maxila.

Desde que veo el cuarto molar alrededor del tercer molar, el 4 molar siempre suele ser más pequeño. Incluso si no tengo muchas fotografías de ese diente, porque el personal donde trabajo solo toma fotografías a los dientes que secciono, el cuarto molar si es común. La mayoría se localizan en el lado bucal o distal del tercer molar. Cuando esta superpuesto al tercer molar en el lado bucal, no es fácil visualizarlo en la radiografía panorámica.

Es difícil llamarlo cuarto molar, pero claramente muestra dos coronas en la fotografía. Para los terceros molares maxilares, es común observar una cúspide extra o germinación. Esto hace la exodoncia más complicada.

02
Casos de Extracción de Cuarto Molar <1> ★

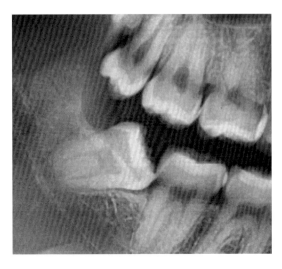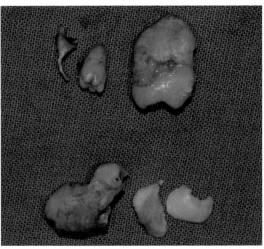

Este caso es de una paciente femenina de 26 años. Es común ver el cuarto molar en el maxilar, es usualmente pequeño, así que la extracción es realizada junto con el tercer molar.

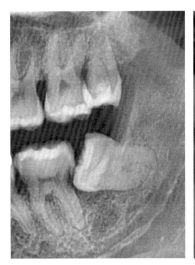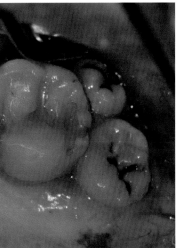

Este caso es de un paciente masculino de 41 años. La extracción se realizó junto con el tercer molar mandibular. Como puedes ver, aparece en la superficie distal o bucal del tercer molar. Elevé el diente supernumerario y extraje el tercer molar del lado palatino con unos fórceps pequeños.

Casos de Extracción de Cuarto Molar <2> ★

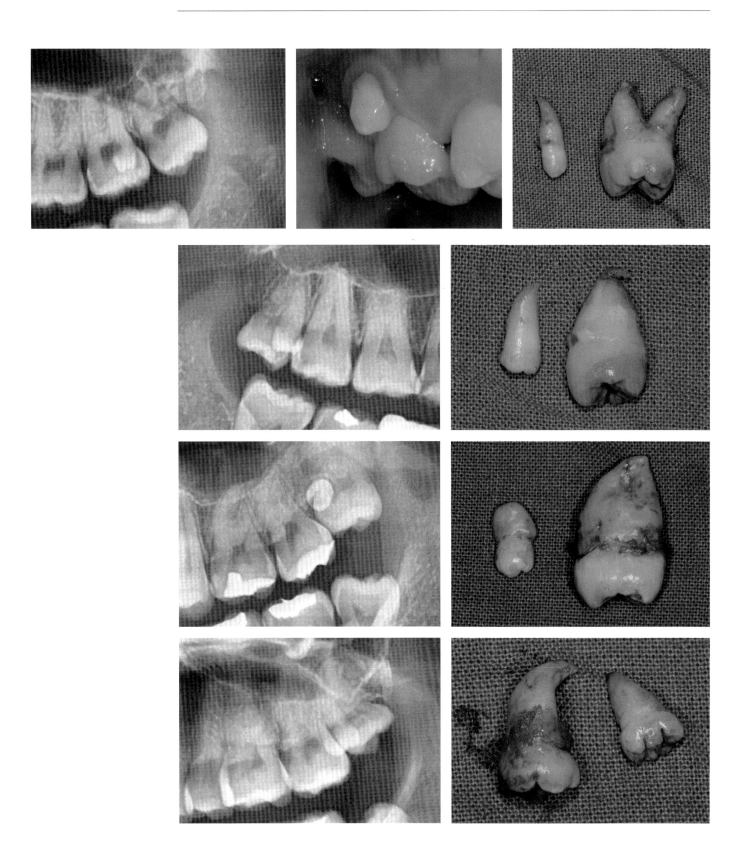

03
Caso en el que intencionalmente se dejó el Cuarto Molar

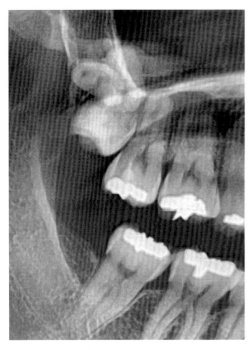 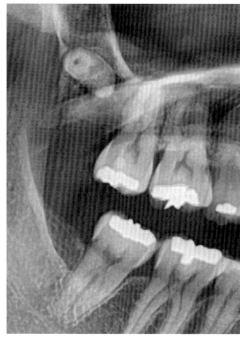 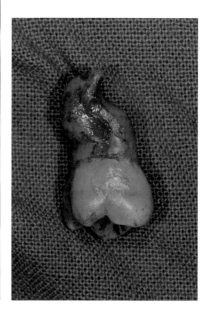

Paciente femenino de 31 años que llegó a la clínica para extracción de un tercer molar superior. Cuando se revisó la radiografía panorámica, se observó la presencia del cuarto molar. El paciente no quería que se realizara la extracción, si no causaba problemas en un futuro, así que decidió dejarlo ahí. Estaba un poco ocupado ese día y el diente estaba localizado en el piso del seno, así que recomendé no extraerlo.

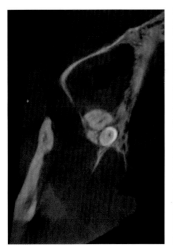 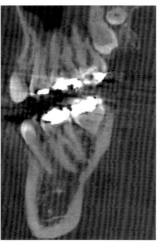 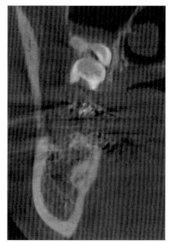 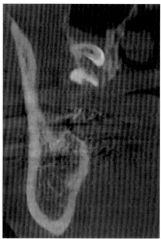

La tomografía nos muestra el diente incluido horizontalmente en el piso del seno maxilar y la corona en el lado palatino. Incluso si ella hubiese querido la extracción, dudaría de realizar el procedimiento.

04
El quinto molar ★

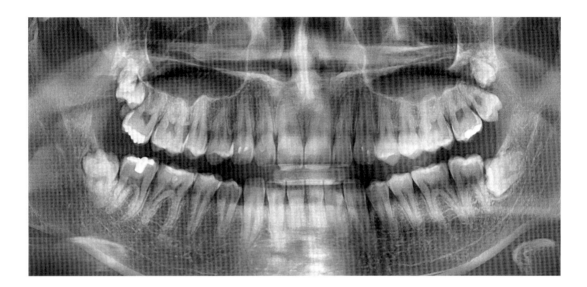

Paciente masculino de 23 años que acude a la clínica para extracción de tercer molar. Él tenía 7 terceros molares. Eran 3 terceros molares, cuarto molar y quinto molar superiores y un tercer molar y cuarto molar abajo. El paciente quiso que se le extrajera primero los dientes de la derecha, así que se realizó el #18, #19, # 20 y luego el #48. El quinto molar es muy raro incluso para mí quien hace muchas extracciones de terceros molares.

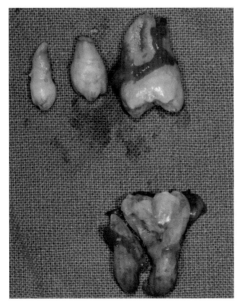

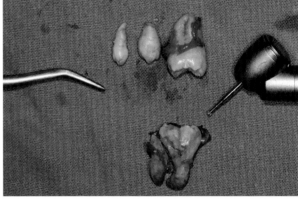

Paciente masculino de 23 años que acude a la clínica para la extracción de todos los terceros molares. Él tenía 7 molares. Se observa el tercer molar, cuarto molar y quinto molar en el lado superior derecho y tercer molar y cuarto molar en el lado izquierdo. El paciente quiso extraer el diente del lado derecho primero así que extrajimos el #18, #19, #20 y después el #48. El quinto molar es muy raro incluso para mí quien realiza muchas extracciones de terceros molares.

¡Referencia!

Variaciones Anatómicas de Terceros Molares

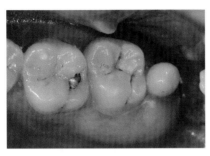

Pareciese como dos dientes totalmente separados en esta imagen. Las variaciones anatómicas son comunes en terceros molares superiores y muestran diferente tamaño y forma. Algunas veces es difícil separar el diente de una cúspide extra.

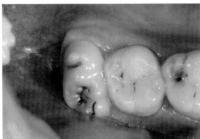

Esta es una cúspide que desarrollo el tercer molar. La primera fotografía muestra dos dientes separados y en uno se ve claramente una cúspide sobre el tercer molar. Sin embargo, algunas veces es difícil distinguir entre separar el diente o la cúspide extra.

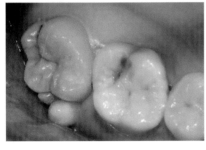 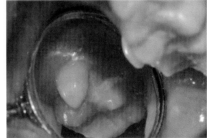

Esta es una foto clínica de mi material de conferencia. No encontré la radiografía. Primero se muestra un supernumerario tratando de extraer. Actualmente anestesio al paciente y trato de extraer el diente. Durante el procedimiento, me doy cuenta que tiene una cúspide extra. Afortunadamente lo descubrimos antes de que fuera extraído.

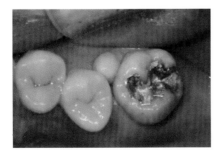 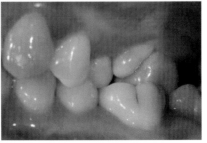

Es difícil distinguir un supernumerario clínicamente o radiográficamente. Puedes intentar colocar un hilo dental en el área para confirmar. En caso de presentar una cúspide extra.

Hay muchos anuncios publicitarios en la oficina Dental del Sur de Corea ofreciendo extracciones de terceros molares. Algunos dentistas piensan que es falsa publicidad. No anuncio como ellos, ni de esa forma. Incluso si hay muchos anuncios sobre el tiempo invertido durante la extracción de las terceras molares, a mí no me toma más de 5 minutos. No necesito anunciarme de esa forma, o a los pacientes.

Claro que la extracción es el único procedimiento que los pacientes aprecian que se haga de manera rápida. Sigo pensando que no es apropiado concentrarse en el tiempo ni apelar eso con los pacientes.

Sin embargo, los dentistas en esos anuncios publicitarios quieren convencer que el procedimiento de los terceros molares ya no es una pérdida de tiempo o un dolor de cabeza.

¿Tiempo invertido en la extracción de Terceros Molares?

¿Cuánto tiempo te tomaría extraer un tercer molar? He visto muchos anuncios en internet o redes sociales diciendo "Extracción de Terceros Molares en 5 Minutos". Parecen competir los unos con los otros, recientemente vi otro anuncio que decía "Extracción en 3 minutos". Talvez los pacientes u otros dentistas podrán pensar que es un anuncio falso, pero creo que es completamente posible.

He medido el tiempo medio para la extracción de terceros molares varias veces en mi vida. Pero ya que no ayuda al procedimiento y no parece ser ético a los pacientes, no lo hago seguido. Pero, me dio curiosidad saber cómo los dentistas miden el tiempo que toman en extraer el diente después de ver tantos anuncios. Cuando estaba terminando este libro, en el verano del 2017, decidí medir de nuevo el tiempo medio de extracción del tercer molar (excluyendo el tiempo de anestesia y sutura). Recomiendo que lo hagas una vez. Pero, necesitar tener reglas. Si estas tratando de medir el tiempo, recomiendo el método que use yo Cuando trates de medir el tiempo, encontraras problemas similares a los que yo he tenido, por lo que considero una buena idea que utilices mi método.

El resultado reciente es de 75 pacientes (Hombre 30, Mujeres 45), Maxilar 44 y Mandibular 75 en un periodo de 10 días para completar la enumeración. El tiempo aproximado de la extracción fue de 109 segundos (Con desviación estándar de 136 segundos, mínimo a máximo: 10 segundos - 690 segundos, Intervalo de Confianza: 85 segundos -134 segundos). Tiempo medio para extracción de diente en maxilar superior fue de 27 segundos (DS: 103 segundos), extracción de maxilar inferior fue de 157 segundos (DS: 137 segundos). Para simplificar esto, me tomo un medio de 1 minuto y 49 segundos para extraer 119 terceros molares. El más tardado fue 11 minutos 30 segundos, tiempo medio fue 27 segundos para la extracción superior y 2 minutos y 37 segundos para extracción inferior. La desviación estándar es amplia porque tomo diferente tiempo dependiendo del tercer molar. En intervalo de confianza, puedo retirar el 95% de los terceros molares en 2 minutos 14 segundos.

Estadísticamente hablando, el tiempo medio para el tercer molar superior fue de 27.27 +/- 102.55 segundos y el tiempo medio para el tercer molar inferior fue de 157.33 +/- 129.99 segundos. Hubo un incremento significativo en el tiempo para la extracción del tercer molar inferior (P<.01). El tiempo medio para la extracción del tercer mular superior en pacientes masculinos fue de 10.28 +/- 1.18 segundos, y en pacientes femeninos fue de 39.04 +/-133.18 segundos. Pero no fue estadísticamente significativo (P=.367). No hay estadística significante entre la extracción del tercer molar derecho o izquierdo en diferentes géneros (P=.804).

La mayoría de dentista pueden pensar que esto no es posible. Pero, si el dentista ha realizado muchas extracciones de terceros molares, él o ella podrá pensar que puede tener resultados mejores. En realidad, hay muchos dentistas que pueden extraer tan rápido como esto o más rápido. No he tenido muchas extracciones recientemente y a veces cuando hay más casos de extracción, las hago más rápido de lo que pienso. Creo que he tenido el mejor resultado mientras preparaba este libro y revisaba mi técnica, pero estoy seguro que hay muchos dentistas en mi país que pueden extraer de manera más rápida, solo no lo hacen saber cómo yo. Garantizo que en un futuro cercano van a existir dentro de los lectores de este libro personas que podrán extraer más rápido.

Reglas para Medir el Tiempo de Extracción por el Dr. Young-Sam Kim

Excluye el tiempo usando para anestesia y sutura

Es menos doloroso cuando inyectas lentamente. Si incluyes el tiempo de la sutura, estarás tentado a terminar el caso sin suturar cuando está indicado. Esto no es bueno para el paciente.

Tamaño de la muestra al menos 100

La muestra debe ser solo de casos imples. 100 casos son suficientes para incluir los casos difíciles.

Incluye cada caso desde que el día empiece hasta que termine

Quise excluir un caso en la mañana si me toma mucho tiempo empezar un caso simple o no quiero incluir un caso difícil al final del día. Necesitas incluir todos desde que empiezas hasta que terminas.

Mínimo de tiempo 10 segundos

Algunas veces toma menos de 10 segundos, pero si no te estableces un mínimo de tiempo, estarás colocando instrumentos en la boca. No quieres hacer que el 1% de tus casos te hagan sentir triste mientras tratas de medir el tiempo.

Una vez que el diente está afuera del alveolo, lo consideras extraído

Cuando veo otros dentistas medir el tiempo de extracción cuando el diente está atrapado en pequeño tejido o cerca de la lengua o garganta, los asistentes pueden apresurarse para succionarlos o agarrar las pinzas algodoneras para sacarlas. Esto no toma mucho tiempo, tú decides si lo excluyes o no.

No preguntes por la experiencia de los asistentes o de nuevos instrumentos

Toma menos tiempo asistir cuando un experto lo hace o cuando se usan nuevos instrumentos. Sin embargo, si te sigues preguntando esto, interferirá con otros procedimientos y otros doctores. De hecho, estuve con una nueva asistenta quien se graduó recientemente y la mayoría del tiempo estuve midiendo el tiempo.

No incluyas el tiempo que el asistente se fue o regreso otro instrumento

Si no, estas apresurando a la asistente o agarrando rápido los instrumentos. Esto no es bueno.

No incluyas el tiempo que tardaste en reparar la pieza durante el procedimiento

Es raro, pero sucede. La pieza de mano algunas veces deja de funcionar, la silla dental puede dejar de moverse, o el cabezal. La succión deja de funcionar. En este caso, no culpes a otros, así que decide excluir este tiempo. He tenido varias ocasiones en las que la pieza de mano deja de funcionar durante el periodo que estoy midiendo el tiempo.

Incluye el tiempo si tuviste que anestesiar al paciente más de una vez durante el procedimiento

Si necesito anestesia al paciente más de una vez, lo incluyo en el tiempo. Dar más anestesia es una habilidad importante que necesitas ser competente. Así que inclúyelo.

Visita del Dr. Jeff Lims desde Australia ★★

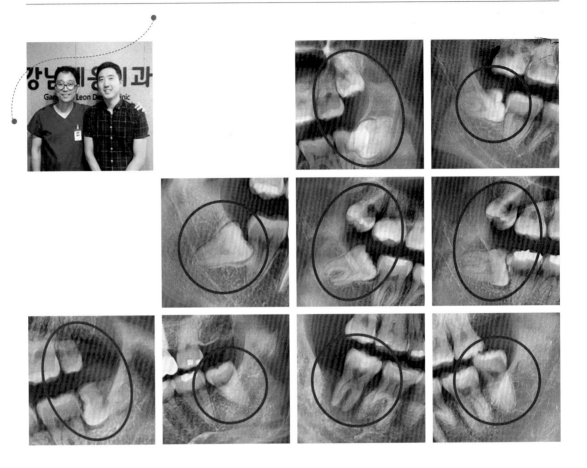

Desde el verano del 2018, he estado en los Ángeles planeando estar en Estados Unidos por unos años. Todavía tenía que regresar a Corea del Sur una o dos veces al mes para ver algunos pacientes. Durante ese tiempo, un dentista australiano quiso visitar mi oficina. Le doy la bienvenida a cualquier dentista que quiera visitarme, no recibimos muchas visitas de nuestra misma ciudad, pero sí de otros países. Usualmente veo muchos pacientes para implantes que regresan a Corea por tarifas de extracciones de terceros molares muy bajas. Desde que el dentista nos visitó, decidí tomar un nuevo caso para extracción de terceros molares. Comimos juntos y pasamos la mañana y la tarde en la oficina. Tomé 13 terceras molares de 8 pacientes mientras veía otros pacientes. Esto es un día típico para mí y le pregunte que pensaba sobre la visita. Me contesto que no media el tiempo en las extracciones de terceros molares, pero parecía que le tomaba menos tiempo que anestesiar y suturar. Usualmente pregunte a dentistas coreanos si dan anestesia en terceras molares. Pienso que solo estaba preguntando la forma porque estaba bromeando mientras se quejaba que no tiene licencia dental en Corea para ayudarme a dar anestesia.

Introducción y capítulo 10 traducido por.

Dra. Ana Laura Ortiz Gutiérrez

Médico Cirujano Dentista egresada de la Facultad de Odontología de la Universidad Autónoma de Nuevo León (UANL)
Residente de Tercer Año del Programa de Cirugía Oral y Maxilofacial en el Hospital Metropolitano "Dr. Bernardo Sepúlveda" SSA, Monterrey, Nuevo León- Universidad Autónoma de Nuevo León (UANL)

Ha sido un honor participar en la traducción del libro del Dr. Young-Sam Kim, el cual será de gran utilidad para los cirujanos dentistas en formación y para aquellos que se encuentran ejerciendo la profesión. El Dr. Kim, plasma y transmite su extensa experiencia al hacer referencia a casos simples y complejos, incentivando y retando al lector a adquirir nuevos conocimientos y habilidades, asegurándose de compartir cada uno de los detalles de su técnica. Este libro es sin duda, el fruto de años de trabajo y experiencia del autor y debería de estar en toda biblioteca de consulta.

01
Fracturas quirúrgicas de fresa redonda ★★★

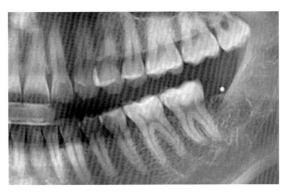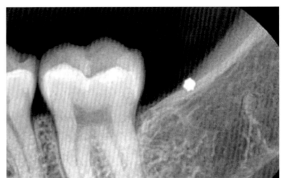

Este es un caso en el que se fracturó una fresa redonda de alta velocidad y quedó retenida en el tejido óseo. Esto se identificó en la ortopantomografía cuando el paciente se presentó para las extracciones del tercer molar superior. La extracción que resultó en este incidente se realizó hace aproximadamente un año. El fragmento retenido se eliminó sin incidentes.

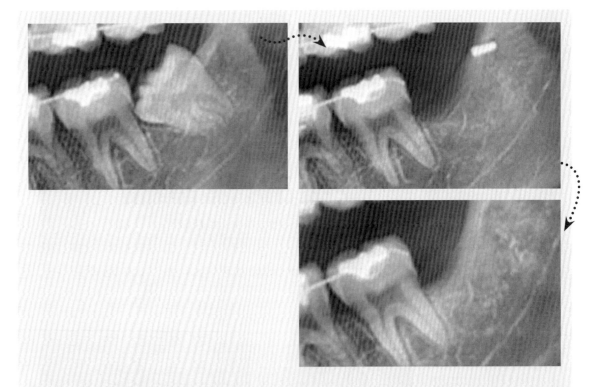

Este es un caso donde se fracturó una fresa de fisura quirúrgica de baja velocidad y quedo retenida en el tejido óseo. Este caso fue derivado por un ortodoncista y llevado a cabo por uno de mis dentistas asociados. El dentista remitente notó este fragmento por hallazgo en una ortopantomografía de control un mes después y remitió al paciente para que lo retirara. Esto fue confirmado radiográficamente por mi asociado. En mi opinión, la reducción ósea donde quedó el fragmento fue innecesaria. Si yo lo hubiese hecho, simplemente seccionaría la porción mesial de la corona sin levantar colgajo.

02
Fracturas de fresa de fisura a alta velocidad ★★★

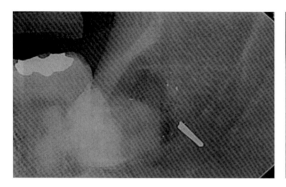 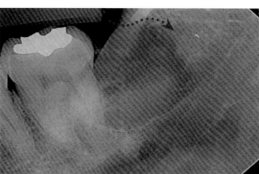

Las fresas de fisura quirúrgicas, especialmente aquellas extra largas de 28 mm, muestran una incidencia de fractura significativamente mayor (las fresas regulares son de 21 mm de largo, y fresas quirúrgicas son 25 mm de largo). Cuando visité recientemente la Facultad de Odontología de Busan, las fresas de fisura quirúrgicas de 28 mm de largo se descartaban después de un solo uso por ese motivo. Este caso me lo envió un colega, que estaba recibiendo una capacitación especializada en un hospital docente afiliado a una universidad privada en ese momento. A diferencia de otros hospitales de enseñanza de escuelas públicas, su escuela tenía presupuestos ajustados, y los estudiantes tenían que reutilizar sus fresas muchas veces. Las fresas que ya habían sido utilizadas varias veces que requerían más presión podrían ser la razón detrás de su alta incidencia de fracturas.

Se debe tener cuidado al usar fresas de fisura, ya que la fractura de las mismas es bastante común. Afortunadamente, la recuperación de las fresas no es demasiado difícil, ya que las fracturas asociadas a fresas de fisura generalmente producen fragmentos relativamente grandes. En el caso de fresas redondas, los fragmentos resultantes tienden a ser mucho más pequeños y a menudo se succionan durante la recuperación, por lo que se recomienda una radiografía posoperatoria como confirmación.

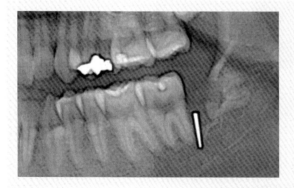

Esta extracción fue realizada por un profesor de Cirugía Oral en un hospital universitario. La mayoría de los casos de recuperación de fracturas de fresas de fisura rotas no requieren radiografías postoperatorias, ya que se puede confirmar el fragmento visualmente. Sin embargo, con fresas redondas quirúrgicas fracturadas, se recomienda una radiografía postoperatoria ya que la pieza recuperada a menudo se pierde en la succión.

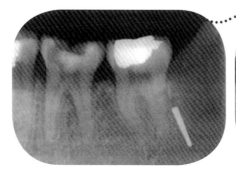 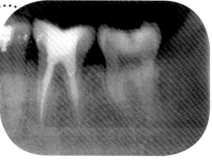 

Este es el caso publicado por un dentista amigo mío en Facebook. Su estilo quirúrgico es bastante diferente al mío, por lo que no entiendo muy bien que la fresa de fisura se fracturó allí en primer lugar. Al menos parecía haber sido eliminada sin incidentes.

03
Fracturas quirúrgicas de fresa redonda (caso reciente <1>) ★★

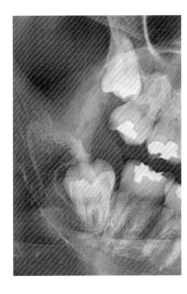
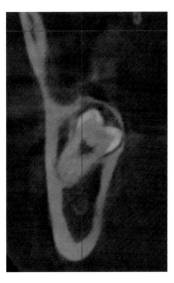
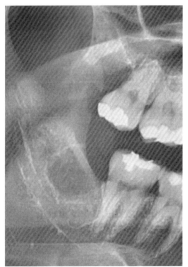

Esta paciente de 28 años de edad se presentó con el # 48 incluido disto-lingualmente.

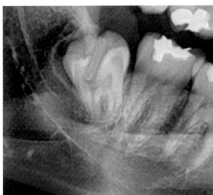
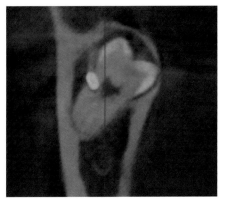

La porción distal de la corona se seccionó primero con un "corte distal de la corona". Luego, se intentó una elevación del aspecto vestibular, pero no fue efectivo debido a la inclinación lingual del diente. Se hizo un canal por vestibular de la raíz para lograr un punto de apoyo para el elevador. Para esto se recomiendan fresas de diámetro pequeño, como una redonda de tamaño 4.

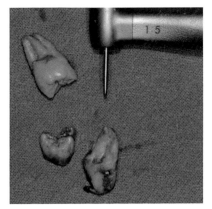
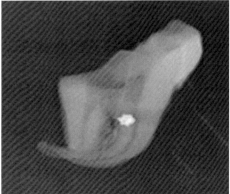

Mientras tomaba las fotografías del diente extraído junto con los instrumentos utilizados, mi asistente notó que faltaba la parte activa de la fresa redonda, supuse que la marca negra en el lado vestibular de la raíz era una quemadura por fricción, ya que es común que las piezas de mano 5x de baja velocidad dejen marcas de quemaduras debido a la poca irrigación que proveen. Una radiografía del diente extraído confirmó que la marca negra era en realidad la cabeza rota de la fresa incrustada en la raíz. Si nota que su fresa quirúrgica redonda se fracturó, pero no puede localizar la pieza rota, le recomiendo tomar una radiografía del alvéolo e incluso del diente extraído. En general es bastante raro que las fresas redondas quirúrgicas se fracturen. Sospecho que la vibración y el fuerte torque creado por la pieza de mano de baja velocidad aumentaron el riesgo en este caso.

Fracturas quirúrgicas de fresa redonda (caso reciente <2>) ★

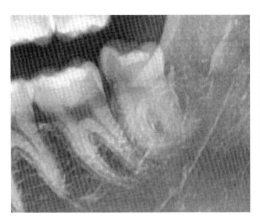

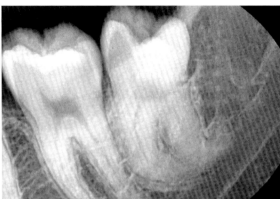

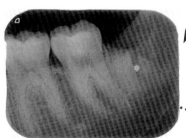

Este es un caso de un paciente masculino de 26 años que vi hace varios días. Solicitó que la extracción se realizara el día de la consulta inicial a pesar de la posible larga espera. Se le advirtió sobre la posibilidad de tener que terminar el caso realizando coronectomía antes del procedimiento.

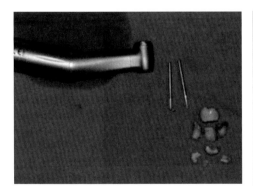

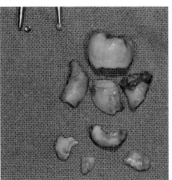

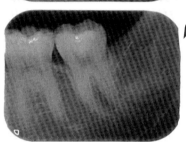

Los elevadores se utilizaron desde el principio en lugar de fórceps, ya que podrían generar una fuerza mucho mayor. Fue difícil obtener un buen apalancamiento con un elevador EL3C, por lo que se utilizó un ELSC, que terminó fracturando la corona. Entonces podría haber terminado el caso como coronectomía, pero procedí. Al seccionar las dos raíces con baja velocidad de 5x, la fresa redonda de tamaño 4 se fracturó. El fragmento fue eliminado con otra fresa, pero las raíces continuaron rompiéndose después. Finalmente, decidí terminar el caso con algunas raíces residuales que quedaban en el hueso. Cada vez que se aplicaba presión a las raíces restantes, el paciente sentía un dolor intenso, lo que podría haber sugerido que las raíces estaban muy cerca del nervio alveolar inferior. A pesar de que las fresas redondas no se fracturan tanto como las fresas de fisura, podrían hacerlo si se usan a baja velocidad, especialmente si el diámetro de la fresa es pequeño. No obstante, las fresas redondas rara vez se fracturan en general. Recuerdo solo unas pocas fracturas de las miles de las que he usado en los últimos años a pesar de que las uso con mucha más frecuencia que las fresas de fisura.

04
Fractura de objetos extraños misceláneos ★

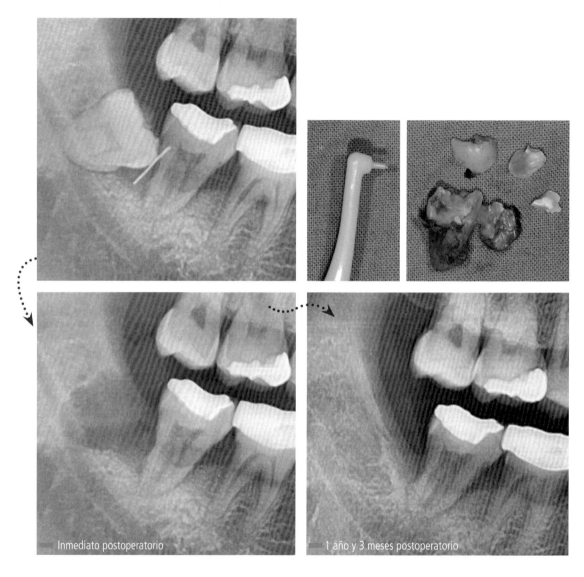

Inmediato postoperatorio

1 año y 3 meses postoperatorio

Paciente masculino de más de 40 años se presentó con un cabezal de cepillo interproximal retenido. El fragmento del cepillo se retiró junto con el tercer molar. Se tomó una radiografía postoperatoria para confirmar haber retirado el fragmento ya que se perdió en la succión.

05
Quemadura por hielo

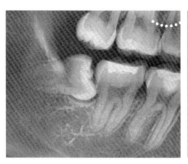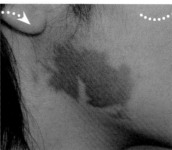

La fotografía clínica el centro se tomó un día después de la extracción #48. Ella vio a un dermatólogo y le dijeron que los cambios en la piel se debían a una lesión hipotérmica (quemadura de hielo). Sin embargo, ella negó cualquier aplicación prolongada de paquetes de hielo. Ocho días después, la piel volvió a la normalidad (foto a la derecha).

En general, la quemadura por hielo es causada por la aplicación prolongada de compresas frías directamente sobre la piel. Las compresas frías deben aplicarse con descansos de manera intermitente. Es más común en las mujeres, y si el paciente duerme sobre la bolsa de hielo. Considero que esta es una complicación postoperatoria muy poco común, ya que ocurrió solo una vez en mi carrera.

¡Referencia!

¿Qué es una quemadura por hielo?

También se conoce como quemaduras frías. Es causado por un contacto prolongado con objetos muy fríos (-2~10°C). En un ambiente frío prolongado, el agua contenida en las células se congela y forma cristales helados, que son perjudiciales para la estructura circundante. El área afectada puede volverse blanca y cerosa en apariencia. Esto podría conducir a parestesia. La gravedad de la quemadura por frío depende de la temperatura y la duración de la exposición al frío. En casos leves, la piel recuperará su tez rosada una vez que el área se vuelva a calentar. En casos severos, pueden desarrollarse gangrena y ampollas. Se debe evitar el uso prolongado (más de 20 minutos) de compresas de hielo, y se debe usar una barrera como toallas de mano o toallas de papel.

06
Inflamación del alvéolo <1> ★★★

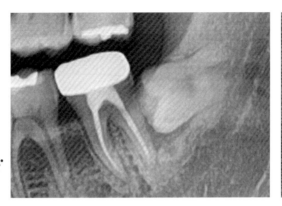 

Este paciente desarrolló dolor e hinchazón 50 días después de la extracción. La herida fue drenada y la inflamación finalmente se resolvió en 20 días. Inflamaciones como esta pueden ocurrir en cualquier momento después de la extracción. En la mayoría de los casos, el atrapamiento de comida en el alvéolo es la causa que lo propicia, y es común ver partículas de alimento durante el drenaje.

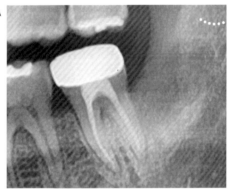 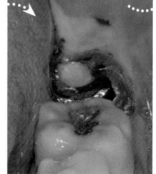 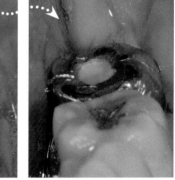

━━Esta es la ortopantomografía y la fotografía clínica tomada 50 días después

━━La segunda fotografía clínica muestra el área completamente curada 20 días después del drenaje

Inflamación del alvéolo <2> ★★

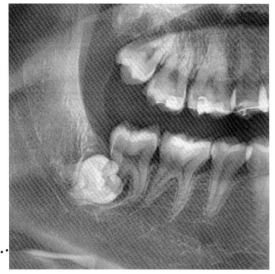

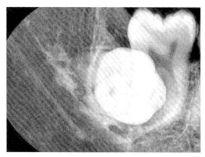

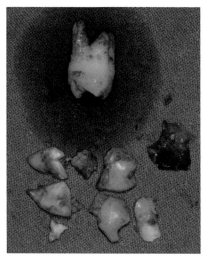

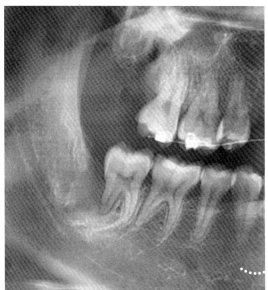

Paciente masculino de 23 años de edad quien se presentó para la extracción de # 48. Fue una extracción difícil, y desarrolló dolor e hinchazón dos meses después.

Esto podría deberse a mala higiene bucal del paciente con su tratamiento de ortodoncia.

Hubo presencia de secreción purulenta significativa al momento del drenaje, mucho más de lo que se muestra en la fotografía.

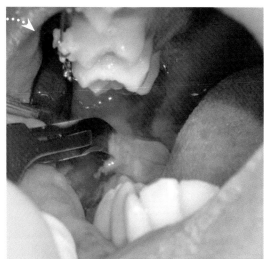

07
Drenaje por infección prolongada ★

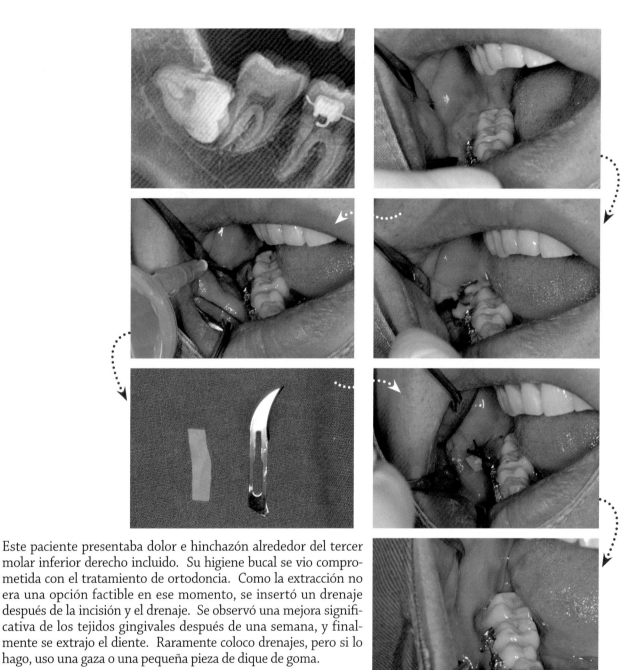

Este paciente presentaba dolor e hinchazón alrededor del tercer molar inferior derecho incluido. Su higiene bucal se vio comprometida con el tratamiento de ortodoncia. Como la extracción no era una opción factible en ese momento, se insertó un drenaje después de la incisión y el drenaje. Se observó una mejora significativa de los tejidos gingivales después de una semana, y finalmente se extrajo el diente. Raramente coloco drenajes, pero si lo hago, uso una gaza o una pequeña pieza de dique de goma.

Comentario del Dr. Dae-Yong Kim

¡No use gasa como drenaje! Las fibras de la gasa se pueden quedar dentro de los tejidos blandos. Si no tienes un dique de goma, puedes usar una pequeña pieza de guante estéril. La sutura es para estabilizar el drenaje.

08
Causas de supuración ★★

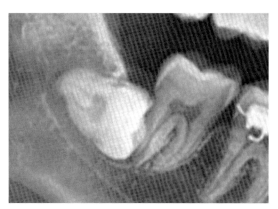

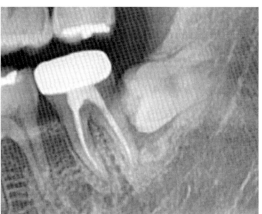

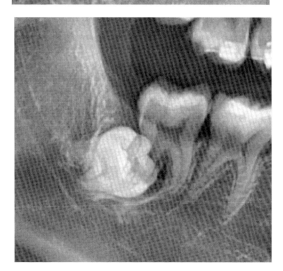

Estos tres casos, donde se observó secreción purulenta después de la extracción, comúnmente tenían pequeñas aberturas hacia el alvéolo. La supuración es rara después de las extracciones de dientes completamente erupcionados que resultan en alvéolos más anchos. No es una complicación común, pero cuando ocurre, por lo general ocurre en alveolos más pequeños probablemente porque a medida que el epitelio alrededor de la abertura se cura, cierra la cavidad, haciendo que la cavidad actúe como una trampa de comida. Cuando mis pacientes regresan con secreción purulenta, les muestro estas radiografías panorámicas y les digo la analogía de que es más fácil limpiar el interior de un balde ancho que una lata de cerveza estrecha.

Según mi experiencia, esta complicación es bastante rara, y generalmente cura sin incidentes con drenaje y antibióticos.

¡Espera!

Alvéolo Seco (Osteítis Alveolar)

La Osteítis Alveolar (OA) también se conoce como Alvéolo Seco. Esto generalmente se presenta de 3-5 días después de la extracción y dura 5-10 días. Aunque se desconoce la patogénesis subyacente exacta de OA, se cree que está relacionada con la formación local de fibrinólisis y la desintegración prematura del coágulo de sangre en el alvéolo. Por lo tanto, también se conoce como alveolitis fibrinolítica. Por otra parte, en OA, el plasminógeno en el coágulo de sangre se convierte en plasmina para inducir la fibrinólisis del coágulo de sangre, lo que a su vez provoca la liberación de cinina del cininógeno, lo que produce dolor que acompaña a la OA. La osteítis alveolar ocurre en 0.5-5% de todas las extracciones. Algunas publicaciones sugieren que es 1-3%. En el caso de los terceros molares mandibulares afectados, el porcentaje puede ser tan alto como 25-30%. Las altas incidencias de OA se informan principalmente en los hospitales universitarios, donde los residentes realizan extracciones durante su capacitación. La OA es menos común entre los dentistas más experimentados. Se sabe que es más común que se presente en premolares mandibulares; seguidos por los premolares maxilares, molares, caninos e incisivos. Aquí hay algunos datos conocidos sobre la OA a pesar de que su patogenia exacta no se conoce bien.

- Se acompaña de mal olor, mal sabor y dolor intenso que se irradia al oído.

- El dolor suele ser el peor al inicio

- Los signos vitales son normales y afebriles

- No hay supuración ya que no es una infección

- Se localiza dentro de la lámina dura

- Las pruebas de laboratorio son innecesarias

- No causa linfadenopatía cervical

- La flora bacteriana oral puede desempeñar un papel en la patogénesis, pero se desconoce el mecanismo exacto. –

- Los factores de riesgo de OA incluyen tabaquismo, pericoronitis, vejez, irrigación inadecuada durante el procedimiento. Una vez creí que la OA estaba asociada con el uso de agua del grifo, ya que tenía muchos más incidentes en mis días de escuela de odontología, donde se usaba agua del grifo en lugar de agua destilada, como refrigerante de la pieza de mano. Sin embargo, esta suposición era inexacta, ya que la OA todavía se presenta a pesar de que en la actualidad casi todas las clínicas usan agua destilada. Al final, la ejecución del procedimiento en sí es lo que realmente importa. La extracción rápida y atraumática es la clave en la prevención de OA; en mi opinión, depende de la habilidad, la delicadeza y la experiencia del cirujano.

- Los anticonceptivos orales pueden aumentar el riesgo de OA. El estrógeno en los anticonceptivos orales puede activar la actividad fibrinolítica del plasminógeno, lo que a su vez aumenta la lisis de los coágulos de sangre en las cavidades. Sin embargo, se puede considerar insignificante.

Comentario del Dr. Dae-Yong Kim

El enjuague bucal excesivo después de la extracción puede causar OA.

Tratamiento para la OA:

- El re-curetaje de la cavidad del alvéolo afectado a menudo se practicaba en el pasado, ya que el sangrado iatrogénico era deseado para acelerar la curación, sin embargo, ya no se recomienda.

- El tratamiento más común en estos días es la colocación de una gasa con eugenol en el alveolo afectado principalmente para aliviar el dolor. Esto tiene que repetirse todos los días o cada dos días durante 3-6 días. Una vez que el dolor disminuye, la gasa debe retirarse para evitar la reacción de un cuerpo extraño.

Comentario del Dr. Dae-Yong Kim

En lugar de eugenol, recomiendo aplicar un poco de anestésico tópico en la cavidad con un isopo.

- Se sabe que Eugenol es neurotóxico, por lo tanto, existe un riesgo de daño nervioso si se coloca demasiado cerca del nervio alveolar inferior.

- Recomiendo colocar un tapón de colágeno (Teruplug). Esto ha sido muy efectivo en mi práctica.

Si el pronóstico de OA con un manejo adecuado es bueno, por lo general no se necesita más tratamiento.

- En la mayoría de los casos, el dolor disminuye rápidamente sin anestesia local. La necesidad de antibióticos es controvertida. En general, no prescribo antibióticos por vía oral después del procedimiento, pero si lo desea, lo recetaría por razones de manejo del paciente.

- Sin embargo, se necesita un manejo y seguimiento más cuidadoso para aquellos pacientes con un mayor riesgo de osteomielitis (es decir, diabetes, uso crónico de esteroides, radioterapia).

- Si un paciente no responde al tratamiento anterior, se recomienda la derivación a un especialista para descartar cualquier otra patología subyacente desconocida.

09
Dolor severo después de la extracción de #38 ★★

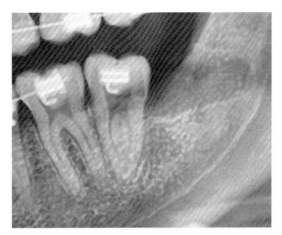

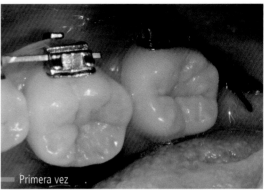

Primera vez

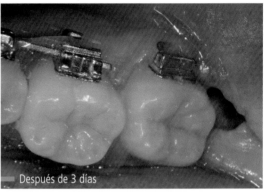

Después de 3 días

Este paciente presentó dolor severo después de la extracción del # 38 realizada en otro consultorio. La ortopantomografía y las fotografías clínicas se tomaron antes del tratamiento. Como se sospechaba de OA, se retiraron las suturas, se volvió a curar ligeramente el alvéolo bajo la anestesia local y se colocó Teruplug. Regresó asintomático tres días después. Según el profesor Seung-O Goh, se realiza control del dolor e irrigación, o si se va a usar eugenol, la aplicación de 30 minutos a 1 hora seguida de extracción e irrigación es adecuada. Con respecto al apósito intraalveolar, recomienda usar solo aquellos que estén clínicamente probados como seguros.

10
Dolor y halitosis después de la extracción ★★★

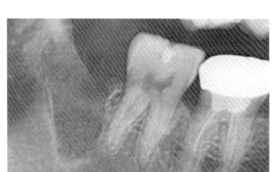

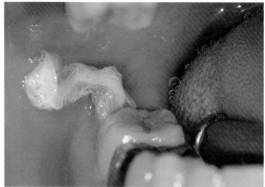

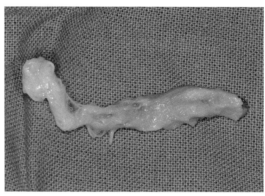

Este paciente presentó dolor persistente después de la extracción por otro dentista, quien, según el paciente, sospechaba de OA y colocó una gasa con vaselina en el alvéolo. Sin embargo, olía a eugenol para mí. Como de costumbre, bajo la anestesia local, se quitó la gasa y se colocó un Teruplug.

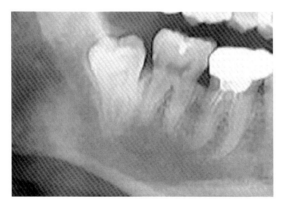

El paciente informó un alivio instantáneo del dolor. Posteriormente nos proporcionó la ortopantomografía preoperatoria que fue tomada por su dentista anterior para usarla en este libro. También dejó una gran crítica en nuestro sitio web.

Comentario del Dr. Dae-Yong Kim: No se recomienda el uso de gasa con vaselina ya que previene la hemostasia y la curación de tejidos.

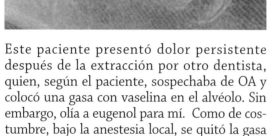

Comentario del Dr. Dae-Yong Kim

No se recomienda el uso de gasa con vaselina. Al igual que Bone Wax, se sabe que retrasa la curación de los tejidos al inhibir el flujo sanguíneo a la cavidad.

¡Referencia!

En Corea, la anestesia local y las suturas fueron facturadas de forma separada, sin embargo, en total fueron $25.

Re–curetaje en alveolos

La regulación para recuretaje en alveolos según el Seguro Nacional Dental de Corea es la siguiente (Extraído del Tomo 9 de Ser Experto en Seguro Nacional Dental por el director Young-Sam Kim).

■ Re–curetaje en alveolos (El curetaje del alvéolo)

Costo del Tratamiento: 8,080 won (En 2017)

- Después de la extracción, en el caso de que pueda haber infección después de la extracción se limpia el área interna de la extracción y ser remueve cualquier cosa que pueda causar infección.

- También se realiza curetaje cuando puede haber alveolitis debido a resequedad.

- Después de la extracción se debe hacer una evaluación, pero no el mismo día de la extracción.

- Es permisible evaluar a pacientes que han tenido la extracción en otros establecimientos.

- No se reconoce el derecho de retención.

La explicación anterior incluye tanto el acto de extraer el hueso alveolar un poco después de la extracción del diente como la extracción extensa del hueso alveolar para hacer dentaduras postizas. A continuación, hablaremos del hueso alveolar que ha perforado fuertemente las encías tras la extracción del diente.

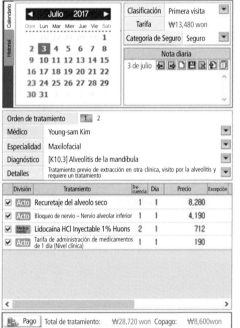

Esto muestra el bajo costo cuando solo se realiza anestesia, extracción y curetaje sin ningún otro tratamiento.

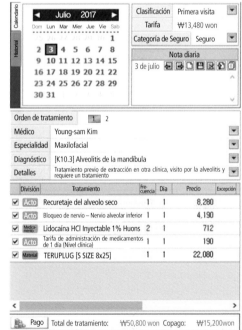

En realidad, la extracción y recuretaje no tiene mucho sentido, por lo que se limpia bien el área de la extracción y se coloca un Teraplug. El costo de esto se muestra en la pantalla.

En Corea, aun cuando colocas tapones de colágeno en los alvéolos como extra al procedimiento, solo puedes cobrar el tapón de colágeno.

Tapón de Colágeno (Estándar para verificar Teraplug)

La noticia oficial sobre Teraplug ha cambiado recientemente. Este es el contenido correspondiente.

■ Estándar para cubertura del costo de TERAPLUG

1. Los materiales de tratamiento (Teruplug, Ateloplug, Rapiderm Plug) en forma de tapones que protegen las heridas y favorecen la granulación son reconocidos como beneficios médicos en los siguientes casos de extracción.

   A. En caso de dificultad de cicatrización después de la extracción debido a enfermedades de la sangre, etc. del paciente

   B. Si el sangrado continúa después de la extracción del diente

   C. Fístula del seno maxilar oral

2. Para el costo de los materiales de tratamiento utilizados que no estén sujetos a la cobertura del Párrafo 1 anterior, la tasa de copago es del 80% de acuerdo con "Elementos para los cuales la tasa de pago por cuenta propia se aplica de manera diferente dentro del rango de menos del 100/100 del costo del beneficio de atención médica y los criterios para determinar la tasa de cobro".

Evidencia-Notificación 2016-147 del Ministerio de Salud y Bienestar Social

Por lo tanto, si no se cumplen los criterios de acreditación anteriores, el paciente debe pagar el 80% del copago inmediatamente después de la extracción del diente o en el momento de la recuretaje. En mi caso, en el caso de sangrado continuo, alveolitis seca y perforación del seno maxilar, se utiliza el estándar de cobertura original (30% pagado por mí), y para otros estándares, se utiliza el copago estándar del 80% según el último cambio.

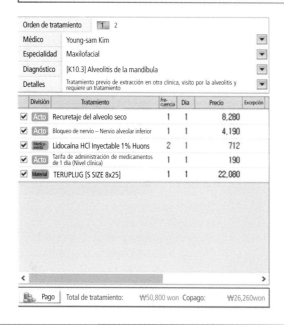

En el caso de un reclamo mediante la aplicación del 80% del copago, el dentista no tendrá ninguna ganancia monetaria, y tendrá que conformarse con reclamará el costo total de la compra.

11
Materiales varios

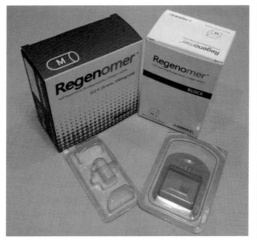

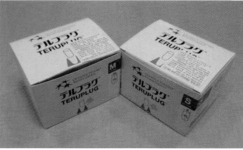

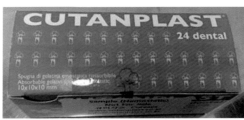

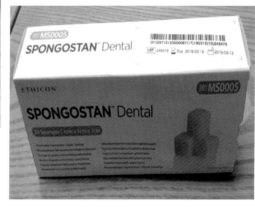

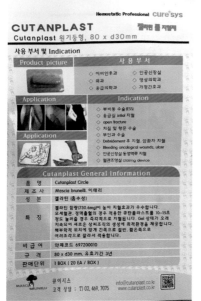

Spongostan no está disponible en Corea actualmente. Teruplug y Cutanplast son ampliamente utilizados.

El Teruplug parece ser el más efectivo ★★

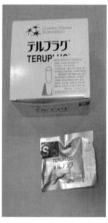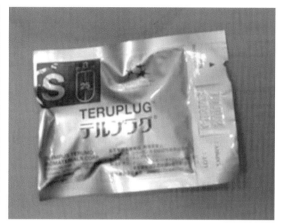

Yo solo tengo Teruplug en tamaños chico y mediano en mi consultorio. Los chicos son comúnmente preferidos, excepto para perforaciones del seno maxilar.

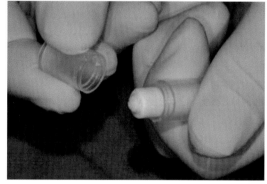
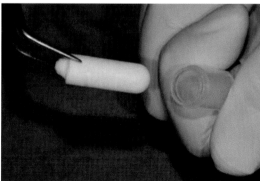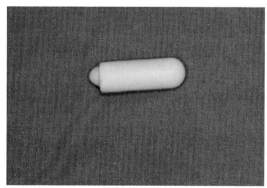

Puede colocarse directamente en el alvéolo, o puedes impregnarlo en solución salina primero, no obstante, toma una consistencia muy blanda en cuanto se moja. No creo que sea una buena idea utilizarlo para perforaciones del seno maxilar. Si no tienes otra opción, se recomienda utilizar uno mediano, realizando un cierre lo más hermético posible. Así mismo, se deben seguir indicaciones postoperatorias correspondientes a aquellas de elevación de seno maxilar.

12
Perforación del seno maxilar

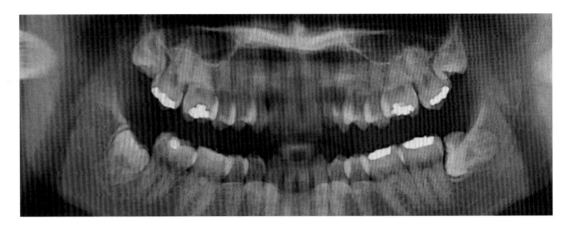

Esta ortopantomografía es de un paciente quien se presentó para una segunda opinión después de haberse enterado que su seno maxilar fue perforado durante la extracción del #28. En este caso y según mi experiencia, las perforaciones sinusales generalmente ocurren cuando el diente se apoya en el piso lateral, desde la corona hasta la punta de la raíz. La fuerza generada por la elevación probablemente causó la fractura del hueso adyacente al lado mesiobucal del # 28.

Comentario del Dr. Jong-Hwan Lim

Prueba para la perforación sinusal (maniobra de Valsalva)

Pídale al paciente que sople aire por la nariz mientras lo tapa. Mientras lo hace, verifique que no haya burbujas de aire en el alvéolo. En general, más del 90% de los casos se cura con la colocación de Collaplug o Teruplug.

La mayoría de los médicos hacen esta maniobra de Valsalva para verificar la perforación del seno. En mi opinión, es más importante asegurarse de que el paciente se apegue a las instrucciones y cuidados postoperatorios (por ejemplo, no se suene la nariz, no beba con una pajilla, no estornude por la nariz, etc.) para permitir que la perforación se cierre espontáneamente. Si la colocación de una membrana de colágeno no resuelve el problema, el cierre físico debe lograrse por medio de un colgajo o un pequeño bloque de hueso en el alvéolo.

Comentario del Dr. Dae-Yong Kim

Es posible causar una perforación en los senos durante la maniobra de Valsalva, así que, para estar seguro, aplico un poco de solución salina en el alvéolo para verificar la comunicación oroantral.

Comentario del Dr. Jae-Wook Lee

Mantener un coágulo de sangre estable en el alvéolo es muy importante. Esto se puede lograr colocando una sutura de fijación en 8 (entrecruzada).

13
Lesión al nervio lingual

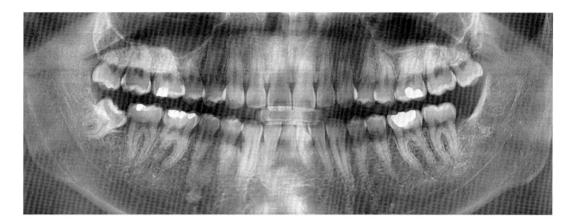

Esta es una ortopantomografía de un paciente para las extracciones de # 18 y # 48. Ella informó haber sufrido daño al nervio lingual después de la extracción de # 38 hace 5 años, que duró más de 6 meses antes de resolverse espontáneamente sin ningún tipo de parestesia residual. La anatomía del nervio lingual varía mucho y, por lo tanto, los médicos deben tener la máxima precaución. La radiografía de la paciente demuestra que la lesión del nervio lingual puede ocurrir a cualquier persona con una anatomía típica.

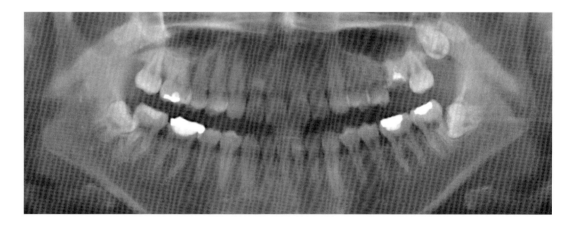

Esta paciente es la esposa de uno de mis amigos de la secundaria. Ella ha estado sufriendo parestesia del nervio lingual desde que le extrajeron la # 48 por otro dentista hace 5 años. Aparte de las raíces que se encuentran muy cerca del nervio alveolar inferior, no pude identificar ninguna característica anatómica de alto riesgo en la ortopantomografía preoperatoria. El nervio probablemente se dañó al hacer una incisión o al levantar un colgajo. Uno nunca puede estar seguro de la ubicación exacta del nervio lingual. Por lo tanto, nunca toques el lado lingual de los terceros molares mandibulares durante las extracciones.

14
Parestesia del nervio alveolar inferior (NAI) ★

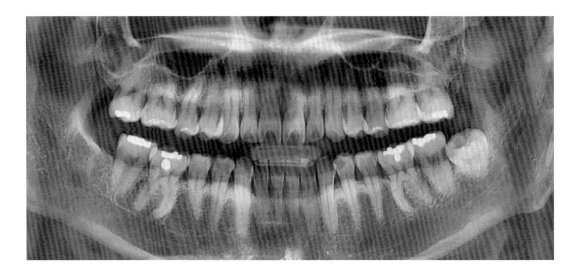

Un paciente de 50 años se presentó para la extracción del #38. El # 48 fue extraído por otro dentista hace 20 años. La paciente informó que EL NAI resultó dañado durante el procedimiento y que había estado sintiendo molestias desde entonces.

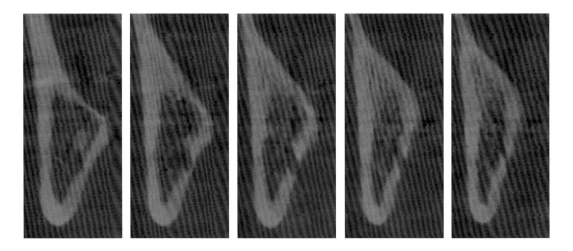

Ella solicitó un CBCT preoperatorio para realizar el procedimiento del # 38 para reducir los riesgos esta ocasión. Junto con el # 38, también se escaneó el área donde se extrajo el # 48. En la exploración, se observó una punta de la raíz retenida al lado del canal del NAI, que parecía estar perforando la placa cortical lingual. Sin una imagen preoperatoria, solo puedo sospechar que el NAI podría haber sido comprimido o transportado por la raíz contigua durante la extracción.

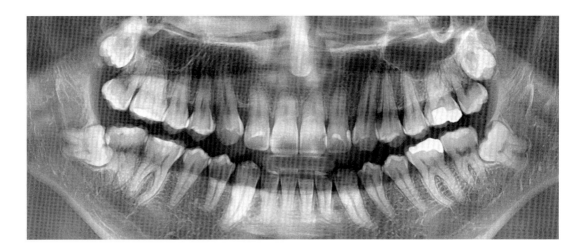

Uno de mis cirujanos orales asociados extrajo el #48. Desde que pasó el efecto del anestésico local, el paciente se había quejado de parestesia durante un mes después de la extracción, lo que sugiere el daño de NAI. En la radiografía panorámica, el signo de Youngsam se puede ver como una radio lucidez alrededor de las raíces. Esto indica que las raíces colindaban con el NAI y muy cerca de la cortical lingual. El cirujano solo usó una pieza de mano de baja velocidad para el procedimiento, y sospecho que el NAI podría haberse dañado mientras estaba seccionando las raíces a lo largo de la furcación. No se pudo contactar al paciente por un tiempo.

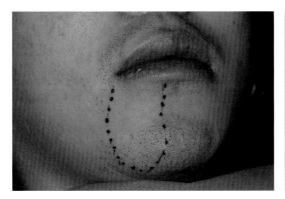

Mapeo nervioso de una lesión al NAI. Los pacientes generalmente presentan una sensación alterada en el área mostrada.

15
Casos recientes ★★

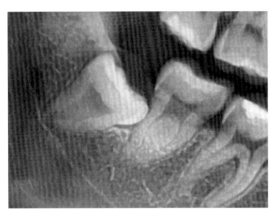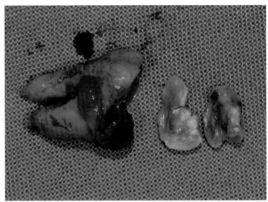

Esta extracción fue realizada por un dentista durante mi taller de cirugía. El diente fue extraído después del 'Corte mesial de la corona' seguido de un 'Corte lingual de la corona' u 'Oblicuo'. Todo el procedimiento tomó unos 30 minutos. Al día siguiente, el paciente se quejó de adormecimiento del labio inferior. Puedes ver el signo de Youngsam y una radio lucidez alrededor de las raíces del # 38.

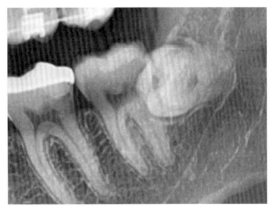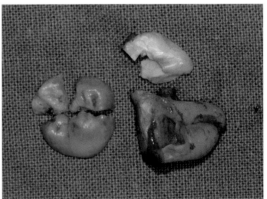

Este es uno de mis casos recientes. Según la radiografía panorámica, las raíces del #38 parecen superponerse con el canal NAI, pero no se puede ver una radio lucidez cuando el diente gira y se inclina. Se informó al paciente sobre la dificultad del procedimiento y la posibilidad de tener que terminar el caso con craniectomía. La corona se seccionó y se quitó primero. Cuando las raíces se elevaban, la paciente se quejaba de molestias y sensaciones de hormigueo en el labio inferior izquierdo. Como las raíces luxadas estaban contra la superficie distal del #37, se levantaron nuevamente y luego se seccionaron 'para permitir el paso, pero parece que se realizó un' corte oblicuo 'ya que el diente se giró 90 grados lingualmente con su superficie mesial orientada a vestibular y la superficie vestibular frente a la oclusal'. Incluso después de la extracción, el paciente se quejó de una sensación alterada en el labio, pero afortunadamente, se resolvió al día siguiente. Este podría haber sido mi primer caso que resultó en daño nervioso de tipo iatrogénico.

16
Parestesia del Nervio Alveolar Inferior inducida por periodontitis apical ★

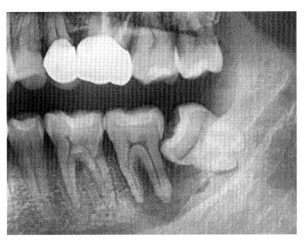 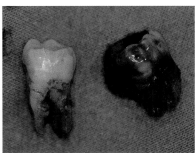

Este paciente se quejó de dolor en el #38, pero la radiografía mostró una gran radio lucidez alrededor de las raíces del #37. Puede ver que la infección periapical se ha extendido alrededor del NAI. Después de que se extrajeron los dientes que no se podían restaurar, no se curetearon los alvéolos debido al riesgo de daño nervioso. El paciente informó una sensación alterada después de las extracciones, por lo que se están realizando seguimientos de control.

¡Espera!

Prescripción cuando se sospecha de daño nervioso ★★★

Nunca he causado parestesia iatrogénica, pero creo que la resolución espontánea eventualmente ocurre sin ninguna intervención en la mayoría de los casos. Sin embargo, por razones legales, recomiendo comenzar el tratamiento lo antes posible si se sospecha una lesión nerviosa. Los esteroides, las vitaminas y la gabapentina; generalmente se prescriben a pesar de que sus efectos terapéuticos aún son cuestionables. También se debe considerar derivar a un especialista de manera oportuna para indagar sobre el tema y considerar tratamientos adicionales.

17
Notas clínicas de un paciente con parestesia – Caso del Dr. Min-Kyo Seo

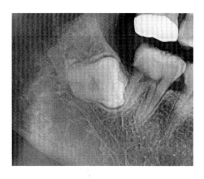

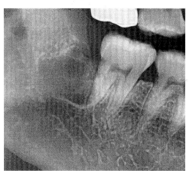

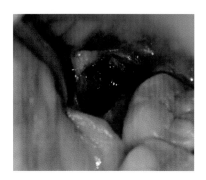

Esteroide - Prednisolona: reduce la neuritis en parestesia de manera rápida y efectiva.

Por ejemplo: después de la extracción del tercer molar, entumecimiento / sensación de hormigueo: 3 veces al día durante 5 días (para un adulto sano) 5 mg / Tab 5 - 60 mg / día, muchas marcas disponibles

27/01/2016
44 años femenino
CC: "La encía inferior derecha se encontraba inflamada y con sintomatología dolorosa en la región posterior"
Remojo de Dexametasona 1 abundante en el alveolo (5 min)
Dexametasona 1 inyección IM
Solondo (prednisolona) 1er día 6 cucharaditas tres veces al día, 2do día 6 cucharaditas tres veces al día, 3er da Cefaclor (2do gen Cephalosporin AB), Almagest (Almagate) tres veces al día., PH

28/01/2016
S: "Sigo sintiendo un ligero adormecimiento"
Hipoestesia: labio inferior derecho y mentón
No significativo en comparación con el contralateral
Dexametasona 1 ampolleta IM
Sellalux con láser Tx 15 min
Instruido para usar el paquete caliente

30/01/2016
Diagnóstico: hipoestesia en el labio inferior derecho y el mentón debido a la exposición a NAI CC: 6: 4 (Izquierda: Derecha)
- 70% de disminución sensorial en el labio inferior derecho en comparación con el contralateral - -Respuesta tardía a estímulos dolorosos
- Ginexin-F (ginkgo biloba ex) 40 mg, mañana y noche, tomar 1t, x 14 días
- Beecom-C Tab (multivitamínico), mañana y noche, tomar 1t, x14 días
- Tyrenol ER 1t cada uno, bd, x4 días
- Masaje con fomentos calientes

08/03/2016 (6 semanas postoperatorio)
S: "Ahora está mejor"
O & P
Sensación: regresó 90%
Sin sensación de endurecimiento de dientes anteriores
Ginexin-F 40 mg, 1t cada día, x14 días
n: revisión 3/52

29/03/2016
S: "Parece que ha vuelto a la normalidad"
O: La recuperación sensorial del labio derecho y el mentón es 100% comparable al lado contralateral. El alveolo del #48 que causa atrapamiento de alimento, sin embargo, el paciente puede realizar la limpieza del mismo.

Comentario del Dr. Min-Kyo Seo

No prescribí Neurontin (gabapentina) ya que no me sentía cómodo prescribiéndolo sin consultar a especialistas en medicina oral.

18
Fracturas de la tuberosidad maxilar ★★★

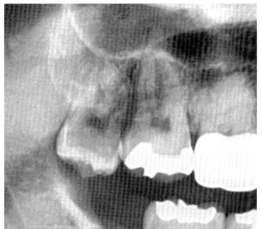

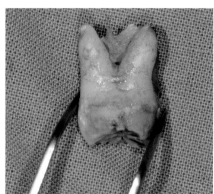

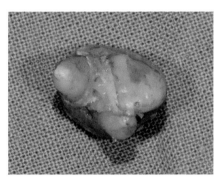

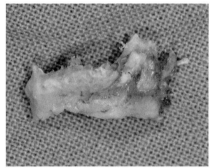

Las fracturas óseas pueden ocurrir durante la extracción de los terceros molares superiores e inferiores. Las fracturas de la tuberosidad maxilar ocurren con frecuencia, especialmente cuando se usan elevadores en lugar de fórceps, así mismo cuando se realiza en hombres de mediana edad y en mujeres con osteoporosis (en mi experiencia). Parece que las fracturas óseas no afectan la cicatrización y tampoco se acompaña de hemorragia excesiva. Fracturas incluso más grandes que los casos que se muestran aquí se ven con frecuencia, pero generalmente sanan sin complicaciones. Esto también significa que no debemos preocuparnos demasiado por la remoción del hueso bucal durante la extracción de los terceros molares superiores incluidos.

19
Fracturas de tuberosidad maxilar fusionadas con los terceros molares superiores ★★

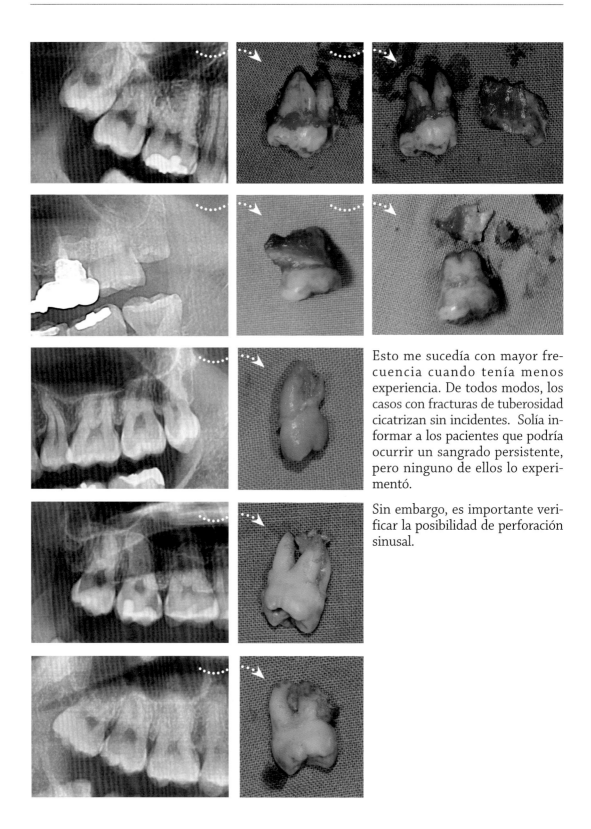

Esto me sucedía con mayor frecuencia cuando tenía menos experiencia. De todos modos, los casos con fracturas de tuberosidad cicatrizan sin incidentes. Solía informar a los pacientes que podría ocurrir un sangrado persistente, pero ninguno de ellos lo experimentó.

Sin embargo, es importante verificar la posibilidad de perforación sinusal.

20
Fractura interradicular de los terceros molares mandibulares ★★★

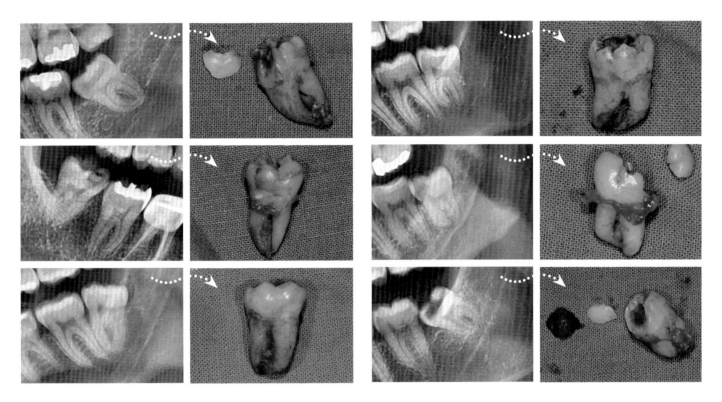

Las fracturas alveolares ocurren comúnmente durante las extracciones. La mayoría de ellas pasan desapercibidas como fracturas de tallo verde, pero a menudo se puede ver el hueso intra radicular fracturado con el diente extraído si las raíces están severamente diaceradas o convergen apicalmente. En estas fracturas no debemos preocuparnos por alteraciones en la cicatrización o sangrado excesivo.

Comentario del Dr. Jong-Hwan Lim

Esto aplica al Dr. Young-Sam Kim, quien es un gurú de la extracción de los terceros molares. Como profesionales del medio, necesitamos colocar el hueso nuevamente en su lugar de origen y colocar puntos de sutura. Además, debemos informar al paciente sobre la posibilidad de dificultad para tragar y otros problemas potenciales.

Comentario del Dr. Dae-Yong Kim

Seccionar las raíces durante la extracción puede evitar que esto suceda si la lámina dura se visualiza claramente entre las raíces curvas en las radiografías preoperatorias.

21
Fractura de la placa lingual <1> ★★★

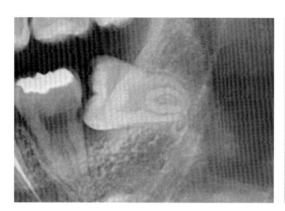 

La fractura de la tabla lingual es común durante la extracción de los terceros molares mandibulares. En la mayoría de los casos, las tablas linguales son mucho más delgadas que las tablas vestibulares, y la presión aplicada desde el lado vestibular del diente durante la luxación, puede hacer que se rompan fácilmente. La anquilosis y la falta de ligamento periodontal alrededor del diente a extraer pueden aumentar las posibilidades de fractura. Además, existe un mayor riesgo si el signo de Youngsam es evidente en la radiografía preoperatoria. Independientemente, todos estos casos mostraron recuperaciones sin incidentes en los seguimientos de control. Si el fragmento es grande y, por lo tanto, difícil de extraer junto con el diente, puede separarse del diente y dejarse en el alvéolo hermetizando con sutura.

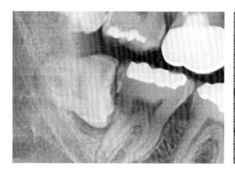 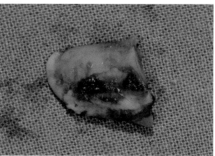

El signo de Youngsam a lo largo de las raíces y la presencia de hueso intra radicular, sugieren que la fractura de la placa lingual puede haber sido inevitable.

Fractura de la placa lingual <2> ★

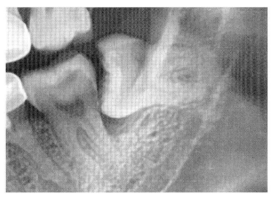

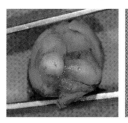

Las fracturas de la placa lingual ocurren mucho menos en mis casos, ya que hago "corte oblicuo" y tengo bastante experiencia. Sin embargo, los médicos sin experiencia a menudo aplican innecesariamente fuertes y prolongadas fuerzas desde el lado bucal del diente hacia la tabla lingual, y esto conduce a una mayor tasa de incidencia de fracturas.

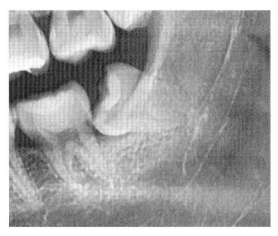

A veces, se puede ver el músculo milohioideo junto con la tabla lingual fracturada. Estaba muy nervioso cuando me sucedió esto por primera vez, pero lo disequé cuidadosamente de la tabla fracturada con un bisturí y lo volví a colocar. Los músculos milohioideos se unen en toda la longitud de la cresta milohioidea, por lo que incluso si se corta una pequeña porción, no causa ningún problema importante, a lo mucho se presentan algunas molestias al tragar durante algunos días.

Comentario del Dr. Dae-Yong Kim

El músculo milohioideo también es complicado en los pacientes con dentaduras postizas. A veces, alisar el músculo milohioideo hace que la dentadura postiza sea mucho más cómoda para ellos.

22
Exposición del músculo milohioideo ★★

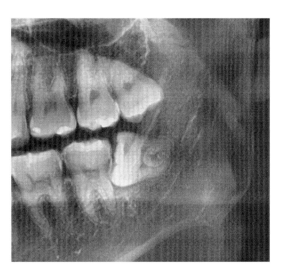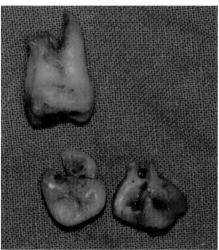

Se trata de un hombre de 33 años de edad con una inclusión horizontal típica del #38. Sus raíces eran curvas y convergentes, pero no hubo otro hallazgo significativo. La corona fue seccionada y retirada y el elevador se utilizó desde el aspecto bucal a las raíces restantes. Debido a que el tamaño del diente era pequeño y solo tenía una fresa redonda 6, se utilizó el método de `Corte Disto-Cervical´ en lugar del `Corte Oblicuo´.

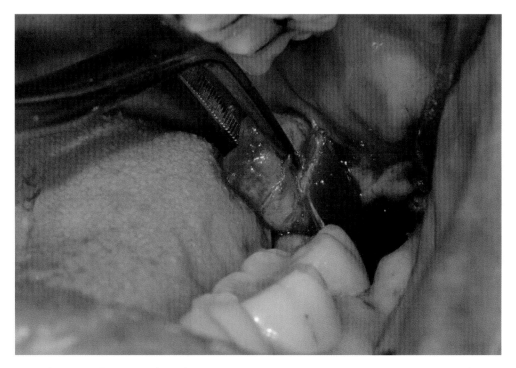

Cuando sujeté las raíces luxadas con una pinza hemostática, encontré que estaban unidas al músculo milohioideo a través de la tabla lingual fracturada. El diente se gira hacia abajo en la fotografía.

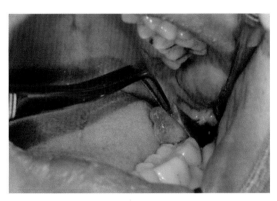 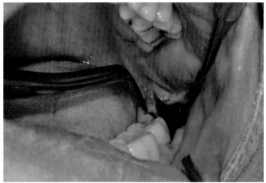

Si el músculo expuesto es pequeño, se puede cortar con unas tijeras o un bisturí cerca de su unión, y la tabla lingual fracturada se puede extraer junto con el diente. Sin embargo, debido a que el músculo expuesto era bastante grande en este caso, la tabla lingual fracturada se separó primero del diente. La fotografía de la derecha muestra el fragmento de hueso lingual separado con el músculo unido.

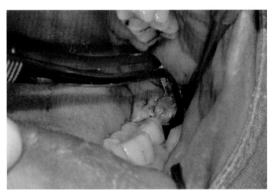 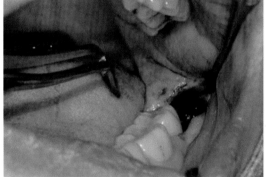

El fragmento de hueso lingual y el músculo adherido, se volvieron a colocar en su posición original. El paciente no experimentó ninguna molestia postoperatoria. Todos mis casos de músculo milohioideo expuesto han sido manejados de esta manera, y sus recuperaciones han sido sin incidentes.

Comentario del Dr. Jae-Wook Lee

Independientemente de si su intención es remover o reposicionar la tabla lingual fracturada, el músculo milohioideo debe ser "disecado", no "cortado".

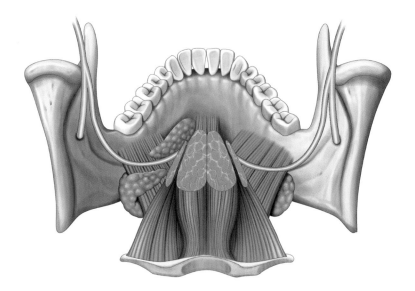

El diente y el músculo milohioideo no se deben jalar en exceso más de lo que se muestra en la imagen, ya que el nervio lingual se encuentra por encima del músculo milohioideo. El músculo debe disecarse dentro de la cavidad sin ser extraído. Uno de mis colegas cirujanos orales incluso recomienda hacer disecciones romas utilizando la parte posterior de un bisturí para prevenir cualquier daño potencial al nervio lingual.

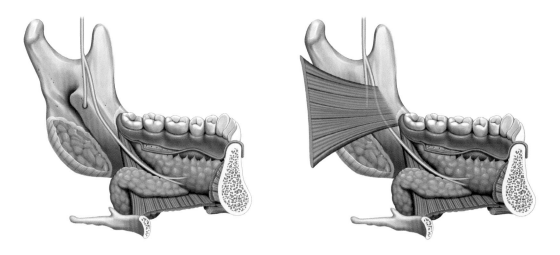

Estos diagramas muestran la relación espacial anatómica entre el nervio lingual y el músculo milohioideo. Se debe tener especial cuidado al diseccionar el músculo.

23
Preguntas frecuentes ★★★

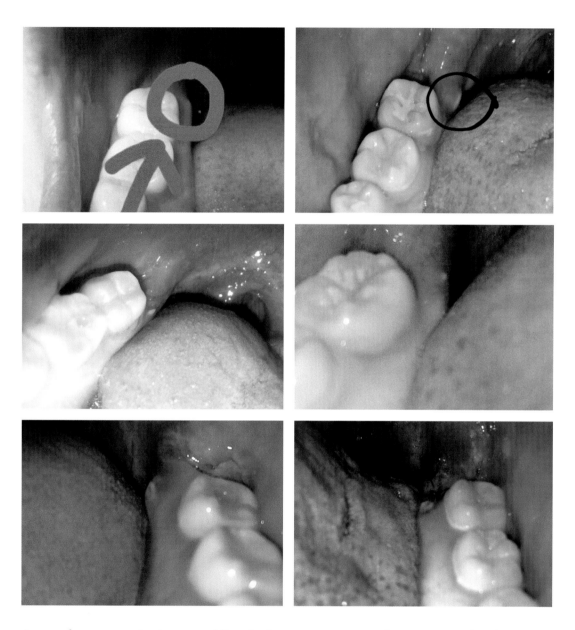

A menudo vemos pacientes que publican imágenes como estas en Internet sospechando que una raíz residual u otro tercer molar está erupcionando. Inesperadamente, estos son muy comunes y, en la mayoría de los casos, los terceros molares inferiores se extrajeron hace algunos meses ¿Qué podría estar causando esto?

24
Formación de protuberancias óseas después de las extracciones ★★
del tercer molar

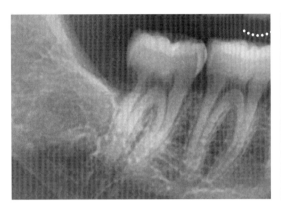 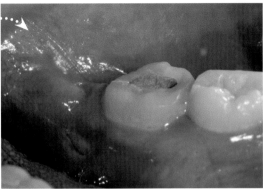

Este paciente fue derivado por un dentista que notó una lesión ósea inusual cerca del lado disto lingual del # 47 durante un tratamiento endodóntico. Cuando se le preguntó, el paciente informó que el# 48 se extrajo hace un año y que el borde afilado apareció poco después.

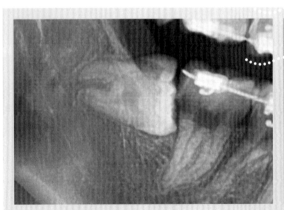 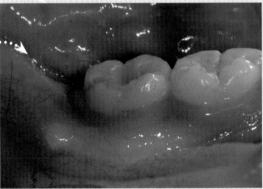

Este paciente estaba recibiendo tratamiento de ortodoncia, y se creó un espacio entre # 47 y # 48, que permitió que la corona de # 48 se retirara fácilmente. Hubo un apoyo distal inadecuado ya que la corona estaba mayormente por encima de la cresta, por lo que se realizó el 'Corte disto cervical' seguido de la 'extracción en L'. Es probable que la placa lingual se haya fracturado durante la elevación y la luxación. Un mes después, el paciente regresó a la oficina preguntándose si otro tercer molar estaba en erupción. Hay muchas maneras diferentes de manejar esto, pero generalmente solo reduzco el hueso expuesto con una fresa redonda de alta velocidad bajo anestesia local.

25
La causa de la exposición del hueso lingual después de las extracciones ★ del tercer molar

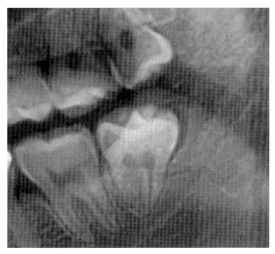
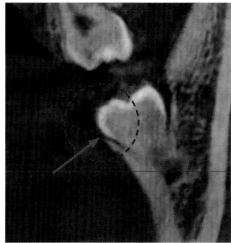

Esta es la ortopantomografía y la vista coronal de la CBCT de un tercer molar incluido. Se los muestro a mis pacientes con exposiciones óseas linguales posteriores a la extracción. La punta afilada de la placa lingual es evidente en este CBCT. Con el tercer molar presente, el hueso está al ras del diente y, por lo tanto, no se palpa clínicamente, pero queda expuesto después de extraer el diente, lo que puede causar posibles molestias. La fuerza dirigida lingualmente durante la extracción puede desplazar la placa más lingualmente o incluso fracturarla, lo que puede provocar que queden fragmentos en la encía lingual.

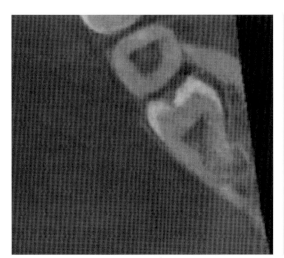
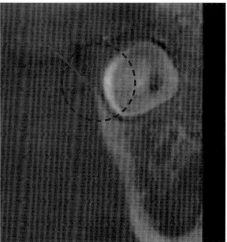

Estas son las vistas axiales y coronales de la CBCT de un tercer molar incluido horizontalmente. También se puede ver el borde afilado de la placa lingual. Esto se ve comúnmente, pero no todos los casos desarrollan exposiciones de hueso lingual, e incluso si ocurren, pueden tratarse fácilmente. Conservo estos cortes de CBCT y radiografía para fines de educación del paciente.

26
El hueso lingual se fractura fácilmente ★★★

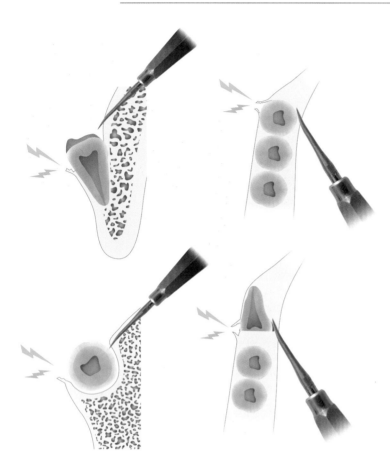

Independientemente del ángulo de impactación, nos acercamos a los terceros molares mandibulares desde la cara vestibular. Por esta razón, el hueso lingual, al ser delgado, se fractura fácilmente.

Comentario del Dr. Jong-Hwan Lim

Esto le sucede al 3~4% de los pacientes. Tiendo a decirles a mis pacientes "esto se debe a la hipertrofia del hueso" (Similar al desarrollo del torus, pero en este caso el hueso atraviesa el tejido blando).

La extracción de un tercer molar se puede comparar con la cosecha de un rábano o una zanahoria desde el borde de un acantilado. Debemos tener en cuenta que el hueso alveolar lingual adyacente al diente puede ser tan delgado como el papel y no se debe ejercer demasiada fuerza contra él.

27
Un problema bastante común, manejo simple ★★

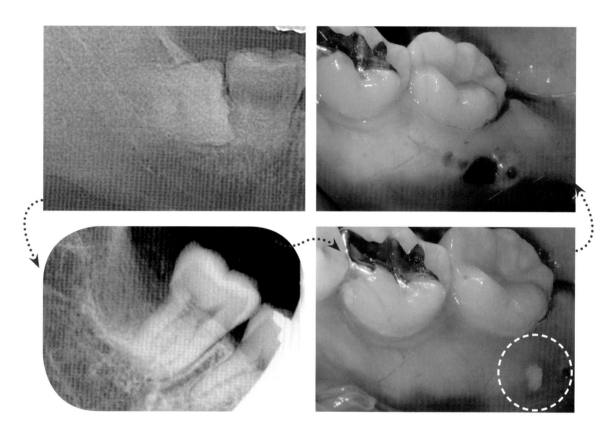

Este es un paciente mío. El paciente pensaba que había una nueva tercer molar en erupción o que una parte de ella aún quedaba en el sitio. En tales casos, simplemente reduzco el hueso expuesto con una fresa redonda quirúrgica de alta velocidad sin ningún tratamiento adicional. Se debe realizar una retracción adecuada de los tejidos blandos posteriores durante la reducción para evitar lesiones catastróficas de los tejidos blandos. Esto se hace con bastante frecuencia en mi práctica, pero no se tomaron muchas imágenes clínicas debido a un sangrado postoperatorio.

28
Exposición ósea lingual después de extracciones de segundo y tercer molar

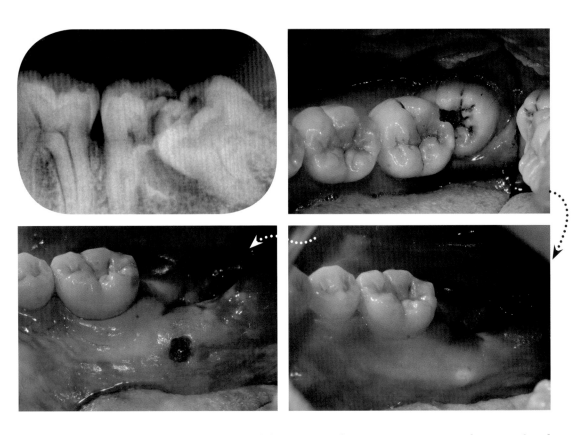

Este es un caso después de las extracciones de los órganos dentarios # 37 y # 38. El manejo fue el mismo. Mientras retraía los tejidos blandos con un espejo, el hueso expuesto se redujo con una fresa redonda de alta velocidad. Sin levantar colgajo.

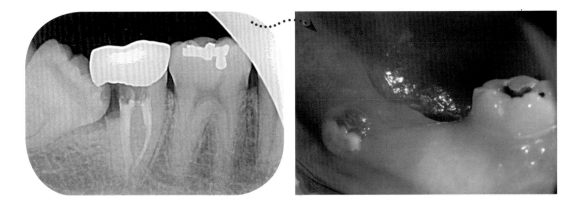

Este es un caso similar después de las extracciones de los órganos dentarios # 47 y # 48. No se tomaron fotografías clínicas después del tratamiento debido a sangrado gingival.

29
Es común en casos con impactación lingual

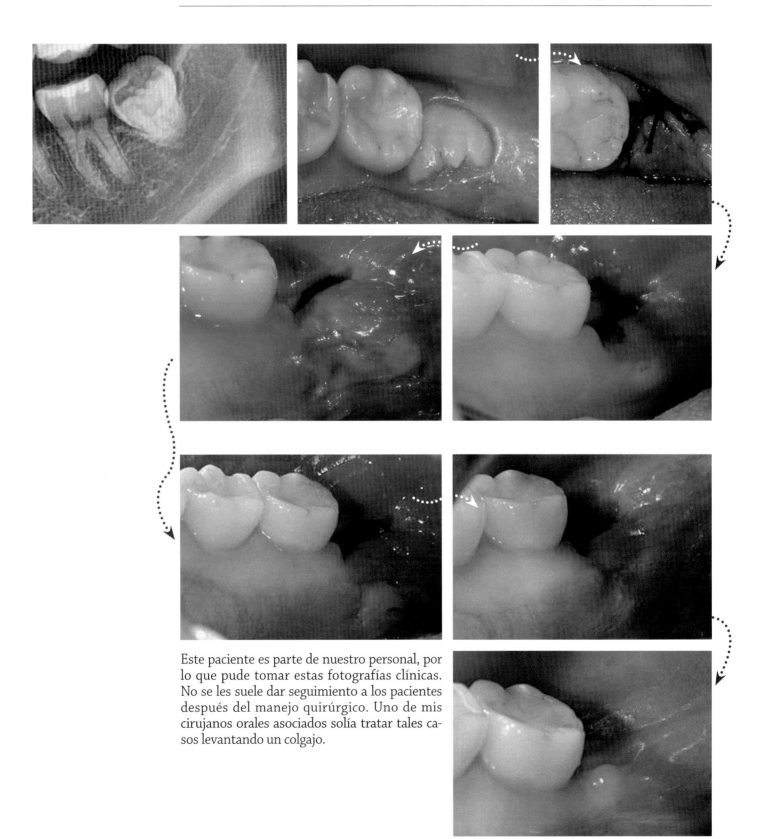

Este paciente es parte de nuestro personal, por lo que pude tomar estas fotografías clínicas. No se les suele dar seguimiento a los pacientes después del manejo quirúrgico. Uno de mis cirujanos orales asociados solía tratar tales casos levantando un colgajo.

30
Remoción del hueso cortical lingual ★

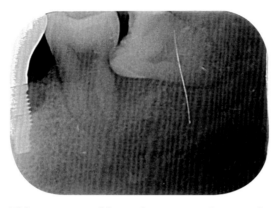

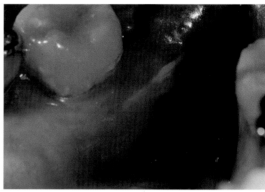

El hueso cortical lingual se expuso después de la extracción. Se usó una gubia para fracturar y retirar la porción expuesta sin levantar un colgajo. Prefiero los tratamientos sin colgajo, aunque algunos cirujanos orales prefieren levantar un colgajo grande para un mejor acceso.

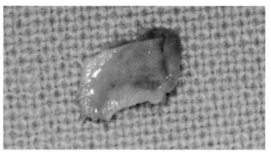

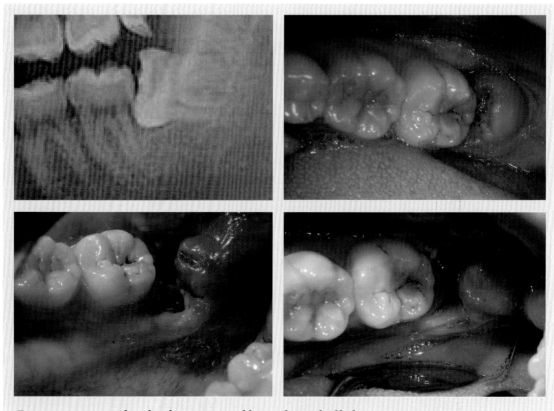

Este es un caso similar, donde se extrajo el hueso lingual afilado.

31
Hueso cortical lingual fracturado ★

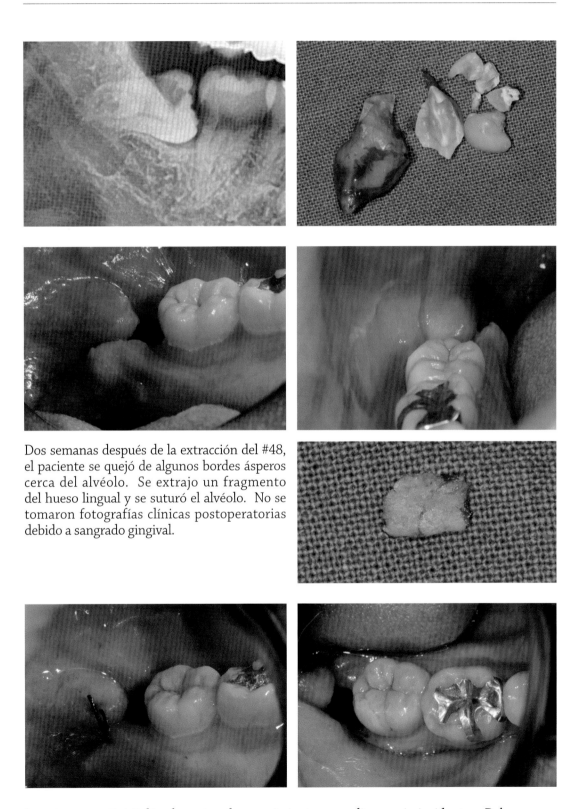

Dos semanas después de la extracción del #48, el paciente se quejó de algunos bordes ásperos cerca del alvéolo. Se extrajo un fragmento del hueso lingual y se suturó el alvéolo. No se tomaron fotografías clínicas postoperatorias debido a sangrado gingival.

La sutura se retiró 5 días después, y los seguimientos se realizaron sin incidentes. Debemos ser conscientes del nervio lingual en estos casos.

¡Referencia!

En Corea, si se requiere una alveoloplastia posterior a extracciones en casos de espículas, se cobran $35 extras lo cual incluye anestesia local y radiografías.

Alveoloplastia

La regulación para recuretaje en alveolos según el Seguro Nacional Dental de Corea es la siguiente (Extraído del Tomo 9 de Ser Experto en Seguro Nacional Dental por el director Young-Sam Kim).

■ Alveoloplastia (Alveoloplasty)

Costo del tratamiento: 8,720 won

Después de la extracción, la dentición queda rodeada por el hueso alveolar restante, pero el hueso alveolar restante puede quedar afilado, lo que puede causar molestias después de la cirugía. Se realiza al mismo tiempo que la extracción o cuando el paciente se queja de molestias después de la extracción.

El concepto general de los dientes posteriores parece haber cambiado ligeramente debido al desarrollo de los implantes.

- Sólo el 50% del precio bajo se calcula cuando se realiza al mismo tiempo que la extracción.

- No se puede calcular si se realiza simultáneamente con la cirugía ósea resectiva.

La explicación anterior incluye la remoción de un poco de hueso alveolar después de la extracción del diente, así como la extracción extensa del hueso alveolar para hacer dentaduras postizas. Aquí hablaremos sobre el hueso alveolar que atravesó bruscamente la encía después de la extracción del diente.

32

Formación de mucocele después de la extracción ★

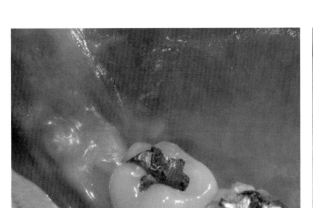

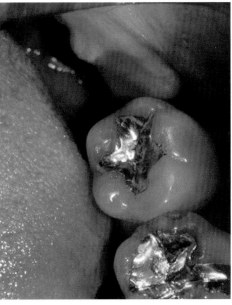

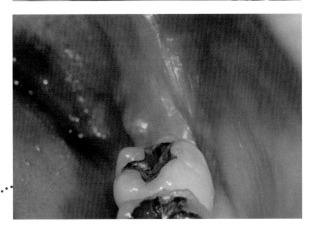

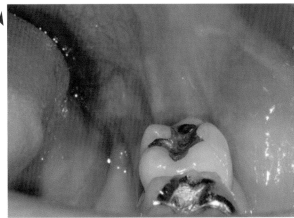

Cicatrización después de la eliminación

Paciente masculino de 26 años de edad se quejó de inflamación de los tejidos blandos en el sitio de extracción 2 meses después de que se extrajo su # 38. Informó que la inflamación era constantemente molesta y aumentaba durante la ingesta de alimentos. El mucocele se diagnosticó en base a la historia y la apariencia de la lesión, y se eliminó posteriormente mediante un electrocauterio bajo anestesia local. El resultado de la biopsia confirmó el diagnóstico inicial de mucocele. Sospecho que esto pudo haber sido causado durante la inyección de la infiltración o al levantar el colgajo. Este fue el primer caso con el que me he encontrado, pero algunos de mis colegas también lo han experimentado. Aunque los mucoceles alrededor de los labios tienden a reaparecer, es muy poco probable en la encía posterior, ya que hay menos glándulas salivales menores.

El mejor manejo de las extracciones de terceros molar

El mejor tratamiento que podría proporcionar a sus pacientes sería que experimentaran el menor dolor durante y después del procedimiento. No importa qué tan bien explique el procedimiento o qué tan buena sea su técnica, si el paciente siente un dolor severo después de la operación, lo consideraría un fracaso. Mis terceros molares superiores estaban ausentes congénitamente, y solo tenía los inferiores, uno en erupción vertical y el otro incluido horizontalmente. Ambos fueron extraídos por mis colegas superiores cuando era estudiante de odontología. Primero se extrajo el tercer molar erupcionado, y sufrí mucho dolor durante todo el procedimiento. Se requirieron varios estudiantes turnándose y batallando, y fue la peor experiencia de mi vida. Sin embargo, después de que la anestesia local desapareció, no hubo dolor postoperatorio. Unos años más tarde, uno de mis colegas superiores removió el otro tercer molar incluido horizontalmente. Fue un procedimiento indoloro, pero una vez que el anestésico desapareció, sufrí un dolor insoportable. Fue una experiencia muy diferente a la primera. Habiendo hecho muchas extracciones del tercer molar, ahora entiendo por qué las dos experiencias fueron tan diferentes. Es difícil lograr una anestesia local adecuada en terceros molares erupcionados verticalmente debido al grueso del hueso cortical alrededor de sus ápices, y por supuesto, un tercer molar inferior funcional, completamente erupcionado, especialmente en un paciente masculino joven y sano, es probablemente el más difícil para un estudiante en entrenamiento.

Es relativamente más fácil anestesiar adecuadamente los terceros molares incluidos horizontalmente, ya que el hueso cortical es delgado alrededor de sus ápices. Sin embargo, realizado por un estudiante inexperto, el procedimiento tal vez involucró un colgajo más grande y una gran reducción de hueso bucal, que, a su vez, resultó en el peor dolor que jamás haya experimentado en mi vida. No pude dormir esa noche y deseé que el tiempo pasara rápidamente...

No puedo enfatizar lo suficiente la importancia de las extracciones sin dolor del tercer molar porque después de haber pasado por algunas experiencias difíciles y dolorosas, no es probable que los pacientes vuelvan a usted para otros tratamientos. Por otro lado, si el dolor es mucho menor de lo que esperaban. Probablemente sería mejor para usted referirlo que causar malas impresiones a sus pacientes. Si desea realizar extracciones del tercer molar, debe aprender la técnica que causará menos dolor e incomodidad.

Consejos sobre las extracciones indoloras:

- Minimice la incisión y el colgajo (especialmente el colgajo perióstico de espesor total).
- Seccione el diente para minimizar la reducción ósea.
- Minimice el uso de agua destilada en el hueso expuesto.
- Lave con solución salina antes de eliminar las raíces.
- Asegure una anestesia local adecuada, especialmente la infiltración alrededor del diente.
- Prescribir analgésicos profilácticos.
- Maneje el dolor activamente con medicamentos.
- Antibióticos IM en pacientes con infección severa (también si se espera dolor intenso e inflamación).
- Si es posible, coloque un material de reemplazo de hueso artificial (por ejemplo, Teruplug).
- Por último, pero no menos importante... mejora tu habilidad y extrae de manera eficiente, no con fuerza.

Se proporcionan indicaciones postoperatorias y también se envían por texto/correo electrónico ★

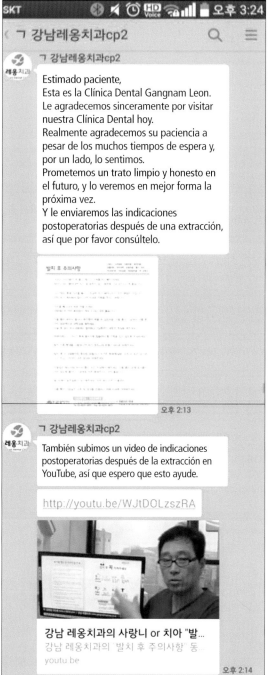

Si busca en Google YouTube: ¨Instrucciones postoperatorias después de extracción de terceros molar ¨, puede ver numerosos videos subidos por dentistas. No es una mala idea hacer tu propia versión.

Instrucciones postoperatorias para la extracción del tercer molar (Grabado en la Clínica Dental Gangnam Leon)

Instrucciones postoperatorias para pacientes

발치 후 주의사항

사랑니 | 스케일링 | 잇몸치료 | 충치치료
임플란트 | 치아미백 | 보철치료 | 틀니·의치
라미네이트 | 치아성형 | 턱관절치료 | 턱·보톡스

1. La gasa colocada sobre el alveolo debe mantenerse durante 2 horas. No la quite ni la reposicione. Escupir la saliva y/o sangre puede causar sangrado prolongado, por lo que es mejor tragarlas.

2. Deseche la gasa después de 2 horas. Un leve exudado de sangre del sitio quirúrgico es normal. Llámenos para obtener más instrucciones si se produce un sangrado excesivo o persistente.

3. Tome el medicamento recetado para el dolor inmediatamente después de quitar la gasa. Siga las instrucciones para obtener el máximo efecto.

4. Coloque compresas de hielo en la cara para minimizar la inflamación de la cara / cuello / sitio quirúrgico. Si la inflamación no disminuye en 3 días, mantenga el área caliente con un masaje tibio.

5. La anestesia pasará dentro de 2 a 3 horas después de la cirugía. Tenga cuidado de no morderse los labios y las mejillas.

6. Evite el uso de popotes, ya que puede desalojar los coágulos de sangre y causar más sangrado.

7. Evite ejercicios pesados, spa caliente y sauna durante los próximos 3 a 4 días. También evite el comida caliente o picante

8. Continúe con cepillado normal, pero tenga cuidado alrededor del área quirúrgica. Se recomienda enjuagar suavemente con agua o solución salina después de las comidas para evitar atrapamiento de alimento en el alveolo.

9. No alcohol o fumar durante una semana. Es aún mejor si puede dejar de fumar para siempre.

10. Regrese mañana para desinfección y seguimiento.

건강보험진료 | 진료상담환영

강남 레옹치과
Gangnam Leon Dental Clinic

H.P 010-4569-1848 💬 (카카오톡 가능)
H.P 010-2804-1848 💬 (보존.보철전용)
서울시 서초구 강남대로 415 대동빌딩 8층
Tel 02-535-2119 Fax 02-591-2119

◆ 진료시간 안내
평   일 AM 10:00~PM 7:00
토 요 일 AM 10:00~PM 5:00
점심시간 PM 1:00~PM 2:00
※월,화,수,목 야간진료~PM 9:00

Medicamentos comúnmente recetados

1.Antibióticos:
- Augmentin 375 mg 3 veces al día
- En casos de infección grave / alergia a la penicilina: Metronidazol 125 mg, Espiramicina 234.375 mg

2. Analgésicos:
- Ibuprofeno 400 mg 3 veces por día (les digo a los pacientes que tomen hasta 5 -6 T, cada 4 - 6 horas el día de la cirugía. La dosis máxima para un día es 3200 mg)
- Ultracet (tramadol) y paracetamol (también conocido como acetaminofen) con dolor severo.

3. Antiácido:
- Almagel (hidróxido de aluminio)

4. Esteroides:
- Solondo (prednisolona)

5. Enjuague bucal: Hexamedina
- Hexamedine

1. Antibióticos

Amoxicilina 500 mg solía ser mi primera línea de antibióticos porque es el más común recetado entre los dentistas de todo el mundo. Es eficaz contra Streptococcus mutans, la bacteria principal en la flora oral, y también es el antibiótico profiláctico de primera línea para los pacientes con riesgo de infección por endocarditis. Las segundas opciones serían Augmentin, Clindamycin o Cephalosporins. Augmentin parece ser el antibiótico primario utilizado en medicina pediátrica en Corea del Sur debido a su espectro antimicrobiano más amplio. Es por eso que comencé a recetar Augmentin como cobertura de primera línea. Para mí, no tenía sentido recetar Amoxicilina cuando los pacientes habían tomado principalmente Augmentin en su infancia.

Las cefalosporinas de primera generación son la segunda opción a la penicilina porque no son efectivas contra los anaerobios. También es probable que los pacientes alérgicos a la penicilina sean alérgicos a la cefalosporina, lo que la hace aún menos útil como opción de segunda línea.

Rodogyl es una combinación de dos antibióticos, metronidazol y espiramicina. El metronidazol es extremadamente efectivo contra los anaerobios obligados y, junto con la espiramicina, son excelentes para infecciones dentales acompañadas de inflamación y aquellas con extensión a espacios aponeuróticos. Además, es raro que se contraponga con la

penicilina, lo que hace que Rodogyl sea mi antibiótico más recetado junto con Augmentin.

2. Analgésicos

Los analgésicos tienen más efectos secundarios que los antibióticos. Prefiero el ibuprofeno debido a su rápido inicio de acción. El efecto del ibuprofeno se activaría en media hora, alcanzando su efecto máximo en 1 -2 horas con una duración de efecto de hasta 4-6 horas. En vista de esta propiedad, generalmente prescribo ibuprofeno media hora antes de cualquier extracción quirúrgica. El ibuprofeno es un medicamento antiinflamatorio no esteroideo (AINE) que es más efectivo para reducir la inflamación y la fiebre que el Tylenol (acetaminofen). Se recomienda no exceder la dosis recomendada de AINE como dosis supra terapéutica ya que no proporcionará un efecto analgésico adicional. En cambio, Tylenol se puede recetar conjuntamente para un efecto sinérgico.

Si el paciente se queja de efectos secundarios con AINE o está embarazada o amamantando, se puede recetar Tylenol. A diferencia de los AINE, el acetaminofén no causará efectos secundarios gástricos, por lo tanto, puede tomarse con el estómago vacío. Sin embargo, no tiene efecto antiinflamatorio, y uno debe tener en cuenta su toxicidad hepática conocida cuando se toma en exceso o con alcohol.

Por último, para el alivio del dolor intenso, le receto Ultracet, un medicamento combinado que consta de acetaminofén y tramadol, junto con ibuprofeno. La somnolencia y los mareos son efectos secundarios comunes, por lo que es aconsejable informar al paciente con anticipación.

3. Enjuague bucal

No creo que esto desempeñe un papel importante en la recuperación, pero no lo desaliento si el paciente lo desea.

Simplemente úselo como una guía. La decisión final debe tomarse en base a las políticas de atención médica en sus países. El punto clave es que el dolor post extracción de terceros molar no es un incidente común como el resfriado, por lo tanto, prescribe de manera más proactiva.

APÉNDICE

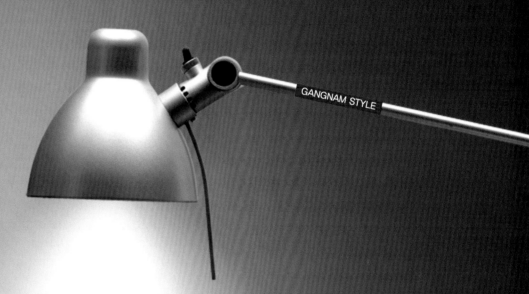

Problemas con terceros molares

Problemas con terceros molares

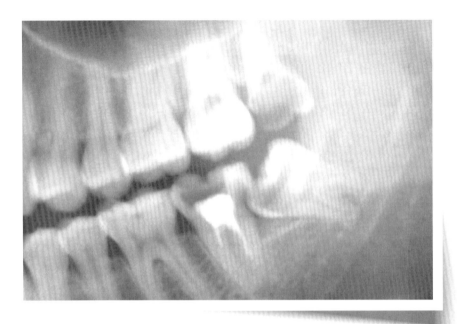

Esta imagen muestra caries tanto en el #37 como en el #38. Este es uno de los problemas más comunes causados por los terceros molares. Aunque tengo casos más recientes, he estado utilizando esta radiografía para la consulta del paciente desde el 2002. Por lo tanto, elegí usar esto como la primera radiografía de este capítulo para ilustrar los problemas con los terceros molares. Debes preguntarte por qué he incluido tantos estudios de casos relacionados con terceros molares. Espero que este libro pueda usarse como referencia para los médicos, así como una herramienta gráfica para mostrar a los pacientes los posibles problemas relacionados con los terceros molares. Esperamos que este capítulo especial logre el último objetivo de manera efectiva. Echemos un vistazo a los problemas causados por los terceros molares.

¿Realmente necesitamos extraer terceros molares?

¿Realmente necesitamos extraer terceros molares? ¿Por qué necesitamos extraer terceros molares sanos? A nosotros, como dentistas, nos hacen preguntas sobre estas dudas. Leamos el siguiente párrafo con un enfoque basado en la evidencia para responder las preguntas anteriores.

En el sistema de salud de OMS, las extracciones del tercer molar se realizan sin cargo al público. Siento simpatía por los demás dentistas del Reino Unido por extraer terceros molares sin cargo porque las tarifas son muy bajas en Corea. No puedo imaginar cuántos dentistas en el Reino Unido no les gusta extraer los terceros molares. Desde mediados de la década de 1990, los dentistas del Reino Unido tenían opiniones negativas hacia las extracciones de terceros molares debido a investigaciones que sobre complicaciones e innecesarias extracciones profilácticas.

El 27 de mayo del 2000 en el Reino Unido, el Instituto Nacional de Excelencia en Salud y Atención (NICE) publicó la guía (Orientación sobre la extracción de terceros molares). Según la guía de NICE, establece que la extracción de los terceros molares debe limitarse a pacientes con evidencia de patología, como lesión de caries macroscópica, lesiones quirúrgicas, quiste/tumor, etc. Esta guía parecía prometedora al principio, pero surgieron numerosos problemas después de 5 años. El artículo publicado en British Dental Journal en mayo de 2012, examinó 10 años de datos y concluyó que la edad promedio para la extracción del tercer molar aumentó de 25 a 32, y hubo un aumento de más del 200% en la caries en los terceros molares. Al principio, la guía resultó en una reducción del 30% en el número de extracciones. Sin embargo, las extracciones difíciles (es decir, realizadas por especialistas) han aumentado en un 97% desde el tercer año en adelante. Hubo un ahorro inicial en el presupuesto nacional, pero este efecto positivo no duró mucho. Los artículos de investigación relacionados también indicaron que deben extraerse los terceros molares que son potencialmente patológicos. Si tomas en cuenta el daño potencial que el tercer molar podría causar a los dientes adyacentes, hay más razones para intervenir temprano. Investigaciones recientes muestran que más del 70% de los terceros molares asintomáticos desarrollan patología y terminan requiriendo extracción. Hay una mayor probabilidad de complicaciones postoperatorias después de los 38 años.

¡Espera!

¿Realmente necesitamos extraer los terceros molares?

Tenemos que discutir sobre si los terceros molares no son necesarios para la extracción de rutina debido al hecho de que erupcionan con un propósito. Alrededor de los 6 años, los dientes permanentes comienzan a erupcionar y reemplazar la dentición decidua. Alrededor de los 12-13 años de edad, todos los dientes permanentes han erupcionado excepto los terceros molares. En promedio, la erupción de los terceros molares ocurre en los últimos años de la adolescencia, aproximadamente 6 años después de la erupción de los segundos molares permanentes. Esto significa que los terceros molares tardan unos 12 años en aparecer después de la aparición de la primera dentición permanente. En el pasado, debido a una mala higiene bucal, era común ver pacientes con molares permanentes faltantes antes de que los terceros molares comenzaran a erupcionar. Esto puede conducir al desplazamiento de la dentición, lo que crea suficiente espacio para la erupción de los terceros molares. Sin embargo, en el siglo XXI, los estudios han demostrado que actualmente, la mayoría de las personas mantienen una higiene bucal y, debido a esto, las personas conservan su dentición permanente durante muchos más años, lo que a su vez ha causado un espacio inadecuado para la erupción normal de los terceros molares.

En el pasado, muchos médicos y pacientes creían en el uso de terceros molares como pilar para tratamientos de prostodoncia y se creía que no se podía extraer. Sin embargo, los tratamientos dentales han evolucionado y cambiado junto con el avance en tecnología como los implantes dentales. Hoy en día, es muy raro que el plan de tratamiento de un tercer molar sea funcional y este tipo de plan aludiría que el dentista es de la vieja escuela. Se podría argumentar la preservación de los terceros molares para utilizarlos como material de injerto óseo autógeno en futuras cirugías de implantes. En mi opinión, después de preservar los terceros molares existentes puede causar más daño a la dentición adyacente, lo que podría conducir a más implantes dentales. Hay una amplia gama de excelentes materiales de injerto óseo disponibles, y es muy importante no sacrificar otros dientes para salvar los terceros molares como sustituto del injerto óseo.

Ahora, no se preocupen solos con respecto a si extraer o guardar los terceros molares y consúltenlo con un dentista. En mi opinión, si tiene síntomas o si el dentista cree que causará problemas en el futuro, entonces es mejor eliminarlos temprano en lugar de lidiar con las consecuencias en una etapa posterior.

(Adaptado de una editorial, escrito por el Dr. Ki-Yong Kim de la Clínica Dental Gangnam Midas)

01
Caries en terceros molares

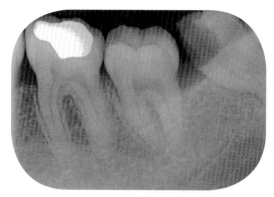 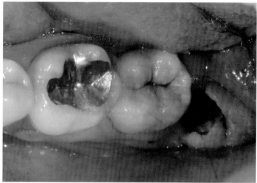 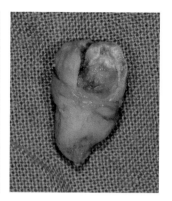

38 tiene una gran lesión cariosa. La mitad mesial se encuentra fractura y los alimentos quedan atrapados, lo que podría provocar halitosis. Muy a menudo, el paciente no es consciente de ello.

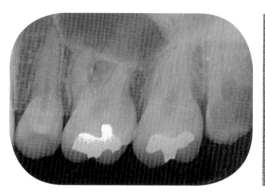 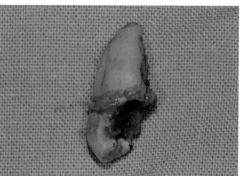

28 tiene una lesión cariosa macroscópica con una capa delgada de esmalte restante. La halitosis puede desarrollarse incluso una hora después de la higiene oral.

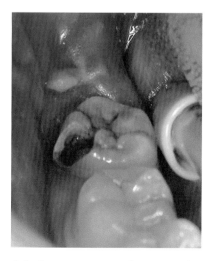 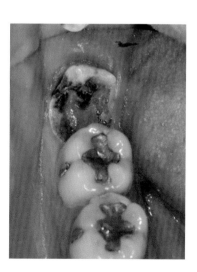

Solo los terceros molares pueden presentar caries a pesar de otra dentición saludable.

El pólipo pulpar sugiere lesiones cariosas de larga duración en el # 48 desde la infancia.

02
Terceros molares que causan caries en dientes adyacentes

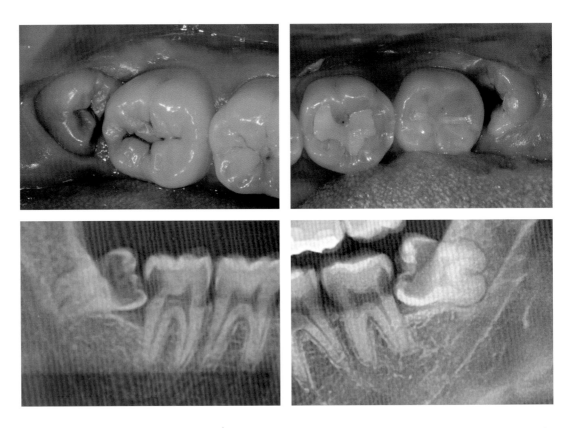

Las caries son casi inminentes en los terceros molares inferiores mesioangulados. Esto puede causar caries en los segundos molares adyacentes. Esto puede aplicar tanto al en maxilar como en mandíbula. Es mejor extraer estos dientes incluidos temprano para evitar posibles daños a los segundos molares. A veces, distintos patrones radiolúcidos de las lesiones cariosas pueden no aparecer en la radiografía.

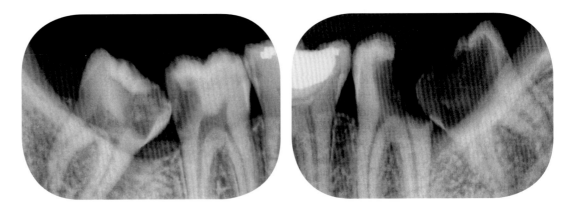

Desafortunadamente, ambos segundos molares inferiores de este paciente han desarrollado caries severa debido a los terceros molares incluidos. Es muy importante identificar y tratar los dientes adyacentes para salvar el segundo molar de manera oportuna.

03
Caries entre los terceros molares superiores y sus dientes adyacentes

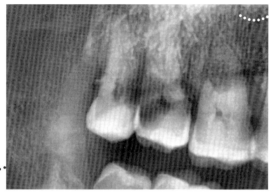
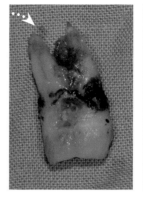

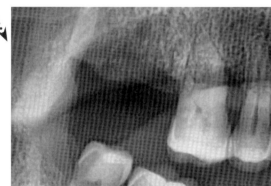

Un hombre de 59 años tenía caries severa en el # 17 y # 18. Es común ver la caries entre los 7s y 8s superiores debido al atrapamiento de alimentos. La queja más común es la sensibilidad.

La mayoría de las veces, el tercer molar se extrae primero y se vuelve a evaluar el pronóstico del segundo molar, pero hay momentos en que ambos son insalvables. Por lo tanto, es importante extraer los terceros molares para evitar dañar los segundos molares.

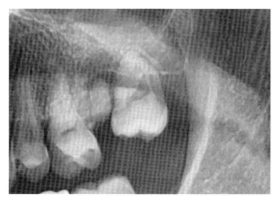

Este es un caso de un hombre de 55 años que solo tiene una raíz del # 27 restante debido al # 28 incluido hacia mesial. Cuando era joven, le aconsejaron que se quitara el # 28, pero nunca hizo caso a los consejos. Actualmente se realiza tratamiento de implantes para restitución del #27.

04
Varios tipos de caries en terceros molares

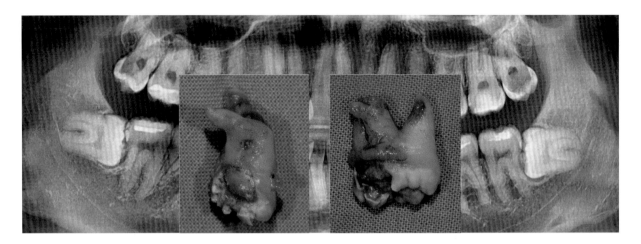

Ambos terceros molares superiores son extraídos por caries

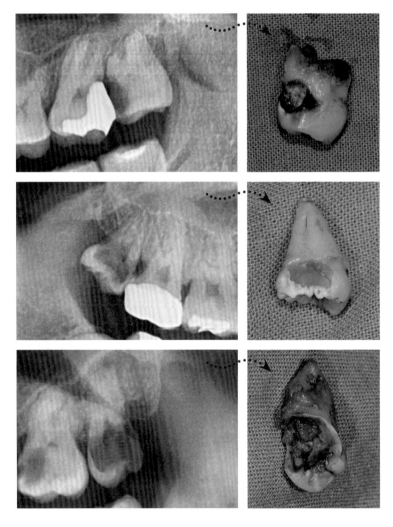

Las caries en los terceros molares superiores pueden ocurrir en cualquier superficie.

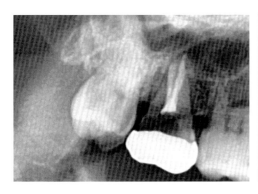
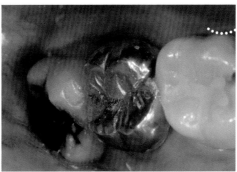
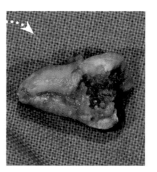

Puedes observar la severidad de la caries entre #17 y el #18. Esto es común a causa del atrapamiento de alimentos.

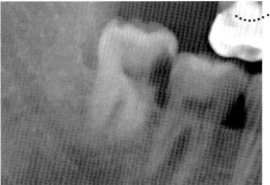
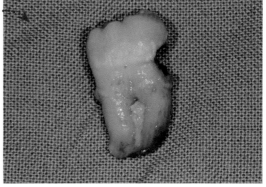

La superficie mesial del #48 tiene caries, la cual puede dañar la superficie distal del #47. Es frecuente tener mal sabor en la región.

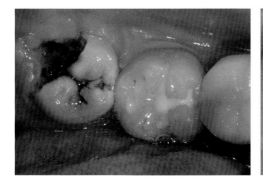
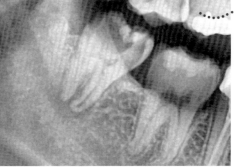
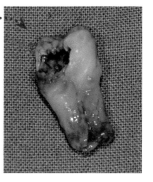

La cara distal del #48 está cariada, seguramente a causa del difícil acceso al cepillarse. Una vez más, la halitosis es inevitable.

05
Atrapamiento de alimentos que causa caries

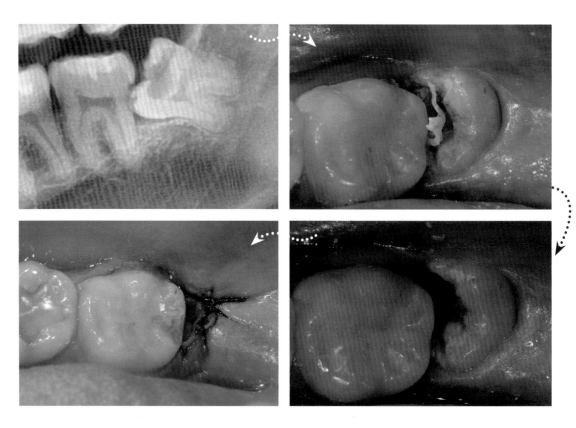

La queja principal de este paciente fue el atrapamiento de alimentos entre el tercer molar y el diente adyacente. Debido al espacio restringido y la angulación, los pacientes pueden tener dificultades para limpiar el área adecuadamente. Esto puede causar caries, pero también enfermedad periodontal e inflamación.

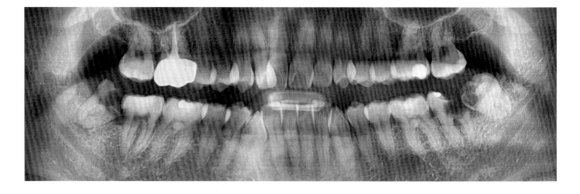

Una paciente que tenía poco más de 20 años, presentaba caries en el tercer molar y los segundos molares adyacentes. Tener los dos molares con caries puede indicar atrapamiento de alimentos. Esto resalta el hecho de que no existe una `edad ideal´ para la extracción del tercer molar.

06
Tratamiento endodóntico para dientes adyacentes con caries causadas por terceros molares

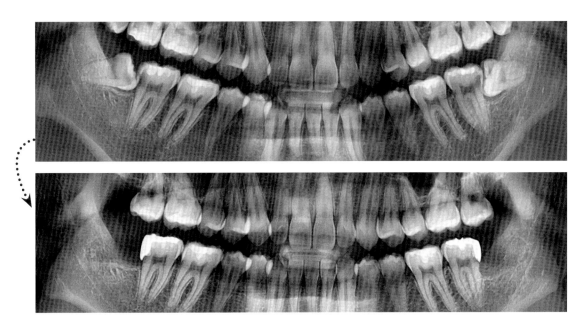

Si el #48 no estuviera ahí, o hubiese sido extraído antes, la caries en el #47 no hubiera ocurrido.

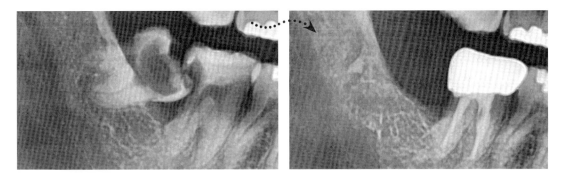

Tratamiento endodóntico y una corona se colocaron en el #47 debido a la caries causada por el #48.

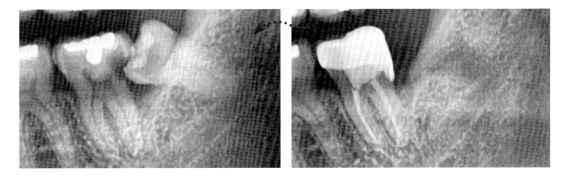

De nuevo, se realizó tratamiento endodóntico y colocación de corona en el #37. La viabilidad para restaurar un diente, se dicta por la extensión de la caries hacia las raíces.

07
Extracción de un diente adyacente cariado causado por el tercer molar

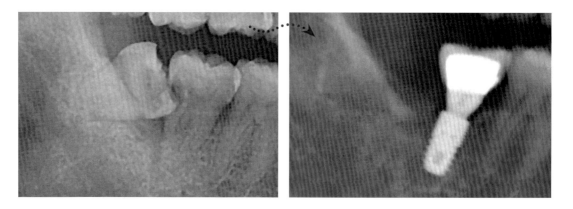

Este es el caso de mi primo de 40 años de edad. Se colocó un implante después de retirar tanto el # 47 como el # 48. La caries en la parte distal del #47 se extendía a las raíces, y el diente no se podía restaurar. Se extrajo el diente y se colocó un implante.

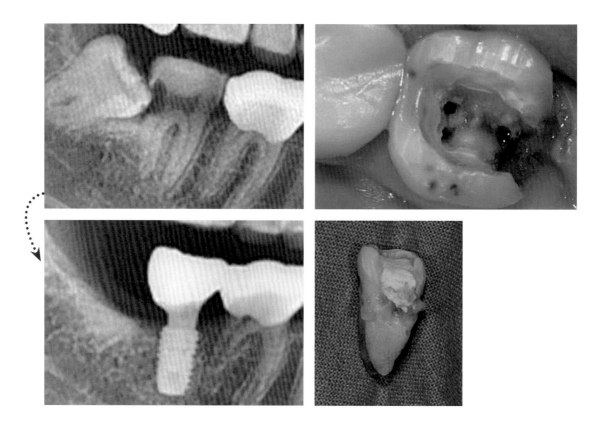

Este es un caso de una mujer de 28 años de edad que se quejaba de dolor alrededor del tercer molar. Tras el examen clínico, se encontró que el dolor provenía de la caries del #47. Después de que se extrajo el #48, se intentó realizar tratamiento endodóntico en el #47; sin embargo, debido a la caries en la raíz, se realizó la extracción. Se colocó un implante después de la extracción del # 47.

08
Pericoronitis

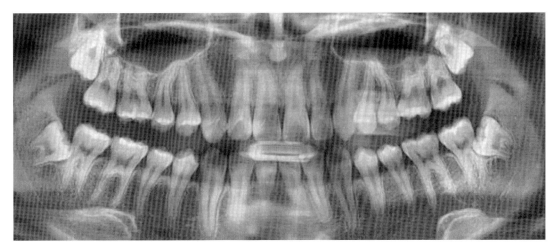

Este paciente presentó dolor e inflamación extraoral e intraoral en alrededor del #38. Se realizó drenaje como primera elección de tratamiento. En algunos casos, muchos pacientes regresan a Corea desde el extranjero debido a cuadros de pericoronitis.

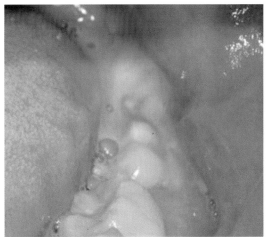

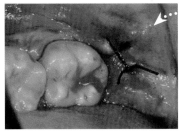 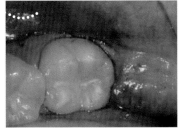 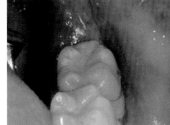

El diente afectado se extrajo con los métodos de "Corte mesial de la corona" y "Corte lingual de corona" una vez que la infección desaparece.

09
Cálculo y periodontitis

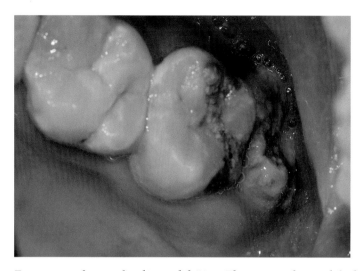

Esta es una fotografía clínica del #28. El tercer molar es difícil de limpiar con un cepillo debido a su ubicación. Los dientes pueden autolimpiarse durante la masticación, pero el tercer molar no funcional no.

Por lo tanto, el cálculo puede acumularse fácilmente alrededor de los terceros molares, lo que puede conducir a gingivitis/periodontitis y halitosis.

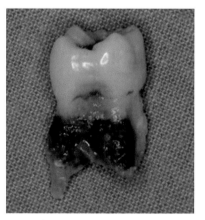

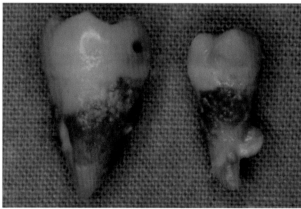

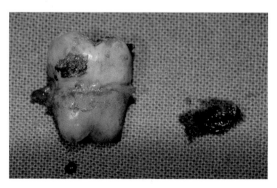

Puedes ver el cálculo subgingival en la raíz. El diente adyacente también se ve afectado, lo que provoca inflamación gingival y pérdida ósea.

10
¿Qué crees que es esto?

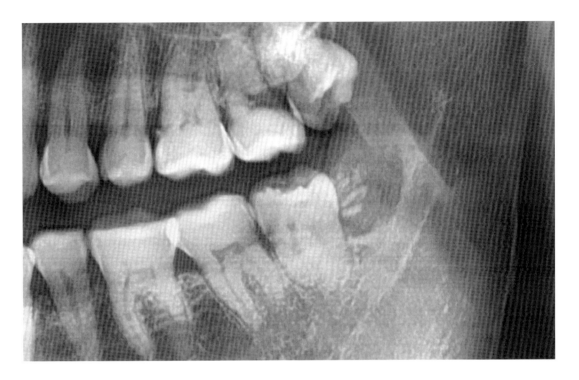

Esta es una ortopantomografía de un radiólogo de 47 años en un hospital universitario. El paciente no estaba seguro sobre la región distal # 38, dónde se observaba una ortopantomografía de lesión mixta radiopaca-radiolúcida. Mi diagnóstico diferencial fue queratoquiste odontogénico, quiste calcificado o tumor.

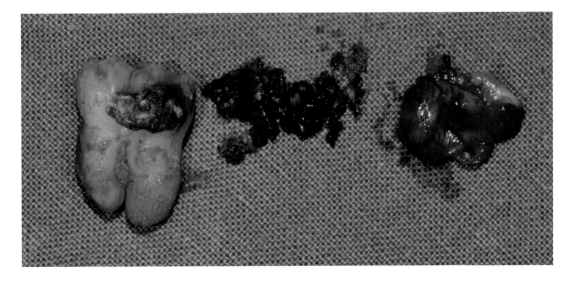

La respuesta fue cálculo. El resultado de la biopsia confirmó la inflamación crónica alrededor del #38, la cual causó la resorción ósea y el desplazamiento del diente.

11
Periodontitis en el segundo molar causada por un tercer molar

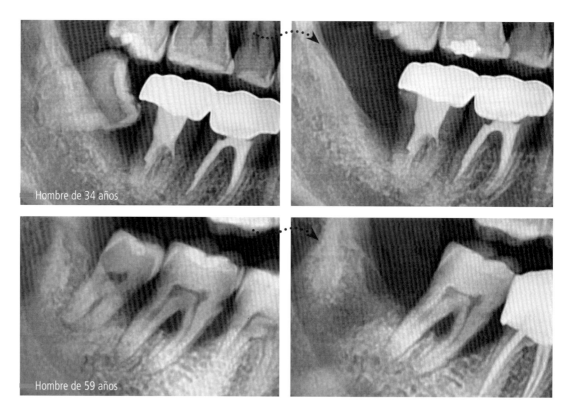

Estas son las radiografías de un paciente masculino de 34 años y otro de 59 años. Ambos tenían periodontitis crónica alrededor de la región del #47 y #48. Ambos #48 de los pacientes fueron extraídos con mantenimiento periodontal.

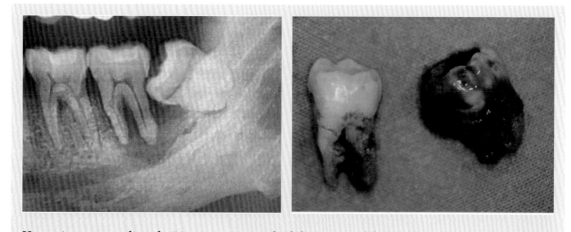

Un paciente masculino de 50 años se quejó de dolor severo del #38. Sin embargo, después del examen, el dolor provenía del #37. Ambos # 37 y #38 fueron extraídos.

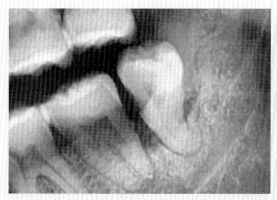

Una paciente de 41 años tenía molestias alrededor del# 38. El examen clínico mostró que tanto el # 37 como el # 38 tenían inflamación y movilidad. Ambos molares se extrajeron con fórceps y se puede ver el tejido de granulación.

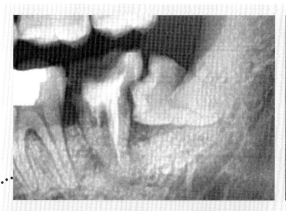
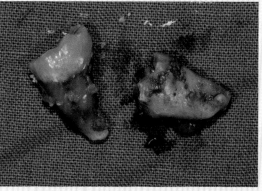
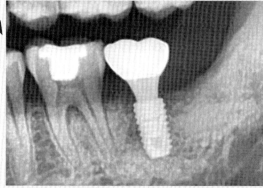

Paciente masculino de 35 años es sometido a extracción del #37 y #38. Como puede ver en la primera radiografía, #37 tenía caries, resorción de raíz y periodontitis. Un tercer molar inferior incluido puede causar múltiples problemas como tal. Se colocó un implante en el área #37.

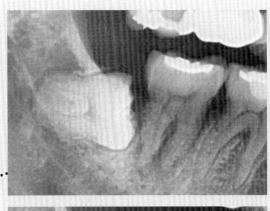

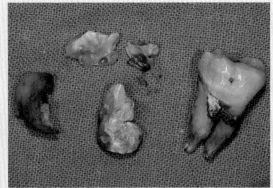

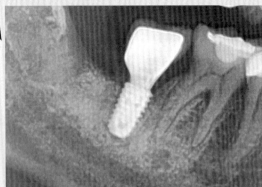

Paciente masculino de 50 años presenta dolor severo del #48. Sin embargo, el dolor venía del #47. Ambos dientes fueron extraídos.

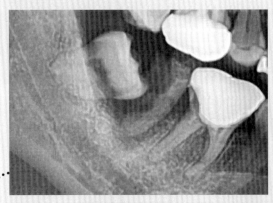

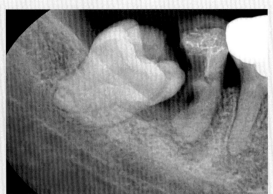

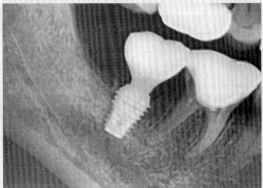

Paciente femenino de 30 años es sometida a extracción del #47 y #48, y se le coloca un implante en el alveolo del #47. Todos estaríamos de acuerdo en que, si el #48 hubiera estado ausente, el estado del #47 habría sido diferente.

12
Trauma causado por el tercer molar maxilar

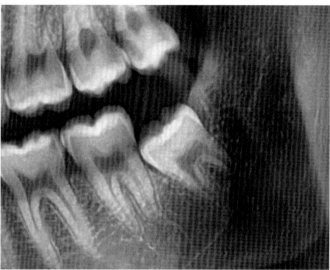

Este caso muestra un traumatismo causado por el tercer molar maxilar. Inicialmente, la inflamación aparece como una úlcera oral. El opérculo se hincha y el tercer molar superior incide en el tejido. Después de que disminuye la hinchazón, la inflamación se repite cuando el tercer molar superior impacta nuevamente en el tejido. Muchos dentistas recomiendan la extracción del tercer molar inferior como solución para interrumpir este ciclo de inflamación. Sin embargo, la extracción del tercer molar superior es mucho más fácil de extraer.

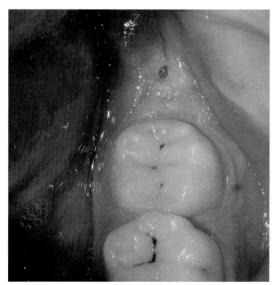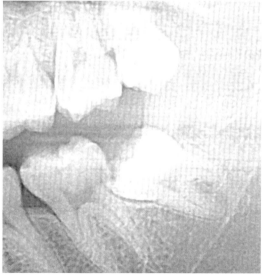

El tercer molar superior ha hecho un "agujero" en el opérculo. Esto podría conducir a pericoronitis. Si la extracción del tercer molar inferior no es posible el mismo día, la eliminación del tercer molar superior podría resolver el problema temporalmente.

13
Inflamación por mordedura de mejillas

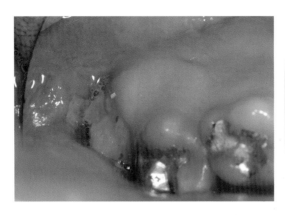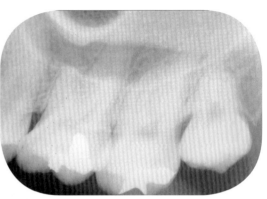

Los terceros molares superiores tienden a erupcionar bucalmente y a estar fuera de la alineación normal de la dentición. Esto puede causar mordeduras en las mejillas. Comienza como una úlcera y puede causar dolor severo.

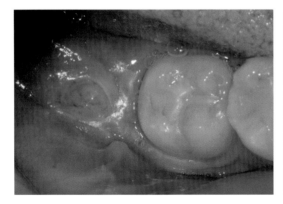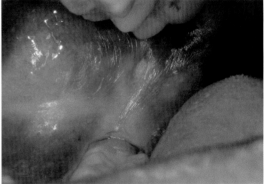

Las úlceras traumáticas son comunes alrededor de los terceros molares.

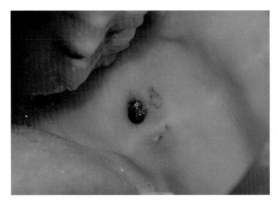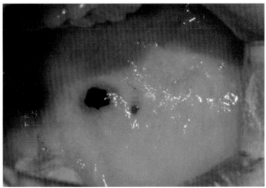

El hematoma es causado por morderse la mejilla de manera crónica a expensas del tercer molar superior. Esto no solo ocurre donde existen los terceros molares, sino que a menudo se detecta más cuando los terceros molares están presentes. Su tamaño puede ser tan grande como 1 cm de diámetro.

¡Espera!

¿Podemos eliminar solo los terceros molares inferiores?

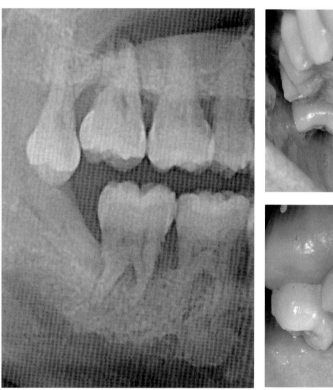

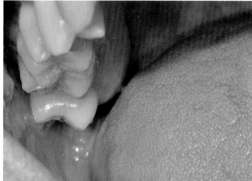

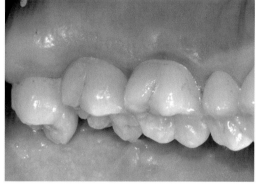

Hay pacientes que desean extraer solo el tercer molar inferior ya que los superiores tienden a permanecer asintomáticos. Sin embargo, sin ocluir el tercer molar inferior, el tercer molar superior puede supra-erupcionar y causar mordeduras en las mejillas o interferencia oclusal.

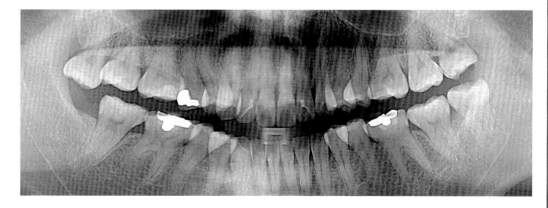

Después de la extracción del # 48, # 18 ha supra-erupcionado y está en un plano oclusal diferente del # 28.

¡Espera!

¿Podemos extraer solo los terceros molares inferiores?

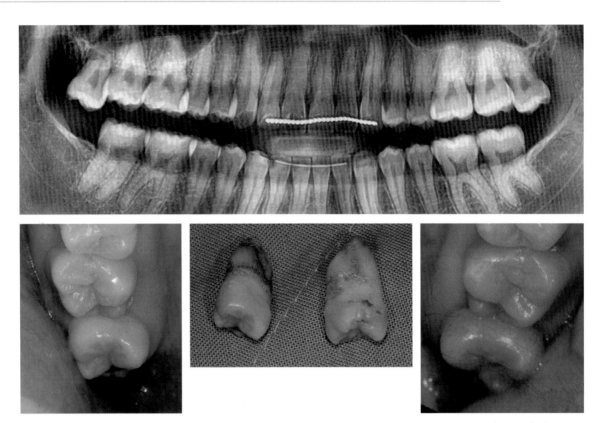

Este es un caso de un paciente femenino de 25 años de edad. A pesar de su edad, tanto #18 como #28 han supra-erupcionado y no son funcionales. Se recomienda extraer tanto terceros molares superiores como terceros molares inferiores. Eventualmente, los dientes pueden desarrollar caries y dañar los segundos molares adyacentes.

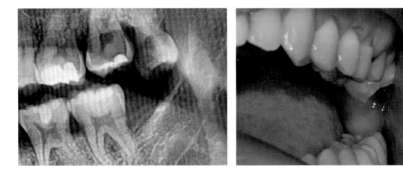
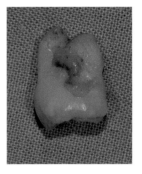

Paciente masculino de 27 años de edad quien desea extraer el #28, que supra-erupcionó poco después de que se retiró el #38. Los terceros molares superiores tienden supra-erupcionar con más frecuencia que los inferiores.

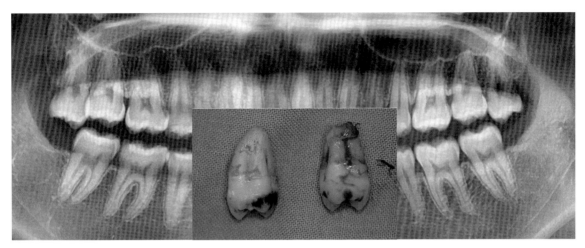

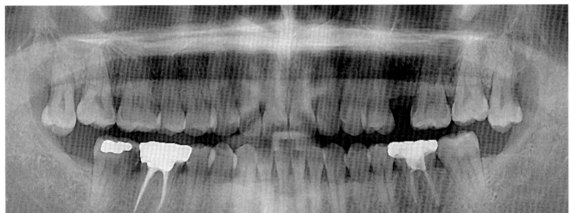

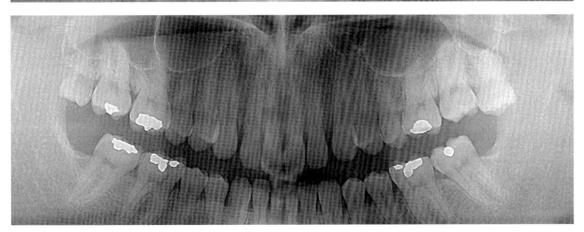

Para evitar esto, se recomienda extraer los terceros molares superiores e inferiores al mismo tiempo. Sin embargo, si el paciente se somete a un tratamiento de ortodoncia, es mejor hablar con el ortodoncista. Tiendo a quitar los terceros molares inferiores primero, ya que lleva más tiempo.

14
Terceras molares mandibulares supra-erupcionadas

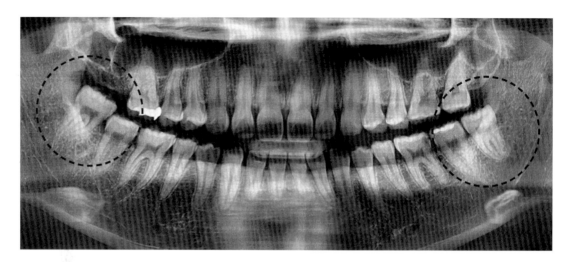

Paciente femenina de 21 años de edad se presenta con #48 supra-erupcionado. Su # 17 y # 18 fueron eliminados no hace mucho debido a caries severa. Se retiró el # 48 y se recomendó al paciente que también se extrajera el # 38.

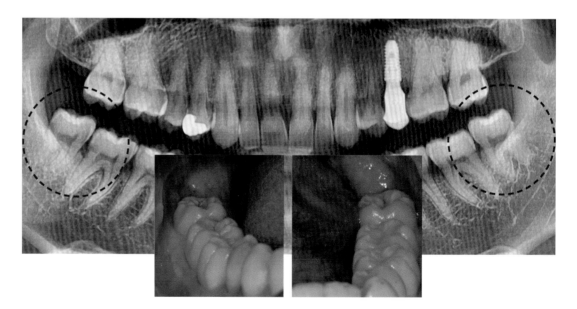

Paciente masculino de 38 años de edad a quien se le colocó un implante. Mientras se le realizaba la historia clínica, comentó que le quitaron los terceros molares superiores hace algunos años, sin embargo, no le extrajeron los terceros molares inferiores. La ortopantomografía realmente no muestra los terceros molares inferiores en supra- erupción; aun así, clínicamente están ortopantomografía realmente.

15
Fractura de la mandíbula

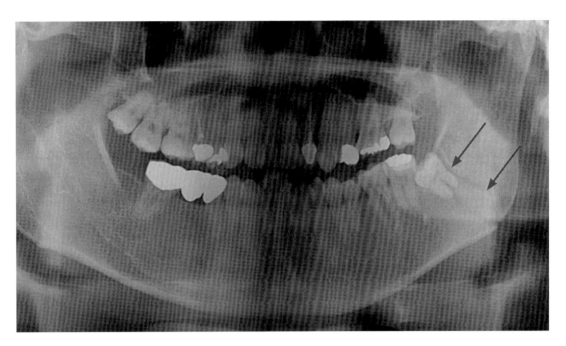

En esta radiografía panorámica, puedes ver la fractura. Aunque no se puede suponer que los terceros molares incluidos causan fractura mandibular, las inclusiones verticales y disto angulares pueden conducir a la formación de quistes que a su vez pueden causar fractura del ángulo mandibular.

16
Reabsorción radicular de 7s

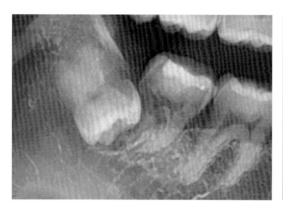 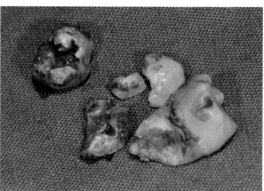

El tercer molar incluido de manera horizontal puede causar resorción radicular en el segundo molar. Esto es especialmente cuando la corona del tercer molar está en contacto con las raíces del segundo molar. Esto da como resultado dos molares sin esperanza.

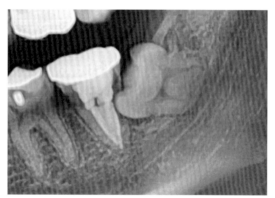 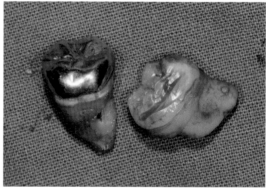

A pesar de que el #37 se sometió a un tratamiento endodóntico seguido de una colocación de la corona, la reabsorción radicular condujo a un mal pronóstico.

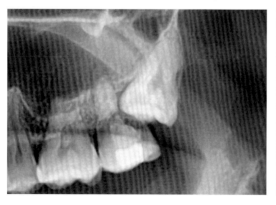 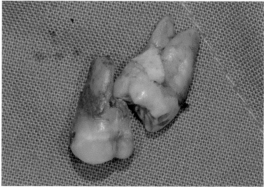

Esto muestra la reabsorción del segundo molar superior. Es más común un diente cariado adyacente a los terceros molares inferiores, pero la reabsorción radicular es más frecuente con los tercios superiores.

En este caso, es posible extraer el #27 y usar el #28 como segundo molar con un tratamiento de ortodoncia. Sin embargo, deben considerarse muchos factores, como la edad, la ubicación y la anatomía del diente del paciente. También hay una opción de implantes dentales.

17
Quistes y tumores alrededor de los terceros molares

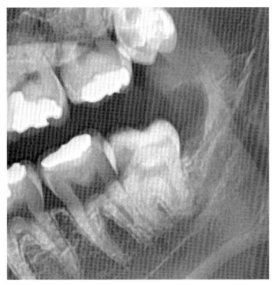

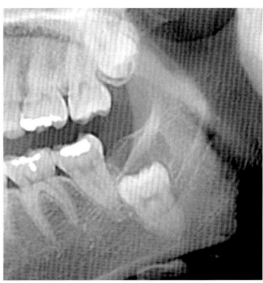

Por medio de una biopsia se confirmó que la radio lucidez alrededor de la corona distal de # 38 era tejido de granulación.

Se puede suponer que # 38 se ha desplazado verticalmente debido al quiste peri coronal.

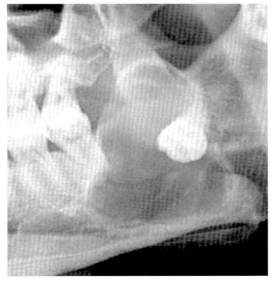

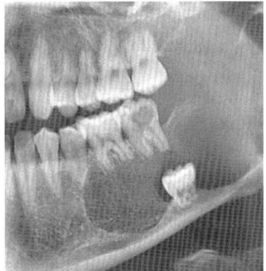

Los quistes y los tumores son graves, ya que estos casos clínicos pueden verse en algunas ocasiones.

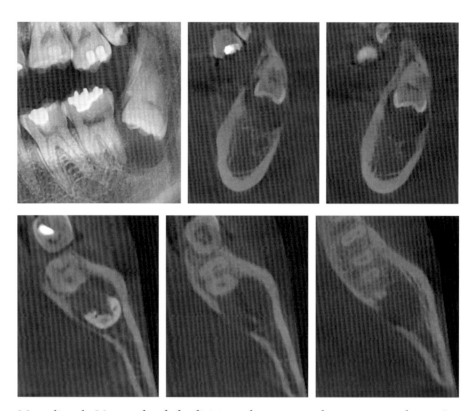

Masculino de 30 años de edad solicitó que le extrajeran los terceros molares. Se encontró un área radiolúcida alrededor de la corona en la radiografía. CBCT mostró el desplazamiento del #38 debido a un quiste. También hubo una reabsorción ósea alveolar obvia. El resultado de la biopsia reveló que se trataba de un quiste dentígero. Es importante hacerse un examen histológico ya que un pequeño porcentaje de estos quistes puede volverse maligno.

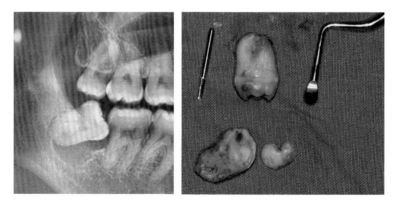

Este paciente masculino de 39 años de edad fue derivado a un hospital dental para la extracción del #48. Sus principales quejas fueron dolor intenso, edema y halitosis. Se descubrió que la radio lucidez en el mesial del # 48 era un quiste paradental. El tercer molar que se extrajo muestra cálculo en la superficie de la raíz y restos de tejido de granulación. No se pudo realizar curetaje del alvéolo debido a la proximidad al nervio alveolar inferior. Se utilizó una cureta quirúrgica para extraer el quiste de la cavidad.

18
Se creía que era un típico caso de un tercer molar

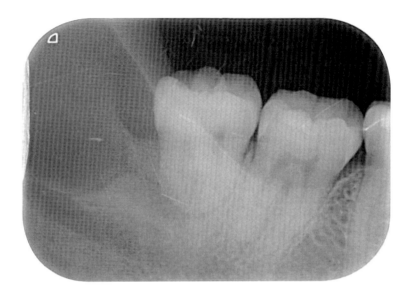

Paciente femenino a mitad de sus 20´s, quien deseaba extraerse el #48. Durante este periodo de tiempo, el Servicio de Evaluación y Evaluación de Seguros de Salud de Corea (HIRA) sugirió que los dentistas deberían tratar de evitar tomar radiografías panorámicas como medio del examen radiográfico inicial. En cambio, se tomó inicialmente una radiografía periapical que mostró una gran radio lucidez bien definida alrededor de la parte distal del # 48. Sin embargo, no estaba seguro de la radiografía inicial, por lo que se ordenó una radiografía panorámica.

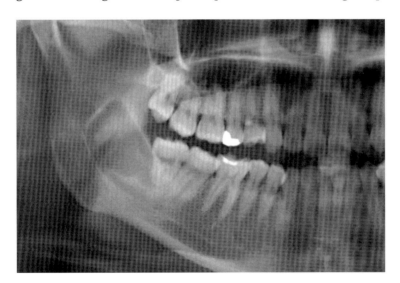

El paciente fue derivado al hospital dental ya que la radio lucidez no parecía como un quiste dentígero típico. Ella fue diagnosticada con ameloblastoma. La detección temprana es importante para un mejor pronóstico.

NOTAS CLÍNICAS DEL DR. YOUNG-SAM KIM
EXTRACCIÓN DE TERCEROS MOLARES

GANGNAM STYLE Fácil Simple Segura Eficiente **Mínimamente Invasiva y Atraumática** Extracción de Terceros Molares